AF218731

## *ACCESO GRATIS* a la Lectura en la Nube

Para visualizar el libro electrónico en la nube de lectura envíe junto a su nombre y apellidos una fotografía del código de barras situado en la contraportada del libro y otra del ticket de compra a la dirección:

**ebooktirant@tirant.com**

En un máximo de 72 horas laborables le enviaremos el código de acceso con las instrucciones de acceso

# PELIGROSIDAD, SANCIÓN Y EDUCACIÓN

## Veinte años de Ley Orgánica de
## Responsabilidad Penal de los Menores

# PELIGROSIDAD, SANCIÓN Y EDUCACIÓN

## Veinte años de Ley Orgánica de Responsabilidad Penal de los Menores

JAVIER GUARDIOLA GARCÍA
*Coordinador*

BEATRIZ ALARCÓN DELICADO
ASUNCIÓN COLÁS TURÉGANO
ANTONI GILI PASCUAL
GLORIA GONZÁLEZ AGUDELO
FÁTIMA PÉREZ JIMÉNEZ
EVA MARÍA PICADO VALVERDE
ÚRSULA RUIZ CABELLO
MARÍA SÁNCHEZ VILANOVA
AMAIA YURREBASO MACHO

tirant lo blanch
Valencia, 2023

© VV.AA.

© TIRANT LO BLANCH
EDITA: TIRANT LO BLANCH
C/ Artes Gráficas, 14 - 46010 - Valencia
TELFS.: 96/361 00 48 - 50
FAX: 96/369 41 51
Email:tlb@tirant.com
www.tirant.com
Librería virtual: www.tirant.es
DEPÓSITO LEGAL: V-1223-2023
ISBN: 978-84-1130-943-1
MAQUETA: Disset Ediciones

Si tiene alguna queja o sugerencia, envíenos un mail a: *atencioncliente@tirant.com*. En caso de no ser atendida su sugerencia, por favor, lea en *www.tirant.net/index.php/empresa/politicas-de-empresa* nuestro procedimiento de quejas.

Responsabilidad Social Corporativa: http://www.tirant.net/Docs/RSCTirant.pdf

# Índice

# Prólogo

El Proyecto de I+D *Derecho penal de la peligrosidad: tutela y garantía de los derechos fundamentales*, financiado por MCIN/ AEI /10.13039/501100011033/ y por FEDER–Una manera de hacer Europa, se propuso analizar en qué medida se ha producido un desplazamiento de la fundamentación del Derecho penal hacia la idea de peligrosidad, y cuál es el papel de los derechos fundamentales en esta deriva. Se pretendía partir de una visión multidisciplinar donde se combinara el estudio de la dogmática penal con la metodología empírica de la Criminología, estudiando el juego de la peligrosidad como elemento fundamentador de la intervención penal (que protege, pero también limita derechos y libertades fundamentales), repensar los fundamentos de este Derecho penal de la peligrosidad desde sus consecuencias prácticas y desde la perspectiva de los derechos fundamentales, y analizar manifestaciones concretas de esta forma de entender el Derecho penal.

En el desarrollo de este empeño, el sistema de derecho penal juvenil previsto en la Ley Orgánica 5/2000, reguladora de la responsabilidad penal de los menores, adquirió especial relevancia: en el contexto de una norma que se define como sancionadora-educativa, que renuncia –al menos en su formulación originaria– a proporcionar las medidas a la gravedad del hecho, y que insiste en la evaluación individualizada por profesionales ajenos a las ciencias jurídicas, el papel asignado a la peligrosidad como elemento fundamentador de la intervención resultaba de gran interés. La transferencia de elementos retributivos y criterios de proporcionalidad del sistema penal de adultos al sistema penal juvenil en sucesivas reformas, y la progresiva impregnación del derecho penal de adultos de criterios desarrollados –ciertamente con importantes matices– mucho antes en el ámbito de la responsabilidad penal de los menores, eran además fenómenos de gran interés en el estudio que se pretendía.

Y así, en la finalización del Proyecto el equipo investigador quiso contrastar sus conclusiones con expertos externos… y buscó la colaboración del Grupo de Justicia de Menores de la Sociedad Española de Investigación Criminológica. El resultado fue doble. Por una parte, un Congreso en línea (la pandemia no permitió otro formato) celebrado en abril de 2021, en el que participaron el equipo de trabajo del Proyecto, numerosos expertos del Grupo de la SEIC, y no pocos profesionales y estudiosos de la materia que aportaron sus comunicaciones –puede verse el libro de actas del Congreso publicado en la Revista *ReCrim*, 2021–. Por otra parte, surgió la iniciativa que ha llevado a puerto la presente monografía.

Tras veinte años de vigencia de la norma que regula en España la responsabilidad penal de los menores, se abordan aquí algunas cuestiones fundamentales de la misma.

**LUCÍA MARTÍNEZ GARAY**
*Investigadora Principal del Proyecto*


**JAVIER GUARDIOLA GARCÍA**
*Coordinador de esta contribución*

# Introducción

## JAVIER GUARDIOLA GARCÍA

*Universitat de València*[1]

SUMARIO: 1. El Derecho penal de menores en España. 2. La Ley Orgánica Reguladora de la Responsabilidad Penal de los Menores. 3. La jurisdicción penal de menores en cifras. 4. Un bosquejo de la presente monografía. 5. Bibliografía citada.

La obra que tiene el lector en sus manos aborda algunas cuestiones relevantes sobre el Derecho penal juvenil en España a la luz de la experiencia de veinte años de vigencia (cómo no, con importantes reformas incorporadas) del actual marco normativo. El sistema de justicia juvenil tiene una importancia que conviene no menospreciar,[2] y suscita cuestiones complejas cuyo análisis exige un estudio detallado;[3] la presente monografía pretende aportar su granito de arena en esta empresa.

Pero conviene, antes de entrar en materia, poner en antecedentes al lector, explicitar el marco legal vigente en cuanto a la responsabilidad penal de menores en España, cuantificar el fenómeno y exponer esquemáticamente el contenido de las páginas ulteriores. A ello atiende esta introducción.

---

[1]   El presente trabajo se enmarca en el Proyecto DER2017-86336-R financiado por MCIN/ AEI /10.13039/501100011033/ y por FEDER Una manera de hacer Europa.

[2]   Por todos, Cuerda Arnau, 2017; y Díez Ripollés, 2006.

[3]   Y desde luego no agotado, sin restar ningún valor a las valiosas contribuciones publicadas sobre la temática; por citar sólo algunas de las más recientes, v.gr. el estudio coordinado por Abadías Selma, Cámara Arroyo y Simón Castellano (2021); el colectivo dirigido por Fernández Molina y Bartolomé Gutiérrez (2019); el manual de Fernández Molina y Bernuz Beneitez (2018); o la monografía coordinada por Ocáriz Passevant y San Juan Guillén (2022).

# 1. EL DERECHO PENAL DE MENORES EN ESPAÑA

Los textos legales históricos tuvieron en cuenta la edad del infractor, de una u otra forma, para excluir o atenuar la responsabilidad penal de los menores; pero no pergeñaron un verdadero Derecho penal juvenil que atendiera al ámbito procesal, a consecuencias sancionatorias específicas y a la ejecución de las mismas (Colás Turégano, 2011: 55).[4]

En efecto, el Derecho romano negó la responsabilidad penal del impúber *'qui doli capax no est'* (Digesto, Lib. XLVII, tít. 10, l. 3); en la misma línea, a mediados del siglo XIII las Partidas de Alfonso X de Castilla exoneraban de responsabilidad a los menores de diez años y medio, atenuando la pena a los menores de 14 años –a los que no podían imputarse adulterios ni delitos sexuales– y a los menores de 17 años (P. IIII, t. XIX, l. IIII; P. VII, t. I, l. IX y t. XXXI, l. VIII), y los textos posteriores (Ordenanzas Reales de Castilla, Nueva Recopilación, Novísima Recopilación) también recogieron previsiones parecidas. Esta limitada atención a la problemática del menor infractor por la normativa penal tuvo como correlato, andando el tiempo, la atención de particulares e instituciones religiosas, que atendieron a los menores desamparados y con ellos a los menores infractores; y en el surgimiento de instituciones como el *Pare d'Orfens* (Padre de Huérfanos surgido en 1337 en Valencia, destinado a acoger a menores vagabundos y huérfanos y a juzgar a menores infractores, que luego se extendería en diversas variantes a Aragón, Navarra y Castilla, y que perviviría hasta finales del s. XVIII) o posteriormente los Toribios de Sevilla (surgidos en 1725 por iniciativa de Toribio de Velasco, extendieron su actividad hasta el primer tercio del siglo XIX, atendiendo tanto a desamparados como a 'ejercitantes o corrigendos'[5]).[6]

---

[4] Para una síntesis de los antecedentes del Derecho penal del menor en España pueden verse Colás Turégano, 2011: 55-64; Serrano Gómez, 1970: 23-25; y Serrano Tárrega, 2007: 271-307.

[5] Que por cierto se separaban unos de otros; a finales del XVIII se construye una galería independiente para los corrigendos y se dictan normas específicas (vid. Gómez y Medina [1792]).

[6] El ahora abominado como 'pésimo criterio jurídico y pedagógico' (Tamarit Sumalla, 2002: 17) de ocuparse al tiempo de protección y reforma, cuyo origen podemos vincular al recurso de algunos desamparados a la delincuencia como

## 1.1. *La minoría de edad penal en los orígenes de la codificación penal española*

La codificación penal española siguió, en sus inicios, la pauta del discernimiento marcada por el Código francés de 1810, aunque añadiendo una edad mínima por debajo de la cual no había en ningún caso responsabilidad penal. Así, el Código penal de 1822 previó en su art. 23 que no pudiera considerarse delincuente ni culpable 'en ningún caso' el menor de siete años cumplidos, y que desde esta edad hasta los diecisiete años 'se examinará y declarará previamente en el juicio si ha obrado o no con discernimiento y malicia según lo que resulte, y lo más o menos desarrolladas que estén sus facultades intelectuales'; si se concluía la ausencia de discernimiento y malicia, se entregaba a su familia sin imponerle pena alguna (art. 24), pero si los familiares 'no pudieren hacerlo, o no merecieren confianza, y la edad adulta del menor y la gravedad del caso requiriesen otra medida al prudente juicio del juez, podrá este ponerle en una casa de corrección por el tiempo que crea conveniente, con tal que nunca pase de la época en que cumpla los veinte años de edad.' Si se declaraba haber obrado con discernimiento y malicia, se imponía una pena atenuada (art. 25, prohibiendo el art. 64 determinadas penas y atenuando el art. 65 las demás).[7] Por demás, en 1834 la Ordenanza General de los Presidios del Reino incluyó la previsión de que se separara a los menores de 18 años de los adultos (art. 123),[8] '[p]ara la corrección de los desgra-

---

modo de atender a su subsistencia, acompañará largo tiempo –hasta 1948– a las iniciativas y la normativa española en la materia. Para un análisis particular de los antecedentes más remotos del Derecho penal de menores español, Higuera Guimerá, 2003: 121-132; Ríos Martín, 1993: 89-101; Rodríguez Pérez, 2001; y Ventas Sastre, 2003: 142-151.

[7]     La atención a la conducta de los menores del Código penal de 1822 se extendió, asimismo, a prever como delitos contra las buenas costumbres el desacato de los sujetos a patria potestad, tutela o curatela a la autoridad de quienes la ejercían (arts. 561 a 568, capítulo V del título VII), de forma que cuando los castigos domésticos no bastaban podían ser llevados éstos ante el alcalde del pueblo para que los reprendiera, o ante reincidencia los pusiera en casa de corrección. Era 'la primera y única vez' (Serrano Tárrega, 2007: 276) que se recogían en un código penal español esas conductas.

[8]     No era la primera vez que se adoptaban decisiones en este sentido, aunque los diversos intentos de los siglos XVIII y XIX fracasaron en atajar promiscuidad y contagio criminal (Rodríguez Pérez, 2001: 422).

ciados jóvenes a quienes la orfandad, el abandono de los padres, o
la influencia de malas compañías, lanzó a la carrera de los crímenes
antes de que la experiencia les haya revelado los males que causan a
la sociedad y a sí mismos'.

El Código penal de 1848, por su parte, incluyó entre las circunstancias que eximían de responsabilidad criminal en su artículo 8 ser
'menor de 9 años' (art. 8.2°); y ser 'mayor de 9 años y menor de 15, a
no ser que haya obrado con discernimiento' (art. 8.3°, que añadía que
'el tribunal hará declaración expresa sobre este punto para imponerle
pena, o declararlo irresponsable', previendo el art. 72 que si es declarado responsable 'se le impondrá una pena discrecional, pero siempre
inferior en dos grados por lo menos a la señalada por la ley al delito que hubiere cometido'). Se incluía además una atenuante para los
menores de 18 años (art. 9.2ª), que daba lugar a aplicar 'en el grado
que corresponda la pena inmediatamente inferior a la señalada por la
ley'(art. 72 p.2). Respecto de las previsiones de 1822, se elevaba así
dos años la edad de irresponsabilidad absoluta, y se omitía referencia
a la 'malicia', pero se mantenía el criterio del discernimiento[9] para
una franja etaria –recortada ahora dos años por debajo y otros dos
por arriba: pasa de 7 a 17 a de 9 a 15 años–; lo que enfrentaba a los
tribunales a una cuestión que en palabras de Pacheco (1856) 'puede
ser difícil; más que difícil, peligrosa' (p. 142). Y es que en efecto, ni
resultaba fácil la prueba al respecto,[10] ni el criterio de los tribunales

---

[9]     Señala Serrano Tárrega (2007: 278) que a diferencia de la de 1822 la redacción
        del texto legal de 1848 presume la ausencia de discernimiento, admitiendo prue-
        ba en contra. En cualquier caso, el modelo del discernimiento exigía *una prueba
        positiva de la libertad*, [...] algo *absolutamente imposible de obtener*' (Vives An-
        tón, 1995: 351, cursivas en el original).

[10]    La Ley de Enjuiciamiento Criminal, promulgada en 1882, preveía en su artículo
        380 (*Gaceta de Madrid* de 17 de septiembre de 1882), cuyo dictado no se ha
        modificado hasta la actualidad, que 'Si el procesado fuere mayor de nueve años y
        menor de quince, el Juez recibirá información acerca del criterio del mismo, espe-
        cialmente de su aptitud para apreciar la criminalidad del hecho que hubiese dado
        motivo a la causa. En esta información serán oídas las personas que puedan
        deponer con acierto por sus circunstancias personales y por las relaciones que
        hayan tenido con el procesado antes y después de haberse ejecutado el hecho.
        En su defecto se nombrarán dos Profesores de instrucción primaria para que,
        en unión del Médico forense o del que haga sus veces, examinen al procesado y
        emitan su dictamen.'

era siempre homogéneo; lo que generaba importantes problemas de seguridad jurídica (Colás Turégano, 2011: 57). Con todo, este problemático criterio se mantuvo hasta que, surgida la legislación tutelar para los menores, el Código de 1928 renunció al mismo.[11]

En efecto, la reforma de 1850 no afectó estas materias; y el Código de 1870[12] mantuvo las previsiones de los artículos 8 y 9 que aquí nos interesan y el régimen penológico arriba reseñado (ahora recogido en el artículo 86[13]), añadiendo en la línea que había apuntado el Código de 1822 que en los casos de declaración de irresponsabilidad el menor '[s]erá entregado a su familia con encargo de vigilarlo y educarlo. A falta de persona que se encargue de su vigilancia y educación, será llevado a un establecimiento de beneficencia destinado a la educación de huérfanos y desamparados, de donde no saldrá sino al tiempo y con las condiciones prescritas para los acogidos' (art. 8.3° p.2).[14]

## 1.2. El surgimiento de los Tribunales para niños.

Hacia finales de siglo, la preocupación por la infancia lleva a dictar la Ley de 26 de julio de 1878 sobre niños, ejercicios peligrosos, vagancia y mendicidad;[15] y con el nuevo siglo nace la Ley de 12 de agosto de 1904 de protección a la infancia,[16] a la que acompañaría el 24 de enero un 1908 un Reglamento con rango de Real Decreto,[17] mientras van proliferando Escuelas de Reforma o Reformatorios para que los menores puedan cumplir en ellos las penas privativas de libertad.[18] Es

---

[11]   Quizá porque, además de ser impreciso y de difícil aplicación, con la implantación del sistema tutelar –al que la imputabilidad es indiferente– se convertía, sencillamente, en inútil (Martín Ostos, 1994: 37).

[12]   *Gaceta de Madrid* de 31 de agosto de 1870, pp. 9-23.

[13]   Por cierto con el aplauso de Groizard y Gómez de la Serna (1870: 192, 1872: 392), para quien esto debía decidirlo 'el juez y no el legislador' (1872: 393), si bien insistía en la conveniencia de extender la atenuación del último tramo hasta los 21 años (1870: 207, 1872: 394).

[14]   Advierte Serrano Tárrega (2007: 280) que esta última previsión no se incluyó en el Código penal de 1914 para la zona de influencia de Marruecos, que además introdujo cambios en la franja etaria de 16-17 años.

[15]   *Gaceta de Madrid* de 28 de julio de 1878.

[16]   *Gaceta de Madrid* de 17 de agosto de 1904.

[17]   *Gaceta de Madrid* de 26 de enero de 1908.

[18]   Martín Ostos, 2020: 15.

la época en que en la ciudad de Chicago se había establecido el primer tribunal de menores (1899), pero en España habría que esperar aún algunos años. Mientras tanto, en 1908 una Ley de 31 de diciembre[19] dispuso que los menores de 15 años no sufrieran prisión preventiva salvo que revelaran 'especial perversidad o manifiesta predisposición a la delincuencia', o fueran reincidentes.[20] Y comienzan a surgir propuestas de creación de tribunales propios para niños (Martín Ostos, 2020: 17 ss.), al tiempo que se van publicando no pocas obras que la reclaman.[21]

Y se suceden los intentos: un Real Decreto de 1912[22] autorizó al Ministro a presentar un proyecto a Cortes, pero una inmediata crisis de gobierno impidió que esto llegara a suceder; el 4 de julio de 1914[23] se presentó una proposición de Ley estableciendo bases para la organización de los Tribunales para niños, proposición que fue tomada en consideración pero que no llegó a aprobarse; y otro tanto aconteció con la autorización al Ministro del Real Decreto de 1 de noviembre de 1915[24] y el proyecto presentado en consecuencia una semana más tarde; así como finalmente con el Real Decreto de 5 de febrero de 1917[25] y las bases que adjuntaba.[26] Ninguno de ellos llegó a ser aprobado. Mejor suerte tuvo la proposición de Ley de bases sobre Organización y Atribuciones de Tribunales para niños de 1918, que recuperaba el texto de 1914 y que, con algunas modificaciones, llegó a buen puerto: tras una rápida tramitación,[27] el texto articulado se aprobó por Real Decreto de 25 de noviembre de 1918[28] y así vio la luz la Ley sobre

---

[19]   *Gaceta de Madrid* de 1 de enero de 1909.
[20]   Sobre la regulación de esta norma y su aplicación efectiva, Martín Ostos, 2020: 16 en texto y n. 9.
[21]   De la pluma de Cuello Calón, De Benito y Dorado Montero, entre otros; vid. un listado en Martín Ostos, 2020: n. 13 en p. 18.
[22]   *Gaceta de Madrid* de 31 de octubre de 1912.
[23]   *Diario de Sesiones de las Cortes* de 6 de julio.
[24]   *Gaceta de Madrid* de 11 de noviembre de 1915.
[25]   *Gaceta de Madrid* de 11 de febrero de 1917.
[26]   Sobre todos estos proyectos, con abundante información y referencias, Martín Ostos, 2020: 18-36.
[27]   La proposición se presentó en mayo: la Ley de bases es de 2 de agosto; *Gaceta de Madrid* de 15 de agosto de 1918.
[28]   *Gaceta de Madrid* de 27 de noviembre de 1918. Apunta que la norma se inspiraba en la ley belga de 1912 Serrano Tárrega, 2007: n. 87 en p. 286.

organización y atribuciones de los Tribunales para niños,[29] a la que seguiría un Reglamento por Real Decreto de 10 de julio de 1919.[30] El 8 de mayo de 1920, en Bilbao, se celebró el primer juicio de un Tribunal para niños en España.[31]

La Ley de Tribunales para niños de 1918 otorgaba a estos competencias para juzgar delitos y faltas cometidos por menores de 15 años, pero también para proteger a menores abandonados o en peligro –asumieron pues represión de faltas de mayores contra menores y reforma de menores junto con protección de menores, como apuntaban sus antecedentes remotos–, sin sujeción a formalidades ni reglas procesales, resolviendo mediante 'acuerdos' en lugar de sentencias...[32] con la particularidad añadida de que sólo se pondrían en marcha tribunales para niños en aquellos lugares donde existieran establecimientos dedicados a la observación y educación de la infancia abandonada y delincuente,[33] lo que no permitió su implantación en todo el territorio.

### 1.3. Evolución de los Tribunales Tutelares y del Código penal

En 1925 se reformó la Ley, pasando a denominarse 'de Tribunales Tutelares para niños', y elevando su competencia hasta los 16 años de edad de los menores;[34] y por Real Decreto de 14 de noviembre de 1925[35] se modificó correlativamente el Código penal, dando nueva redacción al ordinal tercero del artículo 8, que pasaba a referirse al 'mayor de nueve años y menor de diez y seis, a no ser que haya obrado con discernimiento', manteniéndose el requerimiento de declaración expresa del Tribunal al respecto, y cambiando todas las referencias del Código a los menores de 15 años por referencias a los menores de 16 años. Con esto, allí donde se habían establecido Tribunales tu-

---

29    Sobre la Ley de Bases y el Decreto a que dio lugar, vid. Almazán Serrano e Izquierdo Carbonero, 2007: 36-38; Higuera Guimerá, 2003: 132-137; Ríos Martín, 1993: 102-103; y Ventas Sastre, 2003: 152-153.
30    *Gaceta de Madrid* de 13 de julio de 1919.
31    Colás Turégano, 2011: 59; Martín Ostos, 2020: 41.
32    Serrano Tárrega, 2007: 285-286.
33    Colás Turégano, 2011: 59-60.
34    Higuera Guimerá, 2003: 137-147; y Ventas Sastre, 2003: 153-154.
35    *Gaceta de Madrid* de 15 de noviembre de 1925.

telares para niños, quedaban los menores de 16 años definitivamente
sustraídos de la aplicación del Código penal; manteniéndose sin embargo la competencia de la jurisdicción penal ordinaria allí donde no
hubiera dichos Tribunales, si bien con previsiones especiales para los
menores:[36] no se les aplicaba la prisión preventiva ordinaria y se les
otorgaba siempre el beneficio de suspensión de condena.

El Código penal de 1928,[37] por su parte, abandonaría definitivamente el criterio del discernimiento[38] para adoptar un límite etario
absoluto para la responsabilidad penal plena, en la medida en que
se implantaran efectivamente los Tribunales tutelares; en efecto, incluyó entre las causas de inimputabilidad en su art. 56 una previsión

---

[36]   Se añadía: 'Los menores comprendidos entre las expresadas edades, acusados
       por delitos o faltas cometidos en territorio al cual alcance la jurisdicción de algún
       Tribunal tutelar para niños, no podrán ser sometidos a otros procedimientos y
       sanciones que los autorizados por la Ley y Reglamentos reguladores de dichos
       Tribunales tutelares. / Cuando el lugar donde se cometió el delito o falta no
       alcance la jurisdicción de ningún Tribunal tutelar para niños, el mayor de nueve
       años y menor de diez y seis, responsable de la infracción, será juzgado conforme
       a los preceptos de la Ley de Enjuiciamiento criminal, y le serán aplicados los del
       Código o de la ley penal que corresponda; pero durante el proceso no sufrirá
       en ningún caso prisión preventiva en los establecimientos destinados a este fin',
       sino en todo caso reclusión provisional en asilos o establecimientos dedicados
       al cuidado de la infancia, 'y cuando recaiga sentencia condenatoria, el Tribunal
       sentenciador otorgará siempre el beneficio de suspensión de condena [...] por un
       año, transcurrido el cual sin que hubiera delinquido  de nuevo, se considerará
       remitida la condena.' Y ello aunque tuvieran otras causas pendientes, ejecután-
       dose el fallo en suspenso sólo si dentro del plazo de suspensión y cumplidos
       los 16 años volvían a delinquir. A los menores de 16 años no podía aplicárseles
       la agravante de reincidencia, para la cual en adelante no se tendrían en cuenta
       infracciones cometidas antes de dicha edad, que no se inscribirían en el Registro
       central de antecedentes ni constarían en los certificados de antecedentes. Por otra
       parte, los antecedentes por delitos cometidos entre los 16 y los 18 años gozaban
       de un plazo privilegiado de cancelación. Y se preveía la revisión de las sentencias
       ya dictadas contra menores de 16 años.
[37]   Real Decreto Ley de 8 de septiembre, *Gaceta de Madrid* de 13 de septiembre de
       1928.
[38]   Pese a los problemas que presentó el discernimiento como criterio para deter-
       minar la responsabilidad penal del menor cuando estuvo vigente, más arriba
       reseñados, y sus problemas estructurales (Vives Antón, 1995: 351), no falta al-
       guna voz en la doctrina que reclama su reintroducción, a veces invocando expre-
       samente el ejemplo de la legislación alemana: Caño Paños, 2021; Pérez Machío,
       2007: 55.

que decía: 'Es irresponsable el menor de diez y seis años. El presunto responsable en cualquier concepto de una infracción criminal de las definidas en este Código o en leyes especiales, que no haya cumplido diez y seis años, será sometido a la jurisdicción especial del competente Tribunal tutelar para niños. Pero mientras exista algún territorio al que no alcance la jurisdicción de los tribunales tutelares se aplicará lo que preceptúa el artículo 855.'[39] Por demás, el Código introdujo en su artículo 65.5ª una atenuante por '[s]er el agente, al cometer la infracción, mayor de diez y seis y menor de diez y ocho años', que tenía como consecuencia (art. 154) la imposición de 'la pena inmediatamente inferior en la medida que [el Tribunal] estime procedente'.

Los Tribunales tutelares se adaptaron a la nueva normativa por un Decreto-Ley de 1929, pasando a denominarse Tribunales Tutelares de Menores, en los que participaban ciudadanos a los que no se requería formación jurídica, ni se les retribuía por su función, que ejercían sin publicidad ni reglas procesales.[40] En 1931 se revisó esta normativa, sin modificaciones sustanciales.[41]

El Código penal de 1932[42] mantuvo en su artículo 8.3º la exención de responsabilidad para el menor de 16 años; pero introdujo, en cuanto nos interesa, dos novedades respecto del Código precedente: por una parte, la aplicación de la ley tutelar para menores ya no se condicionaba a la implantación de los Tribunales Tutelares;[43] por otra, se

---

[39]   El artículo 855 conservaba la exención de responsabilidad criminal para los menores de 9 años, y el criterio del discernimiento para los mayores de 9 y menores de 16, manteniendo sustancialmente el régimen previsto en la reforma de 1925 cuando se declarara haber obrado el menor con discernimiento, pero cuidando de declarar subsistentes las responsabilidades civiles aunque no se exigieran las penales.

[40]   Almazán Serrano e Izquierdo Carbonero, 2007: 38-40; y Ríos Martín, 1993: 103-104.

[41]   Ríos Martín, 1993: 104; y Serrano Tárrega, 2007: 287.

[42]   *Gaceta de Madrid* de 5 de noviembre de 1932.

[43]   En efecto, en lugar de prever una atenuación de la aplicación del Código penal allí donde no hubiera Tribunal Tutelar, preveía ahora el párrafo segundo del artículo 8.3º que 'En las infracciones perpetradas por menores de diez y seis años en provincias donde no existan aún Tribunales Tutelares de Menores, el Juez instructor aplicará la Ley de esa institución ajustándose en todo lo posible al procedimiento ordenado en la misma y, caso de considerar necesario el internamiento del menor, lo efectuará en algún asilo o establecimiento destinado a la juventud

incrementaba la atenuación de pena para mayores de 16 y menores de 18 años, al prever el art. 71 que 'se aplicará siempre, en el grado que corresponda, la pena inmediatamente inferior en uno o dos grados a la señalada por la Ley'.

La Ley sobre Tribunales Tutelares de Menores se reorganizó en 1940, permitiendo que en algunas capitales de provincia se dotaran jueces unipersonales retribuidos para ejercer las funciones de Tribunal Tutelar, y manteniendo la triple competencia reformadora, represiva y protectora; y se hicieron ligeros retoques en 1942 y 1943.[44]

El Código penal de 1944[45] mantuvo la exención de responsabilidad penal para los menores de 16 años (art. 8.1º),[46] y también la atenuación de pena para menores de 18 años (art. 9.3º) con una rebaja de uno o dos grados, con la novedad de que podía el Tribunal 'en atención a las circunstancias del menor y del hecho, sustituir la pena impuesta por internamiento en Institución especial de reforma por tiempo indeterminado, hasta conseguir la corrección del culpable.'[47]

---

desvalida, teniendo siempre en cuenta las condiciones subjetivas del agente y no el alcance jurídico del acto cometido.'

[44]  Higuera Guimerá, 2003: 147-150; Serrano Tárrega, 2007: 287-288; y Ventas Sastre, 2003: 154.

[45]  «BOE» núm. 13, de 13/01/1945.

[46]  El art. 8.1º por cierto preveía que si la Jurisdicción de menores no entendía procedente actuar se derivara al menor a la autoridad gubernativa: 'Cuando el menor que no haya cumplido esta edad ejecute un hecho castigado por la Ley, será entregado a la Jurisdicción especial de los Tribunales Tutelares de Menores. En los casos en que, excepcionalmente, la jurisdicción tutelar declinare su competencia respecto a un mayor de dieciséis años, por entender que por el tiempo transcurrido desde la ejecución del hecho, realizado antes de cumplirlos, o por razón de las circunstancias del menor, no ha de ser conveniente la adopción de las medidas que pudiera aplicarle, confiará el menor a la Autoridad gubernativa para que ésta adopte las medidas de Seguridad que la legislación autorice. / En las infracciones perpetradas por menores de dieciséis años en provincias donde no existan aún Tribunales Tutelares de Menores, el Juez instructor aplicará la Ley de dicha institución ajustándose en todo lo posible al procedimiento ordenado en la misma, y, caso de considerar necesario el internamiento del menor, lo efectuará en algún establecimiento adecuado, teniendo siempre en cuenta las condiciones subjetivas del agente y no el alcance jurídico del acto cometido.'

[47]  La sustitución de sanción por reforma venía oscurecida, sin embargo, por la duración indeterminada del internamiento, generalmente criticada por indeterminada y desproporcionada (Colás Turégano, 2011: 58; Serrano Tárrega, 2007: 283). Por demás, esta alternativa apenas fue aplicada.

## 1.4. *La Ley de Tribunales Tutelares de Menores de 1948*

En 1948 se escindieron reforma y protección de menores (Viana Ballester, 2004: 151) –si en la Ley de 1918, el artículo tercero aglutina competencias de protección, represión y reforma, en la de 1948 su artículo noveno distingue claramente estas tres competencias, el artículo 17 define las medidas que pueden adoptarse en ejercicio de una u otra, y el Reglamento anexo a la Ley distingue el orden de proceder en reforma y en protección– , pero siguieron ambas encomendadas a los Tribunales Tutelares hasta que en los años 80 se transfirieran las competencias en materia de protección a las comunidades autónomas (Colás Turégano, 2011: 60).

El Decreto de 11 de junio de 1948[48] organizaba los Tribunales Superiores bajo la dependencia de un Consejo Superior de Protección de Menores, que a su vez dependía del Ministerio de Justicia. Estaban integrados por un Presidente y un Vicepresidente nombrados por el Ministro de Justicia, licenciados en Derecho que no ejercieran otra jurisdicción judicial, sin retribución pero sin otras incompatibilidades; y por dos vocales propietarios y dos suplentes a los que se exigía residir en el territorio en el que ejercían jurisdicción, y ser mayores de 25 años con moralidad y vida familiar intachables. El Secretario había de tener 23 años y licenciatura en Derecho. En Madrid y las capitales de provincia con mayor volumen de asuntos, el Tribunal se reemplazaba por uno o dos jueces unipersonales remunerados, tal como se había previsto ya para Madrid en 1940. Los Tribunales de Apelación estaban íntegramente formados por licenciados en Derecho, que fueran o hubieran sido Catedráticos de Derecho, Magistrados, Fiscales, o Presidentes de Tribunales Tutelares durante más de 10 años.

El artículo 15 preveía que las sesiones no fueran públicas ni se sujetaran a reglas procesales, tomando las decisiones nombre de acuerdos; y en ellos los delitos o faltas eran enjuiciados con 'razonada li-

---

[48]    «BOE» núm. 201, de 19/07/1948. Sobre esta normativa, Almazán Serrano e Izquierdo Carbonero, 2007: 40-41; Cea d'Ancona, 1992; Colás Turégano, 2011: 60-62; De la Cuesta Arzamendi y Blanco Cordero, 2010: 38-39; Giménez-Salinas Colomer, 1981: 27-61; Higuera Guimerá, 2003: 163-170; Pérez Jiménez, 2006: 55-78; Ríos Martín, 1993: 141-186; Serrano Tárrega, 2007: 297-303; y Ventas Sastre, 2003: 154-160 y 161-164.

bertad de criterio', 'prescindiendo en absoluto del concepto y alcance jurídico' de los mismos. Sólo los mayores de 16 años podían recurrir a la intervención de procurador y abogado (art. 29 del Reglamento anexo), en los demás casos la comparecencia y defensa era 'exclusivamente personal'; la instrucción era secreta y el procedimiento, en general, carente de garantías. Las medidas eran modificables con posterioridad e indeterminadas en su duración, pudiendo prolongarse hasta la corrección del menor o su mayoría de edad.

La reforma del Código penal de 1963, en cuanto nos interesa, se limitó a suprimir la previsión relativa a que donde no hubiera Tribunal Tutelar aplicaría la Ley Tutelar el Juez instructor, por cuanto ya los había en todas las provincias.[49] Y el Texto Refundido de 1973 tampoco introdujo cambios.

La legislación tutelar, en cambio, fue dos veces modificada: por el Decreto 1480/1968,[50] con el declarado objetivo de adaptar la Obra de Protección de Menores a las modificaciones administrativas y al tiempo coordinar efectivamente protección y reforma colocándolas bajo una sola presidencia efectiva; y por Decreto 414/1976,[51] que pretendía 'completar la reforma' reconociendo la independencia de los Tribunales Tutelares y facilitando la revisión de sus acuerdos, al tiempo que preveía que 'en tanto no exista personal especializado, las funciones propias de los Jueces unipersonales podrán ser encomendadas, en régimen de compatibilidad, a personal en activo de las Carreras Judicial o Fiscal de la misma localidad'.

### 1.5. La adaptación del sistema a la Constitución de 1978

Tras la entrada en vigor de la Constitución Española de 1978, la Ley Orgánica General Penitenciaria de 1979[52] previó –arts. 8.3 y 9.2– que los menores de 21 años[53] (y excepcionalmente los menores de 25, atendiendo a su personalidad), 'sean detenidos, presos o pena-

---

[49]   Serrano Tárrega, 2007: 284.
[50]   «BOE» núm. 60, de 10/03/1976.
[51]   «BOE» núm. 60, de 10/03/1976.
[52]   «BOE» núm. 239, de 05/10/1979.
[53]   Recuérdese que, en aquel momento, esto incluía a los mayores de 16 y menores de 18 años.

dos' –art. 16.c–, estuvieran separados de los demás internos: '[c]uando no existan establecimientos de preventivos para mujeres y jóvenes, ocuparán en los de hombres departamentos que constituyan unidades con absoluta separación y con organización y régimen propios', y deberán 'cumplir separadamente de los adultos en establecimientos distintos o, en todo caso, en departamentos separados'.

Y la Ley Orgánica del Poder Judicial de 1985[54] incluyó, en sus artículos 26, 96 y 97, los Juzgados de Menores dentro de la potestad jurisdiccional, incardinándolos en la jurisdicción ordinaria (Martín Ostos, 1994: 110)[55]; así la Ley 38/1988, de Demarcación y Planta Judicial,[56] determinó la entrada en funcionamiento de los Juzgados de Menores, servidos por jueces o magistrados, con la competencia que venían asumiendo los Tribunales Tutelares, que se cesaban (arts. 47 y 48).[57] Y con ello, de la jurisdicción de menores pasaban a ocuparse 'órganos especializados dentro de la jurisdicción ordinaria' atendi-

---

[54] «BOE» núm. 157, de 02/07/1985. Por cierto que la Disposición adicional primera de dicha Ley Orgánica emplazaba al Gobierno a remitir a las Cortes Generales un proyecto de Ley que atendiera a la reforma de la legislación tutelar de menores... lo que no se hizo.

[55] Como señala Martín Ostos (1994), el acierto de sacar al menor del Código penal no implicaba necesariamente sacarlo de la jurisdicción ordinaria (p. 28, criticando las consecuencias de hacerlo en p. 29). La Ley de 1918 constituyó Tribunales presididos por un juez de primera instancia pero cuyos vocales eran particulares designados por su práctica pedagógica, condiciones especiales o conocimientos profesionales; el texto refundido de 1948 los convirtió en organismos híbridos administrativo-jurisdiccionales que podían estar formados por personas ajenas a la carrera judicial; el Decreto 414/1976 permitió al personal de carrera judicial o fiscal en activo la compatibilidad de sus funciones con el ejercicio de la jurisdicción de menores; pero hasta la reforma operada por la Ley Orgánica del Poder Judicial y la Ley de Demarcación y Planta Judicial no se incardinarían plenamente en el poder judicial (Viana Ballester, 2004: 152).

[56] «BOE» núm. 313, de 30/12/1988.

[57] Morillas Cueva, 2010: 33; y Viana Ballester, 2004: 152. La disposición transitoria cuarta de la Ley de Demarcación y Planta preveía que '[e]n tanto no se produzca la constitución de los Juzgados de Menores, y sin perjuicio de lo establecido en la disposición transitoria vigésima sexta de la Ley Orgánica del Poder Judicial, el Consejo General del Poder Judicial podrá proceder al nombramiento de miembros de la Carrera Judicial para las plazas correspondientes a los Tribunales Tutelares de Menores que no se hallen ocupadas por Jueces pertenecientes a la Escala de Jueces Unipersonales de Menores, disponiendo el cese de sus actuales titulares'.

dos por jueces de carrera (Tamarit Sumalla, 2002: 17); a los que por cierto, con el desarrollo de la normativa autonómica que asumía la protección de menores, les quedaban sólo competencias en materia de reforma.[58]

Pero quedaba pendiente la tarea de adaptar la normativa tutelar de menores a las exigencias de la Constitución... porque, obviamente, no superaba los cánones constitucionales. Vigente el Texto Refundido de 1948, la normativa de 1918 era aún 'base de la actual legislación' (Giménez-Salinas Colomer, 1981: 27), de la que era 'pura continuidad' (Andrés Ibáñez, 1987: 56), y no se ajustaba ni a los principios jurídicos del orden constitucional ni a las ideas sobre reforma de menores de los nuevos tiempos.[59] Los propios Jueces de Menores elevaron cuestiones de inconstitucionalidad al respecto.

En efecto, la Sentencia del Tribunal Constitucional 36/1991, de 14 de febrero, declaró inconstitucional el artículo 15 de la Ley de Tribunales Tutelares de Menores –que como se ha referido más arriba, en el texto refundido aprobado por Decreto de 11 de junio de 1948, continuaba previendo que las sesiones no serían públicas ni se someterían a reglas procesales–. La reacción inmediata fue dictar la Ley Orgánica 4/1992, de 5 de junio, sobre reforma de la Ley reguladora de la Competencia y el Procedimiento de los Juzgados de Menores,[60] que no abordó una 'reforma general y adecuada del sistema de menores' (Viana Ballester, 2004: 154): era una reforma de urgencia para corregir la grave inadecuación a las exigencias constitucionales –artículos 9.3 y 24 de la Constitución– señalada por el Tribunal Constitu-

---

[58] La Ley 21/1987 («BOE» núm. 275, de 17/11/1987) introdujo en el Código Civil (art. 172) la previsión de que la 'entidad pública a la que, en el respectivo territorio, esté encomendada la protección de menores' se ocupara de la tutela 'de los que se encuentren en situación de desamparo'.

[59] Sobre la crisis del sistema tutelar, De la Cuesta Arzamendi y Blanco Cordero, 2010: 39-40; valga como ejemplo la afirmación de Andrés Ibáñez (1987) de que en su contestación 'confluyen, por una parte, las aportaciones de las ciencias de la conducta y la nueva criminología, y, por otra, la revisión y recuperación desde presupuestos democráticos del papel garantista de las instituciones jurídicas penal-procesales, y, en un plano puramente empírico, el análisis de la tremendamente negativa experiencia de las tradicionales instituciones de menores y su evidente capacidad criminógena y destructiva' (p. 57).

[60] «BOE» núm. 140, de 11/06/1992.

cional.[61] La ley, que predicaba de sí misma 'el carácter de una reforma
urgente que adelanta parte de una renovada legislación sobre reforma de menores, que será objeto de medidas legislativas posteriores'
(Exposición de Motivos), atendía a la creación de un procedimiento
respetuoso con las garantías constitucionales, actualizaba el sistema
de medidas aplicables y fijaba la edad mínima para la responsabilidad penal en los doce años[62] (por debajo de esta edad se derivaba al
menor a las instituciones administrativas de protección de menores);
la dirección de la investigación y la iniciativa procesal se atribuían al
Ministerio Fiscal, limitando las competencias para excluir las conductas penalmente irrelevantes.[63]

Afortunadamente, la citada Sentencia del Tribunal Constitucional
36/1991 no agotó ahí sus efectos: en 1994 el Congreso adoptó por
unanimidad una moción que acordaba incorporar al próximo proyecto de Código penal el establecimiento de la mayoría de edad a
los 18 años, remitiendo además una 'ley penal del menor y juvenil'.[64]
Y efectivamente se sucedieron media docena de iniciativas en este
sentido, que iban proponiendo alternativamente un modelo de responsabilidad penal (un derecho penal de menores) o un modelo de
responsabilidad social o administrativo (un derecho correccional de
menores):[65] el Anteproyecto de Ley Orgánica Penal Juvenil y del Me-

---

[61]   Con todo, señala en la Ley de 1992 el surgimiento de un 'verdadero Derecho
        penal juvenil en España' Cezón González, 2001: 9.
[62]   Por demás, se conservaron competencias sobre algunas faltas cometidas por ma-
        yores de edad.
[63]   Colás Turégano, 2011: 62-65; Cruz Blanca, 2002: 258-288; Díaz-Maroto y Vi-
        llarejo, 2015: 22; Landrove Díaz, 2007: 46-52; Morillas Cueva, 2010: 34-35;
        Ornosa Fernández, 2007: 59-67; Pérez Jiménez, 2006: 78-105; Sánchez García
        de Paz, 1998: 112-117; Serrano Tárrega, 2007: 297-303; y Tamarit Sumalla,
        2002: 17.
[64]   Viana Ballester, 2004: 154.
[65]   En el debate entre ambas opciones se cruzaban argumentos relacionados con los
        presupuestos de la responsabilidad penal (la imputabilidad de los menores) con
        otros centrados en el sometimiento o no a las garantías derivadas de los princi-
        pios constitucionales del Derecho penal. Aunque minoritaria, tampoco falta la
        opción de quienes admitiendo un espacio para el Derecho penal juvenil quieren
        adicionar un Derecho correccional para menores de más tierna edad: aboga por
        la recuperación del Derecho de corrección de menores para la problemática de-
        lictual o predelictual de los que no han alcanzado los 14 años, afirmando que
        'el Derecho correccional de menores debe pasar a formar parte de las institu-

nor de abril de 1995,[66] fuertemente influido por la normativa alemana; el Anteproyecto de Ley Orgánica de Justicia Juvenil de octubre de 1996, que preveía una responsabilidad social negando que tuviera carácter penal; la Proposición de Ley Orgánica reguladora de la responsabilidad penal del menor de noviembre de 1996, presentada por el Grupo Socialista en el Congreso; el Anteproyecto de Ley Orgánica de Justicia Juvenil de enero de 1997, que para excluir totalmente el carácter penal proponía modificar el art. 19 del Código penal; el Anteproyecto de Ley Orgánica reguladora de la justicia de menores de julio de 1997, que reconocía ser disposición sancionadora pero negando el calificativo de penal; y el Proyecto de Ley Orgánica reguladora de la Responsabilidad penal de los menores de noviembre de 1998,[67] que declaraba regular una responsabilidad penal, sin bien con matices.[68] Este último proyecto dio lugar a la Ley.

Entre tanto, había visto la luz un nuevo Código penal: la Ley Orgánica 10/1995, de 23 de noviembre;[69] que, acogiendo los requerimientos de la moción de 1994 (los proyectos de los años precedentes habían oscilado notablemente en esta materia[70]), apuntaba una ele-

---

ciones de corrección', Cezón González (2001: 13-14). En cuanto a los modelos de justicia de menores vid. Bernuz Beneitez, 1999: 125-143; Bernuz Beneitez y Fernández Molina, 2019; Colás Turégano, 2011: 65-70; Cruz Blanca, 2002: 78-105; De la Cuesta Arzamendi y Blanco Cordero, 2010: 30-40; Fernández Molina y Bernuz Beneitez, 2018: 33-44; Higuera Guimerá, 2003: 43-68; Pérez Jiménez, 2006: 29-53; Sánchez García de Paz, 1998: 99-112; y Ríos Martín, 1993: 213-248.

[66] Crítico Silva Sánchez, 1997: 182-184.

[67] «BOCG» Congreso de los Diputados, serie A, núm. 144-1, de 03/11/1998.

[68] Sobre todos ellos, Viana Ballester, 2004: 166-170, quien subraya la importancia del informe del Consejo General del Poder Judicial en relación al anteproyecto de julio de 1997 en la apuesta final por una responsabilidad de naturaleza penal; y Ventas Sastre, 2003: 219-226. La eventual competencia de las comunidades autónomas en la regulación de un derecho correccional de naturaleza no penal no fue ajena a los debates de la Comisión elaboradora del último Anteproyecto (vid. Bueno Arús, 2006: 301-311).

[69] «BOE» núm. 281, de 24/11/1995.

[70] En efecto, se habían propuesto 15, 18 y 16 años sucesivamente, siempre sin explicaciones al respecto: mientras el Proyecto de Código penal de 1980 fijaba la irresponsabilidad penal en los 15 años (fijando una atenuante para mayores de 15 y menores de 18 que rebajaba la pena en un grado, y previendo que a los menores de 21 años se les pudiera sustituir la pena de prisión impuesta por in-

vación de la edad de responsabilidad penal plena hasta los 18 años. Apuntaba, sin materializarla, porque aunque preveía en su artículo 19 –por cierto, en un precepto separado del resto de causas que eximen de la responsabilidad criminal[71]– que '[l]os menores de dieciocho años no serán responsables criminalmente con arreglo a este Código' para añadir seguidamente que '[c]uando un menor de dicha edad cometa un hecho delictivo podrá ser responsable con arreglo a lo dispuesto en la ley que regule la responsabilidad penal del menor' (y con ello, elevaba la mayoría de edad penal de los 16 a los 18 años, pero al tiempo abría puertas a una responsabilidad penal[72] por debajo de esta edad sin concretar un límite mínimo), el esquema que pergeñaba requería de una ley de responsabilidad penal del menor para ser operativo.

La disposición final séptima, en efecto, exceptuaba la entrada en vigor del artículo 19 'hasta tanto adquiera vigencia la ley que regule la responsabilidad penal del menor a que se refiere dicho precepto'. Entre tanto, la disposición derogatoria única había salvado del precedente Código penal (texto refundido publicado por el Decreto 3096/1973)

---

ternamiento en un centro de rehabilitación social para jóvenes delincuentes por periodo indeterminado, que no podría exceder de 10 años; medida que también era aplicable a quienes habían cometido los hechos antes de los 15 años si la jurisdicción tutelar de menores declinaba su competencia entendiendo que el tiempo transcurrido y las circunstancias de menor no aconsejaban esta, e incluso a menores de 15 años cuando su peligrosidad y rebeldía los hiciera incompatibles con el tratamiento asignado por la jurisdicción tutelar), la Propuesta de Anteproyecto de Código Penal de 1983 la elevaba hasta los 18 años (sin atenuación para edades sucesivas, aunque previendo que a los menores de 21 se les podría sustituir la prisión por internamiento en centro reeducador para jóvenes delincuentes por tiempo no superior al de la pena y con un máximo de 4 años, así como el compromiso de remitir a Cortes un Proyecto de ley sobre Derecho Penal Juvenil en seis meses), y tanto el Borrador de Anteproyecto de Código penal de 1990, ceñido a la parte general, como el Proyecto de Código penal de 1992, establecían la mayoría de edad penal a los 16 años (derivando por debajo de esta edad a los Juzgados de Menores y atenuando la pena entre 16 y 18 años con una rebaja en uno o dos grados). Sobre todos ellos, Serrano Tárrega, 2007: 303-306.

71    Cuestión formal en cuya 'trascendencia material' (Carmona Salgado, 2002) se ha insistido; v.gr. Jiménez Díaz, 2015: 3 y 27; Silva Sánchez, 1997: 159 y 174.

72    Aunque Jiménez Díaz (2015: 26) protesta de que la redacción del art. 19 no zanjara la discusión sobre la naturaleza de la responsabilidad al margen del Código penal de adultos añadiendo '[...] podrá ser responsable *penal* de acuerdo [...]', a mi juicio, en la medida en que remite a 'la ley que regule la responsabilidad *penal* del menor', no deja lugar a dudas. Incorporar dos veces el adjetivo poco añadiría.

los artículos 8.2, 9.3, la regla 1.ª del artículo 20 en lo que se refiere al número 2.º del artículo 8, y el artículo 65; esto es, que en cuanto a la edad de responsabilidad penal las cosas seguían como antes.[73]

Por demás, preveía el artículo 69 del nuevo Código penal –disposición que sigue actualmente vigente, aunque como veremos más abajo nunca ha llegado a alcanzar efectos–: 'Al mayor de dieciocho años y menor de veintiuno que cometa un hecho delictivo, podrán aplicársele las disposiciones de la ley que regule la responsabilidad penal del menor en los casos y con los requisitos que ésta disponga.'

El sistema penal quedaba, pues, en espera de esa Ley reguladora de la responsabilidad penal de los menores, cuya entrada en vigor supondría también la de la exclusión de la responsabilidad de acuerdo con el Código penal de los menores de 18 años, que articularía una responsabilidad penal para quienes no han alcanzado esta edad, y que podría ser aplicable, incluso, a mayores de 18 y menores de 21 años.

## 2. LA LEY ORGÁNICA REGULADORA DE LA RESPONSABILIDAD PENAL DE LOS MENORES

La Ley Orgánica 5/2000, de 12 de enero, reguladora de la responsabilidad penal de los menores (LORRPM),[74] entró en vigor el 13 de enero de 2001; pero ya antes de su entrada en vigor había sido modificada por las Leyes Orgánicas 7/2000 y 9/2000, ambas de 22 de diciembre;[75] y volvería a serlo en los años sucesivos por las Leyes Orgánicas 9/2002, de 10 de diciembre,[76] 15/2003, de 25 de noviembre,[77]

---

[73] Silva Sánchez (1997: 162) veía aquí un ejemplo de 'legislación vacía, retórica o simbólica'.
[74] «BOE» núm. 11, de 13/01/2000.
[75] Ambas publicadas en «BOE» núm. 307, de 23/12/2000.
[76] «BOE» núm. 296, de 11/12/2002; su disposición transitoria única suspendió la aplicación de la L.O. 5/2000 'en lo referente a los infractores de edades comprendidas entre los 18 y 21 años, hasta el 1 de enero de 2007'.
[77] «BOE» núm. 283, de 26/11/2003.

8/2006, de 4 de diciembre,[78] 8/2012, de 27 de diciembre,[79] 8/2021, de 4 de junio,[80] y 10/2022, de 6 de septiembre.[81]

Vayamos por orden: el Proyecto de Ley Orgánica reguladora de la Responsabilidad penal de los menores de noviembre de 1998 había previsto un sistema de responsabilidad penal para mayores de 13 años y menores de 18; la tramitación parlamentaria del proyecto elevó la edad mínima hasta los 14 años –manteniendo la idea de la diferenciación de diversos tramos de edad, 14-15 y 16-17 años–,[82] y reguló procedimiento y medidas de un sistema de 'naturaleza formalmente penal pero materialmente sancionadora-educativa',[83] que pretendía reconocer expresamente 'todas las garantías que se derivan del respeto de los derechos constitucionales y de las especiales exigencias del interés del menor', predicaba 'flexibilidad en la adopción y ejecución de las medidas aconsejadas por las circunstancias del caso concreto',[84] y reconocía la 'competencia de las entidades autonómicas relacionadas con la reforma y protección de menores para la ejecución de las

---

[78]   «BOE» núm. 290, de 5/12/2006.

[79]   «BOE» núm. 312, de 28/12/2012.

[80]   «BOE» núm. 134, de 5/06/2021.

[81]   «BOE» núm. 215, de 7/07/2022.

[82]   Sobre los límites de edad y las cuestiones problemáticas asociadas a los mismos, véase Almazán Serrano e Izquierdo Carbonero, 2007: 58-63; Cervelló Donderis, 2009: 40-51; Cervelló Donderis y Colás Turégano, 2002: 42-44, 2006; Colás Turégano, 2011: 144-145; Feijóo Sánchez en Díaz-Maroto y Villarejo (Dtor.), 2008: 59-63 y 98-103; FGE, 2000; Higuera Guimerá, 2003: 307-340; Moreno Catena, 2008: 30-41; Ornosa Fernández, 2007: 163-164; Tamarit Sumalla, 2002: 28-33; y De Urbano Castrillo y De la Rosa Cortina, 2007: 40-47.

[83]   Esta naturaleza híbrida no exenta de tensiones –educación y pena son para Cano Paños (2011: 36) 'dos conceptos en sí antagónicos'– expresa un punto de equilibrio en que pesaron sin duda diferentes concepciones de la responsabilidad juvenil, pero también consideraciones relativas al sistema competencial de la Constitución Española; la eventual competencia de las comunidades autónomas no fue ajena a los debates de la elaboración del último Anteproyecto (vid. Bueno Arús, 2006: 301-311).

[84]   La previsión inicial de flexibilidad se excepcionaba, ya en el texto original, para los casos de 'extrema gravedad' protagonizados por mayores de 16 años, en los que la imposición de un año de internamiento en régimen cerrado –no sustituible ni modificable– seguido de libertad vigilada era imperativa (art. 9.5ª). Para una revisión crítica de los criterios de la jurisprudencia y de la fiscalía sobre imposición y determinación de medidas, Colás Turégano, 2021.

medidas impuestas en la sentencia', sin perjuicio de garantizar el 'control judicial de esta ejecución' (Exposición de Motivos, II.6).

Así, se regulaba una responsabilidad jurídica para menores infractores, previendo un procedimiento y un sistema de sanciones específico, pero condicionando su aplicación a la realización de las conductas tipificadas por el Código penal[85] y las leyes penales especiales;[86] y con la pretensión de que la intervención tuviera naturaleza educativa, se rechazaba 'la proporcionalidad entre el hecho y la sanción o la intimi-

---

[85]   La Ley renunciaba, así, a diseñar un elenco de conductas prohibidas específico para los menores; empeño que sin duda, en expresión de Jiménez Díaz (2015: 32), 'plantearía más problemas de los que podría resolver' –aunque no falta quien siga defendiendo su oportunidad; sin ir más lejos, véase el siguiente capítulo de esta misma obra–; y no tanto, entiendo, por la posibilidad de dejar 'espacios para la impunidad' que apunta la autora citada, sino sobre todo por eventuales excesos de prohibición respecto de las conductas prohibidas a los adultos: no tiene sentido castigar penalmente a un menor por algo que, de hacerlo un adulto, sería impune. Es cierto que algunas conductas protagonizadas por menores (v.gr. acoso escolar) presentan características propias distintas de la delincuencia adulta; pero si una conducta no merecería represión penal cuando la protagoniza un adulto, tampoco debería merecerla cuando es protagonizada por menores.

[86]   Difícilmente podrán los menores ser perseguidos en virtud de la Ley Orgánica 5/1995, de 22 de mayo, del Tribunal del Jurado («BOE» núm. 122, de 23/05/1995; esta ley ha sufrido modificaciones posteriores que no afectan a lo que aquí nos importa), toda vez que las previsiones penales de su disposición adicional segunda se refieren exclusivamente a 'jurados' y éstos (art. 8) han de ser mayores de edad. No es sin embargo inviable que los menores de edad cometan algunos delitos previstos en la Ley 209/1964, de 24 de diciembre, Penal y Procesal de la Navegación Aérea («BOE» núm. 311, de 28/12/1964; modificada después por la Ley 6/1972, el Real Decreto-ley 45/1978 y las Leyes Orgánicas 1/1986 y 10/1995); en la Ley 40/1979, de 10 de diciembre, sobre Régimen Jurídico de Control de Cambios («BOE» núm. 298, de 13/12/1979; modificada, en cuanto aquí nos interesa, por la Ley Orgánica 10/1983); en la Ley Orgánica 5/1985, de 19 de junio, del Régimen Electoral General («BOE» núm. 147, de 20/06/1985, con corrección de errores en «BOE» núm. 17, de 20 de enero de 1986; modificada, en cuanto aquí nos interesa, por las Leyes Orgánicas 6/1992, 10/1995, 1/2003 y 2/2011); en la Ley Orgánica 12/1995, de 12 de diciembre, de Represión del Contrabando («BOE» núm. 297, de 13/12/1995; modificada, en cuanto aquí nos interesa, por la Ley Orgánica 6/2011); y en la Ley Orgánica 14/2015, de 14 de octubre, del Código Penal Militar («BOE» núm. 247, de 15/10/2015; la legislación exige mayoría de edad para ser militar, pero esta ley prevé delitos cometidos por particulares, como apuntara ya de su predecesora en relación a la posible comisión por menores Higuera Guimerá, 2003: 472-476).

dación de los destinatarios de la norma'[87] buscando impedir cuanto
fuera contraproducente para el menor, 'como el ejercicio de la acción
por la víctima o por otros particulares', primando 'el superior interés
del menor',[88] que habría de valorarse con criterios técnicos y no formalistas por profesionales ajenos a las ciencias jurídicas, sin perjuicio de garantizar 'el principio acusatorio, el principio de defensa o el
principio de presunción de inocencia' (Exposición de Motivos, II.7).[89]

Se construía con ello un verdadero sistema penal para menores de
edad. La Ley lleva en su título el adjetivo 'penal' (que hereda directamente de la previsión del art. 19 del Código penal), y pese a que tanto
la exposición de motivos como la declaración general del artículo primero de la Ley y el resto del articulado omiten declarar expresamente
el carácter penal de la responsabilidad que se prevé, 'hoy por hoy ya
nadie duda de que la responsabilidad finalmente regulada, es de naturaleza jurídico-penal' (Viana Ballester, 2004: 161). En efecto, pese al
esfuerzo de la norma por eludir en su articulado esta denominación,
las 'medidas' son un sistema de sanciones derivadas de la comisión de
ilícitos penales,[90] que se aplican a sujetos a los que se responsabiliza

---

[87]   Conviene advertir, sin embargo, que los criterios preventivo-especiales no son
      necesariamente más benignos que los retributivos; cfr. Cruz Márquez, 2021.
[88]   Concepto más fácil de enunciar que de concretar, y que en consecuencia ha sido
      invocado con contenidos muy distintos. Una sugerente revisión crítica del prin-
      cipio en Paredes Castañón, 2013.
[89]   Sobre los principios rectores de este sistema de responsabilidad penal juvenil
      valga aquí con remitir a las exposiciones de Benítez Ortúzar, 2010: 65-78; Cano
      Paños, 2011: 12 ss.; Cervelló Donderis, 2009: 20-35; Colás Turégano, 2011:
      73-90; Cruz Blanca, 2002: 309-327; Fernández Molina y Bernuz Beneitez, 2018,
      61-73; González Pillado, 2012: 53-59; Martínez Serrano, A. 2001; Ornosa Fer-
      nández, 2007: 83-98 y 103-107; Tamarit Sumalla, 2002: 22-45; y Ventas Sastre,
      2003: 229-237. Sobre los estándares internacionales en la materia, De la Cuesta
      Arzamendi y Blanco Cordero, 2010: 10-30; y Ruiz Cabello, en este mismo volu-
      men.
[90]   El carácter sancionatorio de las 'medidas', apuntado por demás en la exposición
      de motivos de la misma Ley (apartados 2, 6, 7 y 11), es generalmente reconocido;
      v.gr. Abel Souto, 2021: 1037-1038; Barquín Sanz y Cano Paños, 2006: 52; Cano
      Paños, 2006: 197, 2011: 5-6 y 11; Cervelló Donderis, 2006: 124, 2009: 19;
      Colás Turégano, 2011: 219; Cruz Blanca, 2010: 161; Cuello Contreras, 2000:
      22, 25 y 36; Díaz-Maroto y Villarejo, 2015: 21; Domínguez Izquierdo, 2010: 83;
      Feijóo Sánchez en Díaz-Maroto y Villarejo (Dtor.), 2008: 48-50 y 109; Feijóo
      Sánchez, 2021: 334; González Cussac y Cuerda Arnau, 2002: 81; González Pilla-

por lo que han hecho (si concurren causas de exención o extinción de la responsabilidad criminal –art. 5 de la Ley– no serán responsables ni se les aplicará medida) con observancia de garantías penales básicas, y cuya duración –si son privativas de libertad– no puede exceder de la de la pena que se hubiera impuesto a un mayor de edad responsable (art. 8). La Ley es pues 'formalmente penal', pero también material-

do, 2012: 54; Higuera Guimerá, 2003: 70; Jiménez Díaz, 2015: 19-20; Matallín Evangelio, 2000: 93; Moreno Catena, 2008: 42; Muñoz Conde y García Arán, 2000: 417, 2019: 349; Ornosa Fernández, 2007: 118; Pérez Machío, 2007: 144-145; Tamarit Sumalla, 2002: 23; Ventas Sastre, 2003: 227-229; y Viana Ballester, 2004: 161. Los importantes matices que al concretar la naturaleza jurídica de las medidas realizan los distintos autores, concretando si (o en qué casos, porque la respuesta no es necesariamente idéntica para todas las clases de medidas legalmente previstas) prevalece el contenido punitivo, el educativo o el terapéutico o inocuizador (vid. Cervelló Donderis, 2009: 17-20; Cervelló Donderis y Colás Turégano, 2002: 110-117; Colás Turégano, 2011: 219-222; Cruz Márquez, 2006, 2007; De la Rosa Cortina, 2021: 761-766; Díaz-Maroto y Villarejo, 2015: 26-34; Feijóo Sánchez en Díaz-Maroto y Villarejo (Dtor.), 2008: 110-127; Feijóo Sánchez, 2021: 331-334; Higuera Guimerá, 2003: 341-352; y De Urbano Castrillo y De la Rosa Cortina, 2007: 55-58) no alcanzan a cuestionar el carácter sancionatorio de su imposición. De hecho, no ha faltado quien protestara de la configuración de verdaderas penas juveniles con fraude de etiquetas –Landrove Díaz, 2007: 68-69; Ventas Sastre, 2003: 228–, crítica que se había formulado ya al sistema precedente –Giménez-Salinas Colomer, 1981: 28–. Incluso Bueno Arús (2006: 301-311) en su protesta contra la consideración de las previsiones de la Ley Orgánica 5/2000 como derecho penal, reconoce que nos encontramos ante 'sanciones' (pp. 307-308); por cierto que el empeño de este autor en ver en la norma que nos ocupa un 'Derecho correccional' y no un Derecho penal –en cuanto ajeno a la imputabilidad y centrado en la prevención especial positiva (p. 309)–, apuntando que si la comisión elaboradora del Anteproyecto, de la que formó parte, mantuvo la referencia a responsabilidad *penal*, fue exclusivamente para garantizar la competencia exclusiva del Estado y evitar la concurrencia de 17 potestades legislativas autonómicas, tropieza a mi juicio con un triple escollo: 1) se hiciera por lo que se hiciera, el hecho es que se llamó formalmente 'penal' a esta responsabilidad, 2) con independencia de la efectiva existencia de correctivos preventivo especiales positivos, materialmente la ley funciona –y mucho más con las reformas que ha sufrido tras su promulgación– como una ley penal, y 3) la aplicación de la ley es percibida socialmente como una forma de responsabilidad penal. Por otra parte, si la ley no fuera realmente penal aunque su título lo diga (esto es, si el adjetivo 'penal' del título era sólo un engaño para hacerla pasar por tal), el título competencial con el que el Estado la dictó decaería... y probablemente con razón podrían las comunidades autónomas protestar de invasión de competencias y desarrollar normativamente esta materia.

mente penal; sin perjuicio de que se inspire en principios educativos que aconsejan flexibilidad en la imposición y ejecución de medidas y la posibilidad de desistir del castigo por criterios de oportunidad. Así, la exclusión de responsabilidad 'con arreglo a este Código' del art. 19 del Código penal no lo es de toda responsabilidad penal;[91] la Ley de Responsabilidad Penal de los Menores regula responsabilidades penales (ciertamente con un régimen distinto) para los mayores de 14 años,[92] distinguiendo a algunos efectos según hayan alcanzado o no los 16 años.

La instrucción se encomendaba, en esta Ley, al Ministerio Fiscal (como ya había hecho la Ley Orgánica 4/1992), aunque la adopción de medidas cautelares, en su caso, debía solicitarse del Juez; previendo en todo caso la asistencia de un equipo técnico de profesionales no juristas que pudieran valorar el superior interés del menor.[93]

Por cierto que la Ley pretendió, en su redacción primigenia (arts. 1.2, 1.4 y 4), extender su alcance en algunos casos a menores de 21 años, de acuerdo con la previsión del art. 69 del Código penal, que dispone que: 'Al mayor de dieciocho años y menor de veintiuno que

---

[91]  Silva Sánchez, 1997: 174.

[92]  En definitiva, pues, el sistema del Código penal de 1995 no elevó la edad de responsabilidad penal, sino que la bajó dos años (Matallín Evangelio, 2000: 93; Jiménez Díaz, 2015: 12); aunque vino a establecerla dos años por encima de los 12 en los que puso coto a la acción de los Juzgados de Menores la Ley Orgánica 4/1992. Si la peculiar responsabilidad de los mayores de 14 y menores de 18 años responde a una modulación de la imputabilidad (a una suerte de semiimputabilidad) o a otras razones político-criminales puede discutirse; que su responsabilidad es penal difícilmente es cuestionable. Por debajo de los 14 años, sin embargo, no caben ya responsabilidades penales, sino derivación a los servicios sociales y aplicación, si procede, de la normativa de protección del menor... aunque conviene advertir que esta última permite adoptar medidas a veces no menos aflictivas o restrictivas de derechos, rodeadas de menos garantías (Colás Turégano, 2016; Jiménez Díaz, 2015: 17); si bien es preciso reconocer avances importantes en esta materia, baste citar la Ley Orgánica 8/2015, de 22 de julio, de modificación del sistema de protección a la infancia y a la adolescencia («BOE» núm. 175, de 23/07/2015), y la Ley Orgánica 8/2021, de 4 de junio, de protección integral a la infancia y la adolescencia frente a la violencia («BOE» núm. 134, de 5/06/2021).

[93]  El informe del equipo técnico se convierte, así, en un elemento esencial en la instrucción del expediente, como advierten Gómez-Fraguela, Maneiro, Cutrín y Argudo, 2021: 706.

cometa un hecho delictivo, podrán aplicársele las disposiciones de la ley que regule la responsabilidad penal del menor en los casos y con los requisitos que ésta disponga'. Sin embargo, estas previsiones de la ley de responsabilidad penal del menor nunca llegaron a entrar en vigor,[94] siendo reiteradamente suspendida su aplicación por las Leyes Orgánicas 9/2000 y 9/2002, y modificándose finalmente para recoger otro contenido por la Ley Orgánica 8/2006.

## 2.1. Las reformas de la Ley

Antes ya de su entrada en vigor (el periodo de *vacatio* previsto en su Disposición final séptima era de un año) la Ley fue no una, sino dos veces reformada. En efecto, la Ley Orgánica 7/2000, de modificación del Código penal, introdujo en la Ley de responsabilidad penal de los menores previsiones relativas a delitos de terrorismo (cuyo enjuiciamiento encomendaba a un Juzgado Central de Menores de la Audiencia Nacional, que creaba), previó la medida de inhabilitación absoluta entre el catálogo de las aplicables y estableció un sistema de responsa-

---

[94]   Es cierto que *formalmente* (Jiménez Díaz, 2015: 8) entró en vigor, tras siete años de suspensión, durante 34 días, porque habiéndose promulgado durante el periodo de suspensión impuesto por la Ley Orgánica 9/2002 la Ley Orgánica 8/2006, que lo derogaba definitivamente, esta demoraba su propia entrada en vigor dos meses... y por tanto no entró en vigor la norma derogatoria hasta poco más de un mes después de la finalización del periodo de suspensión de la norma derogada (vid. Díaz-Maroto y Villarejo, 2015: 25; y detalladamente Silva Sánchez, 2007). Esto supuso, en efecto, una entrada en vigor –la numantina argumentación en contra de la Fiscalía General del Estado (2006) no respeta el principio de legalidad penal; en este sentido acuerdo de unificación de criterios del orden penal de la Audiencia Provincial de Madrid de 12 de enero de 2007, accesible en www.poderjudicial.es en la unificación de criterios de su TSJ–; sin embargo, debe tenerse en cuenta que la aplicación del Derecho penal del menor a los jóvenes adultos requería –en la entonces vigente redacción del art. 4 de la LORRPM– de un auto motivado al que se señalaban condiciones necesarias pero no suficientes, en cuanto se dejaba un margen de valoración de oportunidad a la decisión del Juez de Instrucción –oídas las partes y el equipo técnico–, que no podía desatender las circunstancias del imputado pero no tenía por qué limitarse a éstas... y con la sistemática y decidida oposición del Ministerio Fiscal (FGE, 2006) y a un mes de la pérdida de vigencia de una norma que no la había tenido nunca, la aplicación *material* del precepto, pese a los intentos del Consejo General de la Abogacía Española (2007), no era un empeño fácil... Sobre esta cuestión se volverá en otro capítulo de esta obra.

bilidad más riguroso y de respuesta tasada –frente al criterio general de flexibilidad en la imposición y ejecución de las medidas– para los casos de homicidios, asesinatos, violaciones, agresiones sexuales agravadas y delitos sancionados por el Código penal con 15 o más años de prisión. Y en tramitación paralela[95] la Ley Orgánica 9/2000, sobre medidas urgentes para la agilización de la Administración de Justicia –que preveía la dotación de los Juzgados de Menores, la tramitación de los recursos contra las resoluciones de los Jueces de Menores y las funciones de los Secretarios en las Secciones de Menores de las Fiscalías[96]– suspendió la aplicación de la Ley de responsabilidad penal de los menores 'en lo referente a los infractores de edades comprendidas entre los 18 y 21 años, por un plazo de dos años desde la entrada en vigor de la misma'.

Sin haber siquiera llegado a entrar en vigor, se modificaba así el régimen inicialmente previsto: los mayores de 16 años responsables de delitos muy graves no podrían eludir un internamiento en régimen cerrado prolongado. Y además se difería su eventual aplicación a los mayores de 18 y menores de 21 años hasta el 13 de enero de 2003; esta moratoria fue prolongada 'hasta el 1 de enero de 2007' por la Ley Orgánica 9/2002.[97]

Con estas enmiendas, la norma entró finalmente en vigor y comenzó su andadura. Pero no tardó mucho en ser nuevamente reformada: la Ley Orgánica 15/2003, por la que se modifica la Ley Orgánica 10/1995, de 23 de noviembre, del Código Penal, al hilo de una importante reforma del Derecho penal de adultos[98] y sin argumentar nada

---

[95]   Ambas leyes se promulgaron el mismo día, y ambas modifican la Ley de responsabilidad penal de los menores, lo que califica de 'completamente incomprensible' Jiménez Díaz, 2015: 6. En la Ley Orgánica 7/2000 la Exposición de Motivos da cuenta de las reformas de la LORRPM; en la 9/2000, la suspensión de la aplicabilidad del régimen de menores a los jóvenes adultos aparece, sin preaviso ni justificación, en la disposición transitoria única, y en idénticos términos se prolongaría por la Ley Orgánica 9/2002.

[96]   Y que, por cierto, cercenó la previsión de la L.O. 5/2000 de que se crearan 'Cuerpos de Psicólogos y Educadores y Trabajadores Sociales Forenses'.

[97]   Se aprovechó, una vez más, la tramitación de una norma no relacionada con esta materia y sin justificar la decisión: Ley Orgánica 9/2002, de 10 de diciembre, de modificación de la Ley Orgánica 10/1995, de 23 de noviembre, del Código Penal, y del Código Civil, sobre sustracción de menores.

[98]   Al respecto, por todos, Carbonell Mateu y Guardiola García, 2004.

en su Exposición de Motivos, introdujo la acusación particular (que tanto se había cuidado de excluir argumentadamente la Exposición de Motivos en la Ley Orgánica 5/2000) en el proceso penal de menores; y advirtió de que no acabarían con esta las reformas, toda vez que incluyó en la Ley Orgánica 5/2000 una disposición adicional que preveía que 'evaluada la aplicación de esta ley orgánica' (y fuera cual fuera el resultado de dicha evaluación) 'el Gobierno procederá a impulsar las medidas orientadas a sancionar con más firmeza y eficacia los hechos delictivos cometidos por personas que, aun siendo menores, revistan especial gravedad', estableciendo 'la posibilidad de prolongar el tiempo de internamiento, su cumplimiento en centros en los que se refuercen las medidas de seguridad impuestas y la posibilidad de su cumplimiento a partir de la mayoría de edad en centros penitenciarios'.

A esta llamada acudió, tres años más tarde, la Ley Orgánica 8/2006, de 4 de diciembre, por la que se modifica la Ley Orgánica 5/2000, de 12 de enero, reguladora de la responsabilidad penal de los menores. Su Exposición de Motivos comienza por dar cuenta de los términos en que disposición adicional incluida en la reforma precedente disponía realizar la reforma, y sólo después despacha la requerida evaluación (que ventila en media docena de líneas): tras afirmar que los cinco primeros años de vigencia de la LORRPM ofrecen 'un balance y consideración positiva', pasa a reconocer 'algunas disfunciones', afirmando que '[l]as estadísticas revelan un aumento considerable de delitos cometidos por menores, lo que ha causado gran preocupación social y ha contribuido a desgastar la credibilidad de la Ley por la sensación de impunidad de las infracciones más cotidianas y frecuentemente cometidas por estos menores, como son los delitos y faltas patrimoniales. Junto a esto, debe reconocerse que, afortunadamente, no han aumentado significativamente los delitos de carácter violento, aunque los realmente acontecidos han tenido un fuerte impacto social'. Se transmitía así la sensación de que 'la única cosecha recogida de su aplicación es la sensación generalizada de impunidad y el desgaste' (Viana Ballester, 2005: 4)–, de la mano de una evaluación ciertamente cuestionable de la situación. En efecto, en cuanto al *aumento considerable de delitos*, los mismos datos del Ministerio del Interior contradecían estas afirmaciones (Montero Hernanz, 2011: 2; Pozuelo Pérez, 2013: 135); y en cuanto al *fuerte impacto social*, es preciso advertir que en realidad 'cuando se afirma que un delito tiene fuerte impacto social en el ámbito de menores, significa, sobre todo, que han tenido fuerte repercusión mediática' (Pozuelo Pérez, 2013: 132); es el eco mediático o en redes sociales y no el hecho realizado lo que provoca el impacto social en estos casos, y sin duda diversos incidentes de la época protagonizados por menores ocuparon posiciones destacadas en portadas y noticiarios (por todos, Peres Neto, 2007) provocando una legislación 'a golpe de acontecimiento' (Cano Paños, 2011: 22).[99] Sea como fuere, la 'evaluación' no pretendía sino justificar una decisión ya tomada, y efectivamente se reformó la Ley.

Sin perjuicio, se dijo, del superior interés del menor, se buscó garantizar 'mayor proporcionalidad entre la respuesta sancionadora y la gravedad del hecho cometido' (algo que había rechazado expresamente la L.O. 5/2000), y así se ampliaron los supuestos en que puede imponerse internamiento en régimen cerrado[100] –posibilitando su cumplimiento en centro penitenciario si el menor alcanza los 18 años–, se añadieron medidas cautelares y sancionatorias, se revisó 'el régimen de imposición, refundición y ejecución de las medidas', y se suprimió definitivamente la posibilidad de aplicar la LORR-PM a los mayores de 18 y menores de 21 años. Hasta 46 modificaciones se operaron en el articulado de la LORRPM.

La responsabilidad penal de los menores, con estas reformas, se alejaba sustancialmente de los principios que informaron su primera construcción; no sin protestas por un importante sector doctrinal,[101]

---

[99] Peres Neto (2007, 2010: 298-385), en su análisis de los discursos mediáticos, grupos de interés y discursos políticos relativos a las reformas de la LORRPM en la VII legislatura, concluye que estas reformas constituyen 'un ejemplo claro de influencia de la opinión pública en el proceso legislativo' (2010: 383), en cuanto el tratamiento mediático de algunos sucesos puntuales y los discursos mediáticos producidos en torno a estos generaron una 'conmoción social', transfiriendo relevancia del tema hacia la agenda política (2010: 384). Por otra parte, tampoco falta quien afirma que las reformas tuvieron, junto al carácter inocuizador, un carácter simbólico en cuanto no pretenderían incidir de forma real en las cifras de delincuencia de menores, sino en las percepciones sociales sobre estas (Díaz-Maroto y Villarejo, 2015: 22-23; vid. Dolz Lago, 2007).

[100] Extendiendo su aplicabilidad, entre otros casos, a todos los delitos cometidos en grupo; lo que en delincuencia juvenil desde luego es frecuente.

[101] V.gr. apuntaba en las reformas realizadas e inminentes un abandono del superior interés del menor pasando 'de unos principios a otros totalmente distintos' con orientaciones preventivo generales y de reafirmación del ordenamiento jurídico Higuera Guimerá (2005: 29); de 'desnaturalización definitiva de dicho cuerpo

y sobre la base de una evaluación sesgada –cuando no simplemente contrafáctica– de su funcionamiento,[102] de la que se infería una demanda ciudadana de mayor rigor punitivo,[103] se acercaba, especialmente para la delincuencia grave de mayores de 16 años,[104] cada vez más al Derecho penal de adultos.[105]

---

legal, por la incorporación al mismo de criterios retributivos y de prevención general ajenos a los que informaron su redacción originaria y a los sustentados por una consolidada doctrina internacional en la materia' hablaba Landrove Díaz (2006); advertía de la deriva hacia 'un modelo marcadamente defensista que, en buena medida, convierte la alarma social y la seguridad ciudadana en fundamentos del sistema' Cuerda Arnau (2008: 24); veía en las reformas 'un paulatino pero incesante acercamiento al Derecho Penal de los adultos' Vaello Esquerdo (2009: 4), en cuanto su denominador común había sido trasladar notas de éste a la normativa de menores (p. 5)(en línea semejante Jericó Ojer, 2018: 4). Para Díez Ripollés (2017:13) se produjo una 'desnaturalización de los propósitos iniciales, de modo que el tránsito a un modelo de responsabilidad ha supuesto con frecuencia la incorporación al derecho penal juvenil de objetivos y técnicas de intervención propios del derecho penal de adultos.'

[102] Afirmaba Domínguez Izquierdo (2010: 80) que el tránsito al retribucionismo buscaba 'dar respuesta a una demanda social fundada en una realidad criminológica inexistente mostrada con absoluta falta de rigor por ciertos agentes sociales'. Montero Hernanz (2010) negaba que la delincuencia juvenil hubiera crecido, o al menos más que la delincuencia general (afirmando que las tasas de delitos y de condenados por franjas etarias eran más altas entre 18 y 40 años que entre 14 y 18).

[103] Subraya sin embargo que no se atendían a las demandas de toda la ciudadanía, sino a las más vindicativas, Tarancón Gómez, 2017: 48-49.

[104] Se pergeñaba así un modelo de justicia de menores 'a dos velocidades'; la alternativa en derecho comparado para una respuesta específica a la delincuencia más grave sería un modelo de transferencia (con o sin atenuaciones) a la justicia penal de adultos. Cfr. al respecto Bernuz Benéitez, 2021.

[105] Barquín Sanz y Cano Paños, 2006; Benítez Ortúzar y Cruz Blanca, 2010: 11-12; Bernuz Beneitez, 2005; Bernuz Beneitez y Fernández Molina, 2008: 4-6; Cano Paños, 2006: 255-286; Colás Turégano, 2011: 113-121; Domínguez Izquierdo, 2010: 80-85; Feijóo Sánchez en Díaz-Maroto y Villarejo (Dtor.), 2008: 51-58; FGE, 2001, 2007; García Pérez, 2007: 54-55; Landrove Díaz, 2007: 66 y 69; Morillas Cueva, 2010: 40-52; Ornosa Fernández, 2007: 119; Pozuelo Pérez, 2021: 152-157; Valbuena García, 2008; Vázquez González, 2007: 175-186; y Ventas Sastre, 2003: 280-281. Feijóo Sánchez, 2021: 324-325, cuestiona el carácter retributivo de las reformas de la ley, viendo más comparable lo hecho al 'periodo de seguridad' que al principio de proporcionalidad entre sanción y hecho. Plantean que las reformas habrían tenido en buena medida un alcance simbólico, logrando sin embargo 'contaminar' la práctica judicial del 'clima más punitivo' Fernández Molina y Rechea Alberola, 2006. Señalan sin embargo que ante la coexistencia de dos modelos, a partir de la transición a un modelo de ges-

La siguiente reforma vino, seis años más tarde, de la mano de la Ley Orgánica 8/2012, de medidas de eficiencia presupuestaria en la Administración de Justicia, por la que se modifica la Ley Orgánica 6/1985, de 1 de julio, del Poder Judicial. En esta ocasión, se atribuía al Juzgado Central de Menores de la Audiencia Nacional la competencia para conocer de los delitos cometidos por menores en el extranjero cuando corresponda su conocimiento a la jurisdicción española.

Más adelante, la Ley Orgánica 8/2021, de 4 de junio, reforzó los derechos de las víctimas –con particular atención a los supuestos de violencia de género– a ser informadas sobre la situación procesal y personal del menor 'presunto agresor'; y reguló con más detalle y garantías los medios y medidas de contención utilizables en los centros de menores.

Finalmente, la Disposición Final Séptima de la Ley Orgánica 10/2022, de garantía integral de la libertad sexual, ha modificado los artículos 7.5, 10.2, 13.1 y 19.2 de la LORRPM, para requerir que toda medida impuesta por agresión sexual se acompañe de obligación accesoria de someterse a programas formativos de educación sexual y de educación 'en' igualdad; para extender las previsiones de sanción cualificada del art. 10.2 no sólo a los delitos sexuales de violación y agresiones agravadas, sino a todos los de los arts. 178 a 183 del Código penal en la nueva redacción que les da esta LO (previendo nueva y redundantemente la obligación de imponer una medida de educación sexual y educación 'para' la igualdad); para prever que las medidas impuestas por agresiones sexuales sólo puedan dejarse sin efecto cuando se acredite que se ha cumplido esta obligación de someterse a programas formativos; y para negar efectos a la conciliación en delitos de agresiones sexuales o relacionados con la violencia de

---

tión de riesgos más punitivo orientado al núcleo 'duro' de la delincuencia juvenil (Bernuz Beneitez y Fernández Molina, 2008) y la construcción –estableciendo dos regímenes de aplicación de medidas (FGE, 2001)– de un sistema 'mixto' menos educativo y más punitivo y vindicativo para este 'núcleo duro' catalogado como riesgo social (Cano Paños, 2011: 4 y 23), perdiendo el 'superior interés del menor' la condición de interés central de la justicia de menores y desnaturalizándose el sistema (Cano Paños, 2011: 30-31), la práctica judicial y el criterio de los profesionales presentaría resistencias a la apuntada contaminación del modelo original por este segundo Bernuz Beneitez y Fernández Molina (2008: 17) y Cano Paños (2011: 52).

género[106] 'a menos que la víctima lo solicite expresamente y que el menor, además, haya realizado la medida accesoria de educación sexual y de educación para la igualdad'.

## 2.2. El Reglamento

El cuadro normativo descrito no quedaría completo sin dar cuenta del necesario desarrollo reglamentario de la Ley. Necesario, y sin embargo diferido en el tiempo: a las cuestiones técnicas se sumaron las dudas competenciales, y el Reglamento se hizo de rogar.

En efecto, se había partido de la 'competencia de las entidades autonómicas relacionadas con la reforma y protección de menores para la ejecución de las medidas impuestas en la sentencia' (Exposición de Motivos de la Ley); y en tales condiciones se cuestionó si debía haber un reglamento estatal o dejarse la cuestión a la normativa de las Comunidades Autónomas, lo que contribuyó a diferir la elaboración reglamentaria (Martínez Garay y Viana Ballester, 2004: 1-4, 2006: 482-487). De hecho, para cuando vio la luz el Reglamento estatal ya había en varias Comunidades Autónomas desarrollos normativos sobre estas cuestiones; y se han dictado también después nuevas normas autonómicas sobre la materia,[107] lo que de hecho obliga a plantear cómo se articulan las mismas con el desarrollo reglamentario estatal (Martínez Garay y Viana Ballester, 2006: 486).

El Real Decreto 1774/2004, de 30 de julio, por el que se aprueba el Reglamento de la Ley Orgánica 5/2000, de 12 de enero, reguladora de la responsabilidad penal de los menores,[108] dio por fin –más de tres años después de su entrada en vigor– desarrollo reglamentario a las previsiones de la Ley. Por cierto que, pese a la importante reforma posterior de la Ley operada en 2006, y a las reformas legales de 2012 y 2021, el Reglamento ha permanecido incólume salvo por una lige-

---

[106] Se profundiza así en el establecimiento de restricciones a la mediación que podrían resultar contrarias a previsiones internacionales (Peligero Molina, 2021: 1110).

[107] Vgr. en Cataluña Ley 27/2001, de 31 de diciembre, de Justicia Juvenil –«BOE» núm. 34, de 8/02/2002, con corrección de errores en «BOE» núm. 58, de 8 de marzo– y Decreto-ley 6/2021, de 9 de febrero, de medidas de carácter organizativo en los ámbitos sanitario y penitenciario y de justicia juvenil –«BOE» núm. 61, de 19/03/2021–.

[108] «BOE» núm. 209, de 30/08/2004.

ra modificación[109] relativa a la notificación al letrado del menor del acuerdo sancionador disciplinario del centro de menores, a efectos de su posible impugnación, operada en 2021.

## 3. LA JURISDICCIÓN PENAL DE MENORES EN CIFRAS

En otro capítulo de esta obra nos ocuparemos con más detalle de analizar la aplicación de la LORRPM en sus primeros veinte años de vigencia a partir de las cifras oficiales sobre la misma. El presente epígrafe pretende sólo dar una primera idea del despliegue de la jurisdicción penal en el ámbito juvenil, a partir de la estadística judicial sobre ella.

Pues bien: al entrar en vigor la LORRPM existían ya Juzgados de Menores (por efecto, como recordamos más arriba, de la Ley Orgánica del Poder Judicial de 1985 y la Ley de Demarcación y Planta Judicial de 1988), que habían asumido las competencias de los antiguos Tribunales Tutelares; aunque su número irá creciendo en los años sucesivos, hasta alcanzar al finalizar la primera década del siglo la dotación de 80 Juzgados de Menores, a los que se añade el Juzgado Central de Menores de la Audiencia Nacional.[110]

El periodo transicional apunta un abultadísimo número de asuntos en la jurisdicción penal de menores (casi 55.000 en 2001, muy por encima de los menos de 22.500 del año precedente y de los 16.000 asuntos promedio de los cinco años anteriores –si bien estos presentaban una clara tendencia creciente–), pero debe tenerse en cuenta el efecto de la disposición transitoria de la LORRPM (Montero Hernanz, 2010: 18). A partir de 2002, se produce un promedio de casi 31.000 asuntos ingresados anuales, con un máximo histórico en 2009 –37.339 asuntos– y un marcado descenso a partir de entonces, de forma que de 2014 a 2021 se contabilizan unos 27.000 asuntos anuales.

---

[109]  Nueva redacción del art. 76.2 por obra del Real Decreto 535/2021, de 13 de julio; «BOE» núm. 170, de 17/07/2021.

[110]  La estadística judicial da cuenta de 82 magistrados; pero debe tenerse en cuenta que además de los 81 órganos referidos el Juzgado de lo Penal n. 6 de Córdoba dictó, entre 2010 y 2019, un total de 1.485 sentencia penales en asuntos de menores. Sus datos se incluyen, en lo sucesivo, en la estadística recogida.

**Figura 1. Número de asuntos ingresados en los Juzgados de Menores en España (2002-2021)**

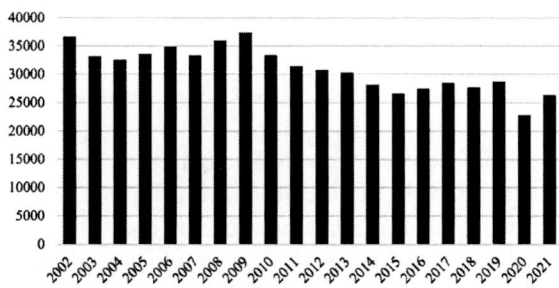

Fuente: Elaboración propia a partir de la Estadística Judicial (CGPJ).

Si tenemos en cuenta la población española cuya edad está comprendida en el rango de responsabilidad penal juvenil (14 a 17 años),[111] esto supone poco más de 17 asuntos por cada 1.000 menores en promedio; debiendo tenerse en cuenta la tendencia decreciente de los últimos años –desde 2014 no han vuelto a superarse los 16 asuntos por cada 1.000 menores–.

**Figura 2. Tasa de asuntos por 1.000 menores en los Juzgados de Menores en España (2002-2021)**

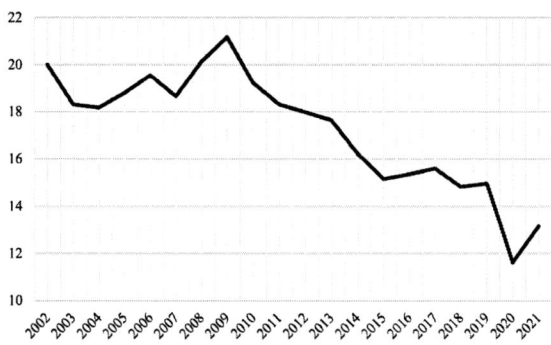

Fuente: Elaboración propia a partir de la Estadística Judicial (CGPJ) y cifras de población (INE).

---

[111]   Las cifras poblacionales que empleo están obtenidas de la operación 'cifras de población' a 1 de julio de cada año disponibles en INEbase (www.ine.es).

Estos 31.000 asuntos anuales dan lugar a más de 18.700 sentencias al año, aunque se pueden reseñar importantes diferencias: si en los primeros años crece bruscamente el número de sentencias,[112] que a partir de 2004 se instala por encima de las 20.000 anuales, de 2010 a 2016 decrece abruptamente (las cifras de 2020, por otra parte, se explican por los efectos de la pandemia).

**Figura 3.** *Número de sentencias en los Juzgados de Menores en España (2002-2021)*

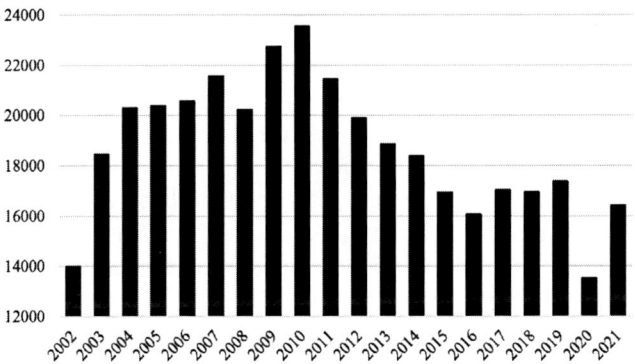

Fuente: Elaboración propia a partir de la Estadística Judicial (CGPJ).

El número de ejecutorias incoadas en el periodo 2009-2019 arroja un promedio de unas 5.000 anuales; las cifras de 2020 y 2021 (respectivamente 2.965 y 3.612) son significativamente más bajas.

La tasa de recursos en los Juzgados de menores (=recursos/sentencias) está en torno al 7% (el rango se mueve entre el mínimo de 2003, con un 5,4%, y el máximo de 2011, con un 8,5%), cifra notablemente inferior a la que se registra en los Juzgados de lo Penal para causas de adultos (cuyo promedio en el mismo periodo es del 20%).

---

[112] Se apuntó más arriba el efecto de la disposición transitoria de la LORRPM en el número de asuntos de 2001-2002; conviene precisar ahora que las cuestiones transitorias se resolvían por auto y no por sentencia, en virtud de la previsión expresa al efecto del apartado 6 de la mencionada disposición transitoria única.

Javier Guardiola García

**Figura 4. Tasa de recursos por sentencia en los Juzgados de Menores en España (2003-2021)**

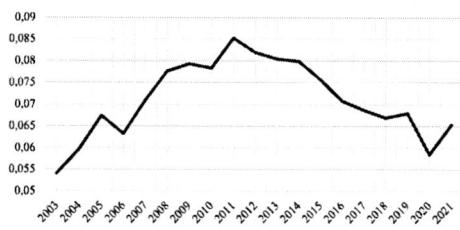

Fuente: Elaboración propia a partir de la Estadística Judicial (CGPJ).

En cuanto al tipo de delitos recogidos en estas sentencias, la delincuencia leve (faltas hasta la reforma penal de 2015) viene a representar el 30% de la sentenciada a menores, con leves oscilaciones anuales, como puede contrastarse en la Figura 5. Desde 2007 disponemos, además, de un desglose de las sentencias referidas a violencia doméstica y a violencia de género; en ambos casos, y tanto en delitos leves como en los menos graves y graves, con tendencia creciente en la serie histórica, aunque con cifras muy moderadas salvo en delitos de gravedad de violencia doméstica, que llegan a casi 2.000 sentencias en 2019.

**En la tabla-resumen pueden contrastarse las cifras más destacadas. Figura 5. Sentencias por delitos leves y menos graves o graves a menores en España (2003-2021)**

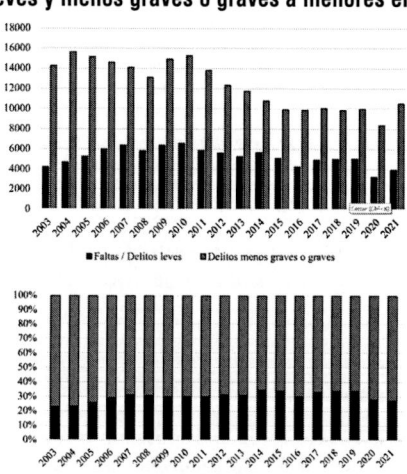

Fuente: Elaboración propia a partir de la Estadística Judicial (CGPJ).

*Tabla-resumen de los principales datos de la Estadística de los Juzgados de Menores*

| | Asuntos | Sentencias | Sentencias Delito | Sentencias Falta/DL | S. Delito V.Género | S. Falta/ DL V. Género | S. Delito V. Doméstica | S. Falta/ DL V. Doméstica |
|---|---|---|---|---|---|---|---|---|
| 2002 | 36.605 | 13.984 | - | - | - | - | - | - |
| 2003 | 33.120 | 18.446 | 14.234 | 4.212 | - | - | - | - |
| 2004 | 32.574 | 20.298 | 15.603 | 4.695 | - | - | - | - |
| 2005 | 33.549 | 20.374 | 15.125 | 5.249 | - | - | - | - |
| 2006 | 34.855 | 20.572 | 14.586 | 5.986 | - | - | - | - |
| 2007 | 33.349 | 21.571 | 15.157 | 6.414 | 111 | 7 | 966 | 29 |
| 2008 | 35.893 | 20.207 | 14.338 | 5.869 | 108 | 1 | 1.135 | 42 |
| 2009 | 37.339 | 22.746 | 16.301 | 6.445 | 112 | 5 | 1.301 | 48 |
| 2010 | 33.374 | 23.545 | 16.901 | 6.644 | 126 | 3 | 1.518 | 74 |
| 2011 | 31.408 | 21.448 | 15.521 | 5.927 | 147 | 6 | 1.592 | 68 |
| 2012 | 30.763 | 19.889 | 14.211 | 5.678 | 131 | 5 | 1.764 | 78 |
| 2013 | 30.276 | 18.852 | 13.514 | 5.338 | 144 | 5 | 1.634 | 77 |
| 2014 | 28.155 | 18.379 | 12.673 | 5.706 | 147 | 6 | 1.760 | 61 |
| 2015 | 26.665 | 16.939 | 11.785 | 5.154 | 164 | 7 | 1.731 | 71 |
| 2016 | 27.489 | 16.061 | 11.740 | 4.321 | 177 | 5 | 1.719 | 79 |
| 2017 | 28.510 | 17.041 | 12.018 | 5.023 | 265 | 5 | 1.729 | 75 |
| 2018 | 27.729 | 16.951 | 11.876 | 5.075 | 247 | 13 | 1.794 | 78 |
| 2019 | 28.716 | 17.367 | 12.228 | 5.139 | 310 | 10 | 1.973 | 78 |
| 2020 | 22.877 | 13.522 | 10.228 | 3.294 | 255 | 6 | 1.635 | 65 |
| 2021 | 26.333 | 16.405 | 12.381 | 4.024 | 257 | 14 | 1.610 | 72 |

Fuente: Elaboración propia a partir de la Estadística Judicial (CGPJ).

# 4. UN BOSQUEJO DE LA PRESENTE MONOGRAFÍA

La obra que tiene el lector en sus manos aborda, tras estas líneas introductorias, importantes cuestiones relativas al sistema de justicia penal juvenil español, en tres bloques diferenciados.

Un primer bloque atiende a la construcción del sistema penal de menores en España, a su ajuste a los estándares internacionales, y a algunas cuestiones de singular importancia en el diseño del sistema. Así:

Gloria González Agudelo reflexiona críticamente sobre la minoridad como construcción jurídica. Revisa cómo la idea de racionalidad asociada a la construcción del contrato social jugó una función de exclusión de la ciudadanía política plena, entre otros grupos, para los menores; y recorre el surgimiento, con la Convención de Derechos del Niño, de tendencias tuitivas, por una parte, y de reconocimiento de derechos, por otra, y el aterrizaje de ambas en el sistema jurídico español y en particular en el ámbito del Derecho penal. Ni la persistencia del uso del término 'menor' –y las implicaciones y consecuencias de este– para designar a todas las personas que no han cumplido los 18 años, ni la oportunidad del sistema de justicia penal, ni la edad a partir de la cual se aplica éste, ni lo que sucede a los sujetos que por debajo de los 14 o entre los 18 y los 21 años cometen delitos, son cuestiones cuya respuesta deje eludir un serio debate político criminal, que se apunta en esta contribución, que por cierto también atiende a las víctimas menores de 18 años. El análisis se extiende a la Ley Orgánica 8/2021, de protección integral de la infancia y la adolescencia contra la violencia; y aterriza en una revisión crítica de la LORRPM, particularmente atenta a los efectos sobre esta última de la reforma del Código penal operada por la Ley Orgánica 1/2015 y los criterios de la Fiscalía sobre este cambio normativo.

Úrsula Ruiz Cabello revisa los estándares internacionales de protección a la infancia, y concretamente aquellos referidos a los menores en contacto con la justicia penal, y los contrasta con la realidad española, atendiendo a la opinión doctrinal y a los avances criminológicos en la materia. Así, examina el establecimiento en nuestro sistema de un sistema penal juvenil separado del adulto, los tramos etarios asignados a éste y las posibilidades de transferencia al sistema penal adulto; revisa la especialización requerida a los operadores jurídicos que han de intervenir en el Derecho penal juvenil (magistrados, fiscales, abogados, policías, y profesionales encargados de ejecutar las medidas educativas); estudia el catálogo de medidas y su aplicación efectiva –en cuanto a su aplicación judicial, y en cuanto a su dependencia del profesional a cargo para dotarlas de contenido efectivo–;

atiende a la privación de libertad de los menores –a su conformación como *ultima ratio* excepcional, a las condiciones de su ejecución y especialmente a la vuelta a la comunidad tras el internamiento y su traducción, en la normativa española, a la sucesión del internamiento por una libertad vigilada, que revisa críticamente proponiendo alternativas–; y finalmente se ocupa de la posibilidad de finalización de la medida de internamiento en un centro penitenciario –transmutando así la medida en pena, lo que resulta cuestionable por más que se trate de una práctica escasa y excepcional de acuerdo con las memorias de la Fiscalía–. El resultado arroja luces y señala sombras de la normativa y de su aplicación práctica.

María Sánchez Vilanova efectúa una mirada crítica a la derogación de la previsión contenida en los artículos 1.2, 1.4 y 4 de la LORRPM, que permitía, bajo determinadas circunstancias, la aplicación de esta ley a los mayores de dieciocho años y menores de veintiuno. Los adelantos en Neurociencia cognitiva evidencian que el periodo de maduración cerebral completa de los jóvenes, que permite el control de los impulsos, se extendería hasta entrada la veintena; si la justificación de los límites concretos de edad establecidos para la jurisdicción penal juvenil, sin dejar de ser una convención social, atiende primordialmente a su carácter de intervención educativa, es esta una información confirmada por los avances científicos que resulta de especial relevancia y que, se sostiene en la contribución, debería llevar a reconsiderar la opción legislativa de dejar sin efecto la aplicabilidad de la Ley penal del menor a jóvenes adultos, como todavía posibilita –sin aplicabilidad efectiva por falta de acogida en la Ley que regula la responsabilidad penal del menor– el Código penal. Se sostiene, pues, que la determinación de la mayoría de edad se debería actualizar conforme al avance de los conocimientos científicos disponibles, y la imposición de sanciones propias del derecho penal de adultos a jóvenes que todavía no han completado su desarrollo cognitivo podría interferir en este.

Finalmente, de entre los muchos existentes se aborda un problema jurídico muy concreto –precisión que no le resta ninguna importancia– que sirve al tiempo de banco de pruebas para evidenciar los peligros de regular por remisión el Derecho penal juvenil acudiendo subsidiariamente al Código penal, sobre todo cuando después se reforma éste sin atender a los efectos de la reforma sobre el Derecho de menores. En efecto, Antoni Gili Pascual aborda la cuestión de la interrupción de la prescripción en el Derecho penal de menores. Su contribución analiza la regulación vigente –y en particular los efectos de la reforma de la cuestión en el Código penal por la Ley Orgánica 5/2010 y su aplicación supletoria a la LORRPM, que fija plazos de prescripción pero no procedimientos de interrupción de la misma– y las interpretaciones sostenidas por doctrina, fiscalía y jurisprudencia, para rechazar propuestas insostenibles y justificar una opción interpretativa sin dejar de apuntar la viabilidad de otras alternativas *de lege lata* (estudiando qué puede tener valor interruptivo y qué valor suspensivo de la prescripción, y qué autos del Juez de menores tienen –necesaria o coyunturalmente– un contenido material eficaz para cumplir los requerimientos del artículo 132.2 del Código penal). Su contribución no se detiene aquí, sino que profundizando en la naturaleza de la prescripción y en la de las causas de interrupción de la misma explora críticamente posibilidades *de lege ferenda* para mejorar su regulación y el aterrizaje concreto de la interrupción de la prescripción en el Derecho penal aplicado a menores de 18 años, poniendo en relación la naturaleza y fundamento de la institución con la arquitectura del proceso penal de menores –señalando que éste podría articularse de otras formas, pero apuntando también la solución más coherente con su conformación actual–.

Un segundo bloque de esta monografía atiende a la aplicación práctica de la norma y a sus efectos sociales. Se analiza cuál ha sido la aplicación de la Ley, se evalúan sus efectos y se señala, de entre los varios posibles, uno de los campos en que la cambiante realidad social requiere repensar el diseño existente.

Para ello, en primer lugar, se revisan las cifras oficiales sobre aplicación de la LORRPM en estos 20 años de vigencia. Partiendo de sentar ciertas cautelas sobre lo que es y lo que no es una estadística oficial –y por tanto, lo que puede o no inferirse de ella– se revisan los indicadores oficiales disponibles sobre Derecho penal de menores (los datos policiales, los procedentes de la Fiscalía, los que provienen del Registro de Sentencias de Responsabilidad Penal de los Menores, la Estadística Judicial del Consejo General del Poder Judicial, y los datos sobre la ejecución de las medidas aplicadas que recoge el Observatorio de la Infancia) y se analiza la información que proporcionan, cruzándola donde resulta posible, para obtener una radiografía de la aplicación de la Ley en estos 20 años. Se propone una aproximación descriptiva de la singladura del Derecho penal juvenil español desde la entrada en vigor de la Ley Orgánica 5/2000, apuntando, donde la información empleada lo permite, la homogeneidad o heterogeneidad de estos indicadores en las distintas regiones españolas, y contrastando la evolución de las cifras con la de las correspondientes al Derecho penal de adultos. El resultado permite cuestionar ciertos mitos (que no por reiterados en cierto discurso mediático alcanzan realidad) y sobre todo evidencia un panorama geográficamente diverso, lo que puede leerse desde claves de oportunidad y adecuación a la diversidad pero también reclama una reflexión sobre igualdad de oportunidades y de trato.

Fátima Pérez Jiménez nos proporciona una evaluación del potencial de inclusión/exclusión para los menores de la LORRPM a partir de un modelo teórico que propone la comparación de los sistemas político-criminales de los países occidentales en relación a las personas que entran en conflicto con la ley penal. Se analizan respecto de cuatro países europeos (Reino Unido, Italia, Polonia, Alemania) y dos estados de Estados Unidos (California y Nueva York) cinco criterios de inclusión/exclusión: aplicación del sistema de justicia penal de menores a personas de 12 años de edad o menos; previsión de sanciones privativas de libertad de más de 10 años para delitos cometidos por menores; efectos legales de los antecedentes penales de los menores al alcanzar la mayoría de edad; si el internamiento es una de las tres sanciones más aplicadas a menores; y si se expulsa a menores extranjeros delincuentes. El estudio permite afirmar que los criterios que mayor discriminación entre países permiten son la utilización de la privación de libertad de manera usual, la posibilidad de expulsar del país a los menores extranjeros delincuentes y la aplicación del sistema de justicia juvenil a menores de doce años; y apunta que las políticas criminales de justicia juvenil en España y Polonia se colocan con el menor índice de indicadores de exclusión social, frente a las realizadas en los estados de California y Nueva York que suma el mayor número de indicadores en esta dirección excluyente, quedando el resto de países europeos estudiados en una situación intermedia. Evaluar el potencial excluyente del sistema, sin embargo, es sólo una de las dos intenciones finales del proyecto; la segunda, contrastar si mayor potencial excluyente correlaciona con mejor eficacia preventiva del delito en un sistema dado, queda apuntada para ulteriores investigaciones.

Y María Asunción Colás Turégano reflexiona sobre violencia de género, tecnologías de la información y la comunicación y adolescentes. La Ley Orgánica de Protección Integral contra la Violencia de Género no ha logrado impedir que las cifras sobre violencia de género entre adolescentes sean crecientes (sobre todo, por conductas de control y acoso relacionadas con las tecnologías de la información y la comunicación); y, si respecto del agresor la LORRPM prevé una respuesta específica, no sucede otro tanto con las víctimas de violencia de género menores de edad. La inclusión en 2006 de la posibilidad de acordar medidas de prohibición de aproximación o comunicación no es comparable con el estatuto jurídico previsto para las víctimas de violencia de género en el Derecho penal de adultos. La contribución analiza los datos disponibles sobre esta cuestión, estudia detalladamente la doctrina de la Fiscalía General del Estado, y las modificaciones legales en la materia –destacadamente, la operada por la reciente Ley Orgánica de Protección integral a la infancia y la adolescencia frente a la violencia, que pretende dar a la víctima del adolescente un tratamiento más completo, equiparable al de la víctima del adulto, y para ello atiende a prevención y a intervención con la víctima y con el victimario–. Se hace de todo ello una valoración general positiva, sin perjuicio de señalar alguna sombra.

Finalmente, un tercer bloque atiende a los programas de intervención.

Desde una perspectiva general, Amaia Yurrebaso Macho y Eva María Picado Valverde revisan la evolución de las medidas comunitarias en menores en los 20 años de vigencia de la Ley. Rastrean la visibilidad académica de las medidas a través de una revisión de las publicaciones respecto de las mismas, atendiendo a estudios empíricos sobre menores infractores realizados en España (realizados a través de la revisión de expedientes o evaluando directamente a los menores) y publicados tras revisión por pares; localizando buen número de estudios sobre variables del menor infractor, modelos explicativos de su comportamiento, medidas judiciales e intervención en el mismo; y analizando las variables estudiadas en los mismos. Revisan los modelos explicativos utilizados para diseñar la intervención, y prestan especial atención al papel de los servicios sociales en los diferentes niveles de actuación con menores (en prevención primaria, secundaria y terciaria), rastreando el impulso de las reformas de la normativa española a este empeño. La contribución aterriza en los retos que tiene por delante la intervención comunitaria en el marco del sistema de justicia juvenil, apuntando hasta diez líneas para optimizar la estrategia de prevención del delito desde la óptica de la coordinación e integración de recursos públicos para alcanzar eficacia en la intervención en los diferentes niveles sin obviar la especificidad que las actuaciones requieren.

Y aterrizando en un caso concreto –y particularmente relevante–, Beatriz Alarcón Delicado realiza una propuesta de intervención específica para menores infractores por delitos de violencia de género. La relevancia del problema social que constituye la violencia de género entre adolescentes, y sus características particulares (elevado porcentaje de violencia psicológica –de control–, recurso habitual a tecnologías de la información y comunicación, inserción en contextos donde prevalecen otras formas de violencia familiar, etc.), reclaman una intervención específica. La contribución revisa distintas aplicaciones informáticas utilizadas para la prevención primaria, esfuerzo loable aunque aún no suficiente, y acto seguido apunta los déficits en la prevención secundaria, donde no están generalmente implantados programas previstos para adolescentes. Analiza el programa específico VIOPAR, aplicado en un centro por la Agencia de la Comunidad de Madrid para la Reeducación y Reinserción del Menor Infractor, y los programas de intervención con adultos por delitos de violencia de género impulsados por la Institución Penitenciaria en población reclusa (PRIA) y en medio abierto (PRIA-MA). Sobre la base de todo ello, realiza una propuesta específica de intervención en menores infractores por violencia de género, proponiendo la implementación de PRIA-MA adaptado con inclusión específica de contenidos sobre violencia de género tecnológica, mitos del amor romántico y libertad sexual, y prevención de otras formas de violencia familiar.

Con todo ello, no se pretende poner punto final a este debate; sino mantener viva la atención sobre cuestiones cuya importancia conviene no minusvalorar. Si hemos logrado aportar en este sentido, nos damos ciertamente por satisfechos.

# 5. BIBLIOGRAFÍA CITADA

Abadías Selma, A., Cámara Arroyo, S. y Simón Castellano, P. (coords.). (2021). *Tratado sobre delincuencia juvenil y responsabilidad penal del menor: A los 20 años de la Ley Orgánica 5/2000, de 12 de enero, reguladora de la responsabilidad penal de los menores.* Madrid: La Ley – Wolters Kluwer.

Abel Souto, M. (2021). Medidas alternativas al internamiento penal de menores. En A. Abadías Selma, S. Cámara Arroyo y P. Simón Castellano (coords.), *Tratado sobre delincuencia juvenil y responsabilidad penal del menor* (pp. 1037-1054). Madrid: La Ley – Wolters Kluwer.

Almazán Serrano, A., e Izquierdo Carbonero, F.J. (2007). *Derecho penal de menores: incluye formularios de resoluciones judiciales y escritos* (2ª ed.). Madrid: Difusión Jurídica y Temas de Actualidad S.A.

Andrés Ibáñez, P. (1987). La crisis del modelo correccional. En M.R. Duce (ed.), *Menores: la experiencia española y sus alternativas* (pp. 51-59). Madrid: Ediciones de la Universidad Autónoma de Madrid.

Barquín Sanz, J., y Cano Paños, M.A. (2006). Justicia penal juvenil en España: una legislación a la altura de los tiempos. *Revista de Derecho Penal y Criminología, 18,* 37-95. Accesible en línea en http://e-spacio.uned. es/fez/eserv.php?pid=bibliuned:DerechoPenalyCriminologia-2006-18-3060&dsID=pdf

Benítez Ortúzar, I.F. (2010). El Derecho penal de menores en el Estado Social y Democrático de Derecho: Breve referencia a los principios que disciplinan el *ius puniendi* estatal respecto del joven infractor. En F. Benítez Ortúzar y M.J. Cruz Blanca (Dtores.), *El Derecho penal de menores a debate: I Congreso Nacional sobre Justicia Penal Juvenil* (pp. 53-78). Madrid: Universidad de Jaén y Dykinson s.l.

Benítez Ortúzar, I.F., y Cruz Blanca, M.J. (2010). Prólogo. En F. Benítez Ortúzar y M.J. Cruz Blanca (Dtores.), *El Derecho penal de menores a debate: I Congreso Nacional sobre Justicia Penal Juvenil* (pp. 11-14). Madrid: Universidad de Jaén y Dykinson s.l.

Bernuz Beneitez, M.J. (1999). *De la protección de la infancia a la prevención de la delincuencia.* Zaragoza: El Justicia de Aragón.

Bernuz Beneitez, M.J. (2005). Justicia de menores española y nuevas tendencias penales: La regulación del núcleo duro de la delincuencia juvenil. Revista Electrónica de Ciencia Penal y Criminología, 7(12), 1-23. Accesible en línea en http://criminet.ugr.es/recpc/07/recpc07-12.pdf

Bernuz Beneitez, M.J. (2021). El eterno reto de una justicia específica para los menores de edad: la delincuencia grave. En A. Abadías Selma, S. Cámara Arroyo y P. Simón Castellano (coords.), *Tratado sobre delincuencia juvenil y responsabilidad penal del menor* (pp. 835-850). Madrid: La Ley – Wolters Kluwer.

Bernuz Beneitez, M.J., y Fernández Molina, E. (2008). La gestión de la delincuencia juvenil como riesgo: Indicadores de un nuevo modelo. *Revista Electrónica de Ciencia Penal y Criminología*, 10(13), 1-20. Accesible en línea en http://criminet.ugr.es/recpc/10/recpc10-13.pdf

Bernuz Beneitez, M.J., y Fernández Molina, E. (2019). La pedagogía de la justicia de menores: sobre una justicia adaptada a los menores. *Revista Española de Pedagogía*, 77(273), 229-244. https://doi.org/10.22550/REP77-2-2019-02

Bueno Arús, F. (2006). La Ley de responsabilidad penal del menor: compromisos internacionales, análisis de la imputabilidad penal y la respuesta penal. En F. Pantoja García (Dtor.), *La Ley de Responsabilidad Penal del Menor: situación actual* (pp. 283-338). Cuadernos de Derecho Judicial, XXV. Madrid: Consejo General del Poder Judicial.

Cano Paños, M.A. (2006). *El futuro del Derecho penal juvenil europeo: Un estudio comparado del Derecho penal juvenil en Alemania y España*. Barcelona: Atelier.

Cano Paños, M.A. (2011). ¿Supresión, mantenimiento o reformulación del pensamiento educativo en el Derecho penal juvenil? *Revista Electrónica de Ciencia Penal y Criminología*, 13-13, 1-55.

Cano Paños, M.A. (2021). ¿Es viable la introducción del modelo de discernimiento en el sistema de justicia penal juvenil vigente en España? En J. Guardiola García (coord.), *Libro de Actas del Congreso Peligrosidad, sanción y educación en el Derecho penal juvenil: veinte años de experiencia*, p. 22. Revista ReCrim, accesible en línea en www.uv.es/recrim

Carbonell Mateu, J.C., y Guardiola García, J. (2004). Consideraciones sobre la reforma penal de 2003. *Revista Jurídica de la Comunidad Valenciana*, nº 12, 9-63.

Carmona Salgado, C. (2002). Algunas observaciones sobre la responsabilidad penal de los menores, a raíz de la Ley 5/2000, de 12 de enero. *Revista Electrónica de Ciencia Penal y Criminología*, 04-03.

Cea D'Ancona, M.A. (1992). *La justicia de menores en España*. Madrid: Siglo XXI.

Cervelló Donderis, V. (2006). Las medidas en el derecho penal de menores. En J.L. González Cussac y M.L. Cuerda Arnau (Coords.), *Estudios sobre la responsabilidad penal del menor* (pp. 121-160). Castellón: Universitat Jaume I.

Cervelló Donderis, V. (2009). *La Medida de Internamiento en el Derecho Penal del menor*. Valencia: Tirant lo Blanch.

Cervelló Donderis, V., y Colás Turégano, A. (2002). *La responsabilidad penal del menor de edad*. Madrid: Tecnos.

Cervelló Donderis, V., y Colás Turégano, A. (2006). Cumplimiento de la mayoría de edad en la infracción penal y en la medida impuesta. En J.L. González Cussac y M.L. Cuerda Arnau (Coords.), *Estudios sobre la responsabilidad penal del menor* (pp. 55-77). Castellón: Universitat Jaume I.

Cezón González, C. (2001). *La nueva Ley Orgánica Reguladora de la Responsabilidad Penal de los Menores: con las reformas introducidas en el articulado de las Leyes Orgánicas 7/2000 y 9/2000*. Barcelona: Bosch.

Colás Turégano, A. (2011). *Derecho penal de menores*. Valencia: Tirant lo Blanch.

Colás Turégano, A. (2016). La reforma del sistema de protección de menores: la medida de internamiento para menores con problemas de conducta ¿introducción de un instrumento de defensa social frente a menores inadaptados? En el colectivo *IX Congreso Español de Criminología: Abriendo vías a la reinserción: Libro de Abstracts* (pp. 74-75). Barcelona: UAB – SEIC – CEJFE – FACE. Accesible en línea en https://seicdifusion.files.wordpress.com/2017/10/libro-abstracts-2016.pdf

Colás Turégano, A. (2021). Selección y determinación de las medidas en la LORRPM: Criterios jurisprudenciales y de la FGE tras veinte años de vigencia. En A. Abadías Selma, S. Cámara Arroyo y P. Simón Castellano (coords.), *Tratado sobre delincuencia juvenil y responsabilidad penal del menor* (pp. 809-833). Madrid: La Ley – Wolters Kluwer.

Consejo General de la Abogacía Española. (2007). *Circular 5/2007, Régimen transitorio para mayores de 18 años y menores de 21años*. Disponible en línea en https://www.icava.org/public/Attachment/2016/10/transitorio1821.pdf

Cruz Blanca, M.J. (2002). *Derecho penal de menores: Ley Orgánica 5/2000, reguladora de la responsabilidad penal de los menores*. Madrid: Editoriales de Derecho Reunidas S.A. e Instituto de Criminología de la Universidad Complutense de Madrid.

Cruz Blanca, M.J. (2010). Sobre las medidas tras la reforma operada por la LO 8/2006, de 4 de diciembre. En F. Benítez Ortúzar y M.J. Cruz Blanca (Dtores.), *El Derecho penal de menores a debate: I Congreso Nacional sobre Justicia Penal Juvenil* (pp. 153-184). Madrid: Universidad de Jaén y Dykinson s.l.

Cruz Márquez, B. (2006). *Educación y prevención general en el derecho penal de menores*. Madrid: Marcial Pons.

Cruz Márquez, B. (2007). *La medida de internamiento y sus alternativas en el derecho penal juvenil*. Madrid: Dykinson.

Cruz Márquez, B. (2021). Una aproximación a las consecuencias de omitir la valoración de la culpabilidad por el hecho en el sistema penal juvenil. En A. Abadías Selma, S. Cámara Arroyo y P. Simón Castellano (coords.), *Tratado sobre delincuencia juvenil y responsabilidad penal del menor* (pp. 339-359). Madrid: La Ley – Wolters Kluwer.

Cuello Contreras, J. (2000). *El nuevo Derecho penal de menores*. Madrid: Civitas.

Cuerda Arnau, M.L. (2008). Consideraciones político-criminales sobre las últimas reformas de la Ley Penal del Menor. *Revista Penal, nº 22*, julio 2008, 22-32.

Cuerda Arnau, M.L. (2017). Prólogo. En L. Villanueva Badenes et al., *Seguimiento en la edad penal adulta de menores infractores de la provincia de Castellón con medidas previas de internamiento en centro* (pp. 5-7). Castellón: Fundación Dávalos-Fletcher.

Cuesta Arzamendi, J.L. de la, y Blanco Cordero, I. (2010). *Menores infractores y sistema penal*. Donostia-San Sebastián: Instituto Vasco de Criminología.

Díaz-Maroto y Villarejo, J. (2015). La responsabilidad penal del menor en el Derecho español. *Revista Penal México, 9*, septiembre de 2015-febrero de 2016, 19-36.

Díaz-Maroto y Villarejo, J. (Dtor.), Feijóo Sánchez, B., y Pozuelo Pérez, B. (2008). *Comentarios a la ley reguladora de la responsabilidad penal de los menores*. Cizur Menor: Aranzadi.

Díez Ripollés, J.L. (2006). Prólogo. En F. Pérez Jiménez, *Menores infractores: estudio empírico de la respuesta penal* (pp. 19-24). Valencia: Tirant lo Blanch.

Díez Ripollés, J.L. (2017). El abuso del sistema penal. *Revista Electrónica de Ciencia Penal y Criminología, 19* –01, 1-24.

Dolz Lago, M.-J. (2007). ¿Endurecimiento simbólico de la Ley penal del menor?. *La Ley penal, nº 41*, septiembre 2007, 59-86.

Domínguez Izquierdo, E.M. (2010). El interés superior del menor y la proporcionalidad en el Derecho penal de menores: contradicciones del sistema. En F. Benítez Ortúzar y M.J. Cruz Blanca (Dtores.), *El Derecho penal de menores a debate: I Congreso Nacional sobre Justicia Penal Juvenil* (pp. 79-122). Madrid: Universidad de Jaén y Dykinson s.l.

Feijóo Sánchez, B. (2021). Bases dogmáticas de la responsabilidad penal de los menores. En A. Abadías Selma, S. Cámara Arroyo y P. Simón Castellano (coords.), *Tratado sobre delincuencia juvenil y responsabilidad penal del menor* (pp. 317-338). Madrid: La Ley – Wolters Kluwer.

Fernández Molina, E., y Bartolomé Gutiérrez (Dtoras.). (2019). *Delincuencia y Justicia Juvenil en España: ¿qué sabemos?* Valencia: Tirant lo Blanch.

Fernández Molina, E., y Bernuz Beneitez, M.J. (2018). *Justicia de menores.* Madrid: Editorial Síntesis.

Fiscalía General del Estado [FGE]. (2006). *Instrucción 5/2006, de 20 diciembre, sobre los efectos de la derogación del artículo 4 de la Ley Orgánica 5/2000 de 12 de enero Reguladora de la Responsabilidad Penal de los Menores, prevista por Ley Orgánica 8/2006 de 4 de diciembre.* Disponible en línea en recopilación de doctrina de la FGE 1883-2013 en www.fiscal.es

Fiscalía General del Estado [FGE]. (2000). *Circular 1/2000, de 18 diciembre, relativa a criterios de aplicación de la Ley Orgánica 5/2000, de 12 de enero, por la que se regula la responsabilidad penal de los menores.* Disponible en línea en recopilación de doctrina de la FGE 1883-2013 en www.fiscal.es

Fiscalía General del Estado [FGE]. (2001). *Circular 2/2001, de 28 de junio, relativa a la incidencia de las Leyes Orgánicas 7 y 9/2000, de 22 de diciembre, en el ámbito de la jurisdicción de menores.* Disponible en línea en recopilación de doctrina de la FGE 1883-2013 en www.fiscal.es

Fiscalía General del Estado [FGE]. (2007). *Circular 1/2007, de 23 de noviembre, sobre criterios interpretativos tras la Reforma de la Legislación Penal de Menores de 2006.* Disponible en línea en recopilación de doctrina de la FGE 1883-2013 en www.fiscal.es

García Pérez, O. (2007). La reforma de 2006 de la Ley de responsabilidad penal de los menores: la introducción del modelo de seguridad ciudadana. En A. Jorge Barreiro y B. Feijóo Sánchez (Eds.), *Nuevo Derecho penal juvenil: una perspectiva interdisciplinar: ¿qué hacer con los menores delincuentes?* (pp. 23-55). Barcelona: Atelier.

Giménez-Salinas Colomer, E. (1981). *Delincuencia juvenil y control social: Estudio descriptivo de la actuación el Tribunal Tutelar de Menores de Barcelona.* Esplugues de Llobregat: Círculo Editor Universo.

Gómez-Fraguela, X.A., Maneiro, L., Cutrín, O. y Argudo, A. (2021). Valoración del riesgo en el sistema de justicia juvenil de la Ley Orgánica 5/2000. En A. Abadías Selma, S. Cámara Arroyo y P. Simón Castellano (coords.), *Tratado sobre delincuencia juvenil y responsabilidad penal del menor* (pp. 705-722). Madrid: La Ley – Wolters Kluwer.

González Cussac, J.L., y Cuerda Arnau, M.L. (2002). Derecho penal de menores: criterios generales de aplicación de las medidas. En J.L. González Cussac, J.M. Tamarit Sumalla y J.L. Gómez Colomer (coords.), *Justicia penal de menores y jóvenes: análisis sustantivo y procesal de la nueva regulación* (pp. 79-130). Valencia: Tirant lo Blanch.

González Pillado, E. (2012). La mediación como manifestación del principio de oportunidad en la Ley de Responsabilidad Penal de Menores. En E. González Pillado (Coord.), *Mediación con menores infractores en España y los países de su entorno* (pp. 53-87). Valencia: Tirant lo Blanch.

Gómez y Medina, J. [1792] (2020). Método de vida que han de observar los exercitantes distinguidos en la nueva vivienda de la casa vivienda de los Toribios de la ciudad de Sevilla (reproducción facsímil). *Anuario de Justicia de Menores, XX*, 789 ss.

Groizard y Gómez de la Serna, A. (1870). *El Código penal de 1870 concordado y comentado: tomo I.* Burgos: Imprenta de Timoteo Arnaiz.

Groizard y Gómez de la Serna, A. (1872). *El Código penal de 1870 concordado y comentado: tomo II.* Burgos: Imprenta de Timoteo Arnaiz.

Higuera Guimerá, J.-F. (2003). *Derecho penal juvenil.* Barcelona: Bosch.

Higuera Guimerá, J.-F. (2005). La transformación de la originaria LORRPM y sus consecuencias jurídicas. *Revista General de Derecho Penal, 4*, 1-30.

Jericó Ojer, L. (2018). El impacto (probablemente no previsto) de la reforma del Código Penal operada por la LO 1/2015, de 30 de marzo en el Derecho penal de menores. *Revista Electrónica de Ciencia Penal y Criminología, 20*(24), 1-56. Accesible en línea en http://criminet.ugr.es/recpc/20/recpc20-24.pdf

Jiménez Díaz, M.J. (2015). Algunas reflexiones sobre la responsabilidad penal de los menores. *Revista Electrónica de Ciencia Penal y Criminología, 17 – 19*, 1-36.

Landrove Díaz, G. (2007). *Introducción al Derecho penal de menores* (2ª ed.). Valencia: Tirant lo Blanch.

Martín Ostos, J. de los S. (1994). *Jurisdicción de menores.* Barcelona: Bosch.

Martín Ostos, J. (2020). Los primeros pasos hacia la jurisdicción de menores en España. *Anuario de Justicia de Menores, XX*, 13-41. Editorial Astigi.

Martínez Garay, L., y Viana Ballester, C. (2004). Comentario al Reglamento de la LORRPM. *Revista General de Derecho Penal, 2*, 1-46.

Martínez Garay, L., y Viana Ballester, C. (2006). El Reglamento de la Ley Orgánica Reguladora de la Responsabilidad penal de los Menores. En J.L. González Cussac, J.M. Tamarit Sumalla y J.L. Gómez Colomer (coords.), *Justicia penal de menores y jóvenes: análisis sustantivo y procesal de la nueva regulación* (pp. 479-554). Valencia: Tirant lo Blanch.

Martínez Serrano, A. (2001). Principios sustantivos y procesales básicos de la responsabilidad penal de los menores establecidos en la LO 5/2000. En M.R. Ornosa Fernández (Dtor.), *La responsabilidad penal de los menores: aspectos sustantivos y procesales* (pp. 17-39). Madrid: Consejo General del Poder Judicial.

Matallín Evangelio, A. (2000). La capacidad de culpabilidad de los sujetos sometidos a la Ley Orgánica 5/2000, de 12 de enero, reguladora de la responsabilidad penal de los menores. *Estudios Penales y Criminológicos, XXII,* 56-102. Accesible en línea en http://hdl.handle.net/10347/4098

Montero Hernanz, T. (2010). La delincuencia juvenil en España en datos. *Quadernos de Criminología, 9,* 14-22.

Montero Hernanz, T. (2011). La delincuencia juvenil en España, en datos. *Derecho y Cambio Social, 8-23,* 1-11.

Moreno Catena, V. (2008). Ámbito de aplicación y garantías procesales en el proceso penal de menores. En E. González Pillado (Coord.), *Proceso penal de menores* (pp. 21-47). Valencia: Tirant lo Blanch.

Morillas Cueva, L. (2010). La política criminal del menor como expresión de una continua contradicción. En F. Benítez Ortúzar y M.J. Cruz Blanca (Dtores.), *El Derecho penal de menores a debate: I Congreso Nacional sobre Justicia Penal Juvenil* (pp. 15-52). Madrid: Universidad de Jaén y Dykinson s.l.

Muñoz Conde, F., y García Arán, M. (2000). *Derecho penal: parte general. 4ª ed. rev. y puesta al día.* Valencia: Tirant lo Blanch.

Muñoz Conde, F., y García Arán, M. (2019). *Derecho penal: parte general. 10ª edición, revisada y puesta al día con la colaboración de Pastora García Álvarez.* Valencia: Tirant lo Blanch.

Ocáriz Passevant, E., y San Juan Guillén, C. (Comp.). (2022). *100 años de acompañamiento en Justicia Juvenil: Investigación evaluativa y retos futuros.* Bilbao: Universidad del País Vasco / Euskal Herriko Uniberistatea.

Ornosa Fernández, M.R. (2007). *Derecho penal de menores: Comentarios a la Ley Orgánica 5/2000, de 12 de enero, reguladora de la responsabilidad penal de los menores, reformada por la Ley Orgánica 8/2006, de 4 de diciembre y a su Reglamento, aprobado por Real Decreto 1774/2004, de 30 de julio* (4ª ed.). Barcelona: Bosch.

Pacheco, J.F. (1856) *El Código penal: concordado y comentado por Don Joaquín Francisco Pacheco: tomo I.* 2ª ed. corregida y aumentada. Madrid: Imprenta de la viuda Perinat y compañía.

Paredes Castañón, J.M. (2013). El principio del 'interés del menor' en Derecho penal: una visión crítica. *Revista de Derecho penal y Criminología, 10,* 155-186.

Peligero Molina, A.M. (2021). La regulación de la justicia restaurativa en la justicia juvenil española. En A. Abadías Selma, S. Cámara Arroyo y P. Simón Castellano (coords.), *Tratado sobre delincuencia juvenil y responsabilidad penal del menor: A los 20 años de la Ley Orgánica 5/2000, de 12 de enero, reguladora de la responsabilidad penal de los menores* (pp. 1097-1113). Madrid: La Ley – Wolters Kluwer.

Peres Neto, L. (2007). *Leyes a golpe de suceso: el efecto de los discursos mediáticos en las reformas políticas en la Ley de Responsabilidad Penal del Menor (2000-2003)* (Trabajo de investigación de doctorado). Bellaterra: Universidad Autónoma de Barcelona. Accesible en línea en http://hdl. handle. net/2072/5146

Peres Neto, L. (2010). *Prensa, política criminal y opinión pública: el populismo punitivo en España* (Tesis doctoral). Bellaterra: Universidad Autónoma de Barcelona. Accesible en línea en https://ddd.uab.cat/pub/tesis/2010/tdx-1222110-180745/lpn1de1.pdf

Pérez Jiménez, F. (2006). *Menores infractores: estudio empírico de la respuesta penal*. Valencia: Tirant lo Blanch.

Pérez Machío, A.I. (2007). *El tratamiento jurídico-penal de los menores infractores (LO 8-2006): aspectos de derecho comparado y especial consideración del menor infractor inmigrante*. Valencia: Tirant lo Blanch.

Pozuelo Pérez, L. (2013). Delincuencia juvenil: distorsión mediática y realidad. *Revista Europea de Derechos Fundamentales, 21*, 117-156.

Pozuelo Pérez, L. (2021). Lo bueno, lo malo y lo mejorable de la Ley Orgánica 5/2000. En A. Abadías Selma, S. Cámara Arroyo y P. Simón Castellano (coords.), *Tratado sobre delincuencia juvenil y responsabilidad penal del menor*, pp. 145-165. Madrid: La Ley – Wolters Kluwer.

Ríos Martín, J.C. (1993). *El menor infractor ante la ley penal*. Granada: Comares.

Rodríguez Pérez, J.P. (2001). La justicia de menores en España: análisis histórico-jurídico. *Anales de la Facultad de Derecho, 18* (Universidad de La Laguna), 419-440.

Rosa Cortina, J.M. de la (2021). Las sanciones imponibles en el sistema de justicia juvenil y el principio del superior interés el menor. En A. Abadías Selma, S. Cámara Arroyo y P. Simón Castellano (coords.), *Tratado sobre delincuencia juvenil y responsabilidad penal del menor* (pp. 759-782). Madrid: La Ley – Wolters Kluwer.

Sánchez García de Paz, M.I. (1998). *Minoría de edad penal y derecho penal juvenil*. Granada: Comares.

Serrano Gómez, A. (1970). *Delincuencia juvenil en España: Estudio criminológico*. Madrid: Doncel.

Serrano Tárrega, M.D. (2007). Legislación penal de menores en España: antecedentes históricos. En C. Vázquez González y M.D. Serrano Tárrega (Eds.), *Derecho penal juvenil*, 2ª ed. (pp. 271-315). Madrid: Dykinson s.l.

Silva Sánchez, J.-M. (1997). *El nuevo Código penal: cinco cuestiones fundamentales*. Barcelona: J.M. Bosch Editor.

Silva Sánchez, J.-M. (2007). 'Rebajas de enero' para delincuentes jóvenes adultos ¿con efecto retroactivo?. *InDret 1/2007*, 1-12.

Tamarit Sumalla, J.M. (2002). Principios político-criminales y dogmáticos del sistema penal de menores. En J.L. González Cussac, J.M. Tamarit Sumalla y J.L. Gómez Colomer (coords.), *Justicia penal de menores y jó-*

*venes: análisis sustantivo y procesal de la nueva regulación* (pp. 13-46). Valencia: Tirant lo Blanch.

Tarancón Gómez, P. (2017). Opinión pública e intervención penal con menores que provocan 'alarma social'. *Revista General de Derecho Penal, 27*, 1-59.

Urbano Castrillo, E. de, y De la Rosa Cortina, J.M. (2007). *La responsabilidad penal de los menores: adaptada a la LO 8/2006, de 4 de diciembre.* Cizur Menor: Aranzadi.

Vaello Esquerdo, E. (2009). La incesante aproximación del Derecho penal de menores al Derecho penal de adultos. *Revista General de Derecho Penal, 11*, 1-40.

Valbuena García, E. (2008). Una paulatina desnaturalización de la ley del menor. *Foro, 7*, 119-131.

Vázquez González, C. (2007). Modelos de justicia penal de menores. En C. Vázquez González y M.D. Serrano Tárrega (Eds.), *Derecho penal juvenil,* 2ª ed. (pp. 271-315). Madrid: Dykinson s.l.

Ventas Sastre, R. (2003). *La minoría de edad penal.* Madrid: Editoriales de Derecho Reunidas S.A. e Instituto de Criminología de la Universidad Complutense de Madrid.

Viana Ballester, C. (2004). La responsabilidad penal del menor: naturaleza y principios informadores. *Revista Penal, 13*, 151-184.

Viana Ballester, C. (2005). Comentario al anteproyecto de reforma de la ley del menor. *Revista General de Derecho Penal, 4*, 1-30.

Vives Antón, T.S. (1995). *La libertad como pretexto.* Valencia: Tirant lo Blanch.

# La construcción jurídica de la "minoridad" en el marco del sistema penal y su traducción en la Ley Orgánica 5/2000

GLORIA GONZÁLEZ AGUDELO
*Universidad de Cádiz[1]*

SUMARIO: 1. Introducción. 2. La minoridad en su contexto. 3. La minoridad en el sistema penal. 4. La minoridad en la LO 5/2000. 5. Conclusiones. 6. Bibliografía.

## 1. INTRODUCCIÓN

El consenso general sobre la LO 5/2000 de 12 de enero, reguladora de la responsabilidad penal de los menores (en adelante, LORRPM) es positivo, y hay muchas razones que lo avalan, sobre todo, si se tiene en cuenta el panorama anterior a la entrada en vigor de la misma. No es esta una actitud conformista, la LORRPM implicó un salto cualitativo para el sistema de justicia penal juvenil español, posibilitando durante sus veinte años de vigencia consolidar un sistema renovado, moderno y actualizado de respuesta a la criminalidad juvenil, con instituciones y profesionales cada vez más formados para la atención de este colectivo, apuntalando al mismo tiempo, un nuevo marco teórico acorde con las nuevas realidades jurídicas y criminológicas.

Las leyes cumplen diferentes funciones y a la LORRPM le ha correspondido no solo la función declarada de regular la responsabilidad penal de los mayores de 14 y menores de 18 años por los hechos tipificados formalmente como delitos teniendo en cuenta una serie de principios garantistas y el respeto a los derechos fundamentales, sino también, la función pedagógica de trasladar a la sociedad una nueva

[1] Este trabajo ha sido realizado en el marco del proyecto PID2020-114739RB-100, del Plan Nacional I+D+I, financiado por el Ministerio de Ciencia e Innovación de España.

mirada sobre el joven infractor más acorde con la realidad criminológica que los especifica (Bernuz/Fernández, 2019; Vázquez/Serrano, 2008), sirviendo de puente entre el anacrónico sistema tutelar –en su momento, insuficientemente objetado–, sobre el que se asentaba la respuesta a la criminalidad juvenil durante casi todo el siglo XX, y las tendencias actuales de la justicia juvenil respetuosas con los derechos fundamentales, en el marco de la Convención de Derechos del Niños (en adelante, CDN).

Teniendo en cuenta esta perspectiva, el análisis teórico que proponemos, revisando algunos de sus presupuestos, no debe entenderse como una enmienda a la totalidad. El importante aniversario de los veinte años de vigencia de la LORRPM, es una excelente oportunidad para reflexionar sobre aspectos de fondo no suficientemente tratados o soslayados en el proceso de configuración del nuevo sistema, que emergen hoy con mucha más fuerza, una vez los derechos de los niños y niñas infractores dejan de ser un añadido para ser el centro de la actuación estatal.

No debe olvidarse el difícil proceso de configuración y entrada en vigor de la LORRPM el 12 de enero de 2001, pues, fue el resultado de una larga y ardua negociación política prolongada en el tiempo[2] al margen de la Constitución y los compromisos internacionales signados por España, ya vigentes durante este proceso (Cuello Contreras, 2001; Bueno Arús, 2005; Carmona, 2000). Ello dilató la situación de interinidad generada por la sentencia del Tribunal Constitucional 36/1991, de 14 de febrero de 1991, al declarar inconstitucional el art. 15 de la Ley de Tribunales Tutelares de Menores (texto refundido aprobado por Decreto de 11 de junio de 1948), en cuanto regulaba el procedimiento aplicable en ejercicio de la facultad de corrección o

---

[2]    La Moción parlamentaria de 10 de mayo de 1994. El Anteproyecto de Ley Orgánica Penal Juvenil y del Menor de 27 de abril de 1995. El Borrador de Anteproyecto de Ley Orgánica de Justicia Juvenil, de 30 de octubre de 1996. La Proposición de Ley Orgánica Reguladora de la Responsabilidad Penal de los Menores, de 26 de noviembre de 1996. El Anteproyecto de Ley Orgánica de Justicia Juvenil, de 30 de enero de 1997. El Borrador de Anteproyecto de Ley Orgánica de Justicia Juvenil y del Menor, de 1 de marzo de 1997. El Anteproyecto de Ley Orgánica Reguladora de la Justicia de Menores, de 1 de julio de 1997. El Proyecto de Ley Orgánica Reguladora de la Responsabilidad Penal de los Menores, de 3 de noviembre de 1998.

reforma vigente hasta la fecha, por no asegurar el derecho constitucionalmente reconocido al debido proceso consagrado en el artículo 24 CE.

La situación excepcional generada con esta sentencia se solventó apresuradamente con la aprobación de la Ley Orgánica 4/1992, de 5 de junio, sobre reforma de la Ley reguladora de la Competencia y el Procedimiento de los Juzgados de Menores, dictada de forma urgente para atender la emergencia creada por la derogación del anterior procedimiento (Giménez-Salinas, 2001). Sin embargo, la falta de interés por adecuar el sistema penal juvenil a los estándares de protección de los derechos fundamentales de niños y jóvenes, se retrotrae a la entrada en vigor de la propia Constitución de 1978, que garantiza en el Capítulo II del Título I la protección de los derechos de todos, sin discriminación y, sin embargo, el sistema penal quebrantó respecto de los niños y niñas infractores de normas penales, debiendo esperarse veintidós años, para que una nueva norma acorde con la realidad Constitucional viera la luz.

Al igual que frente a cualquier norma, el transcurso del tiempo exige adaptaciones y la LORRPM no es una excepción, pues, nuevas circunstancias (la transformación de las categorías Niño y Joven; el crecimiento exponencial de las redes sociales; las grandes trasformaciones sociales que impactan de lleno en vida de los niños y niñas; el incremento del sentimiento punitivista; entre muchas otras), obligan a reflexionar sobre las posibilidades de esta Ley para adaptarse a los cambios sociales, incluso, es legítimo preguntarse si la Ley admite eficientemente estas ineludibles reformas o si es necesaria una nueva Ley.

En esta ocasión circunscribiré mi reflexión a uno de los presupuestos del sistema, la minoridad, que admite diferentes aproximaciones según el elemento tomado en cuenta en el análisis. Por esta razón, no serán tratados en profundidad otros presupuestos que también deben ser revisados (función del sistema, responsabilidad, consecuencias jurídicas, intervención, proceso, entre otros).

## 2. LA MINORIDAD EN SU CONTEXTO

En las últimas décadas se han producido dos acontecimientos de vital importancia para entender el papel de los Niños en el mundo contemporáneo en constante mutación, tanto como actores sociales, como sujetos individuales: por una parte, la redefinición social de la infancia, proceso en creciente expansión dado el reconocimiento de derechos a partir de la aprobación de la CDN. Por la otra, la consolidación de los *Childhood studies* (Qvortrup et al., 2009), un nuevo marco teórico, que cambia la visión tradicional de la aproximación teórica a los Niños como sujetos de estudio, con su proceso de clarificación de conceptos y procesos.

En relación con este último campo, las dificultades son muchas. En primer lugar, como señala Sirota (2006: 18), se trata de reunir bajo un estatuto intelectual común conceptos diversos: embrión, feto, bebé, niño o niña, infante, infante preadolescente, adolescente, post-adolescente y joven, lo que según la autora solo implicaría: "...el embarque conceptual que se refiere a los supuestos teóricos o los principales problemas del investigador", sin embargo, social y jurídicamente involucra categorías diferentes para sujetos diversos. De hecho, en los estudios enmarcados en la nueva sociología de la infancia se observa una distinción entre la primera infancia y la juventud, y aunque hay puntos en común con la sociología de la juventud, ya se hacen claros desmarques, especialmente, bajo tres paradigmas diferenciados: el ciclo vital, la generación y la biografía (Casal/Merino/García, 2011). Específicamente, un concepto clave y complejo en este campo es el de generación, y también aquí se intenta hacer una distinción clara para señalar que su ámbito de análisis es mucho más elástico que el señalado matemáticamente por las categorías legales (Mannheim, 1993; Qvortrup et al., 2009).

En cualquier caso, todos estos análisis inciden en la invisibilidad de la infancia y la juventud en la academia hasta épocas muy recientes, dando como resultado un conocimiento adultocéntrico sobre sus universos, de forma que, experiencias, necesidades, intereses y respuestas han sido siempre construidas desde la visión exógena de los adultos. Desde ahí, se erigen las narrativas sobre lo que representan, y se producen las expectativas a partir de las jerarquías previamente asumidas y del reparto de roles que conlleva (por ejemplo: género o clase) (Bourdieu, 1990). Así, la visión predominante, la de la psicología evolutiva (Piaget, 1972) y también la de la sociología funcionalista (Parsons, 2008), han contribuido al afianzamiento de determinadas miradas y preconcepciones "normalizadas" sobre los niños y los jóvenes y sus transiciones, consolidando de paso la idea de conflictividad y ruptura del orden de aquellos que no siguen el proceso prestablecido de "maduración", proceso unificado, universalizado y esencialista a partir de ese mismo conocimiento, sin consideración a las experiencias personales, culturales y sociales de ser joven en contextos específicos. (Feixa, 1998; Bourdieu, 1990: 163-164; Gaitán, 2010; Duarte, 2011).

### 2.1. Estado de minoridad o estado de incapacidad

El "Menor de edad", a diferencia de otros conceptos sociológicos y/o psicológicos más elásticos (Niño, joven, adolescente), es una construcción jurídica, y como tal, tiene y produce efectos jurídicos. Los autores civilistas sostienen que es un "*estado*", el de minoridad, esto es "*estado civil de minoridad*", entendiendo por tal, la cualificación jurídica de una persona que no alcanza la edad fijada por ley para obtener la capacidad plena de obrar (De Castro y Bravo, 1952: 174). A lo largo de la historia, la minoría de edad, como estado civil, no siempre ha existido, es más, en algunos períodos históricos ni siquiera se hacían distinciones jurídicas entre adultos y niños (Aries, 1990; Cámara, 2011). La concreción jurídica de la minoridad ha sido oscilante en los dos últimos siglos, con diferentes límites cronológicos y contenidos. Por esta razón, sostiene Ravetllat (2015: 152), en la actualidad y contrariamente a la regulación jurídica de la mayoría de edad y de la emancipación, que es expresa, no se tiene una regulación completa y sistemática de la minoridad, lo cual impide establecer fehacientemente el estatuto jurídico del menor de edad.

La minoridad es el resultado de una determinada forma de configurar las relaciones jurídicas con la infancia, que se mantiene en los últimos siglos en el mundo occidental (Aries, 1990; Feixa, 1998: 42; Berger/Luckmann, 2003), incluso, y a pesar, de los cambios propiciados por los instrumentos jurídicos protectores de derechos, sobre todo, en la segunda mitad del siglo XX, a partir de la Convención de Derechos del Niño (CDN). Nos interesa destacar sucintamente, a efectos de nuestra argumentación, cómo el principio fundamentador y unificador de todo el sistema de la modernidad, el contrato social, y su idea de hombres libres, iguales y racionales, se tradujo en el reconocimiento de derechos de carácter universal y abstracto, a partir de la idea de "la razón humana universal".

Esta adscripción implicó subsiguientes consecuencias históricas para aquellos grupos y sujetos excluidos de esta precondición, por tanto, quedaron por fuera también de la esfera de participación política, y de la posibilidad de introducir derechos o argumentos de peso en la discusión a favor de sus intereses particulares, pues, en ningún momento se consideran (Nussbaum, 2012). El resultado de esta nueva configuración en términos sociales y políticos, es un sujeto de derecho pleno, dotado de racionalidad, al que se le reconoce ciudadanía, derechos y libertades: varón, adulto, blanco, propietario (aunque solo sea de su fuerza de trabajo y la de sus dependientes), y la exclusión de todos los otros sujetos, por irracionales, al no reunir los requisitos para poder participar en la discusión de los principios políticos. Esto no quiere decir, señala De Sousa (2008), que no estén presentes en el cuerpo social, pero ya en su condición de sujetos derivados, esto es, en su condición de posesión de quien detenta el poder de representación: mujeres, niños, discapacitados, esclavos, extranjeros, no tienen más derechos que, aquellos que tienen la voz y de quienes dependen, les otorgan.

En todos los casos, y a pesar de las inciertas posibilidades de alcanzar la ciudadanía para algunos grupos o sujetos dentro de estos, el resultado principal de esta distribución del poder, es la ocupación del espacio político y jurídico de representación sobre la que se construye la socialización. La asignación de status es constitutiva, invisivilizando todos los procesos de adscripción del mismo, pues, se presume como racional y, precisamente por ello, esta racionalidad, además de cimentar el discurso de la modernidad, es la que ha impregnado todos los procesos de construcción de la institucionalidad y de la configuración jurídica que la han acompañado (Barcellona, 1996).

El proceso de adscripción de status no ha sido lineal, atendiendo los diferentes criterios de exclusión –proceso que puede ser analizado histórica y socialmente–, sin embargo, curiosamente, la división por edades ha servido en todas las sociedades para delimitar un conjunto de expectativas sobre las cuales construir una clara y primera separación: los «sistemas de edades sirven a menudo para legitimar un desigual acceso a los recursos, a las tareas productivas, al mercado matrimonial, a los cargos políticos» (Feixa, 1998: 25). En este caso, el criterio de exclusión es genérico, por esta razón, la situación de exclusión y discriminación de niños y jóvenes se produce y mantiene también en el interior de los grupos subordinados, pues, el eje discriminatorio es específico y la lógica que lo sustenta se aparta de otros discursos legitimadores de la desigualdad (González, 2021).

En este marco, la función de la ley va más allá de la constatación de la realidad que le sirve de base, es atributiva, modela la realidad a través de la atribución de significados en el nuevo orden social y económico capitalista y de esta forma, la idea estructuralmente discriminatoria sobre la que se construye gran parte del discurso de la modernidad y da forma a la institucionalidad, mantiene la irracionalidad de determinados grupos sociales, consecuentemente, su incapacidad para ocupar los ámbitos de representación política, y el menor valor, por ello, de mujeres, niños y discapacitados (y otros).

A partir de la CDN, se van produciendo cambios jurídicos que acompañan una nueva forma de ver y entender la infancia y sus derechos. Así, conviven en nuestras sociedades dos tendencias paradójicas, no necesariamente contradictorias: la protección (principio general tuitivo) y el reconocimiento de derechos, lo que da lugar a diferentes tendencias caracterizadas por el paso del adultocentrismo al paidocentrismo (proceso más o menos avanzado según la sociedad), que pone al niño en el centro, reconociendo sus derechos, y más allá, solidificando una postura antropocéntrica bastante discutida. Ello genera polarización entre las posturas liberacionistas (*child liberationists*) y proteccionistas (*child caretakers*) (Gómez-Mendoza/Alzate-Piedrahíta, 2014, con referencias).

El problema de fondo actual se encuentra en conciliar el avance real representado por la CDN que otorga una protección reforzada a todos los sujetos menores de 18 años en función de una dependencia y/o vulnerabilidad estructural que se presume, siempre y en todos los casos –salvo contadas excepciones–, y la autonomía progresiva en el ejercicio de los derechos, que también se reconoce por la Convención. Esta última ha sido de difícil admisión y pocas legislaciones están dispuestas a aceptarla, al menos, con todas sus consecuencias y, desde esta perspectiva, debe analizarse el dilema que representa el principio constitucional de igualdad material en las constituciones (Renaut, 2002).

El sistema jurídico español se debate entre estas tendencias. Reconoce los derechos de los niños y niñas, pero debe asegurarlos y esta tarea la encomienda a los padres y/o tutores (incluido el Estado), quienes deben actuar en el interés superior del menor. Muy relevante es establecer qué significa el interés superior del Niño en el ámbito jurídico penal y cómo se asegura que es éste y no el de la administración, la familia o la sociedad el que se protege cuando se adoptan decisiones con base en el mismo. El orden jurídico sigue partiendo de la presunción legal de vulnerabilidad estructural de los sujetos menores de 18 años, asumiendo una visión paternalista de los derechos, y desconociendo la capacidad del menor maduro para adoptar o participar en la toma de decisiones relevantes que le afecten, sustituyendo, en casi todos los casos, su consentimiento por el del tutor –con contadas excepciones–, quien se presupone, actúa siempre en su interés superior. De esta forma, se configura la institución de la protección como central en la respuesta a esa vulnerabilidad presumida, convertida en minoridad, esto es, en incapacidad (Llobet, 2017; González, 2017).

El Derecho penal sigue estos lineamientos, no solo cerrando el círculo de la protección, cuando existe un daño o peligro para los derechos del niño o joven que requieren de la intervención del instrumento jurídico más grave, sino también, porque a través de la intervención penal se asegura el mantenimiento de los presupuestos mismos de la vulnerabilidad entendida como minoridad o incapacidad (González, 2021: 45). Paradójicamente, si se rastrea la evolución del sistema penal, la configuración de la minoridad no ha coincidido con la realizada en el ámbito civil, lo que ha permitido validar en el campo jurídico-penal un discurso ambiguo, en el que, sin pudor, por una parte se niega la capacidad de obrar jurídicamente a los niños y jóvenes en el ejercicio de sus derechos, por falta de raciocinio y discernimiento, según lo postulado por el "estado de minoridad" propugnado en el ámbito civil, a la vez que se les castiga penalmente en los mismos casos, presumiéndoles la comprensión de esos mismos actos –fijándose una edad variable y aleatoria en diferentes momentos históricos–.

A partir de esta presunción, el sistema penal hace responsables, total o parcialmente, a los jóvenes de sus acciones, sin atender a otros criterios diferentes a la propia ley penal, ni siquiera a ley civil, que establece en algunos supuestos (pocos), moderaciones al límite de la mayoría de edad en los dieciocho años y, paulatinamente, ha ido introduciendo no solo el reconocimiento de derechos, sino también, la posibilidad de su ejercicio por debajo de esa edad, especialmente, en relación con los derechos personalísimos.

### 2.2. Menor, Niño/Niña, Adolescente, Joven, Joven adulto ¿Una cuestión de etiquetas?

En los últimos tiempos asistimos a un impulso desde el movimiento feminista –y otros–, por el lenguaje inclusivo y no discriminatorio y al consiguiente debate que genera. Siguiendo esta estela, en este epígrafe nos preguntamos por la validez actual del término "Menor" en España, como criterio genérico de nominación legal de toda la categoría: "sujeto menor de 18 años", y más allá, por la validez de la categoría "Niño" de la CDN para la misma, esto es, todo sujeto menor de 18 años.

A) El uso genérico del término Menor utilizado como referencia de toda la categoría Minoridad, en España, contradice la terminología de la CDN que utiliza el término "Niño", siendo este último el término mayormente utilizado en los instrumentos internacionales aprobados con posterioridad a su vigencia y la expresión usada en todas las legislaciones de nueva data en Latinoamérica, por solo hacer referencia a los países que utilizan el español. Siendo las leyes actualmente vigentes en España, referidas a Niños y Niñas en protección o reforma posteriores a la aprobación de la CDN, se entiende que esta es una decisión consciente del legislador español, que solo cambia en la muy reciente Ley Orgánica 8/2021, de 4 de junio, de protección integral a la infancia y la adolescencia frente a la violencia, adecuando la referencia subjetiva de la ley, a los niños, niñas y adolescentes.

Este empeño consciente y sistemático en el uso del término "Menor" por parte del legislador plantea una pregunta lógica: ¿Menor a qué? ¿Menos en qué? ¿Derechos, dignidad, garantías? Lógicamente, somos conscientes que, en la mayoría de las ocasiones, se usa como sustantivo para referirse al menor de edad –aunque este es un término ya de por sí bastante ambiguo y conflictivo–. No obstante, si atendemos a la primera definición de la locución "Menor" de la RAE: "Que es inferior a otra cosa en cantidad, intensidad o calidad", se comprende cómo ha podido calar y permanecer durante tanto tiempo en la referencia de ley, la academia, en las instituciones y en la sociedad, pues, precisamente ese ha sido el entendimiento general de la expresión. Ciertamente, el término es heredado de la legislación preconstitucional, estaba en todos los instrumentos normativos de la época y se reproduce automáticamente en la nueva, sin ninguna reflexión, porque en realidad no se plantean transformaciones de fondo en esta materia, (recuérdese que las primeras reformas se hicieron al hilo de la STC 36/1991, de 14 de febrero de 1991), por tanto, la inercia es a mantenerlo con todos sus contenidos históricos, aunque se vayan haciendo adaptaciones progresivas (muy lentas) a la Constitución y la CDN.

A pesar del rechazo que plantea su mera utilización en otros países o foros internacionales, en España, el uso del término "Menor" aún se mantiene y se normaliza. La ley, la investigación científica, el aprendizaje académico, la experiencia profesional, en suma, el acervo de conocimientos y actuaciones sobre los niños y niñas y jóvenes, parte de una asunción indiscutida, la condición de minoría, de disminución, de desvalorización, de todo el colectivo. Si bien, en España, su mera utilización, potenciada por su uso en la ley, no implica *per se,* discriminación, dado el actual sistema vigente de protección de derechos, puede llegar a hacerlo, porque el lenguaje fundamenta las estructuras mentales y del pensamiento y justifica las acciones en consecuencia.

No es de extrañar, por ejemplo, que el término haya escalado en la construcción de la minoridad, sobre todo, en el caso de los niños y niñas extranjeros no acompañados en España. Así, se ha pasado de un acrónimo deducido de la expresión usada en la ley de extranjería: Menores Extranjeros No Acompañados, MENA, al entendimiento actual del término, que se asocia hoy con un subgrupo de extranjeros peligrosos y diferentes (García España, 2016), a los que se les despoja de su condición de niños y niñas, cosificándolos y despersonalizándolos, para demandar frente a los mismos el desconocimiento de sus derechos (minoría = disminución de derechos). El uso del lenguaje no es neutral, puede llegar a tener múltiples efectos, también políticos, su finalidad es comunicativa y persigue diferentes fines, algunos directos y deleznables como motivar al odio, otros más instrumentales, aunque igualmente rechazables, como mantener el *statu quo*.

B) El acuerdo histórico alcanzado en la CDN, en su artículo 1, sobre la definición de Niño, como categoría universal, fue el resultado de un pacto entre países, con diferentes tradiciones culturales e históricas sobre la mayoría de edad, logrando consensuar una edad mínima de protección reforzada de los derechos de la infancia (Hodgkin/ Newell, 2007). Los 18 años es una edad legal convencional, no representa una categoría natural o científica alguna, separa dos ámbitos de la vida por disposición de la ley, no por la biología, la neurociencia, la psicología u otra ciencia –aunque no puede desconocerse la importancia que para las ciencias sociales y jurídicas ha representado esta categorización–.

La minoridad, entendida como *"estado de menor de edad"*, completada según su entendimiento corriente, como incapacidad, no puede captar la complejidad, necesidades, riqueza, oportunidades, dificultades, y diferencias, de todas las personas menores de 18 años, entendidas por la Ley como un único ente abstracto, y mucho menos, las sitúa socialmente y en sus biografías. Ni siquiera es posible cuando se les calza en la figura iusfundamental de "Niño", de la CDN, que solo puede aspirar a asegurar un tratamiento diferenciado por el sistema jurídico a todos los pertenecientes a la categoría, esto es, a los sujetos de 0 a 18 años. Tampoco la expresión "juventud" entendida como sustrato universal y con contenido esencialista, capta la complejidad de un grupo social que puede ser aprehendido a partir de diferentes ejes –quizás, "las juventudes", sea un concepto genérico más compresivo– (Duarte, 2012).

Algunas legislaciones, como desarrollo del mandato de autonomía progresiva del menor de edad contenida en el art. 5 de la CDN, diferencia global y legalmente entre las categorías de niños o infantes y la de adolescentes o jóvenes adultos, reconociendo a través de esta categorización, distintos niveles de autonomía del niño o joven y las necesidades de protección en función de las diferentes capacidades evolutivas que se reconocen en cada una de ellas. En España, no existe esta categorización legal, aunque en algunas materias es la propia ley la que hace una valoración legal de estas, presumiéndolas, en cualquier caso, a partir de cierta edad, como hace la LO 5/2000 de 12 de enero, para asignar responsabilidad penal al adolescente/joven, o eliminándola, en cualquier caso, como hace la ley la LO 11/2015, de 21 de septiembre, en relación con el aborto para mujeres menores de dieciséis años y, en otras, se decanta por hacer diferenciaciones, según la edad del niño o joven y/o la madurez, como en algunos supuestos de la ley 41/2002, de 14 de noviembre, básica reguladora de la autonomía del paciente, para el consentimiento informado en materia de salud.

Suele utilizarse indistintamente los términos adolescencia y juventud para señalar el espacio entre la infancia y la adultez, sin que queden claras, muchas veces, las delimitaciones entre ambos, señaladas por los estudios sociales tomando como referencia especialmente la psicología evolutiva, para integrar y caracterizar a la adolescencia como categoría. Convencionalmente, se ha utilizado la franja etaria entre los 12 y 18 años para designar la adolescencia; y para la juventud, aproximadamente la que va entre los 15 y 29 años de edad, dividiéndose a su vez en tres subtramos: de 15 a 19 años, de 20 a 24 años y de 25 a 29 años (por ejemplo, es la segmentación estadística del INE), aunque es variable. No obstante, esta no es una división que encontremos en la ley española, ni para marcar el inicio de la adolescencia y/o la juventud, ni para determinar la extensión de esta última, más allá de los 18 años, salvo el criterio de los 14 años en el límite inferior para exigir responsabilidad penal, aunque algunas normas civiles referencian, en algunos supuestos, los 12 años como la edad a partir de la cual puede ejercer algunos de sus derechos.

## 3. LA MINORIDAD EN EL SISTEMA PENAL

Se ha establecido por la doctrina, la falta de claridad del legislador penal del año 2000 en el cambio de modelo de justicia penal juvenil (García-Pablos, 1996), evidenciada en las sucesivas reformas de la LORRPM en un lapso de 6 años, que alteró sustancialmente el modelo acordado inicialmente (Cuello, 2010; Vázquez/Serrano, 2008; Cano, 2006). Como hemos señalado, el proceso legislativo de la LORRPM no fue sosegado, algunas de las decisiones político criminales adoptadas constituyeron una ruptura con los principios históricos consolidados de actuación en el ejercicio de la acción penal contra los jóvenes infractores, y no fueron aceptadas pacíficamente, ni por la doctrina, ni por los Tribunales, debiendo pasar algún tiempo para que la transformación del modelo se asentara, lo cual no significa, ni mucho menos, acuerdo en el fondo de la discusión.

Algunas cuestiones de gran calado aún no están resueltas en la disciplina y siguen siendo objeto de debate científico y político criminal tanto en España, como en otros países (Cano, 2006). Queremos destacar como esas decisiones han incidido –y siguen haciéndolo– en la construcción de la minoridad, entendida como incapacidad y disminución de derechos, por tanto, deben ser abordadas en un debate necesario, serio y pausado, y no al hilo de cualquier acontecimiento de gran alarma social.

### 3.1. El sistema formal de justicia penal juvenil

La repuesta penal y procesal diferenciada que dispensa el sistema jurídico al niño o joven que realiza un comportamiento considerado delictivo, no tiene entidad propia en todos los países a pesar de las recomendaciones de los organismos internacionales de los de Derechos Humanos en este sentido. Tampoco los países que cuentan con un sistema penal específico, diferente al de los adultos, disponen siempre de los mecanismos suficientes para reconocer y garantizar los derechos de los sujetos sometidos al mismo, o si se prevén, normalmente son parciales y/o deficitarios.

Aunque a estas alturas pareciera ya superado, el debate sobre la cuestión previa de la verdadera necesidad de una jurisdicción especializada de jóvenes sigue abierto, puesto que desde el punto de vista del delito y de las víctimas, se argumenta, no hay razones que la avalen y sólo el dato de la edad o el humanitarismo estaría en la base de la diferenciación en la reacción penal, lo que podría compensarse por otras vías, por ejemplo, la formación y/o normas especiales. De hecho, en muchos países no existe esta diferenciación, siendo el procedimiento penal común para jóvenes y adultos, existiendo algunas normas procesales especiales, y/u otorgando al juez ciertas facultades para adaptar sus sentencias, reduciendo su severidad o buscando menor aflicción en el proceso (si es que, a su entender, se requiere). En otros, existe lo que se denomina *transferencia,* esto es, el desplazamiento del joven infractor a los tribunales de adultos, en ciertas circunstancias, sobre todo, por la comisión de hechos graves (Dünkel, 2015).

Así pues, aunque parezca consolidada, la jurisdicción juvenil no es una realidad en todos los ordenamientos, y tampoco viene expresamente recogida en la normativa internacional que se ocupa de esta materia. No obstante, la doctrina mayoritaria, se decanta por asociarla al necesario carácter educativo de la respuesta penal en la actualidad y orientada a la resocialización del Niño infractor, por lo que la conciben orientada a minimizar el riesgo de estigmatización y mejorar la eficacia preventiva de la intervención (Cruz, 2011).

El artículo 40.3 de la Convención de los Derechos del Niño, parece admitir que debe darse un tratamiento diferenciado cuando afirma: "los Estados Partes tomarán todas las medidas apropiadas para promover el establecimiento de leyes, procedimientos, autoridades e instituciones específicos para los niños de quienes se alegue que han infringido las leyes penales o a quienes se acuse o declare culpables de haber infringido esas leyes...". También las Reglas mínimas de las Naciones Unidas para la administración de la justicia de menores ("Reglas de Beijing"), adoptadas por la Asamblea General en su resolución 40/33, de 28 de noviembre de 1985, indican en su regla 2.1 que: "En cada jurisdicción nacional se procurará promulgar un conjunto de leyes, normas y disposiciones aplicables específicamente a los menores delincuentes, así como a los órganos e instituciones encargados de las funciones de administración de la justicia de menores". Adicionalmente, señalan en la regla 3: Las disposiciones pertinentes de las Reglas no sólo se aplicarán a los menores delincuentes, sino también a los menores que puedan ser procesados por realizar cualquier acto concreto que no sea punible tratándose del comportamiento de los adultos". Como puede observarse, en ambos casos, se trata de recomendaciones, incluso en el caso de la CDN, pues, solo motiva a la acción de promover la legislación en este sentido.

Además, aún es posible encontrar en ciertos países que algunos de los colectivos de niños o jóvenes están por fuera del Derecho penal, de forma que son otros sectores del ordenamiento jurídico los que se ocupan de aquellos que han realizado un hecho delictivo o infracción, e incluso, donde existe una jurisdicción de menores, como en España, solo un porcentaje de Niños están sometidos a la misma, pues, normalmente, siguiendo la CDN (art. 40.3), se fija una edad de responsabilidad penal mínima (variable según el país), quedando el resto de los Niños, por fuera del Derecho penal y sujetos a la Administración y es en este ámbito dónde deben establecerse las garantías a sus derechos (sin exigirse una correspondencia necesaria con el complejo y férreo sistema de garantías jurídico-penales).

En todo caso, si la opción elegida es por la jurisdicción especializada en justicia juvenil, subsisten varios interrogantes:

a) Es conveniente una jurisdicción especializada en niños y jóvenes, con jueces y profesionales especializados en infancia y juventud que se ocupe de todos los conflictos en los que estén inmersos, también los penales, y ofrezcan una respuesta integral a la problemática en la que estos se encuentran, o es suficiente con mantener una jurisdicción penal especializada.

b) Si se propugna una jurisdicción especializada en materia penal, dados los fines específicos que se asignan a esta intervención, ¿debe mantenerse como hasta ahora?, esto es, juzgar a los sujetos mayores de catorce años y menores de dieciocho que de acuerdo con la LORRPM haya cometido infracciones penales, o debe ampliarse esta intervención para abarcar otros supuestos en los que se actúa con base en la comisión de hechos formalmente considerados delictivos, tanto por debajo, como por encima de la edad penal juvenil fijada.

### 3.2. La edad penal

No es este un tema pacífico, ni en la doctrina, ni en la sociedad (Cuello/Martínez, 1997; Cámara, 2014). En España se ha adoptado la edad de los 14 años como la edad mínima de la responsabilidad penal, pero es una opción político-criminal discutida, pues, siempre puede argumentarse a favor o en contra de rebajarla o subirla, de hecho, en Europa, cada país fija edades diferentes. Las Reglas de Beijing, (Regla 4) y las Reglas Europeas para infractores menores de edad sometidos a sanciones y medidas (ERJOSSM) de 2008, solo indican que la edad inferior no debe ser muy baja: Inglaterra y Gales, Irlanda o Suiza, por ejemplo, fijan la edad penal a los 10 años, alejándose del promedio europeo de los 14 años (Dünkel, 2015)[3].

El gran debate generado en el Derecho penal sobre la imputabilidad o inimputabilidad del joven sometido al *ius puniendi* del estado por realizar acciones formalmente consideradas como delitos, presenta residuos proteccionistas cuando se parte de la idea de excluir a los niños y jóvenes del sistema penal con base en la falta de capacidad para motivarse conforme a la norma a todos los sujetos menores de 18 años (Bueno Arús, 2005). Por otra parte, reconocer capacidad de acción y/o capacidad de motivación de las normas penales según el conocimiento, siempre incierto, de las ciencias biológicas y sociales, a partir de determinada edad cronológicamente determinada, como hace la LORRPM, es una decisión político criminal basada en el conocimiento criminológico, que atiende a diferentes criterios, señaladamente, la prevención especial, pero debería incluir siempre criterios correctores, por la incertidumbre que conlleva (Cuello, 2010).

Reivindicar el reconocimiento completo de los derechos fundamentales de niños y niñas y la autonomía progresiva en su ejercicio, por tanto, su capacidad de acción y decisión (*iuris tantum*), implica reconocer también su autonomía progresiva y la capacidad para lesionarlos, y abona la posibilidad de reconocer su imputabilidad penal (Martín, 2004; y Pozuelo, 2021, con amplias referencias), aunque esto no significa que deba ser la misma que la de los adultos, con los mismos contenidos, ni que la respuesta deba ser siempre desde el sistema penal. Reconocer la autonomía progresiva de los jóvenes (criterio individual) no está reñido con mantener un sistema de protección genérico para todo el colectivo (infractores-víctimas), que reconozca

---

3    Según el estudio comparado realizado por Dünkel: "En 18 de los 35 países analizados se establece la imputabilidad penal en la edad de 14 años. En los cuatro países escandinavos, más Grecia y República Checa en 15 años; en Portugal, 16 años; y en Bélgica, que sigue un modelo tutelar, para los delitos de tráfico de estupefacientes y delitos de especial gravedad (delitos violentos) desde 16 años. Solo nueve países establecen la imputabilidad penal bajo los 14 años. La imputabilidad penal desde 13 años existe en Francia y Polonia, en 12 años en Irlanda, Holanda, Escocia y Turquía. Finalmente, tres países (Inglaterra y Gales, Irlanda del Norte y Suiza) fijan la responsabilidad penal desde los 10 años, con la salvedad de Suiza, donde -como ya mencionamos- la pena privativa de libertad solo puede ser aplicada desde los 15 años".

a todos los derechos y posibilite su ejercicio, con garantías, incluidas, las derivadas del derecho a la legalidad penal, también contemplados para ellos, pues, tanto el reconocimiento como las garantías, están previstos para todos en la Constitución.

Por esta razón defendemos la necesidad del mantenimiento de la responsabilidad penal diferenciada para los jóvenes infractores de normas penales y una edad penal mínima para imputar esa responsabilidad penal, si bien, no consideramos el tope inferior de los 14 años como el centro de la discusión. No obstante, esta edad, nos parece instrumentalmente adecuada, dado el amplio margen de incertidumbre que genera la franja de los 12 a los 14 años desde el punto de vista de la capacidad de motivación de la norma a los niños de esta edad. Gran parte de la discusión aun existente en el Derecho penal sobre el cómo y la naturaleza de esta responsabilidad, pasa por alto, que la intervención del *ius puniendi*, restringiendo derechos fundamentales como respuesta a las acciones formalmente delictivas, independientemente del *nomen iuris* que utilicemos para designarla, nos debería situar en el sistema penal y su complejo sistema de garantías (Ornosa, 2007: 118).

Otra cosa es que esa respuesta deba ser la misma y con iguales parámetros, instituciones y sistematicidad que la consolidada para los adultos, o incluso, que la respuesta deba ser siempre penal (piénsese en la justicia restaurativa). Por esto es posible reivindicar un sistema amplio de intervención frente a los jóvenes infractores, que, respetando los derechos y garantías penales, construya un sistema penal juvenil propio y completo, sin dependencia del sistema penal de los adultos, más allá de los elementos instrumentales que el conocimiento dogmático pueda aportar en aras de asegurar el respeto de las garantías penales que son el *quid* de la cuestión. No compartimos la idea de la diferenciación entre el sistema penal de los adultos y los jóvenes, meramente por criterios penológicos y del procedimiento (De la Cuesta/Blanco, 2011), pues, lógicamente este y las consecuencias jurídicas son diferentes, pero porque los presupuestos y la finalidad del sistema, primaria y estructuralmente, lo son (o deberían serlo).

Imputabilidad, inimputabilidad, semi-imputabilidad, imputabilidad disminuida, imputabilidad adolescente, atenuantes y agravantes, culpabilidad, causas de exclusión de la responsabilidad, etc., etc. (Co-

lás, 2011; Bueno, 2005; Cuello, 2010; Cuello/Martínez, 2005; Martín, 2004; Terradillos, 2004; Sánchez, 1998; García Pablos, 1998; Silva, 1998; –Pozuelo, 2021; y Cámara, 2014, con amplias referencias–),
son los conceptos sobre los que ha pivotado la disertación dogmática
desde la entrada en vigor de la LORRPM, y suponemos que, con mayor o menor acierto, seguirán siéndolo, porque si algo aparece claro
en la regulación de la conducta infractora de los jóvenes, es la incertidumbre de la respuesta del sistema a las acciones infractoras de los
sujetos menores de 18 años, sobre todo, por la confusión de las categorías dogmáticas del sistema penal de los adultos y el de los jóvenes,
al no asumirse una diferenciación real ente ambos sistemas, siendo
esta y a pesar de las grandes declaraciones, solo formal .

Las razones son variadas y tienen un componente político criminal claro, pues, se intenta conciliar principios contradictorios como el
educativo y el sancionador, difícilmente compatibles; pero también,
dogmáticas, de modelo penal decimonónico construido con base
en presupuestos adultocéntricos y excluyentes, que unifican sujetos
y procesos a partir de esquemas formales de categorías dogmáticas,
pretendidamente neutrales, ya demostradas como estructuralmente
selectivas (Baratta, 2004; García/Díez, 2021).

La LORRPM se introduce en los albores del nuevo siglo, con una
visión dual, emancipadora del sistema tutelar que atenazó los derechos de los niños y jóvenes durante casi todo el siglo XX, pero a
su vez, constreñida y dependiente del sistema penal de los adultos,
construido sobre la impronta de la racionalidad liberal y su estela de
sujetos irracionales: locos o menores, que no alcanzan el status necesario para ser considerados sujetos de derecho –penal en este caso–,
por tanto, quedando por fuera del sistema de garantías previsto para
los que sí lo son.

### 3.2.1. Niños infractores de normas penales por debajo de la ley penal

El establecimiento de una edad penal mínima por debajo de la cual
no interviene el sistema penal, deja a estos Niños por fuera del sistema
penal, atendiendo un meritorio interés que procura garantizar que
estos no entren en contacto con el sistema de justicia juvenil, represivo y gravoso en sus consecuencias negativas (Cuello/Martínez, 1997;

Cid, 2007). La contrapartida, sin embargo, es dejar a estos niños en manos de los servicios sociales o asistenciales, que en función del principio tuitivo establecerán en función del "interés superior del Niño", la respuesta más adecuada, sin atenerse a los límites y garantías reconocidos para la intervención penal. Ha de reconocerse el esfuerzo del legislador (Ley Orgánica 8/2015, de 22 de julio, de modificación del sistema de protección a la infancia y a la adolescencia) y de las administraciones, en adecuar el sistema de protección a los estándares de la CDN, (Bernuz /Fernández/Pérez, 2006). No obstante, es indudable el riesgo para los derechos cuando no se garantiza materialmente, para todos, igual tratamiento y respeto de los mismos, al menos, formalmente, pues, el derecho sancionador (y/o para el caso, protector), puede llegar, en algunos supuestos, a ser tan gravoso como el mismo sistema penal. Las garantías y límites establecidas al *ius puniendi* del Estado deberían ser seguidos escrupulosamente cuando se trata de restricción de derechos fundamentales (incluso, cuando no se trata de la privación de la libertad), más aun, cuando nos referimos a un colectivo tan vulnerable como el aquí analizado.

Como señalábamos en el epígrafe anterior, si la minoría de edad sigue estando considerada por muchas legislaciones como causa de inimputabilidad, resulta que, bien por estar por debajo de la edad penal, o bien, porque se les considera inimputables, *in totum*, una buena parte de los Niños infractores salen del sistema penal para entrar, normalmente, en el administrativo. Esto, como ha demostrado la evidencia empírica, debe ser objeto de constante preocupación y control atendiendo a la experiencia histórica basada en la doctrina de la situación irregular, donde con la finalidad declarada de protegerlos, se arbitró un sistema opaco y cómplice de graves violaciones de derechos humanos, cuya acción se dirigió hacia un colectivo especialmente vulnerable, la infancia, sin que existiera la conciencia colectiva de esa vulneración de derechos, situación prolongada a lo largo del tiempo por décadas, y generadora de grandes sufrimientos individuales y colectivos (Cillero, 2016).

Especialmente, la situación de la infancia en detención (por cualquier motivo) debe ser objeto de interés específico, pues, materialmente, niños y niñas pueden estar sometidos a detenciones (o inmovilizaciones) administrativas, cuyo fundamento no son las normas penales, quedando por fuera del sistema de garantías penales arbitradas para garantizar los derechos de quienes están sometidos ineludiblemente al poder del estado en su forma más descarnada, la privación de libertad. Niños y niñas en centros o lugares de confinamiento –cualquiera sea su configuración– de inmigrantes, o en centros de protección específicos para niños con problemas de conducta, deberían contar con el máximo de garantías a sus derechos, incluida, la jurisdicción especializada juvenil (García España, 2016).

### 3.2.2. Jóvenes delincuentes entre 18 y 21 años

Los itinerarios vitales de las personas no pueden medirse taxativamente en términos matemáticos. Al contrario de lo sucedido con anterioridad a la CDN, cuando la edad penal era variable, hemos fetichizado los 18 años, como tope máximo del sistema, olvidando que son un acuerdo de mínimos.

Debemos reflexionar sobre la repuesta del sistema a los jóvenes adultos de 18 a 21 años, pues, las diferentes disciplinas, especialmente, la psicología del desarrollo y las neurociencias, y también las ciencias sociales (Pereda/Abad/Guilera, 2012; Feixa, 1998), nos dicen que comparten con los jóvenes de menos de 18 años características biológicas, psicológicas, ambientales, culturales y sociales comunes, que posibilitan prever también para ellos, una respuesta diferenciada del sistema penal en aras de lograr los objetivos de prevención asignados al sistema, pero sobre todo, cuya finalidad sería la no desocialización de aquellos jóvenes que por sus características personales y de los hechos, no deberían entrar en el sistema penal de los adultos, demostradamente, criminógeno (Cid, 2007) .

En este sentido, las Reglas Europeas de 2008 (ERJOSSM), establecen en el principio 17: *Los infractores jóvenes adultos podrán ser considerados, cuando proceda, como infractores menores de edad y se les tratará en consecuencia.* Los Comentarios a estas Reglas –específicamente el que se hace a la aquí referida–, con base en las recomendaciones en este mismo sentido de los distintos instrumentos internacionales que se ocupan de esta materia, consideran que los jóvenes adultos se encuentran en "una etapa de transición", pues, "Los procesos de educación e integración en la vida social de los adultos han sido prolongados…", concluyendo que puede encontrarse en la legislación relativa a justicia de menores reacciones más apropiadas y constructivas.

En España, la previsión original contenida en la LORRPM que ofrecía la posibilidad de una respuesta diferenciada para los jóvenes adultos de 18 a 21 años, fue muy bien recibida por la doctrina como una de las novedades más interesantes de la ley, y sin embargo, su supresión nunca fue suficientemente explicada, pues, no se basó en estudios criminológicos, ni siquiera estadísticos –al no ser nunca aplicada–, lo que permite deducir que primaron razones políticas de corte electoralista, en un contexto social cada vez más punitivista, que tiene a los jóvenes como a su "chivo expiatorio" (Jiménez, 2015).

### 3.3. Los niños como víctimas o infractores

Por supuesto, nos interesa desde el punto de vista procesal, como se concretan los derechos de las víctimas en el sistema de justicia penal juvenil. El Estatuto de la Víctima recoge estos derechos, también los de la víctima "menor de edad", que deben ser atendidos en el proceso penal de menores, a pesar de algunas contradicciones aún subsistentes, pues, son dos normas temporales diferentes y con finalidades diversas (Pérez/De la Mata, 2020; Herrera, 2014).

Adicionalmente, debe considerarse que muchos de los factores de riesgo estudiados criminológicamente como asociados a la posibilidad de incurrir en el delito en el caso de los jóvenes son los mismos que están presentes en el caso del riesgo de victimización, puesto que la mayor parte de la delincuencia juvenil está imbricada en su entorno, sus vivencias y sus relaciones (Pfeiffer, 2004). En buena medida, se trata de sujetos que pertenecen a un mismo grupo social, y comparten experiencias. De hecho, Smith/McVie (2003) sostienen que, entre ambos se producen *circuitos en feedback*, en el que de modo continuo se renuevan los motivos y las oportunidades de delinquir, siendo posible, en algunos supuestos, que puedan llegar a intercambiarse sus papeles en la pareja criminal, según las circunstancias.

Esta es una característica criminológica de alguna parte de la criminalidad juvenil (por supuesto, no en todos los casos), enmarcada en las relaciones sociales normalizadas entre los jóvenes (botellón, noviazgo, internet, etc.) y/o a las circunstancias específicas de su socialización (inmigración, centros de protección, familia, escuela). Esta constatación debe ser tenida en cuenta en la respuesta jurídico penal a la criminalidad juvenil, sobre todo, frente a determinada clase de criminalidad en la que los sujetos del delito son parte de una relación personal prestablecida, como en la violencia entre iguales o la violencia de género y/o intrafamiliar; y/o en algunos delitos a través de internet, etc., con o sin esa relación personal previa, pero en el ámbito propio de su socialización. En estos casos, la intervención penal represiva puede llegar a ser más perjudicial para los implicados, sobre todo, la privación de libertad, ahondando en el conflicto social generado por el delito, perjudicando a ambas partes y al colectivo, siendo recomendable explorar otras vías alternativas pacificadoras propuestas por la justicia restaurativa.

Así pues, y en esta misma línea, una cuestión importante por resolver en este primer nivel es la respuesta jurídico penal a las víctimas de delitos cuando son también menores de 18 años. ¿Cómo garantizar sus derechos y atender sus necesidades?, y también, depurar el papel que debe asignárseles dentro del proceso penal o en la determinación de la respuesta sancionadora. Faltan claridades en la propia LORR-PM sobre el papel de la víctima en el sistema penal juvenil y la modificación del artículo 4 de la LORRPM por LO 8/2021, de 4 de junio, de protección integral a la infancia y la adolescencia frente a la violencia, con su remisión a la Ley 4/2015, de 27 de abril, del Estatuto de la víctima del delito, no contribuye a ello, pues el Estatuto de la víctima, tiene finalidades específicas y debe valorarse en ambas leyes el interés superior del menor, desde perspectivas y finalidades diferentes.

Solo por ejemplificar alguna de la problemática, tomemos como referencia la medida cautelar o definitiva de "prohibición de aproximarse o comunicarse con la víctima o con aquellos de sus familiares u otras personas que determine el Juez". Esta medida, en algunos supuestos, puede derivar en una especie de "medida de destierro", no prevista en el catálogo de medidas, en aquellos sitios donde solo existe un colegio o instituto o es una localidad pequeña, obligando a los investigados o condenados a trasladarse a otro lugar, alejado de su familia y medio social, con riesgo cierto de desocialización, pudiendo darse incluso el caso de tener que ingresar en centros de protección de menores fuera de su población. Mínimamente, esta situación debe preverse, y si la medida en todo caso, debe aplicarse, regularse específicamente para dotarla de garantías, sobre todo, en la etapa de investigación.

### 3.4. Ley penal especial, ley penal completa o una ley integral

¿Existe un estatuto jurídico penal aplicable a Niños y jóvenes? y ¿Este estatuto comprendería tanto a víctimas como infractores menores de edad, o solo a estos últimos? La respuesta afirmativa conduciría a un estadio previo en el que debería aceptarse la existencia de un Estatuto Jurídico de Niños y jóvenes, en cuyo marco, el Estatuto jurídico-penal sería sólo una parte del todo. Algunos países han dado un paso en este sentido, creando leyes integrales de la infancia, que regulan en este marco específicamente la infracción penal y su respuesta institucional, pero el resultado, no siempre, ha sido el esperado. Otros países, sin embargo, siguen operando con múltiples leyes especiales que regulan aspectos concretos de la vida y/o la respuesta institucional a la infancia y la juventud, dificultándose la clarificación de las normas y principios aplicables en cada supuesto (Belof, 2007).

Algunas legislaciones han optado por corregir algunas de las injusticias históricas, incluido el lenguaje (eliminando, por ejemplo, el término Menor y/o sustituyendo el reconocimiento de "potestades" de los padres por el de orientación, ayuda, entre otros) y legislando de forma integrada y sistemática sobre los derechos de niños y jóvenes, buscando minimizar las contradicciones que subyacen en la aplicación de principios con diferentes, y en ocasiones, confrontados presupuestos, aunque no siempre se logran los resultados pretendidos. Por ejemplo, algunos países Latinoamericanos han optado por actualizar su regulación en esta materia[4], tratando de seguir la jurisprudencia de

---

[4]   Así por ejemplo, en Colombia se distingue entre niños y niñas, -las personas entre 0 y 12 años- y adolescentes -las personas entre 12 y 18 años de edad- (artículo 3, Código de la infancia y la adolescencia), regulado de igual manera en el Ecuador (Código de la niñez y adolescencia, Ley No. 100 de 3 de Enero del 2003, artículo 4), o en Costa Rica (Código de la Niñez y la Adolescencia, Ley No. 7739, artículo 2°) o en la Ley de protección integral de la niñez y adolescencia de Guatemala (Decreto número 27-2003) que diferencia entre niños, hasta los 13 años y adolescentes hasta los 18, como hace el Código de la Niñez y la Adolescencia de Uruguay, aprobado por Ley N° 17.823 de 07/09/2004, artículo 1, entre otros.

la Corte Interamericana de Derechos Humanos, distinguiendo en el primer nivel diferentes etapas en la minoridad, y asignando diversas competencias al niño o joven según su pertenencia objetiva a las mismas, para en un segundo nivel, introducir criterios materiales de autodeterminación en función de estos: madurez, discernimiento, etc. Si bien este es un buen intento de corrección sobre la situación anterior, dista de ser suficiente, pues, en muchos de estos códigos y normas, se reproducen modelos e instituciones patriarcales, además de introducirse cláusulas morales de dudosa compatibilidad con el reconocimiento de sus derechos.

En España la Ley Orgánica 8/2021, de 4 de junio, de protección integral a la infancia y la adolescencia frente a la violencia, es un tímido intento en este sentido, pues, de entrada, hace referencia desde el punto de vista formal a los niños, niñas y adolescentes, cambiando el *nomen iuris* hasta hora utilizado, pero no define las categorías, por lo que la situación desde el punto de vista material, sigue siendo la misma. Además, no logra alcanzar la integridad que pretende, al ser la materia de la infancia y la juventud trasversal socialmente y en toda la legislación, de forma que lo legislado en esta ley solo alcanza a dirigir la acción correctora hacia determinados escenarios muy delimitados por la finalidad de la misma, que se proyecta a la protección de la infancia y la adolescencia contra la violencia, en los términos que la propia ley concibe y define la violencia. Por tanto, deja por fuera otras situaciones y ámbitos necesitados de integración, incluido el sistema penal juvenil, sistema por definición represivo, consecuentemente, violento, o también, para ser más específicos, por ejemplo, al no mejorar el art. 19 de la LORRPM, que refiere la violencia para excluir la mediación.

En esta materia pueden darse distintas posibilidades. Cabe preguntarse si es conveniente una ley integral de infancia y adolescencia (o juventud) que comprenda la regulación de toda la materia, incluyendo aquí las infracciones penales; y/o si es conveniente una ley penal especial completa que defina las infracciones y responda adecuadamente a los comportamientos delictivos de los jóvenes infractores; y/o es suficiente y mejor opción, la vía elegida por nuestro legislador al diseñar la LORRPM, como una Ley penal especial (incompleta) que regula la responsabilidad penal de estos y el procedimiento, siendo complementaria del Código penal, quien es el que define las infracciones penales, también las del sistema penal juvenil (Boldova, 2002: 1553; Higuera, 2003).

A pesar de ciertas bondades que reconocemos a las leyes integrales que dan coherencia a algunas de las materias tratadas sistemáticamente, creemos, que estas presentan serias dificultades en el tema de infancia y juventud, pues, es imposible prever todos los supuestos, actuaciones y normas que deben ser atendidos, siendo importante identificar y configurar el interés superior del menor, de acuerdo con la materia y las finalidades de regulación dónde debe ser aplicado, teniendo en cuenta, además, el principio de no discriminación y otros principios concurrentes –incluso, el interés superior de otros niños o jóvenes– (González, 2021).

Así las cosas, en la materia penal, creemos más coherente una ley penal juvenil especial completa, que regule las infracciones y la respuesta del sistema, atendiendo al hecho diferencial de las juventudes (García, 1993). La situación actual de remisión total al Código penal para definir las infracciones perseguibles, a pesar de alguna flexibilidad, es ilógica en ciertas materias donde los jóvenes no tienen capacidad de acción, por ejemplo, en la delincuencia empresarial (salvo si está emancipado, y ni siquiera en este caso, por las restricciones del art. 323CC), o contra la administración pública, entre otras muchas materias. En otros casos, la regulación penal es inconsecuente, como en los delitos contra los derechos y deberes familiares, en los que debe discutirse previamente quien tiene la obligación legal de los alimentos o la custodia en relación con los mismos imputados, y en otros, se requiere regulación específica que atienda a las nuevas coordenadas sociales en las que los jóvenes se inscriben, como en los delitos sexuales o por internet (González, 2021; Herrera, 2020; Pérez/ De la Mata, 2020). Además, esta remisión *in totum*, como veremos a continuación, genera serios problemas de protección de derechos, e igualmente, potencia la incomprensión social y cierto resquemor ante el agravio comparativo (así mediática y políticamente utilizado) que suponen las diferentes respuestas punitivas frente a los "mismos hechos", demandándose más mano dura (Garland/Melton/Hass,2012; Baz/Aizpurúa/Fernández, 2015).

## 4. LA MINORIDAD EN LA LO 5/2000

Son múltiples las contradicciones y vacíos de la LORRPM, atribuibles, en algunos casos, a la técnica legislativa (Cuello/Martínez, 1997), como en el supuesto del artículo 9.2 , que incluye como uno de los supuestos en los que el juez puede imponer el internamiento en régimen cerrado: "c) Los hechos tipificados como delito se cometan en grupo o el menor perteneciere o actuare al servicio de una banda, organización o asociación, incluso de carácter transitorio, que se dedicare a la realización de tales actividades". En este caso, se crea una gran incertidumbre, dado la amplitud de los términos usados y el carácter, normalmente, colectivo de las actividades propias de los jóvenes, con mayor razón, las delictivas. Otro ejemplo pude darse cuando en el artículo 19, parece exigirse para aceptar la mediación, que los hechos se realizarán sin "violencia o intimidación graves", excluyendo, anticipada y legalmente, asuntos que bien podrían beneficiarse de los mecanismos restaurativos, simplemente, afinando las definiciones.

En otros casos, la incertidumbre la genera el vaivén de la política criminal en materia de criminalidad juvenil y la incidencia de las sucesivas reformas. Esto es evidente en la contradicción existente entre el art. 7.3 que señala los criterios de elección de las medidas, incorporando la flexibilidad, y las modificaciones operadas en el Artículo 10 (y sucesivos) redactados por el apartado seis del artículo único de la L.O. 8/2006, de 4 de diciembre de 2006, que obliga al Juez a imponer en determinados supuestos, la medida de internamiento en un monto preestablecido (Jiménez, 2015; Colás, 2011; Cuello, 2010; Cano, 2006).

Son muchos otros los ejemplos que podrían darse, analizando la LORRPM a la luz del paso del tiempo y los problemas derivados de su redacción y ejecución y/o de las diversas alternativas que plantea (Colás 2011; Benítez Ortuzar y Cruz Blanca, 2010). Desde otra perspectiva más amplia y centrándonos en el *late motiv* de nuestro análisis, esto es, cómo la legislación, y específicamente la ley penal contribuyen a mantener la minoría como estado de disminución de derechos, puede citarse el supuesto analizado por Pozuelo (2021) referido a la aplicación del art. 14 LORRPM. En ese caso, se produce el paso del infractor del centro de internamiento de menores a la cárcel para terminar de cumplir una medida de internamiento, dictada por hechos cometidos durante la minoridad penal, porque este alcanza la edad de los 18 años, y como sostiene la autora, contraviniendo todos los compromisos internacionales en la protección de los derechos de la infancia. Por nuestra parte expondremos otro supuesto bastante ejemplificativo de lo analizado que ya hemos tenido ocasión de reseñar en anteriores ocasiones (González, 2018), desafortunadamente, con escasos resultados prácticos.

## 4.1. Naturaleza jurídica de la LORRPM

Un tema muy relevante y poco tratado, es la naturaleza jurídica de la ley que contiene las previsiones normativas específicas para la responsabilidad penal de niños y jóvenes. Aunque aparentemente puede ser considerado un tema procesal –a discutir en este marco–, la situación es más compleja considerando los derechos y no es un debate inane. La naturaleza de las leyes penales juveniles es muy relevante para determinar el ámbito de operatividad de los principios y garantías penales, consustancial a la limitación del ejercicio del *ius puniendi* en un Estado social y democrático de derecho como el nuestro, por tanto, es una cuestión de los derechos que efectivamente se reconocen a los jóvenes infractores.

Algunos de los cuestionamientos realizados a lo largo de este análisis sobre el sistema de justicia penal juvenil, encuentran en el supuesto que discutiremos a continuación la concreción de las contradicciones de las dinámicas históricas que se entrecruzan para configurar en la actualidad un complejo sistema de reconocimiento y garantía de derechos de los niños y jóvenes, a la vez, que se prioriza la protección (tuitiva, no de los derechos) como principio preponderante.

El problema que planteamos para su discusión, viene dado por la reforma penal del año 2015 por la LO 1/2015 de 30 de marzo, por la que se modifica el Código Penal, que eliminó las faltas del Código Penal, elevando algunas de las conductas que allí se contemplaban como tal, a la categoría de delitos leves o delitos menos graves, y suprimiéndolas, para el resto. En el régimen transitorio de esta Ley, en ningún momento se hizo referencia a la LORRPM, a pesar de las numerosas provisiones normativas de esta Ley que contemplan, literalmente en su redacción, a las faltas, normas que hasta el momento no han sido modificadas, muy especialmente, el art. 9.1 LORRPM, que prevé el régimen de aplicación de las medidas y su duración para los hechos constitutivos de faltas cometidos por menores de edad entre 14 y 18 años.

Son varias las cuestiones que pueden ser debatidas en este marco. La referencia a las faltas en la LORRPM no es fortuita y/o esporádica, hay una clara intencionalidad del legislador penal de los jóvenes infractores del año 2000, en estructurar una respuesta diferenciada del sistema penal juvenil frente a las faltas, esto es, infracciones penales de menor entidad, agrupadas y, claramente identificadas en el libro III del Código penal, a través de un tratamiento específico, pues, dada su menor trascendencia, pero con gran incidencia en la delincuencia de los jóvenes, se requiere de una opción adecuada que atienda a la prevención especial, justificación única de la intervención penal del sistema en este ámbito. Esta respuesta específica y diferenciada para las faltas en la LORRPM, se basa en la constatación de la realidad estadística de la delincuencia de menores, pues, estas fueron las infracciones penales por las que en una buena medida se persiguió a los jóvenes infractores hasta la reforma de 2015, en una proporción del 40% del total de los casos conocidos por la Fiscalía, según sus propias memorias[5], lo que incluso es mayor en los datos estadísticos de la policía.

La omisión o descuido del legislador penal de 2015, al no clarificar la situación de las faltas en la LORRPM, no permite deducir fehacientemente su intencionalidad respecto a la respuesta penal frente a los jóvenes infractores de las normas, antes consideradas como faltas. Tratándose del mismo legislador penal, lo coherente hubiera sido alguna indicación al respecto, sobre todo, porque esta última reforma responde a razones político criminales punitivistas, claramente explicitadas, tendentes a agravar la respuesta penal en todos los ámbitos, y estas razones no son coincidentes con las que sustentan la respuesta especializada de la LORRPM. Si se trata de un cambio de modelo debe exponerse y justificarse, pero siguiendo la tradición histórica, ya consolidada, el legislador penal opta por el silencio respecto a los derechos de los niños y niñas, de forma, que las soluciones imaginativas de los bien intencionados actores del sistema (no hay ironía en

---

[5]   Dictamen 1/2015 sobre criterios de adaptación de la LORRPM a la Reforma del código penal por LO 1/2015, cit., p.2.

esta aserción, por el contrario, es afirmativa), deben solventar, como buenamente puedan, los vacíos generados por la inoperatividad o la indecisión de quien constitucionalmente tiene la función de legislar.

Esta omisión del legislador ha pasado desapercibida para la jurisprudencia y la doctrina, que ha aceptado pacíficamente la solución dada por el Dictamen 1/2015 la Fiscalía General Estado (en adelante FGE) sobre "*Criterios de adaptación de la LORRPM a la reforma del código penal por LO 1/2015*" [6], que complementa, en referencia al proceso de menores, lo dispuesto en la Circular 1/2015, sobre "*Pautas para el ejercicio de la acción penal en relación con los delitos leves tras la reforma penal operada por la LO 1/2015*" y la Circular 3/2015, sobre "*El régimen transitorio tras la reforma operada por LO 1/2015*". Este dictamen argumenta, que esta situación debe tratarse como un asunto de sucesión de leyes penales en el tiempo, asumiendo como presupuesto, que la Ley Penal del menor es una ley procesal, por tanto, está incursa en la previsión de la Disposición Adicional Segunda de la LO 1/2015, que señala: "*las menciones contenidas en las leyes procesales a las faltas se entenderán referidas a los delitos leves*".

Así las cosas, se observan dos cuestiones que deben ser objeto de atención, desde la perspectiva analizada en este estudio.

### 4.1.1. ¿La LORRPM es una ley procesal?

Ya nos hemos posicionado al respecto (González, 2018). Obviamente, una parte de la ley es de naturaleza procesal (Díaz-Maroto, 2019), pero sería contrario a los fundamentos mismos del Derecho penal sustancial entender que los presupuestos de la responsabilidad penal de los menores (artículo 1.1, 3 y 5), la definición de las medidas susceptibles de ser impuestas a los menores y reglas generales de determinación de las mismas (artículo 7), la previsión del artículo 8.2, el régimen general y especial de aplicación de las medidas (artículos 9, 10, 11 y 12), la modificación de la medida (artículo 13), o la prescrip-

---

[6]    Dictamen 1/2015 sobre criterios de adaptación de la LORRPM a la Reforma del código penal por LO 1/2015, p. 2. Disponible: http://v2.fundacionpioneros. org/wp-content/uploads/2018/09/Dictamen_1_2015_sobre_criterios_de_adaptacion_de_la_LORPM_a_la_reforma_del_Codigo_Penal_por_la_LO_1_2015. pdf

ción (artículo 15), entre otros preceptos, sean meras normas procesales, siendo incluso dudosa la naturaleza del desistimiento (artículo 18) o de la mediación o conciliación (artículo 19), pues, si bien estos artículos contienen preceptos estrictamente procesales, la naturaleza sustancial de estas instituciones también es indudable.

A pesar del amplio listado de normas procesales que contiene la LORRPM, no puede concluirse que toda ella sea una norma procesal, argumentando razones cuantitativas. Su naturaleza es mixta y ello se hace evidente, solo con responder a la siguiente pregunta: ¿en qué norma penal se regula la responsabilidad penal de los jóvenes infractores?, para lo que necesariamente debemos remitirnos a la LORRPM, en complemento con el CP, lo que nos sitúa también en el ámbito de las leyes penales incompletas y en el complejo tema de las leyes penales en blanco (González, 2019).

El dictamen de la Fiscalía es claro: como la LORRPM es una ley procesal, todas las referencias que hace esta ley a las faltas deben sustituirse por los delitos leves. Se da una petición de principio, y de esta forma se obvia el engorroso problema de dilucidar los problemas de fondo referidos al principio de legalidad, subsistentes en todas aquellas normas materiales que contienen la referencia a las faltas y deben ser complementadas.

Pudiera pensarse que esta discusión es formal, pero nada más lejos de la realidad. Si entendemos que la LORRPM es una ley penal especial (Ornosa, 2007), y la imputación del sujeto se basa en la comisión de un hecho delictivo, la respuesta del sistema es, por tanto, ejercicio del *ius puniendi* del Estado. Así pues, los derechos y garantías políticas y dogmáticas consolidadas en la disciplina penal deben ser de aplicación también en su caso, como exigencias mínimas. Otra cosa es que, dada la especificidad de las circunstancias propias de los niños y jóvenes en el sistema penal, esas garantías puedan ampliarse y los derechos puedan ser interpretados y modulados conforme a las exigencias planteadas por la normativa protectora de la infancia y/o del conocimiento ofrecido por la ciencia y la doctrina en relación con la justicia juvenil, estableciendo instrumentos, instituciones y medidas específicas, sobre todo, adecuando la finalidad de la intervención penal al principio educativo y resocializador, que es el principio rector de la intervención penal en este ámbito, sin menoscabar el principio del interés superior del menor que debe regir en cualquier intervención con menores de edad y que no deben confundirse, pues no tienen que coincidir siempre (Cruz, 2011).

Si se entiende que se está en el ámbito del sistema penal y del ejercicio del poder represivo legalizado se debe ser exquisitos en la exigencia del respeto de los derechos y garantías penales sustanciales y procesales reconocidos a todos por la Constitución, Tratados y Leyes, por tanto, también en su aplicación a niños y jóvenes y expresamente los artículos 24 y 25 CE (STC 36/1991, de 14 de febrero de 1991).

Entender la sustitución de las faltas por delitos leves, como un proceso automático en el sistema de justicia juvenil, presenta dificultades específicas adicionales a las genéricas ya destacadas por la doctrina respecto a la transición de las antiguas faltas a la nueva redacción, en el caso de los adultos[7]. En efecto, más allá de la agravación genérica de la responsabilidad penal que ha implicado el cambio de modelo, asumir esta postura, implicaría entender como complemento del artículo 9.1 LORRPM, cualquier delito leve, actual o futuro, independientemente de que estuviera previsto como falta en la antigua redacción, y no, selectivamente, como plantea el Dictamen de la Fiscalía. En la sucesión de leyes penales, no pueden crearse leyes *ad hoc* para el caso concreto, pues, esto simplemente sería creación de una nueva ley penal, por tanto, se aplican en su totalidad, unas u otras, y no es posible ir eligiendo a voluntad del juzgador, o en este caso, la Fiscalía. La incidencia de esta modificación en el sistema penal juvenil es directa, en tanto, la LORRPM es una ley penal en blanco que remite al Código Penal para determinar las conductas prohibidas, de forma tal, que cualquier transformación de los tipos penales, implica una variación en la responsabilidad penal de los jóvenes sujetos a esta Ley.

---

[7]    Casi 2/3 de las antiguas faltas pasan a ser consideradas delitos leves (algunas con modificaciones típicas), desapareciendo el resto; se ha introducido un nuevo delito leve, de administración desleal, que amplía la intervención penal a algunos supuestos antes atípicos; y se incorporan otras conductas, al catálogo de delitos leves. Además, la doctrina entiende, que la nueva regulación de las conductas antes consideradas faltas y ahora contempladas como delitos leves, es más gravosa, puesto que se ha ampliado el ámbito de lo punible en materia de actos preparatorios (conspiración, provocación, proposición para delinquir), tentativa, responsabilidad de las personas jurídicas o prescripción (López, 2016).

## 4.1.2. El derecho a la legalidad penal de los jóvenes infractores

Para terminar este somero análisis sobre la construcción de la minoridad en el sistema penal juvenil, planteamos un cuestionamiento aparentemente de Perogrullo, pues, no solo ya nos hemos posicionado sobre el reconocimiento pleno de todos los derechos a niños y jóvenes, por tanto, también sobre los derechos contenidos en el artículo 25 CE y 24 CE, sino también, porque es el argumento que sirve de base de la STC 36/1991, de 14 de febrero de 1991 que da lugar a todo el cambio de modelo. Así pues, la pregunta sería cómo y porqué vuelve a ser pertinente un interrogante claramente ya superado históricamente y la respuesta viene dada en un doble sentido:

*Formalmente*: los Dictámenes e Informes de la FGE, en asuntos que atañen a la interpretación de la LORRPM, se han convertido en interpretación "auténtica" de la Ley, dado que en muchos supuestos de ello se deriva, por ejemplo, la no incoación del expediente o, por el contrario, el inicio o mantenimiento del mismo. En efecto, una de las consecuencias del nuevo modelo procesal del sistema penal juvenil en España, es la asignación de la dirección de la acción penal al Fiscal de menores (iniciativa única en el sistema procesal penal que ahora quiere clonarse de forma general, en el proyecto de Ley de Enjuiciamiento criminal). El proceso penal de menores presenta características especiales, entre otras cosas, porque la instrucción la realizan los fiscales (art. 23), a la vez que tiene como función promover la acción de la Justicia y la defensa de la legalidad y la observancia de los derechos de los jóvenes infractores, siendo a él a quien corresponde abrir el expediente o su archivo (artículo 16 LORRPM), e incluso, se le autoriza a no incoar expediente en determinados casos (artículo 18 LORRPM), y a proponer las medidas más adecuadas, pudiendo darse colisión entre estas diferentes funciones asignadas (Cervelló, 2009; Ornosa, 2007). Estas razones avalan el gran interés de la FGE en unificar su actuación en todo el territorio y explica la importancia de sus directrices, pero no justifica la alteración de las funciones constitucionalmente asignadas al Juez penal como garante de los derechos.

Puede ser discutible –de hecho, nosotros lo hacemos–, la interpretación de la Fiscalía sobre la nueva configuración de las faltas en la LORRPM. Ello no obsta para exigir un pronunciamiento claro y decidido por parte de los Tribunales sobre la materia. Es más, siendo un tema tan polémico que afecta los Derechos fundamentales de los jóvenes infractores, una vez el legislador ha hecho dejación de sus funciones ¿no debería haberse iniciado o resuelto ya, trascurridos más de cinco años desde su entrada en vigor, alguna cuestión de inconstitucionalidad promovida por algún Juez penal de Menores?

*Materialmente*: El artículo 9.1 LORRPM, no puede ser considerado, en ningún caso, una norma procesal, en tanto, contempla las consecuencias penales (derecho a la legalidad penal) que les corresponde a los jóvenes que infringen los tipos predeterminados de "las faltas". Esto es puro y simple Derecho penal sustantivo, y completar la norma, entra de lleno en el contenido material del derecho a la legalidad penal. La incidencia de esta modificación en el sistema penal juvenil es directa, en tanto, la LORRPM es una ley penal en blanco que remite al Código Penal para determinar las conductas prohibidas, de forma tal, que cualquier transformación de los tipos penales, implica una variación en la responsabilidad penal de los jóvenes sujetos a esta Ley (González, 2019). Por otra parte, como ya se ha indicado, la valoración político criminal que se hace de las faltas en este sistema difiere del que se hace en el sistema penal de los adultos, puesto que, al ser la criminalidad juvenil, mayoritariamente, de poca entidad, la ley utiliza de forma clara y taxativa las faltas, para ajustar la respuesta punitiva, de forma más suave, frente a las infracciones de menor envergadura de los jóvenes infractores.

Lógicamente, no dudamos del buen hacer de la Fiscalía, lógicamente, no ponemos en cuestión a los Jueces de menores que velan por los derechos de los niños sometidos a su Jurisdicción. Si este argumento, que es sincero, suena familiar, es quizás porque es reiterativo en todo aquello que tiene que ver con los derechos de los niños y jóvenes. De hecho, es el mismo argumento que posibilitó el salto a la Constitución por la Ley tutelar de menores, manteniéndose incólume hasta la STC 36/1991, de 14 de febrero de 1991, 13 años después de su entrada en vigor, por esto preferimos ser exigentes en el respeto de los derechos y sus garantías.

## 5. CONCLUSIONES

Como hemos sostenido desde el inicio de estas reflexiones, no pretendemos desvirtuar el gran trabajo realizado por todos los actores del sistema desde la aprobación de la LORRPM, en la construcción de un nuevo modelo de justicia penal juvenil en España, respetuoso con los derechos fundamentales de los jóvenes infractores.

Queremos abrir el debate en torno a cuestiones asumidas acríticamente, quizás por inercia, que inciden en la forma de ver y entender la infancia y la juventud, especialmente, la juventud infractora de normas penales, que aún siguen vigentes en el imaginario colectivo, contribuyendo a mantener una concepción de la minoridad como incapacidad o diminución de derechos (Goffman, 2003; Duarte, 2012). La noción de minoría de edad, un concepto jurídico que unifica bajo su estela a todos los períodos de la vida de un Niño, se está viendo cuestionada por principios nuevos y/o redefinidos, aún en construcción, conforme a las nuevas coordenadas sociales y jurídicas y de gran relevancia: interés superior; protección –de derechos–; autonomía; no discriminación, participación (entre otros), pero sorprendentemente, esta discusión no alcanza al sistema penal, o al menos, no con la celeridad que los intereses en liza requiere. Actualmente y a pesar de los avances representados por la CDN, pervive en el sistema penal una visión adultocéntrica que aun entiende como intercambiable, el criterio de los derechos por el de protección, esto es, si el objetivo es loable, puede prescindirse de otras consideraciones.

En efecto, la consagración de una serie de corolarios como consecuencia del entendimiento actual del interés superior del niño conforme a la CDN y su traducción a leyes penales, no asegura *ipso facto,* la efectividad de sus derechos, por ejemplo, no ha impedido la posibilidad la detención administrativa (o inmovilización) de niños y jóvenes sin una causa penal, siendo el ámbito de la detención administrativa de Niños extranjeros en aplicación de las leyes de extranjería, uno de los ejemplos más representativos, no siendo el único supuesto de violación de derechos fundamentales en el marco del sistema penal y "parapenal", pues, por ejemplo, la intervención y respuesta del sistema administrativo con los niños menores de 14 años infractores de normas penales, es un mundo aún por descubrir. La cuestión de fondo es que los derechos fundamentales de los jóvenes sometidos al sistema penal (o afines), no pueden ser un añadido ocasional y funcional en la respuesta del sistema, que puede o no considerarlos según sus propios objetivos de política criminal.

En este marco se deben plantear nuevamente algunos debates antiguos o traer unos nuevos, pues, aunque aparentemente están superados al recogerse en la LORRPM determinadas opciones político criminales, ello no implica que estén definitivamente resueltos, más aún, si se considera que muchos de estos planteamientos son la consecuencia del entendimiento histórico de la minoridad como incapacidad del menor de edad, anudando a todo el colectivo de 0 a 18 años el mismo destino de disminución de derechos.

Las transformaciones sociales y los cambios normativos impactan en la materia penal, con mayor razón en el caso de los niños y jóvenes, cuyo marco de actuación normativa y de configuración social ha cambiado sustancialmente en los últimos veinte años. Son muchas las materias en este ámbito necesitadas de reflexión y en esta línea hemos planteado algunos temas sobre las que consideramos urgente empezar a dialogar: el concepto de minoridad; los términos usados y sus contenidos; la jurisdicción especializada; la edad penal; la configuración formal de la ley penal y sus contenidos: ley especial o integral; la naturaleza de la LORRPM y los derechos reconocidos a los jóvenes.

Por supuesto, hay una variedad de materias adicionales y centrales también requeridas de atención, pues constituyen el quid de la respuesta penal a la criminalidad juvenil, que no han sido tratadas, y deben ser objeto de análisis específicos. En esta ocasión, hemos elegido solo algunos temas que, entendemos, permiten mostrar, sumariamente, cómo la minoridad entendida como estado de diminución de derechos, es una construcción histórica que se desliza subrepticiamente por las hendiduras de una legislación penal cimentada sobre los estándares de los adultos, a pesar de las especificidades y avances que en su momento representó, teniendo en cuenta lo prexistente.

# 6. BIBLIOGRAFÍA

Aizpurúa González, E. y Fernández Molina, E. (2011). Información, ¿antídoto frente al "populismo punitivo"? Estudio sobre las actitudes hacia el castigo de los menores infractores y el sistema de Justicia Juvenil. *Revista Española de Investigación Criminológica*, No 9, 1–29.

Ariés, P. (1990). *El niño y la vida familiar en el antiguo régimen*. Madrid: Taurus.

Baratta, A. (2004). *Criminología Critica y Critica del Derecho Penal*, México: Siglo XXI.

Baz Cores, O., Aizpurúa González, E. y Fernández Molina, E. (2015). Factores explicativos de las actitudes hacia el castigo juvenil. Evidencias de un diseño. *Política y sociedad, Vol. 52, N° 3*, 2015. 869-895.

Barcellona, P. (1996). *El Individualismo Propietario*, Madrid: Trotta.

Belof, M. (2007). Los nuevos sistemas de justicia juvenil en américa latina (1989-2006), *Justicia y Derechos del Niño. N° 9*, 49-123

Berger, P. y Luckmann, T. (2003). *La construcción social de la realidad*. Buenos Aires: Amorrortu.

Benítez Ortuzar, I. y Cruz Blanca, M. J. (Dir.) (2010). *El Derecho Penal de Menores a debate*, Madrid: Dykinson.

Bernuz Beneitez., M. J. y Fernández Molina, E. y Pérez Jímenez, F. (2006). El tratamiento institucional de los menores que cometen delitos antes de los 14 años", *Revista Española de Investigación criminológica, n° 4, 5*, 1-25.

Bernuz Beneitez., M.J. y Fernández Molina, E. (2019). La pedagogía de la justicia de menores sobre una justicia adaptada a los menores. *Revista española de pedagogía, Vol. 77, N° 273*, 229-244.

Boldova Pasamar, M.A. (2002). Principales aspectos sustantivos del nuevo Derecho Penal juvenil español. *Revista Aragonesa de Administración Pública N° Extra 5*.

Bourdieu, P. (1990). *La juventud no es más que una palabra, en Sociología y cultura*. México: Grijalbo.

Bueno Arús, F. (2005). La Ley de Responsabilidad Penal del Menor: compromisos internacionales, análisis de la imputabilidad penal y la respuesta penal. *Cuadernos de derecho judicial, N° 25*, 283-338.

Bueno Arús, F. (1997). El Anteproyecto de Ley Orgánica reguladora de la Justicia de menores elaborado por el Ministerio de Justicia. *Eguzkilore, Cuaderno del Instituto Vasco de Criminología, N° 11*, 159-167.

Cano Paños, M.A. (2006). *El futuro del Derecho penal juvenil europeo. Un estudio comparado del Derecho penal juvenil en Alemania y España*. Barcelona: Atelier.

Cámara Arroyo, S. (2014). Imputabilidad e inimputabilidad penal del menor de edad. Interpretaciones dogmáticas del artículo 19 CP y tipologías de delincuentes juveniles conforme a su responsabilidad criminal. *Anuario de derecho penal y ciencias penales, Tomo 67, Fasc/Mes 1*, 239-320.

Casal Bataller, J./Merino Pareja, R./Maribel García. (2011). Pasado y futuro del estudio sobre la transición de los jóvenes. *Papers: revista de sociología, Vol. 96, N° 4*, 1139-1162.

Cervelló Donderis, V. (2009). *La medida de internamiento en el derecho penal del menor*. Valencia: Tirant lo Blanch.

Cid Moliné, J. (2007) ¿Es la prisión criminógena?, *UNED. RDPC, 19*.

Cillero Bruñol, M. (2007) La responsabilidad penal de adolescentes y el interés superior del niño. *Justicia y derechos del niño*, N°9.

Colás Turégano, A. (2011). *Derecho penal de menores*. Valencia: Tirant lo Blanch.

Cruz Márquez, B. (2011). Presupuestos de la responsabilidad penal del menor: una necesaria revisión desde la perspectiva adolescente. *Anuario de la Facultad de Derecho de la Universidad Autónoma de Madrid, N°. 15*, 2011, 241-269.

Cuello Contreras, J. y Martínez-Pereda Soto, L. (1997). La (in)determinación de la mayoría de edad penal en el CP de 1995: una ambigüedad insoportable. *La Ley: Revista jurídica española de doctrina, jurisprudencia y bibliografía, N° 6*, 1997, 1582-1588.

Cuello Contreras, J. (2010). Reflexiones de culpabilidad del menor y su tratamiento educativo. *Revista Electrónica de Ciencia Penal y Criminología, núm. 12-01*.

Cuesta Arzamendi, J. L. y Blanco Cordero, I. (2010) *Menores infractores y sistema penal*. San Sebastián: Instituto Vasco de Criminología.

De Castro y Bravo, F. (1952). *Derecho Civil de España, Tomo II, Parte General*, Madrid: Civitas.

De Sousa Santos B. (2008). *Reinventar la democracia. Reinventar el Estado*. Madrid: Sequitur.

Díaz-Maroto y Villarejo, J. (2019) *Derecho penal del menor, en Manual de introducción al Derecho Penal* / coord. por Juan Antonio Lascuraín Sánchez, Madrid: Boletín Oficial del Estado, BOE.

Duarte Quapper, C. (2012) Sociedades adultocéntricas: Sobre sus orígenes y reproducción. *Última década, N°. 36*, 97-126.

Dünkel, F. (2015). Edad de imputabilidad penal y jurisdicción de los Tribunales juveniles en Europa. *REJ, Revista de Estudios de la Justicia, N° 22*.

Feixa Pàmpols, C. (1998): *De jóvenes, bandas y tribus. Antropología de la juventud*. Barcelona: Ariel.

Gaitán Muñoz, L. (2010) Sociedad, infancia y adolescencia ¿de quién es la dificultad? *Pedagogía social: Revista interuniversitaria, N° 17*, 29-42. DOI: https://doi.org/10.7179/PSRI_2010.17.03.

García España, E., Díez Ripollés, J.L. (2021). La exclusión social generada por el sistema penal español. *Indret: Revista para el Análisis del Derecho, Nº. 1.*

García España, E. (2016). De menores inmigrantes en protección a jóvenes extranjeros en prisión. *Indret: Revista para el Análisis del Derecho, Nº. 3.*

García-Pablos de Molina, A. (1996). Presupuestos criminológicos y político-criminales de un modelo de responsabilidad de jóvenes y menores. *Cuadernos de Derecho Judicial, núm. XV,* Madrid, 1996.

García Pérez, O. (1993). Los actuales principios rectores del Derecho Penal Juvenil: un análisis crítico. *Revista de Derecho Penal y Criminología UNED, enero 1999-3,* 35-37.

Garland, B. Melton, M. y Hass, A. (2012). Public opinion on juvenile blended sentencing. *Youth Violence and Juvenile Justice, 10(2),* 135-154.

Giménez-Salinas I Colomer, E. (2001). La justicia juvenil en España: un modelo diferente. Martín López, M. T. (Coord.), *La responsabilidad penal de los menores,* Cuenca: Universidad de Castilla-La Mancha.

Goffman, I. (2003). Estigma. La identidad deteriorada. Buenos Aires: Amorrortu.

Gómez-Mendoza, M. A. y Alzate-Piedrahíta, M. V. (2014). La infancia contemporánea. *Revista Latinoamericana de Ciencias Sociales, Niñez y Juventud, 12 (1),* 77-89.

González Agudelo, G. (2017). Reflexiones a propósito de "El interés superior del menor y el sistema de justicia penal", de Javier Llobet Rodríguez. *Revista Electrónica de Estudios Penales y de la Seguridad, 1.*

González Agudelo, G. (2018). La eliminación de las faltas en el Código Penal y su incidencia en la LO 5/2000. *La ley penal: revista de derecho penal, procesal y penitenciario, Nº. 131, 2018.*

González Agudelo, G. (2019). El principio de reserva de ley penal y las leyes penales en blanco. Una reflexión sobre el derecho fundamental a la legalidad penal. *Revista General de Derecho Penal, Nº. 28, 2017.*

González Agudelo, G. (2021). *La Sexualidad de los Jóvenes: Criminalización y Consentimiento.* Valencia: Tirant lo Blanch.

Herrera Moreno, M., (2014). ¿Quién teme a la victimidad? El debate identitario en Victimología en Revista *de Derecho Penal y Criminología, vol. 12,* 343-404.

Herrera Moreno, M., (2020). Eróstrato en Instagram. Selfies extremos, retos virales, violencia auto-grabada y otras performaciones egóticas en culturas de ocio desviado. *REC: Revista Electrónica de Criminología,* Vol. 3.

Higuera Guimerá, J. F. (2003). *Derecho Penal Juvenil,* Barcelona: Bosch.

Hodgkin, R. y Newell, P. (2007). *Implementation Handbook for the Convention on the Rights of the Child.* Genova/Nueva York: UNICEF.

Jiménez Díaz, M.J. (2015). Algunas reflexiones sobre la Responsabilidad penal de los menores. *Revista Electrónica de Ciencia Penal y Criminología, 17-19.*

Llobet Rodríguez, J. (2017). El interés superior del niño en la jurisprudencia penal juvenil de la corte interamericana de derechos humanos. *Revista Electrónica de Estudios Penales y de la Seguridad, 1, 1-24.*

López Peregrín, C. (2017). Los nuevos delitos leves: análisis comparativo con las antiguas faltas", en Del Carpio Delgado, J. (coord.), *Algunas cuestiones de parte especial tras la reforma de 2015 del Código Penal.* Valencia: Tirant Lo Blanc.

Mannheim, K., (1993). El problema de las generaciones. *REIS: Revista Española de Investigaciones Sociológicas, Nº 62,* 193-244.

Martín Cruz, A. (2004). *Los fundamentos de la capacidad de culpabilidad penal por razón de la edad,* Granada: Comares.

Martín López, M.ª T. (Coord.). (2000) *Justicia con menores, menores infractores y menores víctimas.* Cuenca: Universidad de Castilla-La Mancha.

Nussbaum, M. (2012). *Las fronteras de la justicia. Consideraciones sobre la exclusión,* Barcelona: Paidos.

Ornosa Fernández, Mª R. (2007). *Derecho penal de menores.* Barcelona: Bosch.

Pantoja García, F. (2011) Unas notas sobre la imputabilidad de los menores y su tratamiento en la Ley de Responsabilidad Penal de los menores. *Anuario de la Facultad de Derecho de la Universidad Autónoma de Madrid, Nº. 15, 2011,* 307-317.

Parson, T. (2008). La edad y el sexo en la estructura social de Estados Unidos. En VV.AA. *Teorías sobre la juventud. La mirada de los clásicos.* México: UNAM.

Pereda Beltrán, N y Abad i Gil, J. y Guilera Ferré, G (2012). *Victimología del desarrollo Incidencia y repercusiones de la victimización y la polivictimización en jóvenes catalanes.* Barcelona: Centro de Estudios Jurídicos y Formación Especializada.

Pérez Machío, A. I. (2007). *El tratamiento jurídico-penal de los menores infractores –LO 8/2006- (Aspectos de Derecho comparado y especial consideración del menor infractor inmigrante),* Valencia: Tirant.

Pérez Machío, A. y De la Mata Barranco, N., (2020), La integración social del/la menor víctima a partir de la tutela penal reforzada. Navarra: Aranzadi.

Pfeiffer, C., (2004). Violencia Juvenil: concepto, tipos e incidencia. *Actas VIII Reunión Internacional sobre biología y sociología de la violencia,* Valencia: Centro Reina Sofía.

Piaget, Jean (1972). *De la lógica del niño a la lógica del adolescente*. Buenos Aires: Paidós.

Pozuelo Pérez, L., (2021). Poena sine culpa? Cuando las medidas se convierten en penas por el mero transcurso del tiempo. *Indret, N° 2*, 171-194. DOI: 10.31009/InDret.2020.i2.05.

Qvortrup, J., Corsaro, W. A., Honig, M. S. (Eds.) (2009). *The Palgrave Handbook of Childhood Studies*. Hampshire: Palgrave Macmillan.

Renaut, A. (2002). La libération des enfants. Contribution philosophique à une histoire de l'enfance. *Revue française de pédagogie, 141*, 180-182.

Ravetllat Ballesté, I. (2015). ¿Por qué dieciocho años? La mayoría de edad civil en el ordenamiento jurídico civil español. *Anales de la Cátedra Francisco Suárez*, 49, 129-154.

Recomendación (2008) 11 del Comité de Ministros del Consejo de Europa sobre Reglas Europeas para infractores juveniles sometidos a sanciones o medidas, adoptada en fecha 5 de noviembre de 2008, Disponible: https://www.fiscal.es/documents/20142/157164/Recomendaci%C3%B3n+2008+11.pdf/6801dd9a-89c7-1306-67dd-78bc3963c07d?version=1.1

Sánchez García de Paz, M.ª I. (1998). *Minoría de edad penal y Derecho penal juvenil*. Granada: Comares.

Silva Sánchez, J. M (1997). *El régimen de la minoría de edad penal (artículo 19), en El nuevo Código Penal. Cinco cuestiones fundamentales*, Barcelona: Bosch.

Sirota, R-. (2006), *Sociologie de l'enfance et sociologie de l'éducation : va-et-vient*. París: Universitaires de Rennes.

Smith, D. y McVie, S., (2003). Theory and Method in the Edinburgh Study of Youth Transitions and Crime, *The British Journal of Criminology, Volume 43, Issue 1*, 1, 169–195, https://doi.org/10.1093/bjc/43.1.169.

Terradillos Basoco, J., (2004). Responsabilidad penal de los menores, en Ruiz Rodríguez/Navarro Guzmán (eds.), *Menores, Responsabilidad penal y atención psicosocial*. Valencia: Tirant lo Blanch.

Vázquez González, C., y Serrano Tárraga, M.ª D. (ed.), (2008) *Derecho Penal Juvenil*. Madrid: Dykinson.

# Estándares internacionales de protección a la infancia referidos al sistema penal

ÚRSULA RUIZ CABELLO
*Universitat Pompeu Fabra*

SUMARIO: 1. Introducción. 2. La separación entre el derecho penal adulto y juvenil y sus consecuencias. 3. La especialización de los operadores jurídicos. 4. El catálogo de medidas educativas. 5. La vuelta a la comunidad tras el internamiento. 6. Del centro de menores a prisión. 7. Conclusiones. 8. Referencias

## 1. INTRODUCCIÓN

A nivel internacional, la premisa sobre la que se sustenta la justicia penal de menores es que es una parte integrante del desarrollo nacional de cada país cuyo objetivo es contribuir a la protección de los jóvenes y al mantenimiento del orden pacífico de la sociedad[1].

Diferentes Estados del entorno de Europa apoyaron las propuestas internacionales sobre la modificación de la justicia penal juvenil adecuando su sistema de justicia a los estándares internacionales de protección a los derechos humanos (Landrove Díaz, 2001). Dentro de estas propuestas, realizadas principalmente por la Organización de las Naciones Unidas y del Consejo de Europa, se encuentran la adopción del concepto de "delito" excluyendo la criminalización de los delitos por estatus, la humanización de las medidas, el cumplimiento de los derechos procesales, la especialización de los operadores jurídicos y la inclusión del interés superior del menor como principio rector de la justicia juvenil (Colás Turégano, 2011).

En España, los estándares internacionales de protección a la infancia, y concretamente aquellos referidos a los menores en contacto con la justicia penal, han sido un elemento fundamental en el desarrollo

---

[1] Ex Regla 1.4 de las Reglas mínimas de las Naciones Unidas para la administración de la justicia de menores (Reglas de Beijing).

de la jurisdicción penal juvenil española. Tanto el Tribunal Constitucional[2] como el legislador han tomado en cuenta dichas disposiciones para mejorar y perfeccionar el sistema penal hasta alcanzar la anhelada Ley Orgánica de Responsabilidad Penal de los Menores (a continuación LORRPM) y el modelo educativo-responsabilizador.

Por este motivo, aprovechando el veinte aniversario de la LORRPM, el objetivo que guía este trabajo es revisar cómo se encuentra el sistema penal juvenil respecto a los mandatos de los estándares internacionales sobre diferentes cuestiones relativas a las consecuencias de la separación del derecho penal adulto y el juvenil, el catálogo de medidas y de la medida de internamiento. Para ello se han revisado textos internacionales suscritos por España, con independencia de si son de obligado cumplimiento o no, la opinión doctrinal sobre ciertas cuestiones y por último, los avances criminológicos en la materia.

## 2. LA SEPARACIÓN ENTRE EL DERECHO PENAL ADULTO Y JUVENIL Y SUS CONSECUENCIAS

Como es sabido, la separación entre el derecho penal adulto y de menores es la premisa fundamental para la construcción de la jurisdicción que nos ocupa, ya que la substracción de los niños y jóvenes de la jurisdicción penal de adultos da paso a un sistema de justicia especializado en menores.

Pese a que los Estados proceden a la separación entre los derechos de forma previa a la producción internacional de los estándares de protección, estos no únicamente se ocupan de la escisión en sí, también sobre sus consecuencias. Por ello, estos textos abordan la necesidad de establecer una jurisdicción íntegra *especial* para menores, la instauración de una edad mínima y máxima *razonable* de responsabilidad penal, el establecimiento de tramos para adecuar la respuesta penal en función de la edad del menor y la prohibición de transferir a jóvenes que cometen un delito siendo menores a la jurisdicción de adultos.

---

[2]    Con la STC, Pleno, 36/1991, 14.02.1991 (TOL80.450; M.P: Francisco Rubio Llorente).

Todo este desarrollo se encuentra en el Pacto Internacional de Derechos Civiles y Políticos (PIDCP)[3]; las Reglas de Beijing[4]; la Recomendación del Comité de Ministros del Consejo de Europa (87)20, sobre reacciones sociales ante la delincuencia juvenil (Recomendación (87)20)[5]; la Convención sobre los Derechos del Niño, de 20 de noviembre de 1989 (CDN)[6]; las Directrices de las Naciones Unidas para la prevención de la delincuencia Juvenil (Directrices de Riad)[7] y en la Recomendación Rec (2008) 11 del Comité de Ministros del Consejo de Europa a los Estados miembros, de 5 de noviembre sobre Reglas Europeas para Menores sujetos a Sanciones o Medidas(Reglas Europeas para Menores sujetos a Sanciones o Medidas)[8].

En España, la separación del derecho penal juvenil del de adultos ocurre a principios del siglo XIX con la introducción de la Ley Tutelar de Tribunales de menores[9] (1920). Bajo este modelo se daba respuesta a niños y jóvenes que cometían ciertos actos delictivos o bien que eran con-

---

[3]    Concretamente en el artículo 10.2b) que dispone: "Los menores procesados estarán separados de los adultos y deberán ser llevados ante los tribunales de justicia con la mayor celeridad posible para su enjuiciamiento".

[4]    La regla 2.3 reza: "En cada jurisdicción nacional se procurará promulgar un conjunto de leyes, normas y disposiciones aplicables específicamente a los menores delincuentes".

[5]    Sobre la justica de menores dispone: "Evitar la remisión de los menores a la jurisdicción de adultos, cuando existen jurisdicciones de menores".

[6]    Por un lado, el artículo 40.3 establece: "Los Estados Parte tomarán todas las medidas apropiadas para promover el establecimiento de leyes, procedimientos, autoridades e instituciones específicos para los niños de quienes se alegue que han infringido las leyes penales o a quienes se acuse o declare culpables de haber infringido esas leyes". Por otro lado, el artículo 40.3.a) instaura: "El establecimiento de una edad mínima antes de la cual se presumirá que los niños no tienen capacidad para infringir las leyes penales".

[7]    En la directriz 52: "Los Gobiernos deberán promulgar y aplicar leyes y procedimientos especiales para fomentar y proteger los derechos y el bienestar de todos los jóvenes".

[8]    En su recomendación 4 establece: "La edad mínima para la imposición de sanciones o medidas como resultado de la comisión de un delito no debe ser demasiado baja y ha de estar determinada por Ley".

[9]    Para una revisión exhaustiva de proceso de separación del derecho penal adulto y juvenil en España, así como las razones que lo motivaron, véase Fernández Molina (2020a). Una explicación detallada de la situación tras la separación y del modelo tutelar en Colás Turégano (2011), Fernández Molina (2008), Landrove Díaz (2007) y Vázquez González (2003), entre otros.

siderados necesitados de protección. Por este motivo, no permite hablar estrictamente de un derecho penal juvenil. Aunque lo cierto es que se creó una legislación especial y específica para menores, con Tribunales diferentes y con instituciones de cumplimiento propias para niños y jóvenes. Con la Ley Orgánica 4/1992, de 5 de junio, sobre reforma de la Ley reguladora de la Competencia y el Procedimiento de los Jugados de Menores (en lo que sigue L.O 4/1992) se separa el derecho penal juvenil del de protección de menores. No obstante, es la LORRPM quien, de forma definitiva, construye una jurisdicción juvenil especial íntegra[10], ya que en dicha ley se encuentran las disposiciones objetivas y subjetivas de aplicación de la jurisdicción penal juvenil, la regulación de las consecuencias jurídicas derivadas del delito y su ejecución, el proceso penal y sus participantes, y, por último, la regulación de la responsabilidad civil derivada del delito.

A partir de la promulgación de la LORRPM, el ámbito subjetivo de la justicia juvenil son los jóvenes de entre 14 y 17 años que cometan un hecho tipificado en el Código Penal. Tal y como reconoce Pozuelo Pérez (2020), esta decisión se basa en la evidencia disponible sobre psicología y neurociencia evolutiva[11], aunque en última instancia se trata de un decisión política[12].

---

[10] Sin embargo no es obra únicamente de la LORRPM, también de la integración previa de la jurisdicción penal juvenil al poder judicial, lo que implica, también a la Ley Orgánica 6/1985, 1 de julio, de Poder Judicial, la Ley 38/1988, de 28 de diciembre, de Demarcación y de Planta Judicial y la Ley 50/1981, de 30 de diciembre, por la que se regula el Estatuto Orgánico del Ministerio Fiscal. A ello se le suma el esfuerzo autonómico para poder cumplir con el mandato de ejecución de las medidas juveniles impuestas en virtud de la LORRPM.

[11] Para un abundamiento en esta cuestión, ver Pozuelo Pérez (2015).

[12] Véase, por ejemplo, como en el modelo tutelar el ámbito subjetivo de aplicación de la jurisdicción era de 0 a 16 años, o que en la L.O 4/1992, el ámbito subjetivo de aplicación eran jóvenes de 12 a 16 años, y que hasta la modificación operada sobre la LORRPM en el año 2006 existía la transferencia del derecho penal adulto al juvenil. Sobre este último punto, la redacción original de la LORRPM, establecía en un artículo 4, en relación con el artículo 69 CP, la transferencia del adulto de entre 18 a 21 años a la jurisdicción juvenil cuando se tratara de faltas, o delitos menos graves sin violencia o intimidación o peligro, sin condenas previas siendo mayor de edad 6 que sus circunstancias personales y grado de madurez aconsejaren la aplicación de la jurisdicción juvenil. Sin embargo, esta previsión nunca llegó a aplicarse, porque la Ley Orgánica 9/2000, de 22 de diciembre, sobre medidas urgentes para la agilización de la Administración de Justicia

Por un lado, la edad mínima de responsabilidad penal establecida en los 14 años se basa en la convicción, expresada en el punto 14 de la Exposición de Motivos de la LORRPM de que las infracciones de los menores de 14 años son hechos irrelevantes, con escasa probabilidad de alarma social y cuya respuesta en el ámbito familiar y de asistencia civil es suficiente, sin que se requiera una acción penal. Esta justificación parece acogerse al estándar de *razonabilidad* requerido por los estándares internacionales, razonabilidad que responderá a factores históricos y culturales (Reglas de Beijing).

Por otro lado, la edad máxima de responsabilidad penal para los menores, fijada en los 17 años, está establecida en el Código Penal[13]. Sobre este máximo, las Reglas de Beijing (4) disponen que cuando se reconozca el concepto de mayoría de edad penal, su inicio no se fijará en una edad demasiado temprana, habida cuenta de las circunstancias que acompañan la madurez emocional e intelectual de los jóvenes. Por las explicaciones ofrecidas por el legislador en la Exposición de Motivos, puede afirmarse que la LORRPM establece la responsabilidad penal en base a una presunción *iuris et de iure* basada en un criterio cronológico elegido por el legislador que toma en cuenta el comportamiento delictivo de los jóvenes, pero también el límite de la tolerancia social a sus comportamientos (Feijoo Sánchez, 2008).

Además, la LORRPM establece dos tramos para graduar las consecuencias jurídicas derivadas del delito. El primer grupo se conforma por los jóvenes de 14 y 15 años y el segundo por los de 16 y 17. De acuerdo con la Exposición de Motivos ambos grupos presentan características que requieren un tratamiento diferenciado. En la práctica, esto implica que, para el segundo tramo, la comisión de delitos con violencia, intimidación o el peligro para las personas agravarán la medida imponible.

Para finalizar esta sección cabe tratar la cuestión de la transferencia de un joven delincuente al sistema penal adulto. Los estándares

---

suspendió su aplicación 2 años y posteriormente la Ley Orgánica 9/2002, de 10 de diciembre, de modificación de la Ley Orgánica 10/1995, de 23 de noviembre, del Código Penal, y del Código Civil, sobre sustracción de menores prolongó su suspensión hasta enero de 2007, pero la modificación operada por la LO 8/2006 derogó tal disposición.

[13]    Para una explicación en términos penales y de política criminal sobre la edad máxima véase Silva Sánchez (1997).

internacionales no prohíben expresamente tal opción, pero de su redacción y esfuerzos se deduce una apuesta por la jurisdicción juvenil en todos los casos. La LORRPM imposibilita la opción de transferencia de jóvenes al sistema adulto, así lo disponen los artículos 1.1 y 5.3 LORRPM, estableciendo que la jurisdicción juvenil exigirá la responsabilidad penal de jóvenes mayores de catorce años y menores de dieciocho por la comisión de delitos, siendo esta edad siempre referida al momento de la comisión del delito. Estas disposiciones garantizan que ni los hechos cometidos, la situación del delito o las características psicológicas o madurativas del menor, elementos que suelen justificar la transferencia en otras jurisdicciones, no tengan efecto en modificar la competencia de la jurisdicción juvenil por la adulta.

## 3. LA ESPECIALIZACIÓN DE LOS OPERADORES JURÍDICOS

La separación de las jurisdicciones adulta y juvenil conduce a un segundo requerimiento: la especialización de los operadores jurídicos intervinientes en la jurisdicción penal juvenil. Esta exigencia se encuentra en las Reglas de Beijing[14]; la Recomendación (87)20[15], la Re-

---

[14] La regla 2.3, en relación con la separación del derecho penal adulto y juvenil añade que en la jurisdicción de menores habrá órganos e instituciones en la administración de justicia de menores, y en los artículos 12 y 22 dispone, respectivamente: 12.1 "Para el mejor desempeño de sus funciones, los agentes de policía que traten a menudo o de manera exclusiva con menores o que se dediquen fundamentalmente a la prevención de la delincuencia de menores, recibirán instrucción y capacitación especial. En las grandes ciudades habrá contingentes especiales de policía con esa finalidad". 22. "Necesidad de personal especializado y capacitado" 22.1 "Para garantizar la adquisición y el mantenimiento de la competencia profesional necesaria a todo el personal que se ocupa de casos de menores, se impartirá enseñanza profesional, cursos de capacitación durante el servicio y cursos de repaso, y se emplearán otros sistemas adecuados de instrucción". 22.2 "El personal encargado de administrar la justicia de menores responderá a las diversas características de los menores que entran en contacto con dicho sistema. Se procurará garantizar una representación equitativa de mujeres y de minorías en los organismos de justicia de menores".

[15] Alienta a que todos los intervinientes en todas las fases del proceso penal de menores tengan formación especializada en el ámbito del derecho de menores y de la delincuencia juvenil.

solución del Comité de Ministros del Consejo de Europa (78)62, sobre transformación social y delincuencia juvenil (Resolución (78)62)[16]; las Reglas Europeas para Menores Sujetos a Sanciones o Medidas[17], y la Directiva (UE) 2016/800 del Parlamento Europeo y del Consejo, de 11 de mayo de 2016, relativa a las garantías procesales de los menores sospechosos o acusados en los procesos penales (DUE 2016/800)[18].

De las disposiciones consultadas, parece que la urgencia de la especialización se sustenta en la presunción de que una formación adecuada modificará las actitudes punitivas y represivas de los operadores jurídicos hacia otras más acordes a la finalidad de la justicia juvenil. Además, la especialización fomentará que los intervinientes actúen como modelos positivos de conducta, satisfagan las necesidades de los menores y respeten su dignidad.

Por esta razón, los estándares dirigen la obligación de la especialización a *todos los operadores jurídicos* participantes en la justicia juvenil, es decir, policías, jueces, fiscales, abogados y encargados de la ejecución de las medidas. La especialización de los operadores puede realizarse de dos modos: Contando con profesionales especialistas en campos relativos a la educación y el tratamiento de menores, o bien ofreciendo una formación especializada a los operadores jurídicos genéricos, para que se conviertan en profesionales capacitados.

Los estándares internacionales sugieren que la preparación de los operadores jurídicos para el trato con los menores se realice a través

---

[16]   La recomendación K) propone "Desarrollar acciones de formación y de información de las personas y agentes a los que concierne la evolución de los servicios y de las instituciones responsables de los jóvenes en peligro y delincuentes a fin de modificar las actitudes represivas".

[17]   La regla 18 establece: "Todo el personal que desempeña sus funciones en relación con los menores lleva a cabo un importante servicio público. Su selección, formación especial y condiciones de trabajo deberán asegurar que están capacitados para proporcionar los estándares adecuados para satisfacer las necesidades especiales de los menores y para proporcionarles modelos de conducta positivos" y la 130: "El personal competente para la ejecución de medidas o sanciones comunitarias y privativas de libertad de menores deberá integrarse por un número suficiente para llevar a cabo las diversas obligaciones de forma eficaz y deberá incluir una gama suficiente de especialistas para satisfacer las necesidades de los menores bajo su cuidado".

[18]   El artículo 20 está destinado a la formación de los operadores jurídicos, desde policías, centros de detención, jueces fiscales y abogados.

de la promoción de enseñanza profesional, cursos de capacitación y de repaso u otros sistemas de educación que se consideren adecuados. Hasta el momento, los estándares no contenían indicaciones sobre la materia en cuestión que se debía impartir. Sin embargo, la DUE 2016/800 aclara el contenido que se espera impartir para asegurar una buena capacitación[19]. Esto incluye: conocimientos sobre el derecho juvenil, técnicas de interrogatorio adecuadas, piscología infantil y comunicación en un lenguaje adaptado al menor.

En España, la LORRPM adoptó el requerimiento de la especialización de los operadores jurídicos mediante la introducción de la Disposición Final Cuarta, titulada "Especialización de Jueces, Fiscales y abogados". A continuación se detalla el impacto de cada provisión en cada actor jurídico.

Se requiere que los Jueces de Menores, al igual que a los Magistrados de la Audiencia Provincial o Nacional, y la Sala de Menores del Tribunal de Justicia, sean especializados en menores para poder formar parte de dicha carrera judicial. Para asegurar tal requerimiento, la Disposición final cuarta, establece para la provisión de una plaza la preferencia de aquellos Magistrados con especialización sobre los demás para desempeñar su cargo. Esto se refuerza a través del punto noveno de la Exposición de motivos que establece que el Juez de menores deberá ser especialista. En respuesta a tales requerimientos, en el año 2000 se modifica la Ley Orgánica del Poder Judicial (en lo que sigue LOPJ) para adecuar la redacción sobre la provisión de Juzgados de Menores. En la actualidad, en la misma LOPJ, artículo 329.3 LOPJ, se recoge la especialización de los Jueces de Menores. El artículo dispone que los concursos para la provisión de Jueces de Menores se resolverán a favor de aquellos con categoría de Magistrado y que acrediten su especialización por la Escuela Judicial, con mejor puesto en su escalafón[20].

---

[19] Aunque la disposición va referida a policía y personal de centros de detención, el requerimiento debiera hacerse extensible a todos los participantes.

[20] Sin embargo, en caso que no existan magistrados especializados, el artículo dispone que se priorizará a aquellos solicitantes que hayan prestado tres años en la jurisdicción de menores dentro de los cinco años anteriores a la convocatoria. A falta de estos, se cubrirá por orden de antigüedad.

La especialización es impartida por el Consejo General del Poder Judicial (CGPJ) y el Ministerio de Justicia. De acuerdo con la información publicitada por el CGPJ[21], para que un magistrado pueda alcanzar la especialización en menores deberá superar un curso especializado, de acuerdo con el capítulo V del título II del reglamento 2/2011, de la Carrera Judicial: "Proceso de especialización de Magistrados en los órdenes jurisdiccionales civil y penal". Estas disposiciones, simplemente requieren la condición de categoría de magistrado con dos años de servicio efectivo, sin detallar el contenido del curso, más allá del artículo 41.3 que reza: "El proceso de especialización a que se refiere este artículo tenderá a apreciar la capacidad y formación jurídica de los candidatos, especialmente en las materias propias de dichos órdenes jurisdiccionales".

La realización del curso de especialización se compone de un proceso selectivo de tres fases. En primer lugar, la superación de una prueba objetiva en torno al material suministrado sobre el curso de especialización, que incluirá en todo caso el conjunto de disposiciones normativas vigentes en la materia. En segundo lugar, la superación de un curso teórico–práctico en la Escuela Judicial, de una duración de tres meses en los que se combinará contenido teórico sobre disciplinas jurídicas, *y otras complementarias que se estimen necesarias para alcanzar el nivel de capacitación profesional adecuado*, con contenido práctico (asistencia a juzgados y servicios comunitarios asistenciales). Y, por último, la superación de una prueba final de evaluación de carácter teórico-práctico[22].

En cuanto a la especialización del Ministerio Fiscal[23], también se rige por la misma Disposición adicional cuarta. Tanto la Instrucción 2/2000 como la 3/2008, ambas de la Fiscalía General del Estado, po-

---

21    Información extraída de: https://www.poderjudicial.es/cgpj/es/Servicios/Acceso-a-la-categoria-de-Magistrado-a-especialista/Menores/. Fecha de la última consulta: 24.04.2021.

22    No se ha podido acceder al temario específico para la especialización, pero por la información obtenida en la consulta, parece que la capacitación va más allá de aquello estrictamente jurídico o dogmático, acercándose al requerimiento de la DUE 2016/800.

23    A diferencia de los Jueces, en términos legales o estatutarios no existen Fiscales de Menores, sino Fiscales adscritos a las secciones de menores de cada Fiscalía, especializados en la materia.

nen de manifiesto la importancia de la especialidad de menores para los Fiscales, tanto para una mejor preparación jurídica como para mantener la unidad y coordinación en la actuación del Fiscal, derivada del principio de jerarquía. De acuerdo con la Instrucción 3/2008, la formación es un elemento de especial cuidado y atención ya que "en esta rama del Derecho adquiere singular relevancia la sensibilidad y formación de todos los intervinientes y, en especial, a la vista de su protagonismo, del Fiscal".

La formación de los fiscales se acciona por tres actividades desarrolladas por la Instrucción 5/1993 de la Fiscalía General del Estado sobre los Planes Anuales de Formación de Fiscales: cursos, jornadas y seminarios, publicaciones y biblioteca y bolsas de estudio y formación. Para la especialización de los fiscales, son particularmente interesantes las "Jornadas de introducción a la especialización" y los "Seminarios de especialización". La finalidad de la especialización en menores, de acuerdo con la instrucción 3/2008, es dotar a los fiscales de parámetros que tengan en cuenta los destinatarios de sus actuaciones, que son personas en proceso de desarrollo "y deben por ello durante todas las fases del procedimiento, recibir un trato diferente al que reciben los adultos, adaptado a sus necesidades especiales".

En cuanto al abogado que participa en el proceso de menores, la disposición final cuarta de la LORRPM manda al Consejo General de la Abogacía tomar las disposiciones oportunas para que los Colegios de Abogados puedan impartir cursos homologados para la formación de aquellos letrados que deseen adquirir la especialización en materia de menores para intervenir en la jurisdicción[24]. Tras este mandato, la Comisión de Formación del Consejo General de la Abogacía, mediante Acuerdo de fecha de 28 de abril de 2000, refrendado por la Comisión Permanente el 25 de mayo de 2000, adoptó el contenido mínimo para la homologación de los cursos de especialización.

Fernández Molina (2013) problematiza que la especialización de abogados vaya referida a cuestiones legales y procesales y no tanto a

---

[24] Aunque de acuerdo con Peláez Pérez (2007) la especialización es una exigencia para los abogados designados por turno de oficio pero no hacia la designación de abogado particular, por ser una elección libre del cliente. Sin embargo, la voluntad de los estándares internacionales, es que la especialización se extienda a cualquier abogado del menor.

aspectos del desarrollo del menor o al trato o habilidades comunicativas. De no ser así, la autora señala, acertadamente, que la pretendida especialización queda cuestionada.

Para resolver tal cuestión se han consultado los cursos de especialización letrada, ambos referidos a cursos Homologados de Turno de Oficio, para letrados en la jurisdicción penal juvenil, ofrecidos por el Ilustre Colegio de Abogados de Madrid (ICAM), el de Barcelona (ICAB)[25] y el de Valencia (ICAV) para el acceso al turno de oficio asistencia al menor, para el año 2020 y 2021. El curso del ICAM tiene una duración de 45 horas, se imparte por Abogados ejercientes y permite una formación multidisciplinar actualizada con las novedades jurídicas y *también desde un aspecto psicológico, tan importante en el trato con los menores,* aunque en el detalle de las materias cubiertas no aparece explícitamente tal contenido. El curso del ICAB, de 34 horas, ofrece un curso de especialización jurídica, en el que incluye la ética del abogado en menores de edad y los principios de su actuación, la caracterización de la adolescencia como etapa evolutiva, y la justicia restaurativa, y un apartado práctico. Por último, en el ICAV, se imparte el Curso de Especialización en Derecho Penal del Menor ICAV, el curso dura 12 horas y media, y es puramente jurídico.

Como se puede observar, existe variabilidad en el contenido de los cursos y en su duración. Por ello, no todos los cursos pueden cubrir las materias propuestas por la DUE 2016/800.

En cuanto a las fuerzas y cuerpos de seguridad, como se ha visto, las Reglas de Beijing, la Resolución (78)62 y la DUE 2016/800[26] contienen disposiciones específicas sobre el rol de la policía en el proceso juvenil. Todo ello para garantizar que tengan una instrucción, formación y capacitación especial. Pero ni la LORRPM ni el RM contemplan tal especialización o formación accesoria.

Estudios previos han esbozado la historia de la especialización de los cuerpos policiales en materia de justicia juvenil (véase Colás Turé-

---

25    Por ser las provincias con mayor número de colegiados a fecha 31 de diciembre de 2021. Véase: https://www.abogacia.es/publicaciones/abogacia-en-datos/censo-numerico-de-abogados/ .Fecha de la última consulta 24.04.2021.

26    Véanse la Regla 12.1 de las Reglas de Beijing, la recomendación K de la Resolución 78(62), y el artículo 20 DUE 2016/800.

gano 2011, p. 154 y ss). Esta se inicia en 1981, y en la actualidad existen diferentes grupos especializados en jóvenes en las Brigadas Provinciales de la Policía Judicial, la Guardia Civil y las Policías Locales. A efectos de este capítulo interesa el análisis de la Instrucción 1/2017, de la secretaría de Estado de seguridad, por la que se actualiza el "protocolo de actuación policial con menores". En esta instrucción se palpa la influencia de los estándares internacionales y sus recomendaciones, además de la LORRPM[27]. En dicha instrucción se tratan cuestiones como la proporcionalidad de la respuesta policial; evitar la espectacularidad, el lenguaje duro, la violencia física y la exhibición de armas; el acceso inmediato y accesible a la información sobre los hechos y la razones de la privación de libertad y de sus derechos procesales; e incluso que los traslados se realicen en vehículos sin distintivo policial, con personal no uniformado y separado de los mayores de edad.

En cuanto a la formación en materia de menores para agentes de policía, no se ha encontrado información sobre la impartición de estos cursos para el Cuerpo Nacional de Policía ni para la Guardia Civil[28]. Sí que es de acceso público información sobre un curso realizado en 2005 por la *Academia Galega de Seguridade Pública*, llamado "Operativa policial con menores", en el que especializa en el marco jurídico y en los protocolos de actuación, con una duración de 7 horas. O también las materias impartidas por *el Institut de Seguretat Pública de Catalunya*, en el que en la formación básica para *Mossos d'Esquadra* y Policía Local se imparte temario relativo a menores en diversas asignaturas. Además, se han detectado cursos privados, ajenos a los órganos de formativos de los cuerpos y fuerzas de seguridad, impartidos por universidades o bien en centros docentes privados.

De la información hallada parece que la formación policial con menores dista de la voluntad de la DUE 2016/800 y del protocolo analizado. Además, la formación disponible no es obligatoria, excepto en el caso de los temarios incluidos en la formación básica de los

---

[27]   Aunque también se manifiesta la necesidad de especialización de las fuerzas y cuerpos de seguridad motivada por otras disposiciones normativas como la Ley de protección de la seguridad ciudadana o el Estatuto de las víctimas.

[28]   Se quisiera insistir en que el hecho de que *no se ha encontrado información de acceso público* no significa que no exista tal formación.

agentes de policía en Cataluña, por lo que puede cursarse de forma instrumental, o bien puede que se sumen agentes que ya tenían una sensibilidad previa en la materia.

En último lugar, queda tratar la especialización de los profesionales encargados de ejecutar las medidas educativas del artículo 7 LORRPM. Los textos internacionales no mencionan específicamente a estos actores – salvo la DUE 2016/800 –, pero se entienden como integrantes de la justicia juvenil y activos en el proceso de reintegración y educación de los menores. La LORRPM únicamente menciona al "profesional que se responsabilizará de la ejecución de la medida impuesta" y a la "Entidad Pública" y el RM a "los profesionales, organismos e instituciones que intervengan en la ejecución de las medidas", sin explicitar de dónde surge su especialización ni la formación sobre justicia de menores que pudieran tener. Probablemente, al tratarse de una competencia autonómica, la LORRPM entiende que es un aspecto de delegación y posterior desarrollo No obstante, la LORRPM debería establecer un mínimo con tal de asegurar que las autonomías cumplen con dichos estándares de forma satisfactoria. Al menos, con los profesionales de centros de internamiento[29], por estar explícitamente mencionados por la DUE 2016/800.

En definitiva, la LORRPM impuso un mandato formativo para los Jueces de Menores, Fiscales y Abogados al que se está dando cumplimiento, combinando una formación jurídica con otra especializada a los destinatarios de su actuación. No obstante, bajo la luz de la DUE 2016/800 parece que los esfuerzos aún no son suficientes y debería impulsarse más la formación en ciencias de la educación. Pese a esto, la investigación criminológica española ha resaltado los esfuerzos de algunos de estos actores, especialmente los jueces, para hacerse entender y establecer una relación cordial y digna con los jóvenes. Aunque

---

[29]   Especialmente problemática es la inclusión del personal especializado en funciones de vigilancia y apoyo en los centros de internamiento, esto es, la inclusión de la seguridad privada, profesionales que están especializados en vigilancia y seguridad, pero no en infancia y cuidado infantojuvenil. Tanto Cervelló Donderis (2009) como García Pérez (2019) han mostrado preocupación por la falta de formación específica, y por ello, García Pérez (2019) achaca las malas prácticas detectadas por este servicio a primacía de los criterios asegurativos, ante la finalidad educativa del centro.

también se observaron conductas poco adecuadas para con los menores y sus familiares (Fernández Molina, 2020b; Fernández Molina, Bermejo Cabeza, & Baz Cores, 2020).

## 4. EL CATÁLOGO DE MEDIDAS EDUCATIVAS

Los estándares internacionales aspiran a que los ordenamientos juveniles presenten un amplio catálogo de respuestas a la comisión delictiva[30], con tal de dar una respuesta con contenido educativo a todas las necesidades de los jóvenes, considerando su fase de desarrollo. Por ejemplo, así lo manifiestan la Resolución (78)62[31], las Reglas Europeas para Menores sujetos a Sanciones o Medidas[32] o las Reglas de Beijing[33].

De hecho, las Reglas de Beijing dan un paso más allá y proponen, en su regla 18, un auténtico catálogo de medidas para que los estados incluyan en la justicia juvenil. Estas son: a) Órdenes en materia de atención, orientación y supervisión; b) La libertad vigilada; c) Órdenes de prestación de servicios a la comunidad; d) Sanciones económicas, indemnizaciones y devoluciones; e) Órdenes de tratamiento intermedio y otras formas de tratamiento; d) Órdenes de participar en sesiones de asesoramiento colectivo y en actividades análogas; g) Órdenes relativas a hogares de guarda, comunidades de vida u otros establecimientos educativos; u h) Otras órdenes pertinentes.

---

[30]   Además, desde un punto de vista penal, se espera que la respuesta sea proporcional a las circunstancias del menor y del delito (Regla 5 de las Reglas de Beijing y la Recomendación (87)20). A causa del principio de proporcionalidad y la culpabilidad disminuida de los jóvenes, los estándares rechazan el uso de la pena capital, los castigos corporales y la prisión perpetua sin posibilidad de excarcelación (Reglas 17.2 y 3 de las Reglas de Beijing y art. 37.a CDN).

[31]   Recomendación b): revisar las sanciones y las medidas impuestas a jóvenes y reforzar su carácter educativo y resocializador.

[32]   La Regla 23.1 "Debe preverse en todas las fases del procedimiento una amplia gama de medidas o sanciones comunitarias, ajustadas a las diferentes fases de desarrollo de los menores".

[33]   La Regla 17.1.a): "La respuesta que se dé al delito será siempre proporcionada, no sólo a las circunstancias y la gravedad del delito, sino también a las circunstancias y necesidades del menor, así como a las necesidades de la sociedad".

En España, ya el modelo tutelar contemplaba un catálogo de medidas con diversas respuestas para adecuar la intensidad penal. Con la L.O 4/1992, el catálogo se extendió y se reformularon algunas medidas a causa del cambio de modelo que inspiraba la justicia juvenil. Por último, la LORRPM, tras la modificación operada por la Ley Orgánica 8/2006, de 4 de diciembre, por la que se modifica la LORRPM, establece, el que por ahora es el catálogo de medidas educativas. Como muestra la Tabla 1, la LORRPM incluye a las propuestas sancionadoras de las anteriores leyes otras medidas nuevas[34].

La doctrina coincide con que el catálogo de medidas imponibles de la LORRPM es amplio y con un claro fin educativo (Díaz-Maroto y Villarejo, Feijoo Sánchez, & Pozuelo Pérez, 2019; Landrove Díaz, 2001). Sin embargo se quisieran advertir diferentes cuestiones. En primer lugar, que las medidas que se han mantenido durante los diferentes modelos de justicia juvenil deben presentar una contenido adecuado a los principios del modelo educativo-responsabilizador, sin quedarse ancladas en tintes tutelares. En segundo lugar, pese a que la redacción legislativa de las medidas presenta una orientación educativa, como manifiestan Fernández Molina y Bernuz Beneitez (2018) el contenido educativo lo aporta el profesional a cargo, por lo que no podemos asumir por la disposición legal que las medidas son educativas sin conocer el contenido efectivo de las mismas. Por último, pese a que el catálogo de la LORRPM sea amplio, en la práctica judicial, los Jueces de Menores no hacen uso de *todas las medidas*. Al contrario, *la respuesta punitiva se sustenta sobre cuatro medidas* (ver Tabla 2): la medida educativa más impuesta es la Libertad Vigilada, su imposición entre 2015 y 2019 oscila entre el 40% y el 43,3%. Por lo que supone prácticamente la mitad de las medidas impuestas. La segunda medida más impuesta son las prestaciones en beneficio de la comunidad, cuya imposición se mantiene en torno al 15% y empatadas en tercer lugar se encuentran la realización de tareas socioeducativas y el internamiento semiabierto, con un peso de entre 10 y 12%. La falta

---

[34]    La naturaleza de las medidas educativas se ha discutido por la doctrina, para dirimir si son penas, penas juveniles, medidas de seguridad o medidas educativas. Por ejemplo véase Colás Turégano (2011), Díaz-Maroto y Villarejo, Feijoo Sánchez y Pozuelo Pérez (2019), o Montero Hernanz y Vicente Martínez (2016).

de heterogeneidad en la respuesta judicial puede mermar la función educativa y adaptativa del catálogo de medidas.

**Tabla 1.** *Comparativa de las medidas previstas en la legislación tutelar, modelo responsabilizador y educativo-responsabilizador*

| Decreto de 11 de junio de 1948 | LO 4/1992 | LORRPM |
|---|---|---|
| Amonestación | Amonestación | Amonestación |
| Breve internamiento | Internamiento fines de semana | Permanencia de fin de semana |
| Libertad Vigilada | - | Libertad Vigilada |
| custodia de otra persona familia o de una sociedad tutelar | Acogimiento por otra persona o núcleo familiar | Convivencia con otra persona, familia o grupo educativo |
| Ingreso(s) en establecimiento(s) | Internamiento abierto, semiabierto o cerrado | Internamiento abierto, semiabierto o cerrado |
| Establecimiento especial para menores anormales | Ingreso centro terapéutico | Internamiento terapéutico |
| - | Privación derecho a conducir | Privación derecho a conducir + caza o armas |
| - | Prestación servicios en Beneficio de la comunidad | Prestaciones en beneficio de la comunidad |
| - | Tratamiento ambulatorio | Tratamiento ambulatorio |
| - | - | Asistencia a un centro de día |
| - | - | Tareas socioeducativas |
| - | - | Prohibición de aprox. / comunicación víctima/otros |
| - | - | Inhabilitación absoluta |

Elaboración propia.

**Tabla 2.** *Catálogo de medidas impuestas por los Jueces de Menores*

| | 2015 | | 2016 | | 2017 | | 2018 | | 2019 | |
|---|---|---|---|---|---|---|---|---|---|---|
| | N | % | N | % | N | % | N | % | N | % |
| Asistencia a un centro de día | 151 | 0,7 | 131 | 0,6 | 131,0 | 0,6 | 138 | 0,6 | 111 | 0,5 |
| Amonestación | 754 | 3,3 | 613 | 2,8 | 655,0 | 2,9 | 694 | 3,0 | 637 | 2,7 |
| Convivencia con otra persona, familia o grupo educativo (menores) | 489 | 2,1 | 451 | 2,1 | 494,0 | 2,2 | 451 | 2,0 | 477 | 2,1 |
| Internamiento abierto | 181 | 0,8 | 129 | 0,6 | 128,0 | 0,6 | 132 | 0,6 | 130 | 0,6 |
| Internamiento cerrado | 487 | 2,1 | 447 | 2,1 | 500,0 | 2,2 | 448 | 2,0 | 674 | 2,9 |
| Internamiento semiabierto | 2.574 | 11,2 | 2.500 | 11,6 | 2.668,0 | 11,6 | 2.458 | 10,8 | 2405 | 10,4 |
| Internamiento terapéutico en régimen cerrado, semiabierto o abierto | 424 | 1,8 | 433 | 2,0 | 422,0 | 1,8 | 468 | 2,1 | 507 | 2,2 |
| Libertad vigilada | 9.223 | 40,0 | 9.270 | 43,1 | 9.753,0 | 42,6 | 9.777 | 42,9 | 10057 | 43,3 |
| Prohibición de aproximarse o comunicarse con la víctima | 811 | 3,5 | 874 | 4,1 | 1.247,0 | 5,4 | 1.277 | 5,6 | 1343 | 5,8 |
| Prestación en beneficio comunidad | 3.905 | 16,9 | 3.258 | 15,1 | 3.526,0 | 15,4 | 3.479 | 15,3 | 3393 | 14,6 |
| Permanencia de fin de semana | 1.041 | 4,5 | 420 | 2,0 | 434,0 | 1,9 | 420 | 1,8 | 394 | 1,7 |
| Privación permiso de conducir | 66 | 0,3 | 54 | 0,3 | 50,0 | 0,2 | 38 | 0,2 | 41 | 0,2 |
| Realización de tareas socio-educativas | 2.578 | 11,2 | 2.496 | 11,6 | 2.582,0 | 11,3 | 2.734 | 12,0 | 2718 | 11,7 |
| Tratamiento ambulatorio | 357 | 1,5 | 450 | 2,1 | 326 | 1,4 | 298 | 1,3 | 325 | 1,4 |

Elaboración propia. Fuente: La Estadística de Condenados: Menores es elaborada por el INE a partir de la información procedente del Registro Central de Sentencias de Responsabilidad Penal de los Menores cuya titularidad corresponde al Ministerio de Justicia.

## 5. LA VUELTA A LA COMUNIDAD TRAS EL INTERNAMIENTO

La privación de libertad de los menores infractores es uno de los elementos sobre el que los estándares internacionales han prestado mayor atención. Tal y como afirman Goldson y Kilkelly (2013), al no poder prohibir la práctica, los estándares han procurado asegurar un mínimo para garantizar el bienestar del menor durante la privación de libertad.

Por un lado, las indicaciones que los estándares presentan para el uso y la imposición de una medida privativa de libertad son[35]: la limitación de las sanciones y medidas privativas de libertad, su uso como última ratio y de forma excepcional, la presencia del principio de necesidad y por el mínimo tiempo posible[36] –en este sentido, el juez debe motivar su elección tomando en cuenta las medidas alternativas al internamiento–. Por último, se requiere una diversificación de las formas de privación de libertad para adaptarlo a las necesidades del menor.

Por otro lado, la ejecución de la privación de libertad debe cumplirse en instituciones específicas para menores infractores, separadas de aquellas destinadas para los adultos, pequeñas y preferentemente, en establecimientos abiertos. El establecimiento debe ser una instalación correccional o educativa, pero no carcelaria, sustentada en la colectividad e integrada en el medio social y económico. Debe poder ofrecer formación escolar y profesional y favorecer las relaciones con la familia.

---

[35]   En este sentido La Resolución (78)62, recomendación c) y d); la Regla de Beijing número 17; Recomendación (87)20 número 16; CDN artículo 37; Recomendación 2008(11) en varios apartados. Y debe subrayarse la promulgación específica en el entorno de las Naciones Unidas de unas reglas específicas para la protección de los menores en situación de privación de libertad, Las Reglas de la Habana.

[36]   En principio, únicamente podría aplicarse la privación de libertad cuando el menor sea condenado por un acto grave en el que concurra violencia contra otra persona o por la reincidencia en cometer otros delitos graves, y siempre que no haya otra respuesta adecuada.

A pesar del gran interés criminológico en la cuestión de la privación de libertad penal juvenil en el contexto español[37], en este capítulo únicamente se va a tratar la necesidad de una asistencia post internamiento tras la salida del centro.

La asistencia post internamiento es un requerimiento de las Reglas de Beijing (29), las Reglas de la Habana (79 y 80) y de la Recomendación (87)20 número 16. La voluntad de los estándares internacionales es que el joven desinstitucionalizado tenga ayuda y apoyo durante su reintegración en la comunidad tras salir del centro. Por ello instan a los Estados a tomar medidas para conseguir tal reintegración social, apostando por el apoyo en las esferas familiar, formativa y laboral. Además, un elemento clave que señalan los textos para una reintegración exitosa es la atenuación de los prejuicios que la sociedad tiene hacia los menores desinternados[38].

La solución propuesta por la LORRPM en respuesta a las demandas internacionales de asistencia post internamiento ha sido dividir la medida de internamiento en dos períodos. El primero se desarrolla en el centro de internamiento y el segundo en régimen de libertad vigilada[39] (art 7.2 y 10 LORM), actuando esta libertad vigilada como una suerte de medida asistencial para la reintegración social[40].

De acuerdo con la Exposición de Motivos de la LORRPM (18) la libertad vigilada supone un sometimiento del joven a la vigilancia y la supervisión del personal especializado. El artículo 7.1h) lo deta-

---

[37] Por ejemplo las monografías de Cámara Arroyo (2011), Cervelló Donderis (2009), Cruz Márquez (2007) o Periago Morant (2017), o bien el estudio de Fernández Molina (2012), que analiza los cambios legislativos del internamiento y la evolución en la aplicación de la medida en el territorio nacional.

[38] La necesidad de una ayuda para la reintegración tras la estancia en un centro de internamiento evidencia la paradoja presentada por Fernández Molina y Bernuz Beneitez (2018) sobre educar para la libertad en un contexto de encierro.

[39] En opinión de López López (2007) la inclusión del período de libertad vigilada es una novedad legislativa para dar cumplimiento con la Recomendación 87(20).

[40] El legislador ha optado por lo que en otros contextos se denomina *split sentence* (sentencia partida) (Richardson v. Estados Unidos, 927 A.2d 1137, 1140 (DC 2007). Se trata de fallos que contienen una condena a prisión, y tras la misma, una pena de libertad supervisada. En general la segunda fase es una *probation* (libertad vigilada) pero también puede ser una *home detention* o *halfway house*, en definitiva, una medida *non-custodial* (no privativa de libertad). Esta regla penológica es muy común en Estados Unidos para la jurisdicción penal de adultos.

lla como un seguimiento de la actividad del joven y de su asistencia a la escuela, centro de formación o lugar de trabajo. Además, estas actividades se complementan con el establecimiento de pautas socioeducativas, el concierto de entrevistas y el cumplimiento de reglas específicas de conductas.

El objetivo de esta medida es dotar al joven de habilidades, capacidades y actitudes para un adecuado desarrollo personal y social, pero también para remover los factores que determinaron su comisión delictiva. A causa del contenido de la medida, se sostiene que el éxito de libertad vigilada implica la coordinación entre el sistema de justicia, el joven, su familia y el trabajo profesional (Landrove Díaz, 2001) y ocasionalmente, la intervención y corresponsabilización de dichos ámbitos (Aguirre Zamorano, 2000; Landrove Díaz, 2007; Vizcarro i Masià, 2001).

La libertad vigilada post internamiento se ejecuta bajo los mismos artículos que la medida educativa genérica, sin ninguna especificidad (art. 18 Real Decreto 1774/2004, de 30 de julio, por el que se aprueba el Reglamento de la LORRPM). Es llamativo que esto sea así, ya que el contacto entre los profesionales y los menores deberían iniciarse mientras el joven aún se encuentre en el centro, la participación del joven en servicios normalizados es capital, y el contacto con el entorno del joven cobrará más importancia que en una libertad vigilada ordinaria, por ser parte de la reintegración social del desinternado.

En general, la doctrina valora positivamente el desdoblamiento de la medida de internamiento para favorecer la desinstitucionalización del joven[41]. Para Cervelló Donderis (2009) tal previsión permite que el paso a la libertad sea paulatino y supervisado. Por este motivo se dice que su función es hacer de "puente" entre el encierro y la libertad total (Cámara Arroyo, 2012; Pérez Ferrer, 2009). No obstante, para el éxito de la libertad vigilada post internamiento se requiere una coordinación entre los profesionales implicados en el cumplimiento

---

[41]    En este sentido Bernuz Benítez, Fernández Molina y Pérez Jiménez (2009); u Ornosa Fernández (2007).

sucesivo de los períodos de internamiento para que la libertad vigilada sea, de forma efectiva, una medida de tránsito a la comunidad[42].

Dicho esto, es preciso matizar que existen posturas que cuestionan la bondad de la libertad vigilada como medida asistencial por considerar que es una respuesta punitiva, restrictiva y propia del derecho penal del enemigo antes que una medida de reintegración. Por ejemplo, Martínez González (2007) considera que las ideas rectoras de la libertad vigilada son la restricción ambulatoria, la vigilancia y el seguimiento sobre el menor. En un sentido similar, Bueno Arús et al. (2008) prefieren hablar de *seguimiento* antes que libertad vigilada porque critican el exceso de actividad de control sobre el menor. Díaz-Maroto y Villajreo, Feijoo Sánchez y Pozuelo Pérez (2019) o Landrove Díaz (2001) añaden que la libertad vigilada supone un control por el equipo técnico y la obligación de realizar tareas socioeducativas. En la misma línea, San Martín Larriona (2005) plantea que la sobrecarga de obligaciones al menor puede llevar al incumplimiento de algunas de ellas. Además, se insiste en que las intervenciones dilatadas pueden ser ineficaces por cuanto se debe realizar mucho trabajo en poco tiempo. Por este motivo, se plantea atender únicamente las necesidades educativas prioritarias.

Las problemáticas señaladas por parte de la doctrina evidencian que la consecución de un mandato asistencial a través de una medida *penal* no es una solución óptima, salvo que se quieran recuperar los postulados tutelares. El uso de la libertad vigilada como elemento asistencial post internamiento supone una expansión del derecho penal a terrenos sociales, por lo que debería estudiarse si la segunda parte de la medida de internamiento, cumplida en libertad vigilada, supone para el joven un sentimiento de control tras la salida del centro o bien un elemento de ayuda. Otra dificultad evidenciada de realizar una asistencia a través de la medida de libertad vigilada, es que esta no puede cubrir la asistencia material del joven, como ropa, enseres, dinero o alojamiento. Si bien el joven puede ser referido a otros servicios, lo interesante de una asistencia post penitenciaria es que sea ín-

---

[42]   Por ejemplo, Ortiz González (2005) detectó en los primeros años de vigencia de la ley una falta de coordinación entre los equipos del centro y los profesionales que ejecutan la libertad vigilada y también el largo tiempo de espera entre la finalización del encierro y el inicio de la subsiguiente medida.

tegra y evite la peregrinación del usuario por diferentes instituciones. Por último, el uso de una medida de libertad vigilada no atenúa los prejuicios sociales hacia los menores desinstitucionalizados, puesto que es una medida penal, que en ciertos casos pretende responder a criterios de peligrosidad[43], especialmente en aquellas libertadas vigiladas impuestas y ejecutadas en virtud del artículo 10 LORRPM.

La sugerencia legislativa para mejorar la asistencia post internamiento es imitar la asistencia postpenitenciaria adulta, contemplada en los artículos 73 al 75 de la Ley Orgánica 1/1979 General Penitenciaria, a través de la Comisión de Asistencia Social dependiente de la Dirección General de Instituciones Penitenciarias. Así, la asistencia podría ser integral y desvinculada de consideraciones penales, una nueva situación que parece más acorde con los postulados internacionales

## 6. DEL CENTRO DE MENORES A PRISIÓN

La finalización de la medida de internamiento en un centro penitenciario para adultos es una previsión que no se ha hallado en ningún texto internacional. Al contrario, la Recomendación 59.3 de (2008)11 sugiere que los menores que alcancen la mayoría de edad deberán ser internados con carácter general en centros para menores o en instituciones especiales para jóvenes adultos, *salvo* que para su reinserción social sea más positivo un internamiento en una institución para adultos.

La redacción original de la LORRPM disponía en su artículo decimoquinto[44] que cuando los jóvenes que estuvieran sometidos medidas de internamiento o fueran sentenciados a ellas cumplieran los veintitrés años, el Juez de Menores, oído el Ministerio Fiscal, y sin perjuicio de la posibilidad de modificar la medida impuesta o substituirla por otra, ordenaría su finalización en un centro penitenciario para adultos bajo la legislación penitenciaria adulta. Tras la modificación operada

---

[43] Debate existente en la legislación penal adulta. Para una exposición del mismo Véase Cámara Arroyo (2012).
[44] Para un comentario de esta disposición, véase Nistal Burón (2004).

por la L.O 8/2006[45], el artículo catorce dispone que solo los menores cumpliendo un internamiento en régimen cerrado serían susceptibles de finalizar la medida en prisión. No obstante, la decisión de la transferencia se da cuando el joven cumple dieciocho o veintiún años. La redacción de la disposición parece que apueste por la permanencia del joven de dieciocho años en el centro y permite que el juez atienda al interés superior del joven[46] y a su positiva evolución en la ejecución de la medida[47] en ambos casos. Además, el Juez de Menores conserva la facultad de modificar o suspender la medida con tal de evitar el ingreso en prisión del joven adulto.

Las razones que se han dado para justificar este precepto han sido de carácter educativo, puesto que se argumenta que la función educativa de los centros es inapropiada para los jóvenes adultos mayores de veintiún años; de mantenimiento del orden, puesto que parece que la transferencia de estos jóvenes facilita la organización interior de los centros; motivos económicos; de reducción del contagio criminógeno y victimización en los centros; y razones retributivas y de prevención general negativa (Cervelló Donderis, 2009; Cervelló Donderis & Colás Turégano, 2006; Díaz-Maroto y Villarejo et al., 2019).

Sin embargo, los motivos esgrimidos no son suficientes para contener las críticas doctrinales a esta disposición. Estas críticas han sido tanto de carácter jurisdiccional, procesal y de competencia que presenta la transferencia a prisión[48], como de legitimidad, puesto que se trata de una transmutación de una medida a una pena, siendo

---

[45]  La modificación sobre este extremo responde a la Disposición Adicional sexta de la LORRPM introducida por la Disposición Final segunda de la Ley Orgánica 15/2003, de 25 de noviembre, por la que se modifica el Código Penal. Para una mejor explicación del precepto, consultar, por ejemplo Colás Turégano (2010).

[46]  Parte de la doctrina como Cervelló Donderis (2009) o Mapelli Caffarena, González Cano o Aguado-Correa (2002) entienden que la redacción de la disposición va dirigida a salvaguardar los fines educativos de la medida y evitar el ingreso en prisión del joven. Mientras que otros, como Colás Turégano (2011) consideran que supone un endurecimiento de la previsión respecto a la redacción originaria.

[47]  Se ha advertido que el concepto "cumplir con los objetivos de la sentencia" es un concepto indeterminado que podría permitir que el Juez de Menores atendiera antes a la gravedad de los hechos que no a las necesidades del joven para tomar la decisión (Cervelló Donderis, 2009).

[48]  En este sentido: Cervelló Donderis (2009) Cervelló Donderis y Colás Turégano (2006), Colás Turégano (2010) o Pozuelo Pérez (2020).

un ejemplo de endurecimiento punitivo y de acercamiento entre el derecho penal de menores y el adulto[49]. No obstante, la problemática que subyace en la transferencia no es únicamente de legitimidad, también vulnera el estándar internacional relativo al trato diferencial entre menores infractores y adultos (Pozuelo Pérez, 2020), el deber de protección de los Estados a los jóvenes internados, puesto que la transferencia ignora los efectos negativos que la prisión puede tener sobre el joven[50] y los sitúa bajo un riesgo carcelario y criminógeno (Cervelló Donderis, 2009).

Gracias al trabajo de Pozuelo Pérez (2020) contamos con datos recientes sobre las transferencias de menores de edad internados a centros penitenciarios. La fuente que usa la autora son las Memorias anuales de la Fiscalía General del Estado. En 2007, se realizaron 10; en 2008, 12; en 2009, 22; en 2010, 26; en 2011, 24; en 2012, 28; en 2013, 18; en 2014, 18; en 2015, 9; en 2016, 9; en 2016, 13; en 2017, 13; y en 2018 19. Los hallazgos de la autora muestran que las transferencias son escasas y excepcionales.

Estos datos permiten inferir la falta de funcionalidad del precepto legislativo. Por lo tanto, sabiendo que tal inclusión transgrede postulados básicos de la justicia juvenil internacional y presenta muchas limitaciones prácticas, tras veinte años de previsión legislativa e incluso una modificación, debemos cuestionar la necesidad del mismo.

## 7. CONCLUSIONES

En España, la separación del derecho penal adulto y juvenil ocurrió a inicios del siglo XX con la introducción del modelo tutelar, de forma previa a la promulgación de los estándares internacionales de protección. En la actualidad, el sistema de justicia juvenil adopta el modelo educativo-responsabilizador, cuyos postulados están en consonancia con los estándares de internacionales de protección. Ello se debe a la L.O 4/1992, la LORRPM y otras leyes relevantes para el sistema penal juvenil, que fueron moldeando una jurisdicción de me-

---

[49] Sobre esta línea Cervelló Donderis (2009), Díez –Maroto y Villarejo, Feijoo-Sánchez y Pozuelo Pérez (2019).
[50] Véase Pozuelo Pérez (2020, pp. 186-187).

nores íntegra, con operadores jurídicos propios, instituciones de cumplimiento exclusivas, un proceso penal particular y leyes especiales.

Se ha visto que la primera consecuencia derivada de esta separación es el establecimiento de una edad mínima y máxima de responsabilidad penal, que encorseta el ámbito subjetivo de aplicación de la jurisdicción. La LORRPM establece esta edad entre los catorce y los diecisiete años, edades que concuerdan con los avances en neurociencia y psicología evolutiva aplicados al derecho penal, aunque a la postre se trate de una decisión de política criminal. Además, la LORRPM establece dos tramos de edad, entre los 14 y 15 y los 16 y 17 años para ajustar la respuesta penal a las circunstancias de cada grupo. Por ello, sobre este aspecto la consecución del mandato internacional es máxima.

La segunda consecuencia tratada ha sido la especialización de los operadores jurídicos, ya que la separación entre derechos se sustenta en las diferencias, a diferentes niveles, entre adultos y menores. De ello se deriva la necesidad de un trato especial sobre estos últimos, y para los estándares de protección, una forma de garantizarlo es la formación y capacitación de los profesionales que intervengan en la justicia juvenil. Del análisis realizado se desprende que la especialización fundamentada en una formación de operadores jurídicos genéricos parece insuficiente. Sobre los Jueces de Menores y el Ministerio Fiscal se intuye una voluntad y entendimiento sobre la necesidad de la formación, pero de la información obtenida se concluye que el contenido ofrecido está diluido en consideraciones jurídicas y legales, lo cual no resuelve la voluntad de los textos internacionales. En cuanto al abogado, se han hallado diferentes brechas en su especialización. La primera es que únicamente se requiere la especialización de los abogados de turno de oficio. La segunda es la heterogeneidad del contenido de los cursos de formación y su duración impartidos por los Ilustres Colegios de Abogados. Lo que puede no garantizar la formación en otros ámbitos no jurídicos de los abogados. Por último, al no haberse encontrado suficiente información sobre la formación de las Fuerzas y Cuerpos de Seguridad no se pueden realizar conclusiones suficientemente fundamentadas, pero *prima facie* parece que la formación dista del requerimiento de la DUE 2016/800.

La última consecuencia derivada estudiada en el capítulo ha sido la prohibición de la transferencia de los jóvenes que cometen un delito siendo menores de edad en la jurisdicción adulta. De acuerdo con la LORRPM los menores de edad, *siempre* serán juzgados como menores y se les impondrá una medida educativa. No obstante, pese a ser juzgados como menores, el artículo 14 LORRPM permite la transferencia de los jóvenes que cumplen dieciocho o veintiún años en una medida de internamiento en régimen cerrado finalizar el cumplimiento de la medida en prisión. Esta transferencia transmuta la medida educativa en una pena. Pese a que se realicen pocas transferencias al año, no se puede obviar que la institución vulnera los estándares internacionales de protección y pone en riesgo la integridad del joven afectado.

En otro orden de cosas, los estándares internacionales demandan la redacción de un catálogo de medidas amplio, con una respuesta educativa y adaptable a la respuesta penal de los jóvenes. La LORRPM es la ley juvenil española, que hasta el momento, presenta un catálogo de medidas más amplio e inspirado por la voluntad educativa-responsabilizadora. Empero, antes de asegurar que cumple con la voluntad educativa de los estándares y que supone una respuesta adaptada a la situación de los enjuiciados cabe manifestar dos óbices que se han hallado en el presente trabajo: el primero es que el contenido educativo de la sanción no se lo otorga la ley, sino los profesionales de ejecución y los recursos disponibles. El segundo es la homogeneización de la respuesta jurisdiccional a la delincuencia juvenil, respuesta que se basa en cuatro medidas: la libertad vigilada, las prestaciones en beneficio de la comunidad, las tareas socio educativas y el internamiento en régimen semiabierto. Por todo ello, se puede decir que tras veinte años de vigencia de la ley el estándar ha sido implementado de forma fraccionada dado que a nivel legislativo se ha cumplido exitosamente con el cometido impuesto pero en la práctica se observan limitaciones.

Por último, el internamiento es la medida que más preocupación ha suscitado en los estándares de protección por lo pernicioso que puede ser sobre adolescentes. De todas las cuestiones que genera la medida de internamiento contenida en la LORRPM el capítulo se ha ocupado de denunciar la necesidad de una asistencia post internamiento para la reinserción del joven ajena a la medida penal de libertad vigilada post internamiento. La razón es que la libertad vigilada se reputa una medida insuficiente para ayudar en la reintegración del menor deseada por los estándares internacionales a causa de tres motivos: ser una respuesta penal, no garantizar las necesidades materiales de los jóvenes y por reproducir una imagen de peligrosidad de los menores acompañados.

## 8. REFERENCIAS

### BIBLIOGRAFÍA

Aguirre Zamorano, P. (2000). Las medidas. En E. Giménez-Salinas i Colomer (Ed.), *Justicia de menores: una justicia mayor. Comentarios a la Ley Reguladora de la Responsabilidad Penal de los Menores* (pp. 81-101). Madrid: Manuales de formación continuada del Consejo General del Poder Judicial.

Bernuz Beneitez, M. J., Fernández Molina, E., & Pérez Jiménez, F. (2009). Educar y controlar: la intervención comunitaria en la justicia de menores. *Revista Electrónica de Ciencia Penal y Criminología*, (11-12), 1-28.

Bueno Arús, F., Salinas Iñigo, A., Periago Morant, J., & Legaz Cervantes, F. (2008). *Comentarios al Reglamento de la Ley Orgánica 5/2000 de 12 de enero reguladora de la responsabilidad penal de los menores* (F. Legaz Cervantes & F. Bueno Arús, eds.). Murcia: Fundación Diagrama.

Cámara Arroyo, S. (2011). *Internamiento de menores y sistema penitenciario* (Ministerio del Interior, ed.). Madrid: Catálogo de Publicaciones de la Administración General del Estado.

Cámara Arroyo, S. (2012). La libertad vigilada: de la ley penal del menor al ordenamiento penal de adultos. *Revista Jurídica Universidad Autónoma de Madrid*, 25, 71-106.

Cervelló Donderis, V. (2009). *La medida de internamiento en el Derecho Penal del menor*. Valencia: Tirant lo Blanch.

Cervelló Donderis, V., & Colás Turégano, A. (2006). Cumplimiento de la matoría de edad penal en la infracción penal y en la medida impuesta. En J. González Cussac & M. Cuerda Arnau (Eds.), *Estudios sobre la responsabilidad penal del menor* (pp. 55-78). Valencia: Universitat Jaume I.

Colás Turégano, A. (2010). Cumplimiento de la medida de internamiento en régimen cerrado en Centro Penitenciario: Problemas en su aplicación práctica. *Revista General de Derecho Penal, 14*, 1-19.

Colás Turégano, A. (2011). *Derecho penal de menores*. Valencia: Tirant lo Blanch.

Cruz Márquez, B. (2007). *La medida de internamiento y sus alternativas en el derecho penal juvenil*. Madrid: Dykinson.

Díaz-Maroto y Villarejo, J., Feijoo Sánchez, B., & Pozuelo Pérez, L. (2019). *Comentarios a la ley reguladora de la responsabilidad penal de los menores* (2.a ed.). Pamplona: THomson Reuters.

Feijoo Sánchez, B. (2008). Exposición de motivos. En J. Díaz-Maroto y Villarejo (Ed.), *Comentarios a la ley reguladora de la responsabilidad penal de los menores* (pp. 33-58). Navarra: Thomson Civitas.

Fernández Molina, E. (2008). *Entre la educación y el castigo. Un análisis de la justicia de menores*. Valencia: Tirant lo Blanch.

Fernández Molina, E. (2013). Una aproximación a la figura del abogado en la justicia de menores. *Cuadernos de Política Criminal*, (109), 217-242.

Fernández Molina, E. (2020a). ¿Está la Justicia Penal adaptada al menor? Un análisis histórico de la Justicia Juvenil. En P. Oliver Olmo & M. Cubero Izquierdo (Eds.), *De los controles disciplinarios a los controles securitarios. Actas del II Congreso Internacional sobre la Historia de la Prisión y las Instituciones Punitivas* (pp. 737-746). Cuenca: Ediciones de la Universidad Castilla-La Mancha.

Fernández Molina, E. (2020b). Justicia Juvenil. En *Delincuencia y Justicia Juvenil en España .¿Qué sabemos?* (pp. 89-114). Valencia: Tirant lo Blanch.

Fernández Molina, E., Bermejo Cabeza, M. ., & Baz Cores, O. (2020). Observing juvenile courtrroms: Testing the implementtaion of Guideliness on Child-Friendly Justice in Spain. *Youth Justice, 00*(0), 1-18.

Fernández Molina, E., & Bernuz Beneitez, M. J. (2018). *Justicia de menores*. Madrid: Editorial Síntesis.

García Pérez, O. (2019). *Las medidas y su ejecución en el sistema de justicia penal juvenil*. Valencia: Tirant lo Blanch.

Goldson, B., & Killkely, U. (2013). International Human Rights Standards and Child Imprisonment: Potentialities and Limitations. *International Journal of Children's Rights, 21*, 345–371.

Landrove Díaz, G. (2001). *Derecho penal de menores*. Valencia: Tirant lo Blanch.

Landrove Díaz, G. (2007). *Introducción al derecho penal de menores* (2.a ed.). Valencia: Tirant lo Blanch.

López López, A. . (2007). *La ley penal del menor y el reglamento para su aplicación. Comentarios, concordancias y jurisprudencia* (2.a ed.). Granada: Editorial Comares.

Mapelli Caffarena, B., González Cano, M., & Aguado-Correa, T. (2002). *Co-mentarios a la Ley Orgánica 5/2000, de 12 de enero, reguladora de la res-ponsabilidad penal de los menores.* Sevilla: Junta de Andaluciía, Instituto Andaluz de Administración Pública.

Martínez González, M. (2007). Artículo 7. Definición de las medidas suscep-tibles de ser impuestas a los menores y reglas generales de determinación de las mismas. En M. Gómez Rivero (Ed.), *Comentarios a la ley penal del menor conforme a las reformas introducidas por la LO 8/2006* (pp. 107-123). Madrid: Iustel.

Montero Hernanz, T., & Vicente Martínez, R. (2016). *Vademécum de justicia juvenil.* Valencia: Tirant lo Blanch.

Nistal Burón, J. (2004). El cumplimiento en un centro penitenciario de adul-tos de las medidas de internamiento previstas en Ley Orgánica 5/2000, de 12 de enero, reguladora de la responsabilidad penal de los menores: problemática jurídica. *Boletín del Ministerio de Justicia, 55*(1889), 1013-1024.

Ornosa Fernández, M. del R. (2007). *Derecho penal de menores. Comenta-rios a la Ley Orgánica 5/2000, de 12 de enero, reguladora de la responsa-bilidad penal de los menores, reformada por la Ley Orgánica 8/2006, de 4 de diciembre y a su Reglamento, aprobado por Real Decreto 1774/2004, de 30 de* (4.a ed.). Barcelona: BOSCH.

Ortiz González, A. (2005). Análisis legal y reglamentario de las medidas privativas de libertad. Especial consideración a las condiciones del in-ternamiento en entro cerrado según las actuaciones realizadas desde el defensor del pueblo. En F. Pantoja García (Ed.), *La ley de responsabilidad penal del menor: situación actual* (pp. 39-78). Madrid: Consejo General del Pode Judicial. Centro de Documentación Judicial.

Peláez Pérez, V. (2007). La intervención del aboga en la justicia de menores en España. En I. Campoy Cervera (Ed.), *Los derechos de los niños. Pers-pectivas sociales, políticas, jurídicas y filosóficas* (pp. 113-135). Madrid: Dykinson.

Pérez Ferrer, F. (2009). La nueva regulación de las medidas en la Ley Or-gánica 8/2006, de 4 de diciembre, que modifica la Ley reguladora de la Responsabilidad Penal de los Menores. *Diario La Ley, 7216*, 1-23.

Periago Morant, J. (2017). *La ejecución de la medida de internamiento de menores infractores: cuestiones problemática.* Tirant lo Blanch.

Pozuelo Pérez, L. (2015). Sobre la responsabilidad penal de un cerebro ado-lescente. Aproxiamción a las aportaciones de la neurociencia del trata-miento penal de los menores de edad. *Indret. Revista para el análisis del derecho, 2*, 1-27. Recuperado de https://indret.com/sobre-la-responsabili-dad-penal-de-un-cerebro-adolescente/

Pozuelo Pérez, L. (2020). Poena sine culpa? Cuando las medidas se convierten en penas por el mero transcurso del tiempo. *Indret. Revista para el análisis del derecho*, 2, 171-193.

San Martín Larriona, M. (2005). Experiencias prácticas en la ejecución judicial de medidas en medio abierto de la Ley Orgánica 5/2000 reguladora de la responsabilidad penal de los menores. En F. Pantoja García (Ed.), *La ley de responsabilidad penal del menor: situación actual* (pp. 109-128). Madrid: Consejo General del Poder Judicial.

Silva Sánchez, J. (1997). *El nuevo Código penal: cinco cuestiones fundamentales*. Barcelona: José Ma Bosch.

Vázquez González, C. (2003). *Delincuencia juvenil. Consideraciones penales y criminológicas*. Madrid: Editorial Colex.

Vizcarro i Masià, C. (2001). La ejecución de las medidas de internamiento y de medio abierto. En M. Martín López (Ed.), *La responsabilidad penal de los menores* (pp. 151-160). Cuenca: Ediciones de la Universidad Castilla-La Mancha.

# INTERNACIONALES

El Pacto Internacional de Derechos Civiles y Políticos. Adoptado y abierto a la firma, ratificación y adhesión por la Asamblea General en su resolución 2200 A (XXI), de 16 de diciembre de 1966.

La Resolución del Comité de Ministros del Consejo de Europa (78)62, sobre transformación social y delincuencia juvenil de 29 de noviembre de 1978.

Las Reglas mínimas de las Naciones Unidas para la administración de la justicia de menores (Reglas de Beijing). Adoptadas por la Asamblea General en su resolución 40/33, de 28 de noviembre de 1985.

Recomendación del Comité de Ministros del Consejo de Europa (87)20, sobre reacciones sociales ante la delincuencia juvenil. Adoptada por el Comité de Ministros el 17 de septiembre de 1987.

La Convención sobre los Derechos del Niño. Adoptada y abierta a la firma y ratificación por la Asamblea General en su resolución 44/25, de 20 de noviembre de 1989.

Las Directrices de las Naciones Unidas para la prevención de la delincuencia Juvenil (Directrices de Riad). Adoptadas y proclamadas por la Asamblea General en su resolución 45/112, de 14 de diciembre de 1990.

Reglas de las Naciones Unidas para la protección de los menores privados de libertad. (Reglas de la Habana). Adoptadas por la Asamblea General en su resolución 45/113, de 14 de diciembre de 1990.

Reglas mínimas de las Naciones Unidas sobre las medidas no privativas de la libertad (Reglas de Tokio). Adoptadas por la Asamblea General en su resolución 45/110, de 14 de diciembre de 1990

La Recomendación Rec(2008) 11 del Comité de Ministros del Consejo de Europa a los Estados miembros, de 5 de noviembre sobre Reglas Europeas para Menores sujetos a Sanciones o Medidas, adoptada en fecha 5 de noviembre de 2008.

Directrices del Consejo de Europa sobre justicia adaptada a los niños. Adoptadas por el Comité de Ministros el 17 de noviembre de 2010 en el 1098° encuentro de los ministros. Versión editada de 31 de mayo de 2011.

Directiva (UE) 2016/800, Del Parlamento Europeo y del Consejo de 11 de mayo de 2016, relativa a las garantías procesales de los menores sospechosos o acusados en los procesos penales. Publicado en DOUE núm. 132, de 21 de mayo de 2016, páginas 1 a 20. Departamento Unión Europea. Referencia: DOUE-L-2016-80863.

# NACIONALES

Decreto de 11 de junio de 1948, por el que se aprueba el texto refundido de la Legislación sobre Tribunales Tutelares de Menores. Publicado en BOE núm. 201, de 19 de julio de 1948, páginas 3.306 a 3.318. Ministerio de Justicia. Referencia: BOE-A-1948-7561.

Constitución Española. Publicado en BOE núm. 311, de 19 de diciembre de 1978, páginas 29.313 a 29.424. Cortes Generales. Referencia: BOE-A-1978-31229.

Ley Orgánica 1/1979, de 16 de septiembre, General Penitenciaria. Publicado en BOE núm. 239 de 5 de octubre de 1979, páginas 23.180 a 23.186. Jefatura del Estado. Referencia BOE-A-1979-23708.

Instrumento de adhesión de 2 de mayo de 1972, del Convenio de Viene sobre el Derecho de los Tratados, adoptado en Viena el 23 de mayo de 1969. Publicado en BOE núm. 142, de 13 de junio de 1980, páginas 13.099 a 13.110. Jefatura del Estado. Referencia: BOE-A-1980-11884.

Ley 50/1981, de 30 de diciembre, por la que se regula el Estatuto Orgánico del Ministerio Fiscal. Publicado en BOE núm. 11, de 13 de enero de 1982, páginas 708 a 714. Jefatura del Estado. Referencia BOE-A-1982-837.

Ley Orgánica 6/1985, de 1 de julio, del Poder Judicial. Publicada en BOE núm. 157, de 2 de julio de 1985, páginas 20.632 a 20.678. Jefatura del Estado. Referencia: BOE-A-1985-12666.

Ley 38/1988, de 28 de diciembre, de Demarcación y de Planta Judicial. Publicado en BOE núm. 313, de 30 de diciembre de 1988, páginas 36.580 a 36.635. Jefatura del Estado. Referencia: BOE-A-1988-29622.

Ley Orgánica 4/1992, de 5 de junio, sobre reforma de la Ley reguladora de la Competencia y el Procedimiento de los Juzgados de Menores. Publicado en BOE núm. 140, de 11 de junio de 1992, páginas 19.794 a 19.796. Jefatura del Estado. Referencia: BOE-A-1992-13444.

Ley Orgánica 10/1995, de 23 de noviembre, del Código Penal. Publicado en BOE núm. 281, de 24 de noviembre de 1995, páginas 33.987 a 34.058. Jefatura del Estado. Referencia: BOE-A-1995-25444.

Ley Orgánica 5/2000, de 12 de enero, reguladora de la responsabilidad penal de los menores. Publicado en BOE núm. 11, de 13 de enero de 2000 páginas 1.442 a 1.441. Jefatura del Estado. Referencia: BOE-A-2000-641.

Ley Orgánica 9/2000, de 22 de diciembre, sobre medidas urgentes para la agilización de la Administración de Justicia, por la que se modifica la Ley Orgánica 6/1985, de 1 de julio, del Poder Judicial. Publicado en BOE núm. 307, de 23 de diciembre de 2000, páginas 45.522 a 45.526. Jefatura del Estado. Referencia: BOE-A-2000-23661.

Ley Orgánica 9/2002, de 10 de diciembre, de modificación de la Ley Orgánica 10/1995, de 23 de noviembre, del Código Penal, y del Código Civil, sobre sustracción de menores. Publicado en BOE núm. 296 de 11 de diciembre de 2002, páginas 42.999 a 43.000. Jefatura del Estado. Referencia: BOE-A-2002-24044.

Ley Orgánica, 15/2003, de 25 de noviembre, por la que se modifica la Ley Orgánica 10/1995, de 23 de noviembre, del Código Penal. Publicado en BOE núm. 283, de 26 de noviembre de 2003, páginas 41.842 a 41.875. Jefatura del Estado. Referencia: BOE-A-2003-21538.

Real Decreto 1774/2004, de 30 de julio, por el que se aprueba el Reglamento de la Ley Orgánica 5/2000, de 12 de enero, reguladora de la responsabilidad penal de los menores. Publicado en BOE núm. 209, de 30 de agosto de 2004, páginas 30.127 a 30.149. Ministerio de Justicia. Referencia: BOE-A-2004-15601.

Ley Orgánica 8/2006, de 4 de diciembre de 2006, por la que se modifica la Ley Orgánica 5/2000, de 12 de enero, reguladora de la responsabilidad penal de los menores. Publicado en BOE núm. 290, de 5 de diciembre de 2006, páginas 42.700 a 42.712. Jefatura del Estado. Referencia: BOE-A-2006-21236.

Ley Orgánica 4/2015, de 30 de marzo, de protección de la seguridad ciudadana. Publicado en BOE núm. 77 de 31 de marzo de 2015, páginas 27.216 a 27.241. Jefatura del Estado. Referencia: BOE-A-2015-3442.

Ley 4/2015, de 27 de abril, del Estatuto de la víctima del delito. Publicado en BOE núm. 101, de 28 de abril de 2015, páginas 36.569 a 36.598. Jefatura del Estado. Referencia: BOE-A-2015-4606.

## CGPJ

Acuerdo de 28 de abril de 2011, del Pleno del Consejo General del Poder Judicial, por el que se aprueba el Reglamento 2/2011 de la Carrera Judicial. Publicado en BOE núm. 110 de 9 de mayo de 2011, páginas 46.297 a 46.405. Consejo General del Poder Judicial. Referencia BOE-A-2011-8049.

## INSTRUCCIONES

Instrucción 5/1993, de la Fiscalía General del Estado, sobre los Planes Anuales de Formación de Fiscales.

Instrucción 2/20000, de la Fiscalía General del Estado, sobre aspectos organizativos de las secciones de menores ante la entrada en vigor de la LO 5/2000 LORRPM.

Instrucción 3/2008, de la Fiscalía General del Estado, sobre el Fiscal de Sala Coordinador de Menores y las Secciones de Menores:

Instrucción 1/2017, de la Secretaría de Estado de Seguridad, por la que se actualiza el "protocolo de actuación policial con menores".

## SENTENCIAS

Tribunal Constitucional, Pleno, Sentencia 36/1991 de 14 febrero 1991. Magistrado Ponente: Francisco Rubio Llorente. TOL80.450.

Richardson v. Estados Unidos, 927 A.2d 1137, 1140 (DC 2007).

# Reflexiones críticas sobre la derogación de la cláusula de aplicabilidad de la LORRPM a jóvenes infractores conforme con los estudios de neurociencia cognitiva

MARÍA SÁNCHEZ VILANOVA
*Universitat de València[1]*

SUMARIO: 1. Cuestiones previas: aproximación a la justicia penal juvenil. 2. Cláusula de aplicabilidad de la LORRPM a jóvenes entre 18-21 años. 3. La edad como factor de riesgo de la delincuencia. 4. Estudios neurocientíficos sobre desarrollo cerebral de los jóvenes adultos. 5. Conclusiones. Bibliografía

## 1. CUESTIONES PREVIAS: APROXIMACIÓN A LA JUSTICIA PENAL JUVENIL

La Ley Orgánica 5/2000[2], reguladora de la responsabilidad penal del menor, preveía en su redacción original, concretamente en el artí-

---

[1]   Este artículo ha sido elaborado en el marco de los Proyectos de investigación *"Derecho Penal de la peligrosidad: Tutela y garantía de los Derechos Fundamentales"* (DER2017-86336-R), concedido por el Ministerio de Economía y Competitividad (IP: Lucía Martínez Garay) y *"Derecho penal y comportamiento humano"* (MICINN-RTI2018-097838-B-100), concedido por el Ministerio de Ciencia, Innovación y Universidades de España (IP: Eduardo Demetrio Crespo). Abreviaturas empleadas: Ley Orgánica (LO) - Ley Orgánica reguladora de la Responsabilidad Penal del Menor (LORRPM) - Código Penal (CP).

[2]   ESPAÑA. Ley Orgánica 5/2000 de 12 de enero reguladora de la responsabilidad penal del menor. *Boletín Oficial del Estado*, núm. 209 de 30 de agosto de 2004. Precedente de esta Ley fue la Ley Orgánica 4/1992 de 5 de junio, sobre reforma de la Ley reguladora de la Competencia y el Procedimiento de los Juzgados de Menores, aprobada como consecuencia de la Sentencia del Tribunal Constitucional 36/1991 de 14 de febrero, la cual declaró inconstitucional el artículo 15 de la Ley de Tribunales Tutelares de Menores. Esta reforma fue imprescindible tanto por la entrada en vigor de la Constitución Española de 1978, como por las Reglas mínimas de las Naciones Unidas para la administración de la justicia

María Sánchez Vilanova

culo 1.2, la posibilidad de extender su ámbito personal de aplicación a los mayores de dieciocho años y menores de veintiuno (siempre que se cumpliesen determinados requisitos), siguiendo de esta forma las directrices trazadas respecto de la responsabilidad penal juvenil en el Código penal de 1995[3], concretamente en el artículo 69[4].

Lo cierto es que la extensión hasta la que se puede aplicar la ley penal juvenil ha sido tradicionalmente objeto de debate[5]. De hecho, se detecta un incremento en el número de países que promueven la imposición de sanciones educativas de la ley juvenil a adultos jóvenes[6]. En Alemania, por ejemplo, desde el año 1953 esto es posible al ser extendida efectivamente la jurisdicción de la corte juvenil a adultos jóvenes (con el mismo intervalo que recogía la previsión derogada de la LORRPM –mayores de 18 y menores de 21–), siempre que su desarrollo moral y mental resulte todavía equiparable al joven, o que el joven adulto haya cometido una infracción típica juvenil, en atención a su clase, circunstancias y motivos. En la misma línea, otros países europeos, como por ejemplo Croacia, han transferido a las cortes juveniles la jurisdicción de adultos jóvenes. No obstante, este avance contrasta con la tendencia imperante en Estados Unidos, donde incluso niños procesados por delitos graves son remitidos a las cortes de adultos[7].

La edad de mayoría criminal es un aspecto complejo. Es sabido que durante la adolescencia la realización de comportamientos ilícitos

---

de menores (Reglas de Beijing) de 1985, la Convención sobre los derechos del niño de 1989, las Directrices de las Naciones Unidas para la prevención de la delincuencia juvenil (Directrices de Riad), o la propia LO, 1/96 de 15 de enero de protección jurídica del menor.

3   Ley Orgánica 10/1995, de 23 de noviembre, del Código penal.
4   Artículo 69 CP: "Al mayor de dieciocho años y menor de veintiuno que cometa un hecho delictivo, podrán aplicársele las disposiciones de la ley que regule la responsabilidad penal del menor en los casos y con los requisitos que ésta disponga".
5   Tamarit Sumalla, 2001:79.
6   Tiffer, Dünkel y Llobet Rodríguez, 2015: 545-567.
7   Esto tal vez explique que sea en este país donde mayor utilización de las técnicas de neuroimagen se ha producido, especialmente en el sistema de justicia juvenil, donde estas pruebas han sido introducidas en la fase de sentencia de aquellos delitos perpetrados por jóvenes en los que se prevé la pena capital o la cadena perpetua. Sánchez Vilanova, 2017: 211-214.

es más habitual y frecuente que en la etapa adulta debido al periodo crítico por el cual pasan los jóvenes, por lo que, aunque se trata esta de una materia jurídica, para una correcta regulación del marco regulatorio resulta necesaria una aproximación a la realidad criminológica de la delincuencia juvenil, analizando los factores biológicos y sociales que pueden explicar, en parte, la delictología de estos jóvenes[8]. Y, actualmente, se entiende que se deberían considerar los adelantos en neurociencia, pues con el desarrollo de la neuroimagen se publican cada vez más estudios que refieren que el periodo de maduración completo del cerebro, que permite la capacidad plena de control de los impulsos, no se alcanzaría hasta entrada la veintena.

Pese a que en España el legislador ha establecido un criterio objetivo-biológico para delimitar la aplicación del sistema de menores, en lugar de declinarse por razones de carácter psicológico que determinen el verdadero límite de la percepción de la realidad en función de la madurez del individuo, lo cierto es que, respecto de la cláusula de aplicabilidad a los jóvenes infractores, en su previsión inicial estos aspectos subjetivos debían ser valorados. No en balde, la dificultad de concreción de aquello que se valoraba en esta variable subjetiva, sin olvidar la dinámica de endurecimiento de las sanciones en el derecho penal de adultos, puede explicar la suspensión y finalmente derogación de este intervalo de 18-21 años.

Sin embargo, teniendo en cuenta los objetivos y principios de la LORRPM, pues, como figura en su misma Exposición de Motivos, la justificación de los límites concretos de edad establecidos atienden al carácter primordial de intervención educativa de la legislación de menores que trasciende a todos los aspectos de su regulación jurídica y que supone considerables diferencias entre el objetivo y el procedimiento de las sanciones en uno y otro sector, la determinación de la edad es un aspecto esencial y decisivo. Así pues, se estima que, una vez que las investigaciones neurocientíficas sobre el desarrollo cerebral durante la adolescencia hayan alcanzado determinado consenso, como está empezando a ocurrir, se deberían considerar los límites fijados de forma arbitraria por los legisladores conforme con los nuevos datos científicos. En cualquier caso, el presente estudio se centrará, en

---

[8]   Colás Turégano, 2011: 22.

particular, en la posibilidad de reintroducir la previsión que figuraba en la redacción original de esta ley que permitía, como se ha destacado líneas antes, extender su ámbito de aplicación a los jóvenes entre 18 y 21 años.

## 2. CLÁUSULA DE APLICABILIDAD DE LA LORRPM A JÓVENES ENTRE 18-21 AÑOS

### 2.1. Regulación del régimen de aplicabilidad

En su redacción original, la LORRPM preveía, en el artículo 1.2 (tras establecer en el primer apartado el régimen de aplicabilidad general de esta a los mayores de 14 años y menores de 18 años), la posibilidad de ser aplicada a: "las personas mayores de dieciocho años y menores de veintiuno, en los términos establecidos en el artículo 4 de la misma". En efecto, en el artículo 4 se establecía el régimen aplicable a estos jóvenes, destacándose que, en virtud de la previsión que figura en el artículo 69 del CP, la citada Ley se aplicaría a las: "personas mayores de dieciocho años y menores de veintiuno imputadas en la comisión de hechos delictivos, cuando el Juez de Instrucción competente, oídos el Ministerio Fiscal, el letrado del imputado y el equipo técnico a que se refiere el artículo 27 de esta Ley, así lo declare expresamente mediante auto".

En concreto, en el segundo apartado del artículo 4 se establecían tres requisitos imprescindibles para su aplicación: (a) que el *imputado* (actualmente denominado procesado) hubiese cometido una *falta* (en la anterior regulación) o un delito menos grave sin violencia o intimidación en las personas, ni grave peligro para la vida o la integridad física de las mismas, regulados en el CP o en las leyes penales especiales; (b) que no hubiese sido condenado en sentencia firme por hechos delictivos cometidos una vez cumplidos los dieciocho años, precisándose en el mismo articulado que a tal efecto: "no se tendrán en cuenta las anteriores condenas por delitos o faltas imprudentes ni los antecedentes penales que hayan sido cancelados, o que debieran serlo con arreglo a lo dispuesto en el artículo 136 del Código Penal";

(c) y, finalmente, se requería que las circunstancias personales y su grado de madurez aconsejasen este tratamiento.

Comentando brevemente estas tres exigencias, cabe destacar, siguiendo a Colás Turégano[9], que la aplicación del régimen especial en los supuestos de comisión de una falta (en la actualidad, delitos leves), como se preveía en la letra a), era posible con independencia de las circunstancias concretas concurrentes en su perpetración, pues en una lectura literal del precepto la ausencia de violencia e intimidación en las personas, como también el grave peligro para la vida o integridad física de estas, solo se exigía en los supuestos de delitos menos graves. Respecto del requisito exigido en la letra b), es conveniente precisar que la LORRPM podía ser aplicada aunque el sujeto hubiese sido condenado durante su minoría de edad. De hecho, la citada penalista nos advierte en este sentido de la intrascendencia de los posibles antecedentes de estos menores, pues, como se establece en el art. 21.2 de las Reglas de Beijing[10] "los registros de menores delincuentes no se utilizarán en procesos de adultos relativos a casos subsiguientes en los que esté implicado el mismo delincuente".

Pero, sin duda, desde el punto de vista del presente trabajo, es la tercera exigencia, prevista en la letra c), la que mayores comentarios suscita, al preverse la necesidad de valoración de variables subjetivas como las "circunstancias personales y el grado de madurez" de este joven[11]. En este sentido, el equipo técnico que elaborara el informe había de precisar estas circunstancias y la pertinencia de ser sometido a una medida educativa en detrimento de la sanción penal. Pues bien, como se concluirá, en la valoración de este grado de madurez se debería tomar en consideración cuanta más información posible en aras de una apreciación lo más apropiada posible del mismo; y, al respecto, los estudios de neuroimagen sobre el desarrollo cerebral de los jóvenes adultos, que informan de un desarrollo todavía incompleto en estos casos, deberían ser considerados. Finalmente, cabe destacar en este punto en concreto como gran parte de la doctrina ha valo-

---

9       Colás Turégano, 2011: 131.
10      Reglas mínimas de las Naciones Unidas para la administración de la justicia de menores ("Reglas de Beijing") Adoptadas por la Asamblea General en su resolución 40/33, de 28 de noviembre de 1985.
11      Colás Turégano, 2011: 131.

rado de forma pertinente la posible concurrencia en estos sujetos de anomalías psíquicas "concurrentes" con este grado de inmadurez que aconsejaran la aplicación de la LORRPM y una causa de semiimputabilidad o inimputabilidad, entendiendo Cuello Conteras[12] que tanto si ambos condicionantes se constataran, como si la existencia de la concreta anomalía fuese discutida, se debería aplicar la LORRPM, pues, en realidad, en la misma Ley se prevé un régimen especial para los menores a los que se les aplique alguna causa de inimputabilidad. Conforme con el art. 29, que regula las medidas cautelares en los casos de exención de la responsabilidad: "Si en el transcurso de la instrucción que realice el Ministerio Fiscal quedara suficientemente acreditado que el menor se encuentra en situación de enajenación mental o en cualquiera otra de las circunstancias previstas en los apartados 1.º, 2.º ó 3.º del artículo 20 del Código Penal vigente, se adoptarán las medidas cautelares precisas para la protección y custodia del menor conforme a los preceptos civiles aplicables, instando en su caso las actuaciones para la incapacitación del menor y la constitución de los organismos tutelares conforme a derecho, sin perjuicio todo ello de concluir la instrucción y de efectuar las alegaciones previstas en esta Ley conforme a lo que establecen sus artículos 5.2 y 9, y de solicitar, por los trámites de la misma, en su caso, alguna medida terapéutica adecuada al interés del menor de entre las previstas en esta Ley".

## 2.2. Aplazamientos en la entrada en vigor

En su corta trayectoria, la entrada en vigor de la previsión de los artículos 1.2 y 4 de la LORRPM quedó suspendida hasta en dos ocasiones; la disposición transitoria única de la LO 9/2000, de 22 de diciembre, sobre medidas urgentes para la agilización de la Administración de Justicia, postergó la aplicación de estos preceptos al 13 de enero de 2003, y en virtud de la Disposición Transitoria Única de la LO 9/2002, de 10 de diciembre[13], se prolongó esta suspensión hasta el 1 de enero de 2007.

---

12 Cuello Conteras, 2000: 67-68.
13 ESPAÑA. Ley Orgánica 9/2002, de 10 de diciembre, de modificación de la Ley Orgánica 10/1995, de 23 de noviembre, del Código Penal, y del Código Civil, sobre sustracción de menores.

Desafortunadamente, la reforma operada por la LO 8/2006, de 4 de diciembre[14] eliminó definitivamente esta posibilidad, al suprimir de manera expresa su regulación en los artículos 1.2, 1.4 y 4 de la LO-RRPM, por lo que el ámbito de aplicación del derecho penal juvenil se limita a los menores de dieciocho años. Sin embargo, como Colás Turégano[15] refiere, la posibilidad de aplicar la ley a los mayores de 18 años estuvo en vigor por falta de previsión del legislador desde el 1 de enero de 2007 (fecha que, como *supra* se ha destacado, finalizaba el plazo de suspensión en la aplicación del citado artículo en virtud de la LO 9/2002), hasta el 5 de febrero de 2007, momento en que entró en vigor la referida reforma de 2006 que suprimió esta posibilidad.

Cabe destacar que la Fiscalía General del Estado se manifestó en contra de esta aplicación en su Instrucción 5/2006, de 12 de enero[16]. Al valorar la posibilidad de aplicación efectiva, transitoria o incluso retroactiva, de la redacción original del citado artículo, destacó, de forma expresa, que resultaba "cuando menos llamativo que un precepto legal que nunca ha llegado a entrar en vigor, siendo dos veces suspendida su aplicación por el Poder Legislativo, y cuya expulsión del ordenamiento jurídico ha sido decidida definitivamente por el propio Legislador mediante Ley Orgánica sancionada y promulgada, pueda sin embargo producir efectos durante el período de *vacatio legis* de la propia Ley que lo deroga", efectuando un análisis interpretativo conforme con los criterios legales de interpretación de las normas jurídicas del artículo 3.1 del Código Civil. Afirmó que, en el plano lógico: "la única explicación de su aparente pervivencia es la existencia (pública y notoria) de un mero error material ocurrido en el proceso normativo"; un error que se entendía que carecía de solución viable en el mismo plano legislativo, "dado el rango de Ley Orgánica de la norma y la premura de su plazo de entrada en vigor, ya que tal solución sólo podría venir dada por la tramitación, aprobación y pu-

---

14 ESPAÑA. Ley Orgánica 8/2006 de 4 de diciembre. *Boletín Oficial del Estado*, núm. 290 de 5 de diciembre de 2006.
15 Colás Turégano, 2011:130.
16 Instrucción 5/2006, de 20 de diciembre, sobre los efectos de la derogación del art. 4 de la Ley Orgánica 5/2000 de 12 de enero reguladora de la responsabilidad penal de los menores, prevista por Ley Orgánica 8/2006 de 4 de diciembre. Disponible en: https://www.fiscal.es/memorias/estudio2016/INS/INS_05_ 2006. html

blicación de otra ley de igual rango". Interesa destacar, de igual modo, su referencia expresa a la cuestión de fondo de esta problemática, recordando que la posibilidad de aplicación de la ley a los menores de 21 años y mayores de 18, constituyó uno de los objetos principales del debate suscitado por el Proyecto de Ley en el Congreso de los Diputados y el Senado, el cual desembocó en la decisión explícita de las Cortes Generales, de derogar "definitivamente" el texto originario del artículo 4. LORRPM, y no se planteó en ninguno de estos la posibilidad de una vigencia temporal del precepto.

Asimismo, desde el punto de vista teleológico cuestionó que su posible conflicto con los fines inherentes a la LORRPM en su redacción originaria permitiesen contrariar la voluntad del legislador, pues, entre otros aspectos, se destacaba que: "la inaplicación de la controvertida norma en ningún caso ha generado la desconsideración de la situación peculiar de los denominados jóvenes, comprendidos en la franja de los dieciocho a los veintiún años", dado que: "las circunstancias contempladas en dicho precepto, relativas a su personalidad, en particular su falta de madurez, han tenido durante la época de suspensión de la vigencia del mentado artículo 4 y siguen teniendo su propio y específico cauce de valoración y tratamiento dentro del Código Penal, así como en la legislación penitenciaria", reconociendo que "también posibilitan la adopción, en el ámbito penitenciario o extrapenitenciario, de medidas de carácter reeducativo y/o terapéutico materialmente análogas a las contempladas en la LORRPM". Resulta interesante, en este sentido, la alusión de la Fiscalía a que el principio de protección del interés superior del menor, que podría ser invocado para fundamentar una postura hermenéutica del Fiscal hacia la aplicación temporal de la norma en cuestión: "tampoco resulta invocable, teniendo en cuenta que los destinatarios de la referida norma no son, en ningún caso, menores de edad, sino mayores", pues, literalmente: "la remisión legal del tratamiento de determinado tipo de delincuentes a las normas previstas para los menores, basándose en que ciertas características de su personalidad aconsejan soluciones análogas, no puede confundirse con una ficción –y menos aún, con una realidad– jurídica que convierta en menores de edad a quienes legal y constitucionalmente no lo son". Por tanto, se concluía que la aplicación siquiera ocasional del artículo 4 LORRPM: "además de resultar contraria a la interpretación lógica, sistemática, histórica y teleológica de las normas jurídicas concernidas, produciría efectos no previstos ni deseados por el Legislador", que podrían afectar al correcto funcionamiento de la Justicia de menores, por lo que su aplicación resultaría, en efecto: "contraria al principio del interés superior del menor".

No obstante, lo cierto es que la judicatura se manifestó favorable a su aplicación. Sobre el particular destaca el acuerdo de las Secciones de lo Penal de la Audiencia Provincial de Madrid de 12 de enero de 2007. Se entendía, en primer lugar, que "la legislación de menores debe ser considerada más favorable para el joven (persona entre 18 y 21 años de edad al tiempo de la comisión del ilícito penal) que la de adultos", pues: "la respuesta prevista para la comisión de ilícitos en el adulto generalmente es una pena, y ocasionalmente una medida, mientras que en menores siempre es una medida, para cuya elección se valora no sólo el comportamiento delictivo, las circunstancias del hecho y del culpable, sino también en interés del menor, adelantándose el fin reeducador y rehabilitador, que en la pena se pospone para la ejecución"[17].

A la par, se manifestaban totalmente en contra de la interpretación de la Fiscalía General del Estado sostenida en la Instrucción nº 5/2006, anteriormente comentada, destacando que no podía entenderse tácitamente prorrogada la suspensión del art. 4 LORRPM, porque: "en materia penal la interpretación siempre debe ser restrictiva y en beneficio del imputado, de modo que cuando la literalidad de una norma tan reciente (primera regla hermenéutica del art. 3.1 del Código Civil) sea clara y precisa, como entendemos que sucede en este caso, no cabe acudir a las demás reglas interpretativas". Y, continuaban aduciendo que en esta línea no se podía invocar ni la posibilidad de un tratamiento similar al joven por parte de la jurisdicción de adultos, ni tampoco las deficiencias de medios a las que finalmente se recurrió.

---

[17]    Acuerdos de unificación de criterios del orden penal de la Audiencia Provincial de Madrid: 28. Disponible en: https://www.poderjudicial.es/cgpj/es/Poder-Judicial/Tribunales-Superiores-de-Justicia/TSJ-Madrid/ Actividad-del-TSJ-Madrid/ Unificacion-de-criterios/

En atención a lo visto, resulta ciertamente cuestionable que en la propia Exposición de Motivos de la LO 8/2006 no se hiciera ni siquiera una referencia expresa a las razones de esta supresión, efectuándose tan solo, con carácter general, un balance de la Ley en sus cinco primeros años de vigencia, paradójicamente, positivo, ya que únicamente se reconoció que: "como toda ley, en su aplicación presenta algunas disfunciones que es conveniente y posible corregir". No obstante, de esta exposición se puede intuir la corriente retributiva que auspició esta reforma (y, por extensión, prácticamente todas las reformas penales de los últimos años); si bien se alude de forma expresa al aumento considerable de delitos cometidos por menores que, según el legislador: "ha causado gran preocupación social y ha contribuido a desgastar la credibilidad de la Ley por la sensación de impunidad de las infracciones más cotidianas y frecuentemente cometidas por estos menores, como son los delitos y faltas patrimoniales), se termina reconociendo que: "afortunadamente, no han aumentado significativamente los delitos de carácter violento, aunque los realmente acontecidos han tenido un fuerte impacto social".

## 3. LA EDAD COMO FACTOR DE RIESGO DE LA DELINCUENCIA

La edad, junto con el sexo, es uno de los predictores más fiables de la criminalidad; parafraseando a Serrano Maíllo[18]: "la edad es uno de los dos factores más sólidamente correlacionados con la comisión de hechos delictivos". Efectivamente, la criminalidad de jóvenes entre 16 y 22 años es muy superior a la que presentan sujetos con edades superiores a estas, aproximadamente 5 veces mayor[19]. No en balde, siguiendo a Cámara Arroyo[20], en la Criminología existe cierto consenso en la denominada "curva de la edad", pues la actividad delictiva presenta un incremento en la adolescencia y la juventud, de normal a partir de los 12 años, que decrece a medida que se ingresa en la

---

[18]   Serrano Maíllo, 2009.
[19]   Garrido, Stangeland y Redondo, 2006.
[20]   Cámara Arroyo, 2017: 2.

adultez; especialmente a partir de los 20-21 años, donde empieza a descender acusadamente.

Sin embargo, aunque la existencia de esta curva de la edad en la delincuencia está ampliamente documentada[21], lo cierto es que las causas de esta continúan sin establecerse[22], pues como Moffitt[23] refiere, pese a ser una de las constataciones empíricas más robustas dentro de la investigación criminológica es, al mismo tiempo, una de las menos comprendidas. Esta autora, conocida por su teoría de la conducta antisocial de los jóvenes delincuentes, sostiene que encontraríamos dos tipos principales de delincuentes antisociales: aquellos que solamente mostrarían un comportamiento antisocial durante la adolescencia, y lo que continuarían con este en la edad adulta[24]. Pues bien, precisamente esta autora, en una reciente publicación en la que revisa la evidencia científica de la hipótesis de que la curva edad-crimen ocultaría dos grupos con diferentes causas, concluye destacando la necesidad de que se aúnen en este ámbito los conocimientos derivados de disciplinas como la neurociencia[25], pues solo de este modo las estrategias implementadas serán apropiadas.

Lo cierto es que, en atención a las estrategias de prevención del delito, el estudio de los factores predictores de la delincuencia juvenil es profuso tanto en nuestro país como en los países de nuestro entorno, situándose su estudio, como Echeburúa[26] puntualiza: "a medio camino entre las disciplinas sociológicas y psicológicas". A los clásicos factores sociológicos, como la constatada relación entre los factores familiares ambientales y la realización de conductas delictivas[27] (entre muchos otros que por imposibles de abordar en un estudio como el presente), se deben añadir las variables psicológicas y biológicas, pues si bien se constata una marcada relación de la delincuencia juvenil

---

[21]   De hecho, se constata al margen de la fuente de datos oficiales que se emplee, sociedades o momentos temporales. Hirschi y Gottfredson, 1983: 552-84; Moffitt, 1993: 674-701.
[22]   Vigna, 2012: 34.
[23]   Moffitt: 1993: 674-701.
[24]   Moffitt, 2006: 570–598.
[25]   Moffitt, 2018: 177–186.
[26]   Echeburúa Odriozola, 1987: 35-49.
[27]   Mirón Redondo, Luengo Martín, Sobral Fernández y Otero López, 1988: 165-180.

con factores socioeconómicos, determinadas variables psicológicas son claramente relevantes[28]. En este sentido, cabe destacar la búsqueda de sensaciones como un rasgo predisponente para las actuaciones delictivas, y que, siguiendo a Garrido[29], comporta una necesidad constante de estimulación, de modo que las actividades delictivas serían la forma en la que estos sujetos podrían alcanzar estos niveles de excitación. De hecho, este concepto, desde su desarrollo por Zuckerman[30] ha gozado de una importante repercusión, siendo relacionado con diferentes medidas bioquímicas y psicofisiológicas, como los niveles de monoaminoxidasa (MAO)[31] o de testosterona [32].

Asimismo, otro de los factores que clásicamente se ha apuntado es la impulsividad, pues los delincuentes juveniles tienden a actuar con bajo autocontrol, fracasando en la autorregulación de las conductas y la demora en la gratificación[33], o la constatada presencia de un razonamiento orientado a la acción en contraposición con la reflexión; se trata del denominado pensamiento concreto, el cual, a diferencia del razonamiento abstracto, está asociado a una clara rigidez cognitiva, que impediría la comprensión de situaciones sociales complejas y cambiantes.

En tal sentido, desde la psicología evolutiva explican los comportamientos característicos de estos jóvenes adultos conforme con el importante proceso de transformación física y psicológica que en este periodo se produce, y que comporta la asunción por parte de los mismos de las conductas riesgosas previamente apuntadas, al constatarse una menor capacidad de planeamiento y de control de las emociones[34]. Pues bien, como en el siguiente epígrafe se detallará, los estudios de neurociencia cognitiva refrendan esta tesis, contribuyendo a la explicación de los comportamientos que los adolescentes y jóvenes

---

[28]     Echeburúa Odriozola, 1987: 43.
[29]     Garrido Genovés, 1986.
[30]     Zuckerman, 1979; Zuckerman, 1983: 285-293.
[31]     Fowler, von Knorring y Oreland, 1980; Ward, Catts, Norman, Burrows y Mc-Conaghy, 1987.
[32]     Daitzman, Zuckerman, Sammelwitz y Ganjam, 1978: 229-235.
[33]     Echeburúa Odriozola, 1987: 44.
[34]     Pozuelo Pérez, 2015: 4.

adultos muestran en esta etapa de su desarrollo vital, vinculados a los profundos cambios cerebrales que en este periodo se producen.

## 4. ESTUDIOS NEUROCIENTÍFICOS SOBRE DESARROLLO CEREBRAL DE LOS JÓVENES ADULTOS

Cada vez son más numerosos los estudios de neurociencia cognitiva que, con la ayuda de las técnicas de neuroimagen, se dedican al estudio del desarrollo cerebral durante la adolescencia y el comienzo de la edad adulta. Hasta la irrupción de estas técnicas, el estudio de los cambios cerebrales que se producían en la transición entre la niñez y la edad adulta quedaba en manos de los análisis de tejido cerebral *postmortem*, con las limitaciones que ello comportaba, por lo que el desarrollo de estos métodos ha comportado un importante avance en su estudio. Ahora bien, con carácter general, aunque no hay que desconocer que los aportes de la neurociencia están teniendo una importante repercusión en muchos ámbitos del derecho, entre ellos el derecho penal[35], en este campo se deben extremar las precauciones, pues, al margen de las explicaciones reduccionistas que frecuentemente se emplean para la comprensión por parte del grueso de la ciudadanía de estos hallazgos, lo cierto es que la explicación neurocognitiva es verdaderamente compleja.

Veamos pues, siguiendo a Pozuelo Pérez[36], no es sino a partir de los años 90 cuando los estudios con estas técnicas se extienden, si bien se basan en las imágenes obtenidas a partir de resonancias magnéticas cerebrales. Actualmente, es la resonancia magnética funcional la técnica más utilizada, pues es una técnica no invasiva que permite la visualización de los cambios en la actividad cerebral que durante esta etapa se producen, aunque, entre muchos otros aspectos, esta técnica no tiene un significado fisiológico directo (*groso modo*, la misma parte de la demanda metabólica del cerebro al realizar una determinada tarea cognitiva, que comporta un aumento del flujo sanguíneo, y un cambio en la *ratio* de la sangre, requiriendo en cualquier caso

---

[35]    En efecto, en España encontramos cada vez más obras sobre la temática. Ver, entre otros: Demetrio Crespo, 2013. Feijoo Sánchez, 2012.

[36]    Pozuelo Pérez, 2015: 5.

María Sánchez Vilanova

un posterior proceso de reconstrucción de imágenes verdaderamente complicado[37]), sin olvidar que las diferencias interindividuales son realmente significativas[38].

Ahora bien, lo apuntado no comporta obviar los importantes conocimientos que brindan estos estudios. Analizando en concreto estas contribuciones, conviene señalar, para empezar, la investigación de Griedd[39], el cual, con la ayuda de estas técnicas de neuroimagen, corroboró que existiría una importante reorganización cerebral entre los 12 y los 25 años de edad, periodo durante el cual se produciría un proceso de maduración que explicaría las actitudes impulsivas que los jóvenes presentan en esta etapa. Esto es, a diferencia de lo que tradicionalmente se ha entendido, el cerebro humano no establecería todas sus conexiones durante los primeros años de vida, pues en la adolescencia se detecta un importante proceso de maduración neurológica que se extiende al inicio de la edad adulta[40].

Concretamente, una de las últimas áreas cerebrales en madurar de forma completa es el lóbulo frontal, principalmente el córtex prefrontal[41], una región encargada de la toma de decisiones, la planificación o el control de los impulsos. De hecho, conforme con algunas investigaciones, la maduración completa no se alcanzaría hasta, aproximadamente, los 25 años[42] o, inclusive, hasta la tercera década de vida[43]. En este sentido, es interesante destacar como en el estudio prospectivo *supra* destacado, que se sirvió de la realización de imágenes de resonancia magnética cerebral nuclear cada 2 años a niños entre los 4 y 21 años durante 10 años, se evidenció que las regiones dorsolateral y orbitofrontal del córtex prefrontal mostraban cambios significativos entre los 12 y los 30 años de edad, y únicamente a partir de los 21

---

37    Una aproximación al estudio de esta técnica en: Armony, Trejo-Martínez y Hernández, 2012: 36-50.
38    Morse y Roskies, 2013.
39    Griedd, 2004: 77-85.
40    Tamnes, Østby, Fjell, Westlye, Due-Tønnessen y Walhovd, 2010: 534.
41    Especial protagonismo le confiere DAMASIO al lóbulo frontal, destacando entre otros aspectos, su capacidad para controlar impulsos o el sentido de la responsabilidad hacia uno mismo y los demás. Damasio, 2011.
42    Slachevsky, Pérez, Silva, Orellana, Prenafeta, Alegría y Peña, 2005: 109-21.
43    Sowell, Thompson, Holmes, Jernigan y Toga, 1999: 859.

años se alcanzaba el volumen del cerebro de los adultos[44]. Asimismo, el sistema límbico[45], responsable del procesamiento y el control de las emociones e impulsos, también se encontraría en desarrollo, lo que explicaría que los adolescentes muestren mayores cambios de humor y adopten comportamientos más impulsivos que los adultos.

Por otra parte, la materia gris del cerebro comienza durante la adolescencia a diluirse[46], a medida que las sinapsis sufren un proceso de poda[47], de modo que, ante la asunción de riesgos, los jóvenes no utilizarían en la misma medida que los adultos las áreas cerebrales encargadas de la toma de decisiones y la recompensa, pues exagerarían los beneficios de una acción sin evaluar completamente los riesgos inherentes o las consecuencias a largo plazo. No en balde, conforme con diferentes investigaciones[48], las reducciones de la materia gris en el córtex central entre la adolescencia y los primeros años de la edad adulta reflejarían aumentos de mielinización en las regiones periféricas que contribuirían a la mejora de los procesos cognitivos, contribuyendo a la eficiencia de las conexiones neuronales. Y, los estudios realizados al respecto con neuroimagen apuntan que la mielinización completa en el córtex prefrontal no se produciría, al menos, hasta la veintena[49].

Finalmente, en estos estudios se señala también la relevancia de la neuroquímica. Entre las sustancias químicas presentes en las concretas áreas cerebrales señaladas, la dopamina (sustancia producida por el cerebro para conectar las acciones con sensaciones de placer)[50] tiene especial importancia, pues la misma, fluctuante durante la adolescencia, sería explicativa de la constante búsqueda de sensaciones y asunción de riesgos de los jóvenes en este periodo. Concretamente, entiende Steinberg[51], conforme con su modelo de sistema dual (en vir-

---

44  Giedd, 2004: 77-85; Gogtay, Giedd, Lusk, Ayashi, Greenstein y Vaituzis, 2004: 8174-8179.
45  Blakemore y Robbins, 2012: 1184-1191.
46  Sowell, Thompson, Holmes, Jernigan y Toga, 1999: 859.
47  Giedd, 2004: 77-85.
48  Sowell, Thompson, Holmes, Jernigan y Toga, 1999: 860; Sowell, Thompson, Tessner y Toga, 2001: 8826-8829.
49  Johnson, Blum y Giedd, 2009: 217.
50  Casey, Getz y Galvan, 2008: 62-77.
51  Steinberg, 2009: 54.

tud del cual el comportamiento en la adolescencia sería resultado de la interacción entre las modificaciones que tienen lugar en el sistema socioemocional y el sistema de control cognitivo, con una evolución disímil, pues mientras el desarrollo del sistema socioemocional se produce en la pubertad o temprana adolescencia, el desarrollo completo del córtex prefrontal no se alcanza hasta entrada la veintena), que los comportamientos de asunción de riesgos de los adolescentes se explican por un repentino e intenso aumento de la dopamina en el sistema socioemocional, que precede a la maduración del sistema de control cognitivo y a sus conexiones con el sistema socioemocional. Asimismo, advierte un aspecto muy interesante, como es que no es la inteligencia aquello afectado en los jóvenes, sino la capacidad de regulación de sus comportamientos[52].

En definitiva, como Pozuelo Pérez[53] concluye, los procesos básicos de maduración neuronal activos durante la pre y post adolescencia, como son la maduración sináptica, la poda o la mielinización, que aumentan la capacidad y eficiencia del cerebro para la transmisión de información, explicaría los comportamientos impulsivos de estos jóvenes, pues su menor maduración cortical comporta un déficit en la autorregulación o planificación de sus actuaciones. Dicho en otras palabras, los estudios de neuroimagen evidencian que el desarrollo completo de las áreas cerebrales encargadas del control de los impulsos o la regulación emocional no se alcanzaría hasta la década de la veintena, hecho que podría ser explicativo de algunos de los comportamientos de los adolescentes en situaciones de riesgo. Esto ha comportado que desde el terreno criminológico cada vez más autores recurran a estos datos en la explicación de algunos de los comportamientos de estos jóvenes en situaciones de riesgo, pues, por ejemplo, estas investigaciones evidencian que los mismos tienen importantes limitaciones para anticipar las consecuencias de sus acciones[54].

Por ello, es creciente el número de estudios que abogan por considerar que se podría fundamentar de forma sólida una culpabilidad disminuida de los jóvenes, con base en la inmadurez que estas inves-

---

[52] Steinberg, 2009: 57.
[53] Pozuelo Pérez, 2015: 20.
[54] Beckman, 2004: 596-599; Vincent, Kronenberger, Wang, Lurito, Lowe y Dunn, 2005: 287-92.

tigaciones constatan[55]. No obstante, en este punto se debería proceder de forma cuidadosa, pues, al margen de las advertencias antes apuntadas, no cabe desconocer, de entrada, que correlación no implica causalidad, y regiones concretas del cerebro pueden estar relacionadas con diferentes procesos cognitivos[56]. Asimismo, siguiendo nuevamente a Pozuelo Pérez[57], desde el terreno penal sería necesario vincular causalmente estos cambios cerebrales con las actuaciones concretas. En cualquier caso, es de reconocer que en el ámbito del desarrollo cerebral de los niños y adolescentes estas investigaciones tienen una base verdaderamente sólida, contando, igualmente, con estudios longitudinales con gran validez[58], los cuales validan, al fin y al cabo, las hipótesis sostenidas desde hace décadas por los estudios psicológicos, como son las deficiencias en el desarrollo de los jóvenes adultos. Y estos datos, sin duda, podrían ser atendidos en el ámbito del derecho para mejorar las instituciones jurídicas, permitiendo un trato distintivo de estos jóvenes por parte del sistema de justicia penal que responda a sus necesidades particulares.

# 5. CONCLUSIONES

Si bien la fijación de la frontera entre la mayoría y la minoría de edad a efectos legales es una convención social, optando el legislador español al respecto por un criterio objetivo-biológico para determinar la aplicación del sistema penal de menores, se entiende que en el establecimiento de la misma se deberían considerar todos los conocimientos que, respecto de esta materia, sean relevantes en una sociedad dada, por lo que la determinación de la mayoría de edad se debería actualizar conforme los conocimientos científicos disponibles. En este sentido, desde hace décadas la psicología evolutiva viene advirtiendo de los importantes cambios físicos y psíquicos que se detectan en los jóvenes en su transición a la edad adulta y que provocan los compor-

---

[55]    Schad, 2011: 403; Cohen y Casey, 2014: 65.
[56]    Snead, 2007: 1287-1288; Johnson, Blum y Giedd, 2009: 217-219.
[57]    Pozuelo Pérez, 2015: 9.
[58]    Mercurio y López, 2009: 13-54.

tamientos impulsivos e inestables de esta etapa; unos cambios que los actuales estudios neurocientíficos corroboran de forma más nítida.

En general, conviene apuntar que, respecto del límite mínimo a partir del cual comienza la posibilidad de exigir esta responsabilidad y que se ha concretado en los catorce años (sobre la base de que los niños menores de dicha edad carecerían de suficiente madurez como para ser plenamente conscientes de la trascendencia de sus actos), autores como García Pérez razonan que, teniendo en cuenta que los conocimientos actuales sobre el periodo crítico de cambios que constituye la adolescencia señalan que el mismo se habría prolongado, se debería elevar el citado límite mínimo a los dieciséis años. No en balde, precisamente conforme con los adelantos en neurociencia cognitiva encontramos a penalistas como Alonso Álamo[59] que entiende que aquellos casos en los que faltase por completo el control de la voluntad, deberían ser examinados en sede de acción y no de culpabilidad. En esta línea, dibuja un doble tratamiento respecto de la responsabilidad de estos menores de edad: la ausencia de acción en aquellos casos en los que la actividad no pudiese referirse a la voluntad, y supuestos de inimputabilidad o semiimputabilidad cuando, a pesar de encontrarnos con una conducta voluntaria, al menor le faltase todavía la capacidad de autodirección o comprensión. Sin duda, un interesante cambio de perspectiva que en años venideros se debería atender.

Ahora bien, con independencia de las precisiones generales *supra* señaladas relativas a la fijación de los márgenes concretos de la mayoría y minoría de edad penal, y que requieren un estudio en profundidad, respecto del modesto alcance del presente trabajo, se ultima que la aplicación de esta Ley a los mayores de dieciocho años y menores de veintiuno, conforme con los estudios de neuroimagen (que evidencian que el periodo de maduración cerebral completa de los jóvenes, que permite el control de los impulsos, se extendería hasta entrada la veintena), resultaría más que conveniente, en atención, de hecho, a la misma cláusula de aplicabilidad prevista en los art. 1.2, 1.4 y 4 de la LORRPM, en la que los aspectos subjetivos relativos al grado de madurez del individuo debían ser valorados; cláusula cuya aplicabili-

---

[59]   Alonso Álamo, 2020: 42-43.

dad fue verdaderamente complicada, posiblemente por la dinámica de endurecimiento, en general, de las sanciones penales.

En esta línea, cada vez más autores[60] defienden la articulación de un tratamiento especial para estos jóvenes. Concretamente, Molina Galicia[61], partiendo de la base de que al menos hasta los 21 años el cerebro no terminaría de desarrollarse, entiende que sería este el límite superior idóneo para la determinación de la mayoría de edad y el sometimiento al sistema penal de adultos. Efectivamente, existe cierto consenso en que la edad de mayoría criminal se debería establecer conforme con los conocimientos sobre desarrollo cerebral entre los 18 y 21 años[62]. A la luz de estos datos, la previsión inicial que se contenía en la redacción original de la LORRPM resulta muy apropiada, pues permitiría un tratamiento individualizador de estos jóvenes, considerando la relevancia de este factor en relación con los concretos hechos delictivos cometidos.

En definitiva, en el presente estudio se advierte de la necesidad de revisar la posibilidad de extender el ámbito personal de aplicación de la LORRPM a los mayores de dieciocho años y menores de veintiuno a la luz de los hallazgos que la neuroimagen pone de relieve, los cuales podrían ser atendidos en el tercer requisito que en la redacción original del art. 4 de esta Ley se señalaba, como es el que el grado de madurez de estos jóvenes aconsejase este tratamiento, pues, conforme con estos estudios, existiría un período entre los 18 a los 25 años en el que seguiría el crecimiento cerebral, no alcanzándose el desarrollo completo de las áreas cerebrales encargadas del control de los impulsos o la regulación emocional hasta, al menos, los 21 años. En atención a estos conocimientos, y partiendo de la base de que los jóvenes adultos no habrían culminado el proceso madurativo de las citadas regiones cerebrales, convendría reflexionar sobre los principios informadores que justifican la existencia de una ley especial para los menores de edad. Como en la exposición de motivos de la LORRPM se señala, si bien esta ley tiene "ciertamente la naturaleza de disposición sancionadora", como prosigue "en el Derecho penal de menores ha

---

[60]    Shust, 2014: 667-704.
[61]    Molina Galicia, Nieva Fenoll y Taruffo, 2013: 62.
[62]    Tiffer, Dünkel y Llobet Rodríguez, 2015: 564.

de primar, como elemento determinante del procedimiento y de las medidas que se adopten, el superior interés del menor. Interés que ha de ser valorado con criterios técnicos y no formalistas por equipos de profesionales especializados en el ámbito de las ciencias no jurídicas, sin perjuicio desde luego de adecuar la aplicación de las medidas a principios garantistas generales tan indiscutibles como el principio acusatorio, el principio de defensa o el principio de presunción de inocencia"[63].

Concluyendo, la imposición de sanciones propias del derecho penal de adultos a jóvenes que todavía no han completado su desarrollo cognitivo podrían interferir en la consecución de su completa madurez. Así pues, se estima absolutamente imprescindible que se aúnen los conocimientos que desde diferentes disciplinas se han aportado respecto de los cambios que el ser humano atraviesa desde la infancia hasta la edad adulta, en aras de conseguir un tratamiento judicial óptimo, pues si bien se está, en puridad, ante un asunto jurídico, esta compleja materia requiere, en su regulación jurídica, un enfoque interdisciplinar.

## BIBLIOGRAFÍA

Alonso Álamo, A. (2020). Acción, capacidad de acción. *Cuadernos de Política Criminal. nº 131*, 2020, 42-43.

Armony, J.L., Trejo-Martínez, D. y Hernández, D. (2012). Resonancia Magnética Funcional (RMf): Principios y aplicaciones en Neuropsicología y Neurociencias Cognitivas. *Revista Neuropsicología Latinoamericana, Vol 4, No. 2*, 36-50.

Beckman, M. (2004). Neuroscience. Crime, culpability, and the adolescent brain. *Science, 305*: 596-9.

Blakemore, S.J. y Robbins, T.W. (2012). Decision-making in the adolescent brain. *Nature Neuroscience, 15(9)*, 1184-1191.

Cámara Arroyo, S. (2017). Criminalidad juvenil versus criminalidad de adultos. https://www.unir.net/wp-content/uploads/2017/11/criminalidad-juvenil-adultos-Sergio-Camara.pdf

---

[63] Ley Orgánica 5/2000, de 12 de enero, Reguladora de la Responsabilidad Penal de los Menores. Exposición de Motivos, II. 7.

Casey B.J., Getz, S. y Galvan, A. (2008). The Adolescent Brain. *Dev Rev*, *28(1)*: 62-77.

Chico Librán, E. (2000). Búsqueda de sensaciones. *Psicotema, Vol. 12, n° 2*, 229-235.

Cohen, A. y Casey, B.J. (2014). Rewiring juvenile justice. The intersection of developmental neuroscience and legal policy. *TCS, (2-19)*, 65.

Colás Turégano, A. (2011). *Derecho penal de menores*. València: Tirant lo Blanch.

Cuello Contreras, J. (2000). *El nuevo Derecho Penal de menores*. Madrid: Civitas, 67-68.

Daitzman, R.J., Zuckerman, M., Sammelwitz, P.H. y Ganjan, V. (1978). Sensation seeking and gonadal hormones. *Journal of Bioscience, 10*, 401-408.

Damasio, A. (2011). *El Error de Descartes*, Barcelona: Destino.

Demetrio Crespo, E. (2013). *Neurociencias y Derecho Penal. Nuevas perspectivas en el ámbito de la culpabilidad y tratamiento jurídico-penal de la peligrosidad*. Madrid: Edisofer.

Echeburúa Odriozola, E. (1987). La delincuencia juvenil. Factores predictivos. *Cuaderno del Instituto Vasco de Criminología*. 35-49.

Feijoo Sánchez, B. (2012). *Derecho penal de la culpabilidad y neurociencias*. Madrid: Civitas.

Fowler, C.J., von Knorring, L. y Oreland, G.L. (1980). Platelet monoamineoxidase activity in sensation seekers. *Psychiatric Research, 3*, 272-279.

Garrido Genovés, V. (1986). *Delincuencia juvenil*. Madrid: Alambra.

Garrido, V., Stangeland, P. y Redondo, S. (2006). *Principios de Criminología*. (3ª Ed.). València: Tirant lo Blanch.

Giedd, J.N. (2004). Structural magnetic resonance imaging of the adolescent brain, *Annals of the New York Academy of Science, 1021*, 77-85.

Gogtay, N., Giedd, J.N., Lusk, L., Hayashi, K.M., Greenstein, D., Vaituzis, A.C. *et al* (2004). Dynamic mapping of human cortical development during childhood through early adulthood. *Proceedings of the National Academy of Sciences of the United States of America, 101*, 8174-8179.

Hirschi, T. y Gottfredson, M. (1983). Age and the Explanation of Crime. *American Journal of Sociology, 89(3)*, 552-84.

Johnson, S.B., Blum, R.W. y Giedd, J.N. (2009). Adolescent Maturity and the Brain: The Promise and Pitfalls of Neuroscience Research in Adolescent Health Policy. *J Adolesc Health, (456)*, 217.

Mercurio, E.N. y López, F.C. (2009). CEREBRO Y ADOLESCENCIA. Implicancias jurídico penales. *Academia Nacional de Ciencias de Buenos Aires. Publicaciones del Centro Interdisciplinario de Investigaciones Forenses, 103*, 13-54.

Miron Redondo, L., Luengo Martin, A., Sobral Fernández, J. y Otero López, J.M. (1988). Un análisis de la relación entre ambiente familiar y delincuencia juvenil. *Revista de Psicología Social, 3*, 165-180.

Moffitt, T.E. (1993). Adolescence-limited and Life-course-persistent Antisocial Behavior: A Developmental Taxonomy. *Psychological Review, 100(4)*, 674-701.

Moffitt, T.E. (2006). Life-course-persistent versus adolescence-limited antisocial behavior. En Cicchetti, D. y Cohen, D.J. (Eds.), *Developmental psychopathology: Risk, disorder, and adaptation* (pp. 570–598). Hoboken, NJ: John Wiley & Sons.

Moffitt, T.E. (2018). Male antisocial behaviour in adolescence and beyond. *Nat Hum Behav, 2*, 177–186.

Molina Galicia, R. (2013). Neurociencia, Neuroética, Derecho y proceso. En Nieva Fenoll, J. y Taruffo, M. (Dirs.), *Neurociencia y proceso*, Madrid: Marcial Pons.

Morse, S. y Roskies, A. (2013). A Primer on Criminal Law and Neuroscience: A contribution of the Law and Neuroscience Project, supported by the MacArthur Foundation, USA, *Oxford Series in Neuroscience, Law, and Philosophy*.

Pozuelo Pérez, L. (2015). Sobre la responsabilidad penal de un cerebro adolescente. *InDret, 2*.

Sánchez Vilanova, M. (2017). Responsabilidad de los delincuentes juveniles a la luz de la neurociencia. *Revista de Derecho y Genoma Humano, 47*, 211-214.

Schad, S. (2011). Adolescent Decision Making: Reduced Culpability in the Criminal Justice System and Recognition of Culpability in Other Legal Contexts. *JHCLP, (2-14)*.

Serrano Maíllo, A. (2009). *Introducción a la Criminología*, 5ª Ed., Madrid: Dykinson.

Shust, K.B. (2014). Extending Sentencing Mitigation for Deserving Young Adults. *Journal of Criminal Law & Criminology, Vol. 104*, 667-704.

Slachevsky, A., Pérez, C., Silva, J.R., Orellana, G., Prenafeta, M.L., Alegría, P. y Peña, M. (2005). Córtex prefrontal y trastornos del comportamiento: Modelos explicativos y métodos de evaluación. *Rev. Chil. Neuro-Psiquiatría, 43(2)*, 109-121.

Snead, O.C. (2007). Neuroimaging and the "complexity" of capital punishment. *New York Law Review, (5-82)*, 1287-1288.

Sowell, E.R., Thompson, P.M., Holmes, C.J., Jernigan, T.L. y Toga, A.W. (1999). In vivo evidence for post-adolescent brain maturation in frontal and striatal regions. *Nat Neurosci 2(10)*, 859-861.

Sowell, E.R., Thompson, P.M., Tessner, K.D. y Toga, A.W. (2001). Mapping Continued Brain Growth and Gray Matter Density Reduction in Dorsal

Frontal Cortex: Inverse Relationships during Postadolescent Brain Maturation, *J Neurosci (21-22)*, 8826-8829.

Steinberg, L. (2009). Adolescent Development and Juvenile Justice. *Annual Review of Clinical Psychology, Vol. 5*, 47-63.

Tamarit Sumalla, J.M. (2001). El nuevo derecho penal de menores: ¿creación de un sistema penal menor? *Revista Penal, n°8*, 71-89.

Tamnes, C.K., Ostby, Y., Fjell, A.M., Westlye, L.T., Due-Tønnessen, P. y Walhovd, K.B. (2010). Brain maturation in adolescence and young adulthood: regional age-related changes in cortical thickness and white matter volume and microstructure. *Cereb Cortex;20(3)*, 534-548.

Tiffer, C., Frieder, D. y Llobet, J. (2002). *Derecho penal juvenil*. San José: ILANUD/ DAAD.

Vigna, A. (2012). ¿Cuán universal es la curva de edad del delito? Reflexiones a partir de las diferencias de género y del tipo de ofensa. *Revista de Ciencias Sociales, DS-FCS, vol. 25, n.º 31*.

Vincent, M., Kronenberger, W.G., Wang, Y., Lurito, J.T., Lowe, M.J. y Dunn D.W. (2005). Media Violence Exposure and Frontal Lobe Activation Measured by Functional Magnetic Resonance Imaging in Aggressive and Nonaggressive Adolescents. *J Comput Assist Tomogr, 29*, 287-292.

Ward, P.B., Catts, S.V., Norman, T.R., Burrows, G.D. y McConaghy, N. (1987). Low platelet monoamine oxidase and sensation seeking in males: an established relationship?. *Acta Psychiatr Scand;75(1)*, 86-90.

Zuckerman, M. (1979). *Sensation Seeking: Beyond the Optimal Level of Arousal*. Hillsdale, NJ: Erlbaum.

Zuckerman, M. (1983). Sensation seeking and sports. *Personality and Individual Differences, 4*, 285-292.

# Veinte años de la ley penal del menor: crónica y valoración de una reforma pendiente en materia de prescripción

ANTONI GILI PASCUAL
*Universitat de les Illes Balears*[1]

SUMARIO: 1. Introducción. Los términos de una controversia sobrevenida. 2. Disparidad de criterios. 3. Toma de postura: consideraciones de lege lata y de lege ferenda. 4. Bibliografía.

## 1. INTRODUCCIÓN. LOS TÉRMINOS DE UNA CONTROVERSIA SOBREVENIDA

Una de las características que tradicionalmente más ha lastrado el funcionamiento de la prescripción en el ordenamiento penal español ha sido la parquedad de la que han hecho gala las normas que se han ocupado de regularla, manteniendo silencios destacados sobre cuestiones aplicativas de primer orden. Ello ha obligado, para colmarlos, a meritorios esfuerzos jurisprudenciales que, sin embargo, ni han estado siempre exentos de polémica ni han conseguido en todos los casos estabilizar adecuadamente la seguridad jurídica necesaria. Es verdad que las dos reformas más extensas operadas en el Código penal en los últimos años (las de 2010 y de 2015) se ocuparon de contrarrestar dicha parquedad, pero lo hicieron de forma fragmentaria y cortoplacista, solo para salir al paso de concretos problemas de constitucionalidad surgidos respecto de interpretaciones que fueron censuradas

[1]   Estudio realizado en el marco del proyecto DER2017-86336-R (FEDER/Mº de Ciencia, Innovación y Universidades/Agencia Estatal de Investigación).

por resoluciones recaídas en amparo, sin adentrarse en una auténtica revisión de conjunto.

De esta tradicional pereza legislativa no escapó tampoco la Ley Orgánica 5/2000, reguladora de la responsabilidad penal de los menores, que en relación con esta materia se limitó a fijar plazos específicos para los hechos delictivos cometidos por aquéllos así como para las medidas que conforme a dicha ley resultan imponibles[2], pero renunciando a una regulación específica en cuanto a todo lo demás, cuestión que se decidió fiar a lo dispuesto para el derecho penal de adultos en el Código penal, al que mediante la Disposición Final 1ª de la LORRPM se convertía en derecho supletorio.

Con ello se privó al derecho penal juvenil de soluciones específicas, necesarias en este campo, y se heredaron, a cambio, las insuficiencias propias del derecho designado como supletorio. Un primer problema lo habría de constituir, en consecuencia, la baja calidad de la seguridad jurídica que aqueja al derecho penal de adultos, problema que se ve si cabe amplificado en el ámbito juvenil por lo restringido de la casación para la unificación de doctrina (art. 42 LORRPM), que permite la convivencia de criterios muchas veces contradictorios emanados de las distintas Audiencias Provinciales. Pero, y casi más importante, tal subordinación al derecho penal de adultos dejaba expuesta la materia a las eventuales modificaciones que pudiese experimentar aquél por razones del todo ajenas a las necesidades propias del derecho penal de menores y que podían, por tanto, no resultar fácilmente compatibles con éste habida cuenta del diferente modelo de proceso instaurado por la LORRPM. Y esto último es precisamente lo que ocurrió con la reforma de la interrupción de la prescripción habida en el Código penal en el año 2010. Con ella se generó en el régimen de menores, de forma puramente refleja y sin necesidad alguna, una problemática que aún hoy no ha sido zanjada adecuadamente y que aguarda, como reza el título de este trabajo, una reforma legal pendiente como única vía posible de solución efectiva.

Hasta la entrada en vigor de la L.O. 5/2010, en efecto, el derecho supletorio utilizó en materia de interrupción extraprocesal una

---

[2]    Inicialmente en su artículo décimo, que pasaría a ser posteriormente el art. 15 LORRPM.

expresión genérica ciertamente poco afortunada, pero que permitió al derecho penal juvenil manejarse con una razonable estabilidad. El art. 132.2 CP se había referido hasta entonces a la *dirección del procedimiento contra el culpable* como *dies a quo* para el cómputo de un nuevo plazo prescriptivo, y la mayoría de los operadores jurídicos estimaron al amparo de esta previsión que en el procedimiento penal de menores, dado el protagonismo atribuido al Ministerio Fiscal en la instrucción, la incoación del expediente por parte de éste tenía valor interruptivo.

Así lo consideró expresamente la relevante Circular FGE 1/2007, de 23 de noviembre, *sobre criterios interpretativos tras la reforma de la Legislación Penal de Menores de 2006*, "en tanto en cuanto –señalaba– el art. 16 LORRPM les encomienda [a los Fiscales] la instrucción" (aptdo. IX.4). Y así fue asumido también por distintas Audiencias Provinciales[3] así como por la doctrina y comentaristas de la época[4], que descartaron que pudiese tratarse en ningún caso de una interpretación analógica contra reo dado que el art. 132 a la sazón vigente no exigía en puridad naturaleza jurisdiccional al órgano encargado de que el procedimiento "se dirigiese contra el culpable"[5].

Hubo también, es verdad, planteamientos más laxos que el anterior, que reconocieron ese valor interruptivo a un momento incluso previo a la propia incoación del expediente de reforma, situándolo ya en las *Diligencias Preliminares* practicadas por el Fiscal[6], esto es, en las que tienen por objeto la práctica de las averiguaciones necesarias en cuanto a la verosimilitud de los hechos denunciados, la determi-

---

3    Véanse SSAP Madrid, Secc. 4.ª, núm. 94/2003, de 7 de octubre; Sevilla, Secc. 3.ª, núm. 91/2003, de 16 de abril, o AAP Castellón, Secc. 3.ª, núm. 137/2003, de 7 de mayo, aludidas en la Circular 1/2007 citada.

4    Cervelló Donderis y Colás Turégano, 2002: 97; Conde-Pumpido Ferreiro, 2001: 217; De Urbano Castrillo y De La Rosa Cortina, 2007: 98; Feijóo Sánchez, 2008: 231; Ornosa Fernández, 2003: 216.

5    Expresamente, por ejemplo, De Urbano Castrillo y De La Rosa Cortina, 2007: 98.

6    Véanse SSAP Girona, Secc. 3ª, núm. 688/2009, de 10 de noviembre (FJ2º); Castellón, Secc. 3ª, núm. 137/2003, de 7 de mayo (FJ 3º); y Secc. 1ª, núm. 119/2010, de 6 de abril, citadas en este caso por la Circular FGE 9/2011. Se refiere a la incoación de diligencias previas por un Juzgado de Instrucción, la SAP Sevilla, Secc. 3ª, núm. 47/2010, de 26 de enero, Pte: A. Márquez Romero (TOL 1.821.573).

nación de la edad del autor y la tipicidad penal de la conducta, como elementos necesarios para poder acordar precisamente la incoación de aquel expediente. Pero tal solución fue en general rechazada por tener dichas diligencias carácter preprocesal y no procesal –lo que las asimilaría a las previstas en el art. 773.2 LECrim–. La propia Fiscalía General del Estado, que siempre ha reivindicado el protagonismo del Ministerio Público a efectos interruptivos, les denegaría expresamente ese carácter en su posterior Circular 9/2011, *sobre criterios para la unidad de actuación especializada del Ministerio Fiscal en materia de reforma de menores,* considerando que "la ausencia de conocimiento jurisdiccional de esas diligencias de investigación, unida a una limitación innegable de derechos para los intervinientes (...) les conf[ería] un cierto hálito inquisitivo" que había llevado ya a recomendar (Circulares 1/2000 y 1/2007) un uso prudente de las mismas y que debía traducirse también en una limitación de los efectos que debían serles atribuidos.

Se respiraba pues, en suma, una relativa tranquilidad en la materia que saltaría sin embargo por los aires con la modificación del art. 132.2 CP. Éste pasó a requerir literalmente para la interrupción una "resolución judicial motivada", lo que por definición no se da en el procedimiento de menores –al menos hasta bien avanzadas las actuaciones– en la medida en que en él tiene atribuida la instrucción el Ministerio Público. Esta nueva situación hizo que proliferaran posicionamientos encontrados tanto en el ámbito doctrinal como, y muy especialmente, en el judicial, en el que la disparidad de criterios se ha visto notablemente avivada por la mencionada ausencia de un recurso de casación amplio para la unificación de doctrina.

En su primera parte (II) este trabajo da cuenta de forma sistematizada de tales posicionamientos encontrados así como de las líneas de reforma sugeridas hasta la fecha para superar la situación. En la segunda parte, más extensa (III), además de indicar la solución que se considera *de lege lata* aplicable, se sientan las bases para una eventual solución *de lege ferenda*, fundamentándola a partir de una profundización en el sentido que ostenta la interrupción en el seno de la propia institución prescriptiva penal.

## 2. DISPARIDAD DE CRITERIOS

### A) *El decreto de incoación del expediente de Fiscalía*

### 1. Valor interruptivo

Un primer posicionamiento, auspiciado de forma destacada por la FGE en su Circular 9/2011, vino a entender que, pese a la modificación del art. 132 CP, nada relevante había cambiado en el campo de la responsabilidad penal del menor. La tesis principal de este documento (pues contenía también otra subsidiaria, lo que, dicho sea de paso, dejaba traslucir ya la falta de convicción plena respecto de la primera) sostuvo que "no obstante la reforma del art. 132.2 CP, el decreto de incoación de expediente por el Fiscal goza[ría] de esa capacidad interruptiva". Esta conclusión se apoyaba, por un lado, "en la propia sustantividad de la LORRPM", por cuanto "regula un procedimiento singular en el que la dirección del proceso contra el menor sospechoso, a través de la instrucción, se atribuye al Fiscal", y por otro, y a mayor abundamiento, en el hecho de que fuese "precisamente el Fiscal el órgano legitimado para decidir en este procedimiento si se admiten o no a trámite las denuncias (art. 16.2 LORRPM)".

Este planteamiento, al que en la mencionada Circular se intentaba revestir también –aunque en vano– de un cierto barniz de reconocimiento por parte del intérprete constitucional[7], estaba realmente

---

[7]   Se citaba entonces, en sentido favorable al planteamiento indicado, la STC 206/2003, de 1 de diciembre (Pte: Delgado Barrio, ECLI:ES:TC:2003:206, TOL 334.697) que, remitiéndose a la anterior STC 60/1995, de 17 de marzo, al analizar la naturaleza del procedimiento de menores previsto en la ley refería que en él se atribuyen "al Fiscal las actuaciones de investigación que, si bien formalmente no son sumariales, desde el punto de vista material implican una instrucción funcionalmente equiparable a la del sumario". La cita, sin embargo, no trata la cues-

cargado de sentido práctico, pero topaba de lleno con el muro de la legalidad que repentinamente había levantado el nuevo art. 132.2 CP. Se convertía así en un planteamiento inviable desde el rigor de la literalidad de la ley, que reclama hoy indefectiblemente una resolución judicial (arts. 245 LOPJ y 141 LECrim.) y no una mera resolución asimilable del Fiscal. Tan es así que, resignada ante la evidencia, la propia Fiscalía General, en el mismo documento, consideró ya "conveniente indagar una vía exegética subsidiaria a la expuesta", pese a lo cual –debe destacarse– la postura indicada contó con cierto predicamento entre las resoluciones de las diferentes Audiencias Provin-

---

tión que aquí interesa. Pone de relieve, ciertamente, la identidad de razón efectivamente existente entre las funciones instructoras desarrolladas por un órgano judicial o por el Ministerio Público en distintos tipos de proceso, pero en absoluto respalda una aplicación a todas luces analógica contra reo. Precisamente, el TC ha sido especialmente escrupuloso cuando sí ha debido pronunciarse sobre la concreta cuestión de la presencia o no en la redacción legal de determinadas circunstancias interruptivas de la prescripción, rechazando cualquier solución con visos de rebasar la literalidad (como ocurrió, por ejemplo, en las sentencias que negaron la interrupción de la prescripción de la pena en supuestos de suspensión de la ejecución por petición de indulto o tramitación de amparo, o incluso de suspensión condicional de la ejecución de la pena, en la medida en que el art. 134 CP no se refería expresamente a tales situaciones, y pese a ser supuestos de imposibilidad jurídica de cumplimiento. Véanse, SSTC 97/2010, de 15 de noviembre, Pte: Conde Martín de Hijas, ECLI: ECLI:ES:TC:2010:97 –TOL 1.995.100– y 152/2013, de 9 de septiembre, Pte: Valdés Dal-Ré, ECLI:ES:TC:2013:152, TOL 3.961.403).
Por otra parte, la alusión a la doctrina del Tribunal Constitucional expresada en la citada sentencia 206/2003 (ECLI:ES:TC:2003:206; TOL 334.697) olvida que este mismo Tribunal, en la STC 30/2005 (ECLI:ES:TC:2005:30; TOL579.128) en la que volvía a analizar la cuestión relativa al valor probatorio de las declaraciones prestadas por un coimputado menor de edad ante el fiscal de menores, se apartó de aquella doctrina, matizándola en el sentido de que "la declaración incriminatoria se realizó no ante un órgano judicial investido constitucionalmente de imparcialidad, sino ante el Ministerio Fiscal sin posibilidad de contradicción" (Granado Pachón, 2016: 83, n. 23; recuerdan también esta circunstancia, por ejemplo, la SAP Barcelona, Secc. 3ª, núm. 498/2017, Pte: Linage Gómez, (TOL 6.469.084), reproduciendo en su Fdto. Jco. Único el contenido de su anterior sentencia de 17 de sept. de 2015 –Pte: Valle Esques–, o la SAP Tarragona, Secc. 4ª, núm. 394/2014, de 29 de septiembre, Pte: Calvo González (TOL 4.673.357).

ciales, especialmente en los primeros años de vigencia de la nueva redacción[8].

## 2. Valor suspensivo

Una posibilidad menos explorada y, sin embargo, a mi juicio mucho más plausible que la anterior con la nueva literalidad de la ley consiste en atribuir valor no interruptivo, pero sí suspensivo, al decreto del Fiscal. O, más concretamente, al parte de incoación del expediente que se remite al Juzgado de Menores, que tiene la misma virtualidad que la presentación de una denuncia o querella ante el Juez de Instrucción en la jurisdicción ordinaria.

En efecto, en la medida en que la comunicación de la incoación del expediente supone la puesta en conocimiento del órgano judicial de la comisión de un hecho que puede revestir los caracteres de delito, no hay ningún obstáculo para atribuirle valor de denuncia a los efectos establecidos en el art. 132.2.2ª CP. Como señala la SAP Bizkaia de 21 de diciembre de 2018, el decreto de Fiscalía contendrá la identificación del menor, sus datos personales, los datos de los perjudicados, el delito que se le imputa al menor y los datos básicos sobre los hechos imputados, acompañando a esta resolución las diligencias policiales. Es decir, los datos básicos que ha de contener una denuncia o querella y que pueden dar lugar a la realización de actuaciones investigadoras, dando en consecuencia carta de naturaleza al plazo de suspensión de seis meses previsto en el art. 132.2 regla 2ª CP[9].

---

8    Véase, a título de ejemplo, la SAP Las Palmas, Secc. 1ª, núm. 304/2014, de 28 de noviembre, Pte: Parramon i Bregolat (TOL 4.704.112), manifestando expresamente que la Sección comparte la posición de la Circular de la Fiscalía General del Estado 9/2011 "en el sentido que debe mantenerse, no obstante la reforma del art. 132.2 CP, que el decreto de incoación de expediente por el Fiscal goza de esa capacidad interruptiva", o la SAP Tenerife, Secc. 5ª, núm. 503/2013, de 9 de diciembre, Pte: González Ramos (TOL 4.136.113); con otra línea, véase la SAP Barcelona, Secc. 3ª, núm. 662/2013, de 23 de julio, Pte: Grau Gassó (TOL 3.990.037), por remisión del auto judicial a la imputación realizada por el Ministerio Fiscal en el Decreto acordando la incoación del procedimiento.

9    SAP Bizkaia, Secc. 1ª, núm. 75/2018, de 21 de diciembre, Pte: Goenaga Olaizola, ECLI: ES:APBI:2018:2675 (TOL7.140.080), reconociendo expresamente el valor de denuncia al decreto del Fiscal previsto en el art. 16 LORRPM. En igual sentido, la SAP Gipuzkoa, Secc. 1ª, núm. 188/2017, Pte: Maeso Ventureira,

Sobre esta utilidad suspensiva, por tanto, no parece que quepa dudar, dado que la comunicación indicada ostenta por sí misma y por derecho propio el valor de denuncia, disipando con ello cualquier sombra de aplicación analógica contra reo, a diferencia de lo que sí ocurre con la eventual identificación del decreto de Fiscalía con una resolución judicial motivada a efectos directamente interruptivos. No hay obstáculo, en definitiva, para la aplicación del primer párrafo de la norma citada (la regla 2ª del art. 132.2 CP). Aunque sí pueden acechar de nuevo las dudas, en cambio, a la hora de aplicar la segunda parte de la norma, es decir, a la hora de identificar la *"resolución judicial motivada"* (por remisión a la regla 1ª) que, recaída dentro del periodo de seis meses de suspensión, esté llamada a operar la retroacción del momento interruptivo al momento de la inicial comunicación suspensiva. Si nos atuviésemos a la opinión de la Fiscalía General del Estado, que en su Circular 9/2011 ya se fijó en esta posibilidad suspensiva como complemento de su solución subsidiaria tras la reforma 5/2010, no existiría duda sobre el hecho de que dicho protagonismo habría de corresponder al auto de incoación del expediente en el Juzgado (art. 16.3 LORRPM), hito que determinaría que la interrupción de la prescripción se entendiese retrotraída a la fecha de presentación del parte de incoación del Fiscal. Pero lo cierto es que tal solución, pese a poder considerarse mayoritaria cuando se afronta en abstracto la cuestión interruptiva, ni es unánime ni está exenta de reparos por la eventual falta de motivación que puede acompañar a dicha resolución, apuntado por ello parte de la doctrina y múltiples pronunciamientos judiciales a otro tipo de resoluciones a la hora de ubicar el efecto interruptivo (como el auto de apertura de audiencia)[10]. Precisamente por el aplazamiento de la interrupción que estas soluciones alternativas, más respetuosas con la exigencia de motivación, pueden implicar,

---

ECLI:ES:APSS:2017:679 (TOL 6.445.304), expresión de una dirección adoptada por esta Audiencia a partir de su Auto de 16 de mayo de 2016: *"(...)* estimamos que, una vez que el Juzgado de Menores haya recibido una comunicación del Ministerio Fiscal de que ha incoado un expediente de reforma de menores, que incluya tales datos, se produce el efecto previsto en la regla 2ª del art. 132.2 CP; es decir, se suspende el cómputo de la prescripción por un plazo máximo de seis meses, desde la misma fecha en que se reciba en el Juzgado de Menores la mencionada comunicación de Fiscalía".

[10]    Véase, en este sentido, Jericó Ojer, 2019: 24.

es por lo que la apreciación del efecto suspensivo puede suponer un instrumento si cabe más valioso para rebajar la tensión que puede generar la gestión de plazos especialmente breves de prescripción, como el previsto para los delitos leves (de solo tres meses), máxime cuando la reforma de 2015 unificó en seis meses el plazo de suspensión para toda clase de delito, prescindiendo del más breve de dos previsto hasta entonces para las faltas.

## B) *Resolución judicial*

Pese al planteamiento inicialmente inmovilista de algunas decisiones judiciales, pronto fueron más las que descartaron aquella posibilidad a la vista del tenor de la nueva redacción, advirtiendo incluso del carácter analógico *in malam partem* que podía suponer mantener el efecto interruptivo en el decreto de Fiscalía[11]. La disparidad de criterio se mantuvo, sin embargo, a la hora de identificar qué resolución en concreto debe ostentar ese protagonismo.

## 1. Auto de incoación del expediente judicial (al amparo del art. 16.3 LORRPM)

Puede considerarse mayoritaria la opción que, aferrándose a la primera actuación de carácter judicial que aparece en el curso del procedimiento, sitúa el efecto interruptivo en el auto de incoación del expediente judicial dictado al amparo del art. 16.3 LORRPM, aunque la norma resulte poco precisa[12].

---

[11] P. ej., SAP Palencia, Secc. 1ª, núm. 11/2012, de 5 de diciembre, Pte: Rafols Pérez (TOL 3.013.973); SAP Alicante, Secc. 3ª, núm. 384/2013, de 16 de julio, Pte: Guirau Zapata (TOL 3.893.006); SAP Madrid , Secc. 4ª, núm. 6/2012, de 16 de enero, Pte: Pestana Pérez (TOL 2.436.312); SAP Tarragona, Secc. 4ª, núm. 394/2014, de 29 de septiembre, Pte: Calvo González (TOL 4.673.357); SAP Gipuzkoa, Secc. 1ª, núm. 188/2017, Pte: Maeso Ventureira, ECLI:ES:APSS:2017:679 (TOL 6.445.304); SAP Tarragona, Secc. 4ª, núm. 278/2017, de 18 julio, Pte: Revuelta Muñoz, ECLI:ES:APT:2017:1081 (TOL 6.432.622).

[12] Como observara la FGE en su Circular 9/2011, la norma citada resulta poco precisa, pues el art. 16.3 se limita a consignar que una vez recibida la comunicación del Decreto de incoación del expediente de Fiscalía el Juez de menores iniciará *"las diligencias de trámite correspondientes"*. Por ello, dicha expresión debe integrarse con lo dispuesto en el art. 64.1ª LORRPM, que a propósito de

A este primer auto judicial había apuntado ya la Fiscalía General del Estado en su Circular 9/2011, al exponer su propuesta de interpretación subsidiaria "para el supuesto de que prevale[ciese] –señaló entonces– una interpretación literal del art. 132.2 CP que requir[iese] en todo caso la formalidad –*sic*.– de una resolución judicial motivada de dirección del procedimiento contra persona determinada como primer acto interruptivo de la prescripción". A su juicio "ese auto de incoación, en cuanto determina el inicio del procedimiento en el Juzgado e individualiza los menores contra los que se dirige y el hecho indiciariamente atribuido, es la resolución judicial que, con carácter subsidiario, [debe] considera[rse] hábil para interrumpir inicialmente la prescripción en aplicación supletoria del art. 132.2 CP a la jurisdicción de menores". Tal planteamiento, como se indicaba, ha sido ampliamente respaldado por la Jurisprudencia menor, con diferentes argumentos[13].

---

la pieza de responsabilidad civil señala que ésta se ordenará abrir "*de forma simultánea con el proceso principal*", resultando así clara, de la interpretación conjunta, la apertura de un proceso judicial que discurre en paralelo al expediente del Fiscal mientras éste continúa con su tarea instructora.

[13]  SAP Madrid, Secc. 4ª, núm. 6/2012, de 16 de enero, Pte: Pestana Pérez (TOL 2.436.312): SAP Guadalajara, Secc. 1ª, núm. 49/2012, de 19 de abril, Pte: Regalado Valdés (TOL 2.530.373); SAP Palencia, Secc. 1ª, núm. 11/2012, de 5 de diciembre, Pte: Rafols Pérez (TOL 3.013.973); SAP Guadalajara, Secc. 1ª, núm. 58/2012, de 30 mayo, Pte: Serrano Frías (TOL 2.609.445); SAP Alicante, Secc. 3ª, núm. 384/2013, de 16 de julio, Pte: Guirau Zapata (TOL 3.893.006); SAP Barcelona, Secc. 3ª, núm. 137/2012, de 8 de febrero, Pte: Manzano Meseguer (TOL 2.490.409); SAP Tarragona, Secc. 4ª, núm. 135/2012, de 1 de marzo, Pte: Barbancho Tovillas (TOL 2.515.751); SAP Madrid, Secc. 4ª, núm. 148/2015, de 23 de marzo, Pte: Hervás Ortiz, ECLI:ES:APM:2015:3317 (TOL 4.833.159); SAP Madrid, Secc. 4ª, núm. 72/2016, de 14 de marzo, Pte: Hervás Ortiz, ECLI:ES:APM:2016:3203 (TOL 5.705.948); Auto AP La Rioja, Secc. 1ª, núm. 112/2017, de 6 de abril, Pte: Santisteban Ruiz, ECLI: ES:APLO:2017:136A (TOL 6.145.368); SAP Madrid, Secc. 4ª, núm. 236/2019, de 17 de junio, Pte: Hervás Ortiz, ECLI: ES:APM:2019:10799 (TOL 7.587.867); SAP Madrid, Secc. 4ª, núm. 161/2019, de 7 de mayo, Pte: Hervás Ortiz, ECLI ES:APM:2019:15247; SAP Madrid, Secc. 4ª, núm. 376/2019, Pte: Hervás Ortiz (TOL 7.612.651); SAP Burgos, Secc. 1ª, núm. 408/2015, de 29 de octubre, Pte: Fresco Rodríguez, ECLI: ES:APBU:2015:745 (TOL 5.555.400); SAP Castellón, Secc. 1ª, núm. 259/2015, de 22 de junio, Pte: De Diego González, ECLI: ES:APCS:2015:582 (TOL 5.442.590); SAP Madrid, Secc. 4ª, núm. 216/2020, de 27 de julio, Pte: Hervás Ortiz, ECLI: ES:APM:2020:8451 (TOL 8.105.606); SAP Cuenca, Secc. 1ª, núm.

## 2. Auto en fase de audiencia: arts. 33 y 34 LORRPM

La opción favorable a la resolución del art. 16.3 LORRPM, con ser mayoritaria, no ha sido, sin embargo, la única defendida, apuntándose también, tanto judicial como doctrinalmente, hacia etapas más avanzadas del procedimiento, concretamente al auto de apertura de audiencia (art. 34 en relación con el 33 LORRPM). La razón principal para este aplazamiento se hace descansar en la crítica al automatismo y falta de *motivación* de la que adolecería el auto de incoación, que se considera desde esta perspectiva de mero trámite e inexpresivo de un auténtico control por parte del Juez de Menores, cuando la motivación constituye un requisito igualmente exigido por el art. 132 CP.

En efecto, un número destacado de resoluciones judiciales ha cuestionado la suficiencia del auto de incoación por entender que no representa en realidad una atribución motivada de la participación en un hecho delictivo[14]. Se estima, por el contrario, que se trata de "una resolución automática y de mero trámite, que sirve únicamente para tomar conocimiento de la actuación instructora iniciada por el Ministerio Fiscal pero que adolece de la valoración de los hechos y la imputación provisional al menor de edad"[15], idea que entroncaría con la crítica de más amplio alcance acerca del papel atribuido al Fiscal en el proceso de menores en detrimento de la investigación judicial[16].

---

66/2019, de 30 de abril, Pte: Casado Delgado, ECLI:ES:APCU:2019:240 (TOL 7.316.217); SAP Huelva, Secc. 1ª, núm. 371/2017, de 29 de diciembre, Pte: García-Valdecasas y García-Valdecasas, ECLI:ES:APH:2017:948 (TOL 6.544.349); SAP La Coruña, Secc. 2ª, núm. 58/2015, de 6 de febrero, Pte: Fernández Galiño, ECLI:ES:APC:2015:321 (TOL 4.766.763).

[14]   Pueden verse: SAP Girona, Secc. 3ª, núm. 349/2011, de 11 de julio, Pte: Carol Grau (TOL 2.224.793); SAP Barcelona, Secc. 3ª, núm. 880/2011, de 25 de octubre, Pte: Pérez Rueda (TOL 2.277.731); SAP Barcelona, Secc. 3ª, núm. 381/2012, de 18 de abril, Pte: Grau Gassó (TOL 2.549.957); SAP Barcelona, Secc. 3ª, núm. 49/2012, de 17 enero, Pte: Grau Gassó, (TOL 2.466.649); SAP Burgos, Secc. 1ª, núm. 311/2012, de 25 de junio, Pte: Muñoz Quintana (TOL 2.600.947); SAP Barcelona, Secc. 3ª, núm. 294/ 2012, de 28 de marzo. Pte: Manzano Meseguer (TOL 2.510.190); SAP Gipuzkoa, Secc. 1ª, núm. 188/2017, Pte: Maeso Ventureira, ECLI:ES:APSS:2017:679 (TOL 6.445.304).

[15]   Expresamente en este sentido, el voto particular de la magistrada Orland Escámez a la SAP Huelva, Secc. 1ª, núm. 371/2017, de 29 de diciembre, Pte: García-Valdecasas y García-Valdecasa, ECLI:ES:APH:2017:948 (TOL 6.544.349).

[16]   Gómez Colomer, 2002: 178.

En la línea indicada, ha señalado por ejemplo la Audiencia Provincial de Barcelona, conforme a un criterio consolidado en su Sección Tercera, que con aquella resolución el juzgador se limita "a mantenerse a la espera de recibir el expediente principal, sin que se incluya una mínima motivación tendente a interrumpir el plazo", considerando también que la conclusión defendida por la Circular 9/11, esto es, la que propugna como momento interruptivo el auto del art. 16.3 LO-RRPM, "sería claramente pertinente si se aceptara que el Juez de Menores, en este momento procesal (incoación del procedimiento) puede impedir que el Ministerio Fiscal investigue determinados hechos o a unos determinados menores frente a otros, pero dicha conclusión es contraria a la doctrina defendida por la propia FGE en la Circular nº 1/2000, que entiende que el control judicial solo opera en la llamada fase intermedia, y a lo que ha sido la práctica de las Audiencias Provinciales durante los más de diez años de periodo de vigencia de la LORRPM"[17].

Así las cosas, se ha abierto paso la opción favorable a considerar que es el auto dictado ya en fase de audiencia el que debe, con carácter general, asumir el protagonismo interruptivo[18]. Lo explica así la SAP Gipuzkoa 188/2017[19]: "Es una vez recibidos los escritos de alegaciones de las demás partes distintas del Ministerio Fiscal –o transcurrido el plazo sin que lo hayan verificado, tal como se previene expresamente en el art. 34 LORRPM– cuando ha de realizar [el Juez de Menores] dicha función valorativa y adoptar de forma motivada alguna

---

17    SAP Barcelona, Secc. 3ª, núm. 498/2017, de 25 de octubre, Pte: Linage Gómez, (TOL 6.469.084), citando su anterior sentencia de 17 sept. 2015, Pte: Valle Esques. En el ámbito doctrinal, véase Jericó Ojer: 2019, 21 s., destacando que la ausencia de control por parte del Juez de Menores respecto de lo acordado por el MF impide constatar en el auto del art. 16.3 una auténtica voluntad de continuar o no con el procedimiento y, por tanto, una atribución autónoma, libre y motivada de la presunta participación de un menor en un hecho delictivo.

18    SAP Gipuzkoa, Secc. 1ª, núm. 188/2017, de 27 de sept., Pte: Maeso Ventureira, ECLI:ES:APSS:2017:679 (TOL 6.445.304); SAP Huelva, Secc. 1ª, núm. 371/2017, de 29 de diciembre, voto particular de la magistrada C. Orland Escámez ECLI:ES:APH:2017:948 (TOL 6.544.349); SAP Barcelona, Secc. 3ª, núm. 350/2017, de 3 de julio, Pte: Valle Esqués, ECLI: ES:APB:2017:6500 (TOL 6.399.226).

19    SAP Gipuzkoa, Secc. 1ª, núm. 188/2017, de 27 de sept., Pte: Maeso Ventureira, ECLI:ES:APSS:2017:679 (TOL 6.445.304).

de las decisiones que contempla el art. 33 o el 32, en su caso. Entre ellas las más relevantes serán si acuerda la celebración de la audiencia (correspondiente al juicio oral en la jurisdicción de adultos) o el sobreseimiento de la causa. Esta sí que ha de ser una resolución judicial motivada, sin perjuicio de otras que podría dictar previamente el Juez de Menores, en caso de que hubiere acordado medidas cautelares o diligencias que afecten a derechos fundamentales"[20].

En el ámbito doctrinal, esta opción ha sido también defendida, apoyándola en similares argumentos. Para Jericó, al margen de los autos que el Juez de Menores puede eventualmente dictar resolviendo sobre diligencias de investigación restrictivas de derechos fundamentales o sobre la adopción de medidas cautelares (arts. 23.2. y 28 LORRPM), sería ésta (la de los arts. 33 y 34 LORRPM) la primera actuación con capacidad real para interrumpir, pues es ya en esta fase de audiencia cuando la LORRPM atribuye realmente al Juez de Menores la posibilidad de adoptar una auténtica resolución judicial motivada[21]. La misma solución propugna, por ello, *de lege ferenda,* a menos que se proceda a reformular sustancialmente el procedimiento vigente confiriendo al Juez auténticas facultades de control y evitando el automatismo que supone la actual regulación del art. 16.3 LORRPM[22], pues en la práctica –señala– son resoluciones "que se limitan a dar cuenta de la incoación del expediente por parte de la Fiscalía, sin que el JM realice ninguna actuación, ni mucho menos la de dirigir el procedimiento". "Esa ausencia de control por parte del JM de lo acordado por el MF impide constatar una auténtica voluntad de continuar o no con el procedimiento y por lo tanto atribuir autóno-

---

[20]    Según esta misma sentencia, y otras muchas, la resolución del art. 31 LORRPM tampoco tendría valor interruptivo interpretada conforme al art. 132 CP, pues "ha de limitarse a abrir el trámite de audiencia y a dar traslado a la acusación particular o actor civil, en su caso, y siempre a la defensa –y, en su caso, a los responsables civiles– para que formulen sus respectivos escritos de alegaciones en el plazo de cinco días hábiles. El Juez de Menores tampoco ha de razonar ni valorar nada relevante al dictar dicha resolución". Ya en este sentido, negando a la resolución del art. 31 LORRPM carácter interruptivo, la SAP Girona, 1ª, núm. 343/2011, de 6 de julio, Pte: Carol Grau (TOL 2.224.973).

[21]    Jericó Ojer, 2019: 23.

[22]    Jericó Ojer, 2019: 27.

ma, libre y motivadamente la presunta participación del menor en el hecho delictivo"[23].

## 3. Autos resolviendo sobre diligencias de investigación restrictivas de derechos fundamentales (art. 23.3 LORRPM) o adopción medidas cautelares (art. 28 LORRPM)

Aunque puedan existir discrepancias, como se ha visto, acerca de la resolución a la que atribuir con carácter general el efecto interruptivo, no parece que deba haberlas a la hora de reconocerle dicho efecto a ciertas resoluciones específicas que pueden acompañar también ocasionalmente el curso del procedimiento, por reunir con claridad los requisitos del art. 132 CP. En concreto, sea cual sea la opción elegida con carácter general (esencialmente, el auto de incoación o el de apertura de audiencia), el protagonismo interruptivo deberá ser compartido con el eventual auto del Juez de Menores resolviendo la petición del Ministerio Fiscal sobre la práctica de diligencias restrictivas de derechos fundamentales (al que se refiere el art. 23.3. LORRPM, adjetivándolo expresamente como *motivado*) y con el eventual auto de adopción de las medidas cautelares oportunas para la custodia y defensa del menor expedientado o para la debida protección de la víctima (art. 28 LORRPM).

Sobre ello, como se decía, no parece que deba existir discusión. El propio Tribunal Supremo, refiriéndose al derecho supletorio, ha destacado en reiteradas ocasiones que el art. 132.2 CP abarca un espectro amplio de posibles resoluciones interruptivas, sin ceñirse al solo auto de admisión de la denuncia o querella. Lo recordaba, por ejemplo, la STS de 14 de diciembre de 2018[24], indicando que "aunque parezca que la nueva regulación normativa (L.O. 5/2010, de 22 de junio, con entrada en vigor el día 23 de diciembre de 2010) se refiere a la admisión a trámite de la querella o denuncia, en realidad no dice exactamente eso, porque previamente pueden adoptarse otras resoluciones judiciales diversas, como el dictado de un Auto de intervención telefónica, o un registro domiciliario, o un mandamiento de detención, etc. Y tales actos

---

23 Jericó Ojer, 2019: 21 s.
24 STS 649/2018, de 14 de diciembre, Pte: Berdugo y Gómez de la Torre, ECLI:ES:TS:2018:4153 (TOL 6.958.106).

judiciales han de ser potencialmente aptos para interrumpir la prescripción, en tanto que manifiestan una resolución judicial motivada en la que se atribuye a un sospechoso su presunta participación en el hecho delictivo que se encuentra siendo investigado *(...)* por lo que concurren todos los elementos que exige la norma".

## 3. TOMA DE POSTURA. CONSIDERACIONES FINALES DE LEGE LATA Y DE LEGE FERENDA

### A) *Lege lata*

Expuesto el estado de la cuestión y antes de entrar en las reflexiones que me parecen necesarias para contextualizar adecuadamente el sentido de una eventual modificación legal, puede ser buen momento para recoger, de forma concentrada, el tratamiento que *de lege lata* entiendo que debe recibir entretanto esta cuestión, recapitulando con ello alguna posición ya fijada en las anteriores páginas y tomando partido en alguna otra cuestión pendiente. Aludiré a estas tres ideas:

1) En primer lugar, hay que insistir en la necesaria potenciación del valor suspensivo de la actuación del Fiscal, que debe trasladarse al primer plano, pues se trata de una posibilidad interpretativa que ha sido aún escasamente explorada por los distintos tribunales provinciales. En efecto, dado que cabe reconocerle sin dificultad valor de denuncia, hay que considerar que la notificación del expediente al Juez de Menores ocasiona, no la interrupción, pero sí la suspensión por un periodo máximo de seis meses (art. 132.2.2ª CP), realidad ya vigente que permite rebajar sensiblemente la tensión en la gestión de los plazos prescriptivos, especialmente de los más breves, mientras se aguarda el dictado de una resolución auténticamente interruptiva.

2) En segundo lugar, debe reconocerse valor interruptivo a los autos que resuelven sobre diligencias de investigación restrictivas de derechos fundamentales (art. 23.3 LORRPM) o sobre la adopción de medidas cautelares (art. 28 LORRPM).

3) Resta, en tercer lugar, la cuestión más espinosa: la identificación de la resolución judicial a la que reconocer, con carácter general, valor interruptivo. Al respecto, la tentación ante el desdén legislativo puede

ser la de conceder sin más que asiste la razón a quienes, no sin la Ley en la mano, entienden que solo la dictada en fase de audiencia está en condiciones de cumplimentar todos los requisitos literalmente exigidos por el actual art. 132 CP. El principio de legalidad, innecesario es detenerse en ello, no constituye una mera formalidad estética de la que se pueda prescindir. Apostar por aquella resolución, aunque pueda resultar una opción poco operativa, sería por tanto una comprensible forma de intentar llamar la atención legislativa e incentivar –si se generalizase, cosa que no ha sucedido en nuestros tribunales– una pronta reforma, en lugar de andar poniendo paños calientes desde el pragmatismo hermenéutico a la situación inconscientemente generada.

Lo acabado de afirmar puede cobrar incluso especial relevancia cuando, ante la redacción del apartado 3 del art. 16 LORRPM, cierta práctica forense ha llevado, como reconoce la propia jurisprudencia, a que sea el Secretario Judicial del Juzgado de Menores quien, al recibir la notificación del Ministerio Fiscal, dicte una mera diligencia de ordenación dando cuenta de su recepción y ordenando la formación del expediente. Resulta obvio que, con independencia de la corrección o incorrección formal que suponga obrar de tal modo, conlleva que dicha resolución no tenga capacidad interruptiva de la prescripción al no haber sido dictada por un Juez o Tribunal[25]. Y otro tanto cabe argumentar cuando se dicte una providencia de mero trámite, inmotivada, lo que contribuiría a cargar de razón a la interpretación comentada.

Pero, sentado lo anterior, queda espacio para alguna ulterior reflexión. En primer lugar, no hay que desorbitar las exigencias de motivación, que en este caso no se identifican con la estricta fundamentación de la participación del menor en un hecho delictivo. Recuérdese que el propio Tribunal Constitucional, con anterioridad a la reforma del art. 132 CP que él mismo provocó, consideró en algún caso correctamente interrumpida la prescripción mediante un simple auto de incoación de diligencias previas estereotipado, previo a la admisión de la querella (STC 129/2008, de 27 de octubre[26]), argumentando que no se puede sostener que "la única forma de dirigir el procedimiento contra el culpable pase necesariamente

---

[25]    SAP Girona, Secc. 3ª, núm. 349/2011, de 11 de julio, Pte: Carol Grau, (TOL 2.224.793).
[26]    Pte: Mª.E. Casas Baamonde, ECLI:ES:TC:2008:129 (TOL 1.391.041). Un comentario de (o contra) esta sentencia puede verse en Ruiz Zapatero, 2009.

por un procesamiento o por su imputación formal". En este sentido, y sin necesidad de contestar a alguna resolución aislada que en la jurisdicción de menores ha llegado a ubicar esa motivación en la propia sentencia[27], no puede dejar de observarse que retrasando la interrupción de la prescripción al auto de apertura de audiencia o decisión de pertinencia de las pruebas propuestas nos trasladamos, aunque sea por imperativo de la imprevisión de la Ley, a un momento procesal que resulta posterior incluso al dictado de sentencia de conformidad en determinados casos que la permiten (art. 32 LORRPM).

Por ello, parece que deben descartarse interpretaciones maximalistas en las exigencias de motivación material. Como recogía ya, entre otras muchas, la SAP Palencia 11/2012[28], el artículo 132 CP "se limita al reconocimiento judicial de la dirección del procedimiento contra el presunto culpable sin que se incluya exigir una valoración acerca del proceso mismo o de la base fáctica en que se fundamenta más allá de la existencia de indicios básicos acerca de la comisión de un hecho que reviste caracteres de ilícito penal". La Audiencia Provincial de Madrid, entre otras en su sentencia 376/2019[29], recuerda como el Tribunal Constitucional ha señalado que "lo imprescindible es la existencia de una acto de interposición judicial que garantice la seguridad jurídica y del que pueda deducirse la voluntad de no renunciar a la persecución y castigo del delito", e igualmente que " la determinación de la intensidad o calidad de dicha actuación judicial para entender interrumpido el lapso prescriptivo de las infracciones penales corresponde a la jurisdicción ordinaria" (STC 59/2010). Nada más. Y en tales coordenadas hermenéuticas –puntualiza la referida sentencia– "sí cabe una interpretación sistemática que valore en su conjunto el régimen legal de la prescripción regulado en el Código Penal y las peculiaridades del procedimiento previsto en la LORRPM, singularmente, la atribución al Ministerio Fiscal de la función instructora, en cuyo marco se produce precisamente la imputación inicial del menor

---

[27]   SAP Murcia, Secc. 2ª, núm. 320/2013, de 3 de diciembre, Pte: Carrillo Carrillo (TOL 4.063.803).

[28]   SAP Palencia, Secc. 1ª, núm. 11/2012, de 5 de diciembre, Pte: Rafols Pérez (TOL 3.013.973).

[29]   SAP Madrid, Secc. 4ª, núm. 376/2019, Pte: Hervás Ortiz (TOL 7.612.651).

y se traduce igualmente la voluntad del Estado de perseguir la infracción o infracciones penales indiciariamente cometidas por aquél".

Por otra parte, no falta tampoco razón a la abundante jurisprudencia que matiza la afirmación de que la resolución del Juez de Menores prevista en el artículo 16 LORRPM constituya necesariamente una resolución automática, de mero trámite, al aparecer relevantes efectos materiales asociados a la misma, aunque –hay que puntualizar– no sean en rigor producidos por ella[30].

Puede pues, y en definitiva, tener que asumirse que no sea hasta el auto de apertura de audiencia (art. 34 LORRPM) cuando se produzca el efecto interruptivo. Pero existe margen hermenéutico suficiente para, dando la razón a la tesis mayoritariamente sostenida actualmente por nuestros tribunales, no tener que aguardar a un trámite al que de forma tan antinatural aboca la imprevisión legal, trámite que, como decía, resulta ser incluso posterior al dictado de sentencia de conformidad en determinados casos que la permiten (art. 32 LORRPM) y que, desde

---

[30]    A partir de esta resolución se pone en marcha un abanico de posibilidades procesales para los distintos intervinientes que evidenciarían que la resolución judicial que el Juez dicta al amparo de ese art. 16.3 LORRPM tiene un trascendental contenido material. Como recoge la Circular 9/2011, dicho auto permite iniciar la apertura de la pieza de responsabilidad civil (artículo 16.4 y 64 LORRPM), a partir de ese momento las víctimas pueden personarse como acusación particular (artículo 25 LORRPM), se resuelven las peticiones de medidas cautelares (artículo 28.4º LORRPM), de diligencias restrictivas de derechos fundamentales (artículos 23.3 y 26.3 LORRPM), de declaración de secreto (artículo 24 LORRPM) o las solicitudes de prueba que hubiesen sido denegadas por el Fiscal y que el Juez podría decidir practicar por sí mismo si las considera relevantes a efectos del proceso (artículos 26 y 33 LORRPM). Además, a partir de dicho auto el Juez tiene la obligación de controlar que el menor expedientado sea informado de sus derechos o de hacerlo por sí mismo en defecto de la actuación fiscal (art. 22 LORRPM) y de velar porque se le proporcione asistencia letrada conforme a los plazos que prevé el art. 22.2 LORRPM, todo lo cual evidencia que estamos ante una resolución trascendente para el proceso y no de mero trámite determinada imperativamente por el Fiscal. La SAP Madrid, Secc. 4ª, núm. 376/2019, citada, pone por su parte el acento en que "el Juez de Menores, a la vista del contenido de la información remitida por el Ministerio Fiscal al darle cuenta de la incoación del expediente, puede denegar la iniciación de las diligencias correspondientes y la apertura de la pieza de responsabilidad civil cuando los hechos investigados no revistan manifiestamente caracteres de infracción penal, o bien, por ejemplo, cuando el menor investigado por la Fiscalía no sea mayor de 14 años, o incluso cuando los hechos estuvieran manifiestamente prescritos".

luego, en nada se ajusta a las necesidades propias de la prescripción penal, lo que entre otras cosas explica que pueda dar lugar a disfuncionalidades importantes, como el hecho de que quede en manos de la defensa del menor un cierto margen para alterar (abreviar en hasta cinco días) el plazo de prescripción legalmente establecido, y ello simplemente dilatando al máximo la presentación de su escrito de alegaciones (o no presentándolo), pues la Ley le confiere ese tiempo para la aportación de un escrito que es necesario para resolver mediante el auto al que se atribuye desde esta postura el valor interruptivo. Todo ello ha de servir para poner de manifiesto, al menos, que aunque pudiese tener que aceptarse aquella del auto de apertura de audiencia como solución *de lege lata*, en absoluto debe propugnarse como opción *de lege ferenda*.

## B) Lege ferenda

La convivencia con la situación expuesta durante hoy ya más de la mitad de los años de vigencia de la LORRPM puede haber hecho que la cuestión haya perdido parte de su intensidad. Puede apreciarse, incluso, un cierto equilibrio en la postura sostenida actualmente por nuestros tribunales provinciales, por cuanto requieren de forma constante una resolución judicial que ubican mayoritariamente, aunque existan discrepancias, en la dictada al amparo del art. 16.3 LORRPM. A su vez, existen también otras muchas cuestiones que esperan turno para ser reformadas, no ya en el Derecho penal de menores en general[31], sino incluso en el campo prescriptivo de menores en particular[32]. Todo ello

---

[31]　Como pudiera ser la ya mencionada relativa a la dotación de un mayor alcance al recurso de casación para unificación de doctrina, que hoy impide disponer de una jurisprudencia uniforme por su carácter restringido (en este sentido, Montero Hernanz, 2012: 6).

[32]　Sólo en materia de interrupción puede pensarse, de entrada, en las lagunas generales que ofrece el derecho supletorio, tanto en las ya existentes antes de su reforma como en las originadas con la nueva redacción (puede verse, Gili Pascual, 2015: 309 ss. y 336 ss.), lagunas todas ellas que forzosamente se ciernen, por remisión, sobre la jurisdicción de menores.

Pero también el específico ámbito juvenil genera necesidades de revisión propias en el terreno de la interrupción. Pensando en la extraprocesal, puede citarse la necesidad de tomar expresamente en consideración a efectos interruptivos el auto de inhibición derivado del art. 779.1 3ª LECrim., para solucionar expresamente los casos, frecuentes, en los que el atestado o denuncia no se recibe

puede aminorar, ciertamente, la sensación de urgencia en torno a la

directamente en la Fiscalía de Menores, sino en un Juzgado de Instrucción y, tras determinar la identidad, filiación y edad de los investigados, se constata que todos o alguno de los investigados son menores.

Particular atención en el ámbito juvenil merece asimismo la cuestión de la prescripción intraprocesal, no afectada por la reforma del CP y habitualmente objeto de menor atención, pero generadora, también, de notables incertidumbres. Nótese que el refuerzo procurado a la calidad del acto interruptivo extraprocesal se relaja después hasta el extremo una vez superada aquella primera interrupción, concediéndosele, ahora sí, eficacia interruptiva a casi cualquier actuación, no ya del Fiscal, sino de la más variada procedencia (lo que, en otro orden de cosas, viene a evidenciar que no es la procedencia –judicial o no– del acto lo que lo dota de poderes interruptivos). Esta minoración de las exigencias en el terreno intra-proceso fue inmediatamente destacada por la FGE, cuya Circular 9/2011 ya se apresuró a señalar que "el nuevo art. 132.2 CP se refiere tan sólo al primer acto interruptivo de la prescripción, debiendo entenderse inalterada la doctrina general de la prescripción jurisprudencialmente consolidada respecto a los subsiguientes. Lo cual es enteramente trasladable al ámbito de la jurisdicción de menores. De esta forma, una vez incoado expediente –o presentado el parte y dictado auto de incoación por el Juzgado– interrumpirán la prescripción todos aquellos actos del Fiscal en el expediente, desarrollando su actividad instructora, que lo fueran de verdadera prosecución del procedimiento, con contenido sustancial y no de mero trámite". En la misma línea, señala en su FJ 2º la reciente SAP Madrid, Secc. 4ª, núm. 216/2020, de 27 de julio, Pte: Hervás Ortiz. ECLI: ES:APM:2020:8451 (TOL 8.105.606), citando la anterior de 18 de mayo de 2015, que "aun siendo cierto que el primer acto de interrupción de la prescripción tiene que venir constituido por una resolución judicial motivada, en los términos previstos en el artículo 132.2.1ª del Código penal, no es menos cierto que, una vez recaída tal resolución, sí producen efecto interruptivo las sucesivas actuaciones sustanciales de avance o continuación del procedimiento instructor que se desarrollan en la Fiscalía de Menores o en cumplimiento de lo determinado por esta última (...)". Con este planteamiento se han podido considerar interruptivas, a título de ejemplo, la citación al objeto de que el menor sea entrevistado por el Equipo Técnico (SAP Madrid, Secc. 4ª, núm. 161/2019, de 7 de mayo, Pte: Hervás Ortiz; ECLI ES:APM:2019:15247), la comunicación por el Colegio de Abogados de la designación de abogado de oficio, el examen del médico forense, la solicitud al Equipo Técnico de elaboración del informe previsto en el art. 27.1 LORRPM, el decreto acordando remitir informe del Equipo Técnico a la Entidad Pública de Protección de Menores, el Informe de la educadora dando cuenta de la imposibilidad de realizar las sesiones programadas que daban contenido a la reparación extrajudicial, o el decreto de conclusión de fiscalía (Auto AP Barcelona, Secc. 3ª, núm. 391/2020, de 14 de mayo, Pte: Rueda Soriano, ECLI: ES:APB:2020:5559A; TOL 8.042.767). En cambio, se ha denegado efecto interruptivo intra-procesal a la diligencia de ordenación acordando la unión de los informes de asesoramiento técnico de los menores, por constituir "mera resolución ordenatoria que no im-

modificación que nos ocupa[33].

---

plica prosecución penal alguna" (SAP Tarragona, Secc. 4ª, núm. 394/2014, de 29 de septiembre, Pte: Calvo González, TOL 4.673.357).
En cualquier caso, existen multitud de cuestiones puntuales asimismo revisables en el ámbito prescriptivo si se amplía el análisis a otros ámbitos distintos de la interrupción.
En materia de plazos, por ejemplo, se ha puesto el foco, además de en la brevedad del previsto para los delitos leves, en la desproporción interna que se observa entre los plazos previstos para las infracciones en relación con los establecidos para las medidas, a diferencia de lo que ocurre en el Código penal, y se ha sugerido la ampliación de los establecidos para las medidas de internamiento en régimen cerrado. Esta situación, agravada tras la reforma operada por la L.O. 8/2006 (que impuso para determinados delitos el mismo plazo de prescripción previsto para el derecho penal de adultos mientras que mantuvo los plazos de tres, dos y un año previstos para las medidas) carece de una justificación plausible y genera, como observa Montero Hernanz (2012: 4 s.), desproporciones difíciles de asumir.
En relación con el cómputo, para completar esta panorámica general, plantea problemas específicos la fijación de la mayoría de edad como *dies a quo* en ciertos delitos, pudiendo requerir atención específica, por ejemplo, el hecho de que se produzca la paralización en un procedimiento penal ya iniciado. En estos supuestos, como señala el Auto AP Barcelona núm. 23/2020, de 7 de enero, Pte: Martínez Luna, ECLI: ES:APB:2020:1434A (TOL 7.864.355), carece de toda justificación que el imputado tenga que soportar el plazo correspondiente a la edad del menor pese a la completa paralización durante los plazos que ordinariamente darían lugar a la prescripción del delito. A favor de la toma en consideración en estos casos de la última actuación procesal que haya supuesto persecución, sin esperar a que la víctima alcance la mayoría de edad, Ragués Vallès (2004: 154).
Tampoco está exenta de reparos, en fin, la regulación de la prescripción de las medidas (art. 15.2 LORRPM), que en este caso encontrarían en el art. 134 CP su régimen supletorio.
Todo lo anterior no hace sino poner de manifiesto la necesidad de una reforma amplia que, como se indicaba en la *Introducción*, en realidad debe acometerse como una revisión global de la cuestión prescriptiva (y no como un simple parche coyuntural a la sangrante, pero a fin de cuentas puntual, cuestión de la interrupción extraprocesal). Tal revisión debe abordarse con soluciones específicas para el derecho penal juvenil, independientes del derecho penal de adultos.

[33]   Puede ser significativo al respecto el hecho de que esta cuestión no aparezca ya entre las propuestas de reforma que en materia de menores recoge la última Memoria de la FGE, de 2020 (cuya preocupación principal en este campo se concentra en los problemas que origina la coexistencia de encartados mayores y menores de edad). Ello resulta si cabe más sintomático si se repara en que entre las propuestas de reforma del Derecho penal sustantivo de adultos aparece justamente la interrupción de la prescripción del delito, lamentándose la vaguedad de la fórmula legal (para proponer, si bien no redactar un listado exhaustivo de

Antoni Gili Pascual

Pero que pueda relativizarse su perentoriedad solo significa reconocer que el problema se ha cronificado, no que haya disminuido su importancia ni, menos aún, que se haya resuelto por sí solo, por lo que no puede sorprender que los distintos operadores jurídicos hayan seguido solicitando con insistencia esta reforma[34]. Téngase en cuenta, de un lado, que el consenso jurisprudencial existente es solo relativo, terminando abruptamente en la exigencia genérica de una resolución judicial, para continuar con una fuerte disparidad, como se ha visto, en cuanto a la concreta resolución a la que deben atribuirse efectos interruptivos, lo que tiene drásticas consecuencias para el justiciable.

---

resoluciones interruptivas, lo que se reconoce inviable, sí la regulación expresa de los supuestos más comunes y problemáticos, añadiendo una cláusula general). También se recoge una reforma necesaria en materia de prescripción de la pena, para clarificar expresamente desde la ley que el periodo de suspensión de la pena durante la tramitación de un indulto, de un recurso de amparo, o de cualesquiera otras actuaciones en cuya virtud haya sido decretada aquella suspensión habrá de implicar la paralización del plazo de prescripción, cuyo cómputo se reiniciará tras el alzamiento de la suspensión.

[34]  En el ámbito jurisdiccional pueden verse, por ej., el reciente Auto AP Barcelona, Secc. 3ª, nº 23/2020, de 7 de enero, Pte: Martínez Luna, ECLI: ES:APB:2020:1434ª (TOL 7.864.355), recordando su doctrina anterior; la SAP Tarragona, Secc. 4ª, núm. 278/2017, de 18 de julio, Pte: Revuelta Muñoz, ECLI:ES:APT:2017:1081 (TOL 6.432.622), o la SAP Barcelona, Secc. 3ª, núm. 498/2017, de 25 de octubre, Pte: Linage Gómez, ECLI: ES:APB:2017:11073 (TOL 6.469.084), reproduciendo en su Fdto. Jco. Único el contenido de su anterior sentencia de 17 de sept. de 2015 –Pte: Valle Esques–, en el que se subraya "la necesidad de que la LORRPM regule de forma expresa la prescripción, sin remitirse a lo dispuesto en el Código penal, toda vez que una aplicación coherente de la jurisprudencia del Tribunal Constitucional hace en gran parte inaplicable al proceso penal de menores la regulación de la prescripción contenida en el Código penal vigente, produciéndose una situación de vacío normativo que comporta consecuencias indeseadas, tanto para el legislador como para los operadores jurídicos". En idéntico sentido, la SAP Tarragona, Secc. 4ª, núm. 394/2014, de 29 de septiembre, Pte: Calvo González (TOL 4.673.357).
Por su parte, el Informe del CGPJ sobre el Anteproyecto de la última gran reforma del CP (L.O. 1/2015) ya se pronunció lamentando precisamente (p. 147) "que no se h[ubiese] aprovechado la reforma para solventar un problema tan grave como el de la prescripción de las infracciones penales de menores", advirtiendo que se "c[orría] el riesgo de que los delitos cometidos por los menores prescrib[iesen] por las peculiaridades del procedimiento" (o peor –cabría apostillar– de que se castigasen delitos prescritos).

De otro lado, y aún más importante, debe tenerse en cuenta que la solución acogida mayoritariamente por nuestros tribunales se ha limitado, resignadamente a mi juicio, a intentar cubrir el expediente de la literalidad del nuevo art. 132 CP procurando aferrarse para ello a la primera resolución judicial disponible –el auto de incoación del art. 16.3 LORRPM– aunque haya sido pasando de puntillas sobre el hecho de que ésta pueda no resultar aún realmente *motivada*. Sin embargo, y esto es lo trascendente, tal solución de compromiso no se amolda realmente ni a las necesidades del proceso penal de menores vigente ni a las exigencias derivadas de la esencia de la prescripción.

Es sobre esta última cuestión, que me parece clave para enfocar adecuadamente una eventual modificación legal, sobre la que me interesa incidir especialmente en esta contribución. Pues a mi entender parte de las propuestas de reforma existentes, justamente las más elaboradas, parten sin embargo del *status quo* generado a partir de la reforma del art. 132 CP (esto es, del requerimiento de una resolución judicial motivada), sin indagar más atrás, como si de una realidad natural inherente a la prescripción se tratase, asumiéndola en mi opinión con excesiva prontitud.

Por ello, en las páginas que siguen se intentará ahondar en el sentido que ostenta realmente la interrupción en el seno de la institución prescriptiva y se profundizará también en las auténticas razones por las cuales el derecho vigente exige actualmente –de forma coyuntural en mi opinión, como se verá– una resolución judicial motivada. Las conclusiones, en las que a mi juicio deben asentarse los cimientos de una eventual modificación legal, relativizan algunas de las convicciones imperantes en esta materia.

## 1. El sentido de la interrupción desde el fundamento de la prescripción

La prescripción penal encuentra su genuino fundamento en los fines preventivos de la pena (no, lógicamente, en los retributivos), subrogándose el paso del tiempo en el lugar que le correspondería a la sanción. Con el paso del tiempo, en efecto, los hechos adquieren en un determinado sentido *carácter histórico* y, desde el momento en que el Derecho penal tiene que ver solo con la configuración de la vida social del presente[35], aquella pena deviene innecesaria desde el punto de vista preventivo, no estando en consecuencia justificada su imposición (ni, en su caso, la ejecución de la ya impuesta)[36]. Esta es, despojada de las múltiples consideraciones adyacentes que a menudo se le solapan, la razón de ser de la prescripción en el terreno penal, su principio activo debidamente aislado. Debe quedar claro, en todo caso, que no por ello existe una ley natural o universal que conforme a la razón indicada obligue de algún modo a contar con esta institución (como no existe tampoco, refiriéndonos ahora a nuestro ordenamiento en concreto, una obligación constitucional de preverla[37]). De hecho, prescinden de ella aquellos ordenamientos que consideran, legítimamente, que ningún tiempo debe condicionar al Estado, del mismo modo en que puede observarse en ordenamientos como el nuestro, que sí la admiten, una tendencia creciente a ampliar el elenco de los delitos que la excluyen (imprescriptibilidad), leyendo para ello el legislador –supuestamente– el sentir social respecto de los ilícitos afectados. Pero estas últimas aclaraciones no hacen sino ratificar el axioma general expuesto. De modo que la cuestión clara y ahora relevante es esta: que si dicha institución se acoge en el derecho positivo, la razón que en el específico terreno penal (no así en otros) le dará vida –y habrá de informar en consecuencia su interpretación– será el *decaimiento de la necesidad de pena* conforme a lo acabado de indicar. Esta concepción es plenamente válida para el derecho penal de menores, sin que la altere la singularidad que le confiere su carácter educativo-sancionador[38], lo que simplemente lleva a alzaprimar en

---

[35]    Bloy, 1976: 188 s.

[36]    Puede verse, Gili Pascual, 2001: 76 ss.

[37]    Aunque la STC 157/1990, de 18 de octubre, Pte: M. Rodríguez-Piñero y Bravo-Ferrer, ECLI:ES:TC:1990:157 (TOL 81.835), indicaba que "sería cuestionable constitucionalmente un sistema jurídico que consagrara la imprescribilidad absoluta de delitos y faltas", también se aclaraba con posterioridad (por ejemplo, por la STC 63/2001, de 17 de marzo, Pte: P. Cruz Villalón, ECLI: ECLI:ES:TC:2001:63, TOL 81.434), a renglón seguido de aquella misma afirmación, que el texto constitucional no impone su existencia. En contra de esta última afirmación, véase Caamaño, 2003: 163, quien vincula la prescripción con el derecho constitucional a la seguridad personal del art. 17.1 (2003: 158 ss.).

[38]    Y ello sin perjuicio de que el interés superior del menor que informa la regulación en este campo pueda inspirar el reconocimiento de otros efectos al paso del tiempo en este ámbito. Pero no serán prescripción. Así, el art. 27.4 LORRPM

relación con determinados aspectos el decaimiento del fin preventivo-especial[39].

Llegados a este punto conviene subrayar ya que la concepción antedicha sobre el fundamento de la prescripción, anclada en la *necesidad de pena*, no es una más entre las justificaciones teóricas posibles de la institución, sino que ha sido asumida con claridad en los últimos años por la jurisprudencia constitucional[40], provocando con

---

prevé la posibilidad de que el equipo técnico proponga en su informe la conveniencia de no continuar la tramitación del expediente en interés del menor, por haber sido expresado suficientemente el reproche al mismo a través de los trámites ya practicados, o por considerar inadecuada para el interés del menor cualquier intervención *"dado el tiempo transcurrido desde la comisión de los hechos"*. En estos casos –prosigue el indicado precepto– *"si se reunieran los requisitos previstos en el artículo 19.1 de esta Ley, el Ministerio Fiscal podrá remitir el expediente al Juez con propuesta de sobreseimiento, remitiendo además, en su caso, testimonio de lo actuado a la entidad pública de protección de menores que corresponda, a los efectos de que actúe en protección del menor".*

[39]    Así, las características del sujeto activo motivan para un buen número de delitos (para otros no) una lectura diferente en cuanto a los plazos necesarios para dicho decaimiento de la necesidad de pena, abreviándolos sustancialmente (art. 15, aptdos. 2° a 5° LORRPM). Para éstos, pesa especialmente la consideración de que el sentir social no reclama mayores requerimientos preventivo generales, aceptando en cambio la conveniencia de atender más intensamente a los preventivo-especiales que por razón de la edad reclama su autor. Ello es consecuente con el contenido de instrumentos internacionales como la Recomendación del Comité de Ministros del Consejo de Europa n° R (87) 20, sobre reacciones sociales ante la delincuencia juvenil, adoptada el 17 de septiembre de 1987, que reclama "asegurar una justicia de menores más rápida, evitando retrasos excesivos, para que pueda tener una acción educativa eficaz".
Para las infracciones enumeradas en el aptdo. 1° del citado artículo, en cambio, el legislador antepone las consideraciones preventivo generales, equiparando para ellas los plazos de prescripción a los del derecho penal de adultos. Antes de su inclusión en el art. 15 –lo que tuvo lugar de la mano de la reforma operada por la L.O. 8/2006– la equiparación de los plazos para los delitos previstos en los artículos 138, 139, 179, 180, 571 a 580 y aquellos otros sancionados en el Código Penal con pena de prisión igual o superior a quince años fue ya establecida por la Disposición Adicional Cuarta, añadida por el artículo tercero, aptdo. 2 f), de la L.O. 7/2000, de 22 de diciembre, de modificación de la Ley Orgánica 10/1995, de 23 de noviembre, del Código Penal, y de la Ley Orgánica 5/2000, de 12 de enero, reguladora de la Responsabilidad Penal de los Menores, en relación con los delitos de terrorismo.

[40]    Señala la STC 63/2005, de 14 de marzo, Pte: Gay Montalvo, ECLI: ECLI:ES:TC:2005:63 (TOL 609.870) FJ 6° que "el establecimiento de un pla-

ello notables y bien conocidas consecuencias tanto en las resoluciones sucesivas de la jurisdicción ordinaria como en el terreno legislativo (hallándose en la base de las importantes reformas operadas en el código penal por las LL.OO. 5/2010 y 1/2015).

Pues bien, tomar conciencia de la consolidación de este planteamiento resulta particularmente importante porque implica que habrá de ser en dicho contexto de fundamentación donde deba localizarse el auténtico sentido que en el seno de la institución debe atribuirse

---

zo de prescripción de los delitos y faltas no obedece a una voluntad de limitar temporalmente el ejercicio de la acción penal por denunciantes y querellantes (configuración procesal de la prescripción), sino a la voluntad inequívocamente expresada por el legislador penal de limitar temporalmente el ejercicio del ius puniendi por parte del Estado en atención a la consideración de que el simple transcurso del tiempo disminuye las necesidades de respuesta penal (configuración material de la prescripción)".

Con todo, y como le ocurre también a parte de la doctrina, la jurisprudencia constitucional ha sucumbido también a la tentación de *reforzar* dicha fundamentación genuina aludiendo a otro tipo de consideraciones (como la seguridad personal o la propia libertad individual) que, como sucede con la referencia a otras circunstancias, tales como las dificultades probatorias derivadas del paso del tiempo, no son sino efectos coyunturales que no fundamentan la institución ni, y esto es lo realmente importante, deben guiar en consecuencia la interpretación de los aspectos relativos a su funcionamiento. El vértigo ante el reconocimiento de aquella fundamentación única puede explicarse, por una parte, por la subconsciente tendencia a verificar la veracidad del postulado –decaimiento de la necesidad de pena– en el caso concreto (en el que con frecuencia aspectos como la alarma social, las características personales del autor u otros tenderán a difuminarlo y hasta desmentirlo) en lugar de hacerlo asumiendo que la lectura sobre la pervivencia de la necesidad de pena es la que, con mayor o menor acierto, realiza anticipadamente y en abstracto –esto es, alejada del caso concreto y a modo de presunción *iuris et de iure*– el legislador. Por otra parte, subyace en tal tendencia al "refuerzo" de la fundamentación indicada la presión que ejerce la propia contundencia de los efectos que produce la prescripción (determinando en nuestro concreto ordenamiento –no tendría por qué ser necesariamente así– el "o todo o nada" de la responsabilidad). No obstante, este ejercicio de engorde o acrecentamiento de los apoyos para la mejor legitimación de una institución con efectos tan decisivos, aunque comprensible por lo dicho, resulta equivocado, pues no solo no mejora dicha legitimación, como bienintencionadamente pretende, sino que genera a cambio una clara desorientación en cuanto a las derivaciones que deben proyectarse en su regulación positiva; o, dicho de otro modo: para sostenerse con auténtica coherencia, tal ampliación del elenco de fundamentaciones debería conllevar cambios drásticos en su regulación, que en realidad no se defienden por sus patrocinadores.

a la previsión de la *interrupción* del plazo. Y en tal contexto se hace evidente que el modelo de interrupción por actos del procedimiento en el que se inscribe el sistema español no constituye un derivado del indicado fundamento. Como he sostenido en alguna otra ocasión, admitido por una parte que la desvaloración social relevante surge con la comisión del hecho y, por otra, que la pena que cabe asignar a aquella desvaloración deja de tener sentido por el transcurso de un periodo de tiempo previamente establecido, no hay terceros argumentos que permitan entender que lo sucedido durante el término correspondiente –máxime cuando ha acontecido con independencia del autor– pueda cambiar el hecho cierto de que aquel periodo ha transcurrido efectivamente. Otra cosa sería, negando la mayor, equiparar como generadores de la misma desvaloración social cada uno de los actos de instrucción, por entender que éstos mantienen vivo el recuerdo del delito. Pero tal presunción tomaría como presupuesto la idea equivocada de que la prescripción obedece al efectivo *olvido social* del hecho, y no al fundamento antes identificado, cuando tal olvido no es ni presupuesto necesario ni suficiente de la institución, ni por tanto guía para su interpretación y funcionamiento[41].

En definitiva, y por lo tanto, si la prescripción penal encuentra su razón de ser en el *decaimiento de la necesidad de pena*, aquélla se concibe como reflejo de la *soportabilidad social del hecho*, apuntando a un modelo de funcionamiento objetivizado que opere de forma progresiva desde su comisión: es la sociedad quien, anticipadamente y alejada del caso concreto, define en función de las características del hecho (principalmente de su gravedad) el plazo durante el cual no se considera en condiciones de renunciar al castigo para configurar la vida social del presente, estableciendo tal plazo de forma taxativa para salvaguardar la seguridad jurídica. Frente a ello, la introducción de un sistema de interrupciones no deja de orientar la institución en el sentido justamente opuesto, hacia una concepción de la misma como reflejo de una *soportabilidad personal*, al alterar en atención a circunstancias posteriores más o menos aleatorias o imprevisibles el nivel de la soportabilidad colectiva que de forma anticipada se ha establecido. Resulta claro, por tanto, que no es el fundamento de la

---

[41]    Gili Pascual, 2001: 179 ss.

prescripción el que reclama la introducción de causas de interrupción. Sino que tal fundamento, como bien ha intuido y expresado el propio TC en sus resoluciones[42], cuenta entre sus efectos con el de producir un inevitable acercamiento del *dies ad quem,* de la extinción de la responsabilidad, al momento de comisión del delito, aproximando de este modo la prescripción penal a la *caducidad* (y distanciándola con ello de sus parientes en otras ramas del ordenamiento).

Siendo lo anterior así, hay que preguntarse qué justificación cabe atribuir entonces –si es que cabe atribuirle alguna– a la introducción de causas de interrupción. Y la respuesta a esta pregunta se encuentra, únicamente, en razones pragmáticas vinculadas a la realidad de la práctica forense, de la que la Ley no puede desentenderse so pena de debilitar con ello el propio mensaje preventivo de la norma, que más fácilmente podría resultar inaplicada. Si la justicia no puede ser instantánea, no queda más remedio que conceder el espacio necesario a previsiones utilitarias que, como la interrupción, la posibiliten, aun aceptando costes de *soportabilidad personal* (los inevitables) para el justiciable que no se compadecen exactamente con el sentido último de la institución que las acoge. De otro modo sería en papel mojado que se señalara, por ejemplo, que tal o cual delito prescribe a los cinco años: recibida la *notitia criminis* a los cuatro, el mensaje de la Ley estaría ya disuadiendo de su esfuerzo a los órganos encargados de perseguirlo, sabedores de que el año restante resulta a todas luces insuficiente para culminar la instrucción y enjuiciamiento. Precisamente por ello, afrontar esta cuestión por la vía de ampliar sistemáticamente los plazos no es un camino realista. Pues además de desoír con ello las exigencias de proporcionalidad, se seguiría tropezando con el obstáculo de convertir en ilusorios los plazos legales ampliados, al disuadir del inicio de procedimientos por delitos próximos al momento de prescripción, que se sabe de antemano que no contarán con tiempo material para su culminación.

Esta justificación de la interrupción en razones meramente pragmáticas –y no en elevados principios– no debe llevar, sin embargo, a desdeñar la importancia de la interrupción ni a la equivocada conclu-

---

[42]   P. ej., STC 129/2008, de 27 de octubre, Pte: Casas Baamonde, ECLI:ES:TC:2008:129 (TOL 1.391.041).

sión de que ésta resulta sin más prescindible, como alguna voz –hasta donde alcanzo a ver aislada– ha venido a sugerir incluso *de lege lata* precisamente en el ámbito de la Jurisdicción de Menores[43] (lo que, de resultar compartible –que a mi juicio no lo es– convertiría el aquí tratado en un problema ficticio). Claro que, pensando en esa fundamentación pragmática pueden alumbrarse soluciones a mi juicio más convenientes, menos contundentes que la interrupción con cómputo íntegro *ex novo* actualmente prevista, como puede ser la suspensión o una interrupción con atenuaciones en función de la parte proporcional del tiempo transcurrido, aunque ésta es ahora otra cuestión de política criminal que nos alejaría demasiado.

---

[43]   El voto particular formulado por la magistrada Carmen Orland Escámez a la SAP Huelva, Secc. 1ª, núm. 371/2017, de 29 de diciembre, Pte: García-Valdecasas y García-Valdecasas, ECLI:ES:APH:2017:948 (TOL 6.544.349) viene a sostener, subrayando la naturaleza de la Jurisdicción de Menores como sistema autónomo frente a la Jurisdicción Penal de adultos, que el art. 132 CP no debe entrar en realidad en juego como derecho supletorio en la regulación penal del menor. Para ello, se invoca la vigencia de principios propios de esta jurisdicción "como los relativos a las facultades discrecionales y a la remisión de casos (Reglas sexta y once de las Reglas mínimas uniformes de las Naciones Unidas para la Administración de Justicia de Menores –reglas de Beijing–, adoptadas por la Asamblea General de las Naciones Unidas el 29 nov. 1985), a la preferencia por respuestas extrajudiciales en cualquier momento de los procesos en la medida de lo posible y la orientación no meramente punitiva o represiva sino principalmente educativa, si bien sin perder de vista un aspecto sancionador".
Partiendo de tales presupuestos, parece sugerirse que no existe necesidad de considerar la aplicación supletoria del art. 132, "porque la Jurisdicción de Menores claramente tiene su propio precepto para ello, el art. 15, que en uno solo de sus párrafos remite al CP. No cabría así la aplicación de la norma supletoria cuando la norma especial regula el supuesto aunque no se ocupe de la interrupción, lo que permitiría la discrecionalidad de la respuesta en función de las distintas circunstancias concurrentes pues el principio de seguridad jurídica no tiene aquí el alcance que cobra en el sistema penal de adultos".
Como se ha señalado en el texto, sin embargo, tales consideraciones, que minarían la propia aplicabilidad de las normas sancionatorias sin beneficiar tampoco a la seguridad jurídica, no parece que deban imponerse a la remisión general que efectúa la DF 1ª LORRPM en relación con todo "lo no previsto expresamente en esta Ley". Debe entenderse, en cambio, que la pretensión del legislador proyectada en el art. 15 fue la de singularizar los plazos aplicables en este ámbito en atención, si se quiere, a aquellos principios, pero no la de erigir los silencios de dicho precepto sobre cuestiones necesarias para el funcionamiento de la institución en ley especial en relación con ellas.

## 2. El sentido de la exigencia de un acto de intermediación judicial desde la perspectiva constitucional. A la vez, origen de la actual redacción del art. 132 CP, supletorio de la LORRPM

Una vez sentado que la interrupción se explica sólo por razones utilitarias y no como necesidad derivada de –ni concordante siquiera con– el fundamento de la prescripción, interesa aclarar a continuación hasta qué punto la concreta exigencia para ello de una "resolución judicial motivada en la que se atribuya la presunta participación en un hecho que pueda ser constitutivo de delito" (art. 132.2. regla 1ª CP) es a su vez, o no, un derivado necesario de dicho fundamento, una exigencia consustancial al instituto prescriptivo. Y la respuesta debe aquí ser negativa:

Hay que recordar a tal efecto que los actuales términos legales del art. 132.2 CP –que rigen asimismo en el ámbito de la responsabilidad penal del menor vía DF 1ª LORRPM– constituyeron en realidad una solución de compromiso entre las posturas enfrentadas que en su momento sostuvieron, al hilo del valor interruptivo de la mera interposición de la denuncia/querella, el Tribunal Supremo por una parte y el Tribunal Constitucional por otra, plasmando este último su postura especialmente a partir de la STC 63/2005. Años después resulta habitual manejarse con la idea en virtud de la cual la interrupción requiere de una resolución judicial motivada (no en vano así lo dispone hoy expresamente la Ley) pero dando por sentado que ello es plasmación directa de las exigencias constitucionales, y en particular del fundamento de la prescripción penal identificado por el intérprete supremo de la Constitución (art. 1º LOTC). Pero no es exactamente así. Y es bueno recordarlo cuando, como ahora, nos queremos preguntar en abstracto por la aptitud interruptiva de otro tipo de actuaciones, como las del Ministerio Público en el caso que nos ocupa. En la sentencia indicada y en las que la sucedieron, el Tribunal Constitucional no dijo que, con carácter general y a modo de dogma derivado del único fundamento constitucionalmente legítimo de la prescripción penal, la interrupción debiese necesariamente asociarse a un *acto de intermediación judicial* –tal fue la terminología empleada, intencionadamente vaga (STC 63/2005, FJ 8°)[44]–. Sino que se limitó, con los restringidos márgenes que confiere el recurso de amparo[45], a la interpretación de una concreta expresión legal: la referencia a la "*dirección del procedimiento contra el culpable*" que se contenía en la que fue la redacción inicial del art. 132 del código vigente, heredada en realidad del código anterior (art. 114 ACP) y a fin de cuentas conocida desde antiguo por nuestro derecho histórico (así, por el art. 133 del código penal de 1870).

Se trató pues, en realidad –conveniente es recordarlo–, de un problema concreto de subsunción, de razonabilidad en la aplicación del derecho positivo, que al no ser directamente invocada en el recurso en esos términos –el recurrente no cuestionó el criterio interruptivo manejado por la jurisprudencia ordinaria–, derivó, para salir adelante, en una construcción cimentada en el derecho fundamental a la tutela judicial efectiva (art. 24 CE), reforzada después con otras consideraciones atentas al derecho fundamental a la libertad (art. 17 CE)[46]. Pero lo que en definitiva se venía a significar entonces era únicamente que, para la interpretación de ese concreto pasaje legal –como, por lo demás, para la de cualquier otro en materia de prescripción dada la importancia de las consecuencias que sobre los citados derechos fundamentales se derivan de ella– debía operarse por la jurisprudencia ordinaria con un *canon de motivación reforzado* que, eso sí, por la vinculación material de la institución con la función de la pena que se vino a consagrar entonces, situaría *fuera de la razonabilidad* aquellas aplicaciones de la ley que no tuvieran motivadamente en cuenta dicha conexión[47]. Nada menos, pero tampoco nada más. Aplicado este

---

44      De *acto de interposición* judicial hablaba el trabajo de Huerta Tocildo (2005: 524 y 526), contemporáneo de la sentencia citada.

45      Aunque probablemente se extralimitase en su función enjuiciadora, como censuraron ya entonces los propios votos particulares a la sentencia (Martín de Hijas y Rodríguez Arribas) entendiendo inapropiado extenderse sobre la esencia y fundamento de la institución para pasar a crear una teoría general de la prescripción penal. Hubiera bastado, señalaron, con indicar si la interrupción se atenía o no al canon constitucional exigido, sin invadir funciones que son propias de la jurisdicción ordinaria conforme al art. 117 CE.

46      Gili Pascual, 2015: 307.

47      Al afectar a los derechos fundamentales a la libertad y a la legalidad penal de quien invoca esta causa extintiva de la responsabilidad penal –señalaba la citada sentencia- la decisión judicial por la que se desestima una pretensión de prescrip-

Antoni Gili Pascual

patrón de razonamiento, en aquella ocasión se vino a considerar efectivamente *irrazonable* la integración de la expresión legal indicada (*dirigir el procedimiento contra el culpable*) con la mera interposición de la querella[48], como con posterioridad se estimaría también respecto de la interpretación efectuada por los tribunales ordinarios en otros aspectos concretos de la regulación positiva (como ocurrió en el ámbito de la prescripción de la pena, por esa falta de la motivación reforzada suficiente en determinados planteamientos jurisprudenciales). Pero nunca se dijo, ni se podía haber dicho, que la Ley tuviese que decantarse por una concreta solución interruptiva de la prescripción penal debido al fundamento que le era propio.

La postura del TC, en suma, ni prejuzgó ni quiso prejuzgar qué debe disponer *de lege ferenda* la ley en relación con la cuestión interruptiva. Más aun: en relación con lo dispuesto *de lege lata,* constituyó entonces y sigue constituyendo hoy doctrina reiterada del TC que la apreciación de la prescripción es una cuestión de legalidad que corresponde decidir a los Tribunales ordinarios, aunque matice que ello no significa que cualquiera que sea la decisión que se adopte en un proceso penal sea irrevisable a través del recurso de amparo[49].

---

ción "debe contener un razonamiento expresivo de los elementos tomados en cuenta por el órgano judicial al interpretar las normas relativas a esta institución –que, por otra parte, distan mucho de ser diáfanas–, en el entendimiento de que esa interpretación debe estar presidida por la *ratio legis* o fin de protección de dichas normas. De manera que no resultará suficiente un razonamiento exclusivamente atento a no sobrepasar los límites marcados por el tenor literal de los preceptos aplicables, sino que es exigible una argumentación axiológica que sea respetuosa con los fines perseguidos por el instituto de la prescripción penal".

[48]    Con toda probabilidad, jugó un papel destacado en la adopción inicial de este posicionamiento lo extremado del caso que motivó la solicitud de amparo: el escrito de formalización de la querella fue accidentalmente extraviado, trascurriendo casi dos años (desde marzo de 1998 hasta febrero de 2000) hasta que fue finalmente hallado de manera fortuita, acordándose su tardía admisión a trámite cuando el plazo de prescripción había ya vencido.

[49]    En este sentido, debe reconocerse que, con mejor o peor resultado, el TC ha hecho esfuerzos para huir de cualquier elaboración de criterios generales que pudiesen interpretarse como invasión de las funciones de la jurisdicción ordinaria. La STC 79/2008, de 14 de julio de 2008, Pte: R. Rodríguez Arribas, ECLI: ECLI:ES:TC:2008:79 (TOL1.348.963), a título de ejemplo, pudo conceder así el amparo sin entrar a cuestionar el fondo de la doctrina jurisprudencial que man-

## 3. La arquitectura del proceso penal de menores como marco de referencia. Conclusiones desde la esencia de la prescripción: necesidad de seguridad jurídica, innecesariedad de resolución judicial

Las consideraciones anteriores constituyen a mi juicio la base necesaria para abordar con garantías la posibilidad de atribuir, *de lege ferenda,* valor interruptivo a la actuación del Fiscal[50]. Tales consideraciones han puesto fundamentalmente dos cosas de manifiesto. Por un lado, que al obedecer la previsión de la interrupción en el ámbito de la prescripción penal a razones meramente utilitarias, y no a ineludibles exigencias conceptuales, el acto interruptivo no tiene tampoco por qué venir investido de ninguna cualidad especial para resultar válido, sino que debe, simplemente –de inmediato volveré sobre esta cuestión– aparecer taxativamente identificado en la Ley. Y ponen de manifiesto, en segundo lugar, que la actual referencia del código penal a una *resolución judicial motivada,* que se hace involuntariamente extensiva a la regulación de menores, no desdice lo anterior, pues trae causa de una concreta polémica surgida en relación con una determinada redacción legal, pero que, de nuevo, ni es un derivado consustancial a la esencia de la prescripción penal ni lo impone obligación alguna, sea de rango constitucional o de otro tipo.

En este sentido, hay que insistir en que lo único que resulta auténticamente irrenunciable en materia de prescripción es la certeza del Derecho, la seguridad jurídica[51], de la que ha carecido secularmente

---

tiene la irrelevancia a efectos prescriptivos del plazo transcurrido a la espera de juicio, por acumulación de asuntos pendientes.

[50]    Dicho sea sin perjuicio de dejar apuntado que, a mi modo de ver, la reforma más relevante en materia interruptiva (sin ser incompatible con ésta de la eventual atribución o no de relevancia a la actuación del Ministerio Público) pasa por la potenciación de otras previsiones legales distintas de la interrupción con cómputo íntegro *ex novo.*

[51]    A pesar de que la seguridad jurídica se ha invocado como fundamento de la prescripción penal (al igual que la seguridad personal y hasta la libertad individual) aquélla no fundamenta, se insiste, su existencia (que ésta deba ser). Sino que, una vez incorporada la institución, tal seguridad jurídica es irrenunciable en su funcionamiento. En esto existe, a mi modo de ver, un malentendido entre posturas que se presentan como opuestas, cuando en realidad responden a preguntas distintas. En efecto, en mi opinión debe separarse la razón por la que se

su regulación[52]. Ciertamente, ello no significa poder recomendar por igual cualquier momento interruptivo imaginable, pues lo razonable es que se le requiera un cierto peso en el camino hacia la afirmación de la eventual responsabilidad, como sin ir más lejos hace actualmente la ley al fijarse en resoluciones judiciales que atribuyan la participación del responsable en el hecho. Pero esa relevancia la ostenta también, con la actual arquitectura del proceso penal de menores, el decreto del Fiscal. En este sentido, no se trata con esta opción –como en cambio alguna vez se ha observado[53]– de estar relajando las exigencias previstas en el Derecho penal de adultos, pues las exigencias relevantes son en este punto precisamente las mismas: la identificación taxativa en la Ley del acto interruptivo que utilitariamente hablando resulte conveniente y su aplicación posterior, si hiciera falta, conforme a un canon constitucional de motivación reforzada que tenga en cuenta la

---

decide contar con esta institución en el ordenamiento (su fundamento: necesidad de pena) de su funcionamiento, este último sí vinculado a la legalidad y a la seguridad personal. Situar en cambio el fundamento en esta última sería tanto como, p.e., afirmar que en los supuestos de imprescriptibilidad (con tendencia, por cierto, creciente en nuestro ordenamiento) carecen de tal derecho fundamental sus autores, lo que no parece asumible. Desde la seguridad jurídica como fundamento, en fin, encontrarían difícil explicación la fijación de plazos distintos de prescripción (en lugar de un único plazo) la propia interrupción (capaz de alterar de manera aleatoria e imprevisible –p.e., intraproceso– los plazos) o incluso la prescripción misma (pues habría certeza jurídica sin su previsión). Sobre los equívocos que subyacen en la identificación de la seguridad jurídica como fundamento de la prescripción puede verse Gili Pascual, 2001: 72 ss.

[52]   Resultan significativas, y prueba actualizada de esta necesidad de certeza, las reflexiones contenidas en la Memoria de la FGE de 2020. Y es que, pese a la activación del legislador en los últimos años para contrarrestar la tradicional atrofia legislativa en este campo, hay que subrayar que la cuestión no se ha abordado de un modo global y sistemático, sino a golpe de disgusto judicial y solo con las miras puestas en acallar los concretos problemas de aplicación aparecidos en la práctica. La citada Memoria, de forma muy sintomática, sigue reclamando entre sus propuestas de refoma del Derecho penal sustantivo importantes precisiones justamente en esta materia de la interrupción de la prescripción del delito recientemente reformada, lamentando la vaguedad de la fórmula legal (para proponer, si bien no la redacción de un listado exhaustivo de resoluciones interruptivas, lo que se reconoce casi inviable, sí que se recojan al menos, regulándolos de forma expresa, los supuestos más comunes y problemáticos, añadiendo una cláusula general).

[53]   Jericó Ojer, 2019: 27.

vinculación axiológica de la prescripción con los fines de la pena[54]. Naturalmente que el Ministerio Fiscal no puede asimilarse al Juez de Instrucción, careciendo como carece del carácter independiente que se atribuye a la función jurisdiccional[55]. Pero –en esto reside la confusión– para conferirle valor interruptivo a su actuación no se necesita simular que o hacer *como si* fuesen lo mismo, so pena de estar admitiendo en otro caso una merma de garantías respecto de lo establecido para el derecho penal de adultos. Pues optar por el decreto del fiscal no significa tener que entender dirigido aún el procedimiento contra cierta persona, ni obliga a modificar la redacción legal en tal sentido; sencillamente, la dirección judicial del procedimiento contra el presunto responsable no es una exigencia consustancial a la interrupción sino sólo, hoy, una exigencia del derecho dado.

En suma, contemplada la cuestión desde el solo ángulo de la prescripción –y esto es lo que quería significarse especialmente– no existe impedimento alguno para que el decreto del Fiscal (o la actuación que en su lugar determine la ley) pueda ostentar *de lege ferenda* valor interruptivo, si consideraciones utilitarias lo recomiendan. Cuestión distinta es que la respuesta definitiva a esta cuestión deba quedar ahora necesariamente condicionada a la más general acerca de cuál sea la arquitectura definitivamente más apropiada para el propio proceso penal de menores en su conjunto. No es, en otras palabras, contemplando la cuestión desde dentro de la prescripción como podrá valorarse realmente la corrección de optar por una u otra solución *de lege ferenda* (la solución actualmente vigente –resolución judicial motivada, conforme a lo argumentado– o, en cambio, su principal alternativa –decreto del Ministerio Público–). Sino que necesariamente debe elevarse el foco para valorar dicha alternativa en el contexto de lo que se estime que debe ser el diseño general del propio proceso penal

---

[54]	Aunque si la ley es unívoca, taxativa, en ese cometido, las exigencias de motivación no requerirán de particular esfuerzo, a diferencia de lo que ocurrió con la expresión *dirigir el procedimiento contra el culpable*.

[55]	Jericó Ojer, 2019: 26. E igualmente cierto que "el ejercicio del ius puniendi (que en definitiva supone la restricción del derecho fundamental a la libertad) debe ser aplicado en el marco del respeto a unas garantías encomendadas generalmente a los órganos de naturaleza jurisdiccional" (ibídem). Pero esto no afecta a nuestra cuestión: implica que sólo un órgano judicial puede declarar la responsabilidad criminal (art. 117 CE), pero no que sólo él pueda interrumpir la prescripción.

de menores, considerando, en particular, la corrección del papel que en él se le atribuye al Ministerio Fiscal. Si su peso en la instrucción se estima definitivamente el procedente, no existirá inconveniente desde los parámetros que informan la esencia de la prescripción penal en identificar su actuación como interruptiva. Si, por el contrario, se estimara que la arquitectura general del proceso penal debiera ser otra (que atribuyese, por ejemplo, la instrucción a otro órgano judicial), la identificación del momento interruptivo debería lógicamente efectuarse en consecuencia.

Pronunciarse sobre esta última cuestión, de mucho mayor alcance, excede claramente el objeto de estas páginas, aunque no puede dejar de recordarse, al menos, que las quejas sobre la controvertida posición del Fiscal en la LORRPM han acompañado a esta solución desde prácticamente los primeros compases de su vigencia[56], lo que bien podría llevar a inclinar la balanza hacia un cambio de modelo.

---

[56]   Blanco predilecto de las críticas lo constituyó, en efecto, la doble posición ocupada por el MF en el procedimiento, por cuanto el mismo órgano encargado de sostener la acusación en caso de encontrar méritos para ello sería el que, previamente, habría investigado si concurrían o no esos méritos (Cordón Moreno, cit. por Mora Alarcón, 2002: 176). Cómo es posible –se preguntaba a este respecto Gómez Colomer– "que quien está obligado a esclarecer los hechos, lo que puede y suele implicar la formulación de un escrito de alegaciones (otro eufemismo, pues es un verdadero escrito de acusación, art. 30.1 LRPM), sea al mismo tiempo el encargado legal de velar por los derechos del menor, quien obligatoriamente debe estar asistido de Abogado" (Gómez Colomer, 2002: 167). De interés en relación con esta cuestión, puede verse la propuesta del Grupo de Estudios de Política Criminal (2000: 33 s.) planteando una reordenación del Título para ubicar la fase de instrucción en la instancia jurisdiccional, dando una nueva redacción al art. 16 con la siguiente justificación: "La regulación que hace la ley de la fase de instrucción no garantiza suficientemente los derechos del menor imputado, conforme a los principios consagrados en la Constitución Española y en los Convenios Internacionales suscritos por España. La condición de menor de edad, persona en proceso de formación, puede justificar un "más" de garantías jurídicas, nunca un "menos". Al encomendar la función de la instrucción al Ministerio Fiscal, que no puede evitar su condición de parte procesal, se impide el ejercicio de la defensa en plenas condiciones de igualdad y contradicción. Si todo imputado tiene el derecho constitucional a conocer de inmediato los hechos que se le imputan y a intervenir en el procedimiento al objeto de ejercitar de forma efectiva su defensa, la fase de instrucción debe estar ubicada en una instancia con garantías de imparcialidad, donde todas las partes cuenten con los mismos medios de ataque y de defensa, idénticas posibilidades y cargas de alegación, donde

En cualquier caso, quede dicho que si en esa encrucijada general se da por bueno el planteamiento actual de la Ley, entonces la identificación expresa, *de lege ferenda*, del decreto del fiscal como nuevo *dies a quo* puede presentar ventajas nada desdeñables. De entrada, puede atemperar la preocupación generada por la brevedad de ciertos plazos en lugar de oprimir a los operadores jurídicos con previsiones que dificultan innecesariamente la operatividad de las normas (y ello sin perjuicio de reiterar, una vez más, que la auténtica solución a esta cuestión pasa por el uso de mecanismos legales distintos de la interrupción, como la suspensión). Esta problemática resulta particularmente acusada con la regulación vigente en relación con los delitos leves. Éstos, pese a ciertos avatares prelegislativos[57], man-

---

se haga efectivo el principio de contradicción en plenas condiciones de igualdad. Ese marco procesal de imparcialidad no puede atribuirse al MF, necesaria parte procesal, sino a la instancia jurisdiccional. En nuestro caso, al juez de menores". Como señalara Gómez Colomer (2002: 168 s.), el fundamento de la atribución de la instrucción al MF no residiría en el hecho de ser la fórmula que mejor pudiese hacer realidad la obligación de éste de proteger y defender a los menores, consagrada en el EOMF, sino más bien en la profundización en el modelo de enjuiciamiento criminal acusatorio de corte anglosajón, así como en consideraciones prácticas de mayor efectividad. Aunque el autor no consideró en sí mismo inconstitucional –sino solo inconveniente– esta atribución de la instrucción al Fiscal (1997: 459 ss.), sí apreció dudas de constitucionalidad en el hecho de que el Juez de Menores no tuviese ninguna intervención en el momento inicial de la incoación de la instrucción. "El sistema actual es para nosotros de dudosa constitucionalidad –afirmó (1997: 178)–, pues la iniciación formal del proceso penal de menores depende del MF, pero el MF es precisamente una autoridad que constitucionalmente no está capacitada para tomar esa decisión, porque la cuestión de fondo gira en torno a la tutela judicial efectiva, únicamente dispensable por el Poder Judicial de acuerdo con el art. 24.1 CE". "Por ello resulta a todas luces insuficiente que el MF se limite a dar cuenta al JM de la incoación de la instrucción (...) y que éste inicie las diligencias de trámite correspondientes (art. 16.3 LRPM). Esto último es lo mismo que no decir nada, lo grave es que el JM opera como un autómata o sencillamente se ignora su figura (...)". Críticos también con la omnipresencia funcional del Ministerio Fiscal y con la posibilidad de decidir o no la apertura de un procedimiento judicial, pueden verse: Granado Pachón, 2016: 84 ss.; Sebastián Otones, 2001: 1272.

57   En la tramitación de la reforma de 2006 el Anteproyecto modificó el plazo de prescripción de tres meses que se establecía en la redacción original de la LORRPM, incrementándolo hasta los seis meses, pero en sede parlamentaria se modificó de nuevo el precepto y se mantuvo el plazo para las faltas (De Urbano Castrillo y De La Rosa Cortina, 2007: 98, n. 139).

tienen el brevísimo plazo de tres meses aunque –como ya indicara el Informe del Consejo Fiscal de 28 de diciembre de 2005 valorando su posible ampliación– situaciones habituales como la simple necesidad de un estudio suficiente de la personalidad y del entorno del menor en determinados casos, en los que las circunstancias concurrentes pudieran revelar la existencia de un problema más preocupante, avalarían ya suficientemente la prolongación del límite prescriptivo[58] –hasta al menos el mismo límite previsto en el Código penal que, recuérdese, ya fue también reducido en su momento–.

Pero por otra parte, y sobre todo, la atribución del efecto interruptivo al decreto del Fiscal, sin mayor adjetivación legal, presentaría la ventaja de eludir los condicionantes de motivación que actualmente adjetivan la resolución judicial referida en el art. 132.2 CP (aunque sea en vano, si nos atenemos a la aplicación que realmente se hace de ello). Lo contrario puede lastrar, sin ninguna necesidad desde el punto de vista de los derechos fundamentales del menor, como se ha visto, la previsibilidad (seguridad jurídica) en el funcionamiento de la interrupción. De este modo, no hará falta fiar la prescripción al hecho de que en el caso concreto el fiscal haya documentado suficientemente la petición de incoación al Juez de Menores[59], como parecen dar a entender muchas resoluciones judiciales en relación con la actuación judicial actualmente prevista. La SAP Madrid 376/2019[60], por ejemplo, parece no conceder de forma automática el efecto interruptivo a la resolución judicial prevista en el art. 16 LORRPM, sino dejar la cuestión en manos del mayor o menor grado de profundización que haya podido alcanzar dicha resolución, al basar la concesión del efecto interruptivo en la afirmación de que en el caso analizado "la información proporcionada por la Fiscalía fue suficiente para permitir el control del Juez de Menores (...)", lo que teóricamente dejaría abierta

---

[58]   La situación, téngase en cuenta, empeoró cuantitativamente hablando con la reforma de 2015, pues con ella un buen número de delitos menos graves pasaron a engrosar el catálogo de los ilícitos leves sin necesidad de haber visto modificada su pena, sino por mor de lo dispuesto en el art. 13.4 CP.

[59]   Como no habrá, tampoco, necesidad de modificar el art. 16.3 para que represente un auténtico control de la actividad instructora del MF. Distinto, Jericó Ojer, 2019: 27.

[60]   SAP Madrid, Secc. 4ª, núm. 376/2019, de 1 de octubre, Pte: Hervás Ortiz (TOL 7.612.651).

la posibilidad de estimar lo contrario (falta de eficacia interruptiva) en caso de que no se hubiese dispuesto de la información suficiente para cumplimentar una resolución suficientemente motivada, temor que de hecho confirman sin ambages otras resoluciones[61]. Una nueva amenaza a la seguridad jurídica que una simple mención taxativa de la Ley al decreto de Fiscalía podría, en una futura regulación, evitar.

---

[61]  Señala el Auto AP Barcelona, Secc. 3ª, núm. 391/2020, de 14 de mayo (Pte: Rueda Soriano), ECLI: ES:APB:2020:5559ª (TOL 8.042.767) que "(...) es precisamente la falta de intervención del Juez en la fase de instrucción lo que dificulta que éste pueda efectuar la motivación de la imputación delictiva dictando la resolución judicial motivada a la que se refiere el artículo 132.2 del CP con vocación interruptiva del plazo de prescripción. Pero dicha dificultad no es equivalente a imposibilidad (...) y no ha impedido que en determinadas condiciones y con las mínimas exigencias motivadoras, hayamos reconocido dicho efecto interruptivo cuando al dar cuenta al Juzgador de la incoación del expediente, éste al dictar el auto al que le compele el artículo 16.3 de la LORRPM, concreta subjetivamente y de una forma motivada, siquiera por remisión al escrito presentado por el Ministerio Fiscal y con supervisión de los motivos de imputación, el objeto del procedimiento, dictando así una resolución que además del contenido estrictamente legal contiene, como decimos, una imputación motivada de hechos que atribuidos a una concreta persona menor de edad convenientemente identificada surte, cumpliendo las exigencias del artículo 132.2 del CP, el perseguido efecto interruptivo". En la misma dirección, SAP Tarragona, Secc. 4ª, núm. 394/2014, de 29 de septiembre, Pte: Calvo González (TOL 4.673.357), afirmando que si bien el auto de incoación en general no interrumpe, sí puede hacerlo en el caso concreto por no ser de mero trámite. Véase, también, la SAP Madrid, Secc. 4ª, núm. 236/2019, de 17 de junio, Pte: Hervás Ortiz, ECLI: ES:APM:2019:10799 (TOL 7.587.867).
Esta dependencia de la motivación pudiera llevar, yendo al extremo, a la postergación del instante interruptivo hasta la sentencia, opción que no por descabellada ha dejado de tener alguna muestra aislada entre las resoluciones de las Audiencias. Así, la SAP Murcia, Secc. 2ª, núm. 320/2013, de 3 de diciembre, Pte: Carrillo Carrillo (TOL 4.063.803), considerando que en el caso concreto "en puridad, hasta el dictado de la sentencia no llegó a recaer *resolución judicial motivada* alguna que colmase las exigencias de contenido exigidas en el artículo 132 CP y que, por ende, tuviese virtualidad interruptiva".

# 4. BIBLIOGRAFÍA

Bloy, R. (1976). *Die dogmatische Bedeutung der Strafausschließungs-und Strafaufhebungsgründe.* Berlin: Duncker & Humblot.

Caamaño, F. (2003). *La garantía constitucional de la inocencia.* Valencia: Tirant lo Blanch.

Cervelló Donderis, V. y Colás Turégano, A. (2002). *La responsabilidad penal del menor de edad.* Madrid: Tecnos.

Conde-Pumpido Ferreiro, C. (2001), Artículo 10. En Conde-Pumpido Ferreiro, C. (Dir.), *Ley de la responsabilidad penal de los menores. Doctrina con jurisprudencia y normativa complementaria.* Madrid: Trivium.

De la Rosa Cortina, J.M. (2012). La prescripción en derecho penal juvenil. *Estudios Jurídicos.*

De Urbano Castrillo, E. y De la Rosa Cortina, J.M. (2007). *La responsabilidad penal de los menores. Adaptada a la L.O. 8/2006, de 4 de diciembre.* Pamplona: Aranzadi.

Gili Pascual, A. (2001). *La prescripción en Derecho penal.* Pamplona: Aranzadi.

Gili Pascual, A. (2015). La interrupción de la prescripción penal, diez años después de la STC 63/2005. *Estudios Penales y Criminológicos,* vol. XXXV.

Gómez Colomer, J.L. (2002), Tuición procesal penal de menores y jóvenes. En González Cussac, J.L., Tamarit Sumalla, J.M. y Gómez Colomer, J.L., (Coords.), *Justicia penal de menores y jóvenes. (Análisis sustantivo y procesal de la nueva regulación).* (pp. 155-193). Valencia: Tirant lo Blanch.

Gómez Colomer, J.L. (1997). La instrucción del proceso penal por el Ministerio Fiscal. Aspectos estructurales a la luz del Derecho comparado. En Gómez Colomer, J.L. y González Cussac, J.L. (Coords.), *La reforma de la Justicia Penal. Estudios en homenaje al Prof. Dr. Dr. h. c. Klaus Tiedemann.* (pp. 459 ss.). Castellón: Ed. Universitat Jaume I.

Gómez Martín, V. (2016). *La prescripción del delito. Una aproximación a cinco cuestiones aplicativas.* Buenos Aires, Montevideo: Bdf.

Gómez Rivero, M.C. (Coord.). (2007). *Comentarios a la Ley penal del menor (Conforme a las reformas introducidas por la L.O. 8/2006).* Madrid: Iustel.

Goyena Huerta, (2014). La prescripción en el procedimiento de menores. *Revista Aranzadi Doctrinal.*

Feijóo Sánchez, B., (2008). "Artículo 15". En J. Díaz-Maroto y Villarejo, *Comentarios a la Ley reguladora de la responsabilidad penal de los menores.* Madrid: Civitas.

Granado Pachón, S.J. (2016). Disfunciones procesales y garantías constitucionales en el sistema ideado por la L.O. 5/2000, de 5 de enero, de responsabilidad penal del menor. *Revista Penal México*, núm. 9, sept. 2015-feb. 2016.

Grupo de Estudios de Política Criminal (2000). *Un proyecto alternativo a la regulación de la responsabilidad penal de los menores.*

Huerta Tocildo, S., (2005). A vueltas con la prescripción penal. En *Homenaje al profesor Dr. Gonzalo Rodríguez Mourullo*. Madrid: Civitas.

Jericó Ojer, L. (2019) La interrupción de la prescripción del delito en el Derecho penal de menores. *InDret*, 3/2019.

Mora Alarcón, J.A. (2002). *Derecho penal y procesal de menores (Doctrina, jurisprudencia y formularios)*. Valencia: Tirant lo Blanch.

Macías Espejo (2011). La prescripción de los hechos delictivos y de las medidas de seguridad en Ley Reguladora de la Responsabilidad Penal de los Menores. *Revista de Estudios Jurídicos*, 11.

Montero Hernanz, T. (2012). La prescripción en la legislación reguladora de la responsabilidad penal de los menores. *La Ley*, nº 7785, de 27 de enero de 2012.

Ornosa Fernández, M.R. (2003). *Derecho penal de menores. Comentarios a la Ley Orgánica 5/2000, de 12 de enero, reguladora de la responsabilidad penal de los menores*. 2ª ed. Barcelona: Bosch.

Ruiz Zapatero, G.G. (2009) La presunción constitucional y penal de inocencia y la interrupción de la prescripción penal, *Rev. Aranzadi Doctrinal*, nº 8.

Sanz Hermida, (2018). La prescripción de delitos en la justicia de menores. Algunas consideraciones a partir de la SAP de Valencia, de 28 de septiembre de 2018. *Revista General de Derecho Penal*, nº 30.

Sebastián Otones, M. (2001). La instrucción penal en el nuevo procedimiento de menores. *La Ley*, t. VI.

# Veinte años de responsabilidad del menor en el sistema penal español: un análisis desde las cifras oficiales

JAVIER GUARDIOLA GARCÍA
*Universitat de València*[1]

## 1. INTRODUCCIÓN

Desde la entrada en vigor de la Ley Orgánica 5/2000, reguladora de la responsabilidad penal de los menores (LORRPM), el 13 de enero de 2001, han transcurrido veinte años de aplicación de la norma que da respuesta a la realización de hechos constitutivos de infracción penal por quienes, habiendo cumplido los catorce años de edad, no alcanzan todavía los 18.[2] Las líneas que siguen pretenden dar cuenta de la aplicación de sus previsiones a partir de los datos que proporcionan instancias oficiales encargadas, en algún aspecto, de la misma.[3]

---

[1]   El presente trabajo se enmarca en el Proyecto DER2017-86336-R financiado por MCIN/ AEI /10.13039/501100011033/ y por FEDER Una manera de hacer Europa.

[2]   Sobre los antecedentes y alcance de la norma, baste con remitir a la introducción de esta obra.

[3]   Son varios los estudios existentes en este sentido. Respecto de la legislación histórica tutelar, aporta datos estadísticos Serrano Gómez (1970: 39-68); de la aplicación del inmediato precedente –Ley Orgánica 4/1992, de 5 de junio, sobre reforma de la Ley reguladora de la Competencia y el Procedimiento de los Juzgados de Menores– aportan datos derivados de estudios empíricos espacial y temporalmente acotados Ararteko (1998) –que analiza datos oficiales del País Vasco

Conviene insistir en que lo que va a analizarse es la aplicación de la Ley penal del menor y no propiamente la evolución de la delincuencia juvenil,[4] porque aun cuando la estadística oficial se emplea con frecuencia como indicador de evolución delincuencial es preciso subrayar que en rigor, las estadísticas oficiales 'no son indicadores de la delincuencia, sino de la reacción social frente a la delincuencia' (Aebi, 2008: 102); además cuando se orientan a medir el volumen de trabajo de estas instancias pueden resultar 'altamente engañosas como indicador del nivel de la delincuencia' (Stangeland, 1995: 837), y en todo caso sus datos dependen de diversos elementos de políticas administrativas y eficiencia (Sellin, 1931: 346). Aunque en línea de principio sería esperable una cierta correspondencia entre la actividad del sistema penal y los hechos delictivos a los que éste atiende,

---

en 1996 y 1997, examinando 102 expedientes, realizando un análisis de caso por cada tipo de medida, así como visitas y entrevistas a centros de cumplimiento y a profesionales relacionados con la justicia juvenil–, y Torrente Hernández y Merlos Pascual (1999: 46 ss.) –que analizan 328 expedientes abiertos a menores en Murcia en el periodo 1993-1998–; Bernuz Beneitez (1999) proporciona y analiza datos nacionales y relativos a la comunidad aragonesa del período 1993-1997 sobre infracciones (pp. 214-238) y sobre medidas judiciales en la comunidad aragonesa en este periodo (pp. 239-273 y 275 ss.); Serrano Maíllo (1995: 786-791) proporciona datos oficiales inéditos de 1994 y 1995; Vázquez González (2003: 171-190) analiza datos sobre detenciones del año 2000 y cifras totales de detenciones en el periodo 1991-2000; y Rechea Alberola y Fernández Molina (2001) analizan datos de la década de 1990 y las previsiones de la implementación de la nueva ley. El análisis del periodo de transición que tuvo lugar con la entrada en vigor de la vigente regulación es abordado por García Pérez (2003a, 2003b), García Pérez (dtor.) (2008), y Pérez Jiménez (2006), que contrastan expedientes de los últimos años de la legislación precedente y de la implantación de la nueva; Fernández Molina y Rechea Alberola (2006), que contrastan algunos datos de estadística oficial de los dos últimos años de la normativa precedente y los cinco primeros de la nueva; Vázquez González (2007) analiza cifras del periodo 1995-2005; Fernández Molina, Bartolomé Gutiérrez, Rechea Alberola y Megías Boró, (2009), que contrastan el periodo 1995-2007; y pueden asimismo consultarse datos sobre el periodo 1999-2002 en Higuera Guimerá (2003: 477-493). Respecto de la aplicación de la Ley Orgánica 5/2000, valga con remitir a Aucejo Navarro y Guardiola García, 2018; Cámara Arroyo, 2013; Guisasola Lerma, 2002; Montero Hernanz, 2010, 2011a, 2011b, 2011c, 2012a, 2012b, 2014, 2018; San Juan Guillén y Ocáriz Passevant, 2022; Serrano Tárrega, 2009; y en general a la bibliografía recogida al final de esta contribución.

4    Sobre la cual sólo con muchas cautelas pueden hacerse inferencias desde estadísticas oficiales (cfr. Aebi, 2008: 107-113).

en realidad dicha relación sólo se dará si estamos empleando un buen indicador de la actividad del sistema (lo que nos enfrenta a problemas de validez y fiabilidad de las estadísticas oficiales como indicadores de actividad del sistema penal[5]) y *además* la actividad del sistema se asocia directamente al número de hechos punibles realizados, al volumen de delincuencia (lo que suele no suceder, porque distintas razones estructurales y coyunturales –que tienen que ver con la capacidad[6] e intención[7] del sistema de atender a toda la delincuencia, pero también con la necesidad del sistema de emplear sus recursos y justificar su propia existencia[8]– tienden a disociar una y otra dinámica). Ciertamente el objeto de estas líneas no es plantear un debate metodológico de fondo sobre la cuestión, pero creo que es importante adelantar la cautela de que, en rigor, lo que se está analizando –y siempre a través

---

[5]  Suele, y con razón, cuestionarse la fiabilidad y validez de las estadísticas oficiales en cuanto indicadores de la delincuencia (por todos, Fernández Molina, Vicente Martínez, Montañés Rodríguez y Gómez Iniesta, 2014: 4; y Cano Paños, 2021: 210); lo que planteo aquí es que puede ser además cuestionable su validez y fiabilidad en cuanto indicadores del funcionamiento del sistema penal, y que de darse estas no garantizan de por sí aquellas.

[6]  Lo que depende de los recursos del sistema (un sistema penal infradotado o saturado de otras tareas no será capaz de atender a todos los hechos delictivos; y un sistema penal de dotación equilibrada se convertirá en infradotado si se produce un incremento rápido e inesperado de la delincuencia), pero también de la información sobre la delincuencia de la que disponga; en particular en lo que aquí nos ocupa suele destacarse la elevada *cifra negra* de infracciones que no llegan a conocimiento de instancias oficiales en la delincuencia juvenil, por factores asociados a la (escasa) gravedad de la infracción, a la reticencia en denunciar a menores o a ser las propias víctimas menores (por todos, Cámara Arroyo, 2013: 300; Cano Paños, 2006: 59-66; García Pérez (dtor.), 2008: 48-53; Montero Hernanz, 2011a, 2014: 252; Rechea, Barberet, Montañés y Arroyo, 1995; y Serrano Tárrega, 2009: 256, 2021: 616).

[7]  Una política de 'tolerancia cero' provoca resultados distintos a los que resultan de un sistema selectivo que atienda a criterios de gravedad u oportunidad.

[8]  Lo que no es necesariamente y siempre una crítica: si el sistema dispone de recursos, debería tender a emplearlos... si disminuyen los asuntos de mayor gravedad o urgencia, lógicamente los recursos se destinarán, cuando los haya, a otros que previamente quedaban postergados por aquellos. Esto no es en sí mismo un problema; pero puede inducir a graves errores si se asume el número de asuntos (sin matices) como indicador. Más criticable puede resultar la situación si, a falta de asuntos pendientes, los gestores del sistema *crean* situaciones para justificar su actividad (v.gr. criminalizando cuestiones no penales).

de cifras oficiales– es el funcionamiento del sistema articulado por la Ley de responsabilidad penal del menor, no la delincuencia juvenil.

Y sin embargo, no puede minusvalorarse el hecho de que la percepción social de la delincuencia –de su magnitud, y de su importancia– no es ajena a la estadística oficial sobre la reacción social frente a la misma. En el imaginario social los datos oficiales aparecen rodeados de cierta presunción de veracidad[9] –quienes los generan a veces han de esforzarse realmente para conseguir minarla–, y se asume como algo 'de sentido común'[10] que la actividad delictiva correlaciona con los datos oficiales sobre el sistema penal, de forma que se acepta como argumento difícilmente contestable sobre la evolución de las cifras de delincuencia el recurso a las cifras sobre actividad del sistema penal.

No pretendo negar que haya una relación entre la delincuencia juvenil y la aplicación de la Ley de responsabilidad penal del menor: pretendo simplemente afirmar, por una parte, que el mero análisis de los datos oficiales no puede por sí mismo demostrar esta;[11] y por otra, que la realidad social de la delincuencia juvenil se construye, en cierta medida, a partir precisamente de dicha asunción. En cuanto estimación de la delincuencia juvenil *real*, pues, los datos que planteamos exigen importantes cautelas al tiempo que constituyen una realidad social en sí mismos (la de lo que se conoce como 'delincuencia registrada').

En cualquier caso, la estadística oficial sobre la aplicación de la Ley sí da cuenta de la *responsabilidad* (en rigor, de la responsabilización) de los menores que han alcanzado los 14 años de edad por

---

[9]     De 'aura de legitimidad' hablan Fernández Molina y Bernuz Beneitez, 2018: 21.

[10]    En el lamentable sentido de ser explicaciones 'que nos vienen a la cabeza antes de *pensar* y que, de hecho, consiguen que no reflexionemos muchas cosas' (González Sánchez, 2021: 15, cursiva en el original).

[11]    Sería preciso contrastarla con datos de delincuencia autoinformada –en esta línea Rechea et al., 1995; Orts Berenguer (coord.), 2006; una revisión de trabajos posteriores y actualización en Bartolomé Gutiérrez, 2019; por cierto que estos datos 'también tienen limitaciones y sesgos' (Fernández Molina et al., 2014: 3) que aconsejan contrastarlos con la estadística oficial (Fernández Molina y Bernuz Beneitez, 2018: 26)– y con encuestas de victimización –vid. Díez Ripollés y García España, 2009; en las que, por otra parte, no es fácil controlar si los autores de los delitos fueron menores de edad–; esfuerzo que excede con creces de lo que aquí puedo desarrollar.

actos delictivos en España.[12] Y, en este sentido, importa desde luego contrastar la evolución de estos 20 años en el territorio nacional y evidenciar las diferencias territoriales.

## 2. FUENTES UTILIZADAS

Tres son los indicadores oficiales principales a los que puede recurrirse para analizar la andadura de la LORRPM: los datos policiales, los procedentes de la Fiscalía, y los que provienen del Registro de Sentencias de Responsabilidad Penal de los Menores. Y todos ellos tienen sus defensores. De los datos policiales se predica su cercanía al hecho y su menor contaminación por avatares procesales;[13] de los datos de la Fiscalía, en

---

[12]   Información sin duda relevante, porque si es grave el desconocimiento de la población sobre los juzgados y tribunales, este se acentúa aún más en el caso de los juzgados de menores (Díez Ripollés y García España, 2009; García España y Díez Ripollés, 2013: 15); y no solo 'existe correlación entre el conocimiento directo de la justicia y la opinión que se tiene de ella, de manera que mientras menor es el primero, más negativa es la segunda' (García España y Díez Ripollés, 2013: 267), sino que además "[l]a carencia de fundamentos firmes sobre los que establecer la evolución de los parámetros criminológicos (de la delincuencia y de los medios de control frente a ésta, justicia penal juvenil incluida)' da lugar a una legislación 'a golpe de intuición' (Barquín Sanz y Cano Paños, 2006: 89).

[13]   En este sentido v.gr. Serrano Tárrega (2021: n. 20 en p. 621) dice: 'Se han elegido las estadísticas oficiales del Ministerio del Interior, los datos que figuran en los Anuarios, porque son las primeras noticias del hecho delictivo que tienen las instancias oficiales, están menos contaminados y la mayoría de los hechos se denuncian a la policía. Aunque estas estadísticas no son completas, presentan menos inconvenientes que el resto de estadísticas oficiales.' Tras contrastarlas con cifras de Fiscalía y Juzgados entienden que las del Ministerio del Interior son las que 'más se ajustan al volumen de delincuencia juvenil del país' Fernández Molina et al., 2009: 14; afirma que son 'las estadísticas oficiales que, con todas las cautelas, resultan de mayor fiabilidad' Pozuelo Pérez, 2013: 134; para Periago Morant (2020: 12) la estadística del Ministerio del Interior es 'la que ofrece los datos más actuales y completos'; y para Cano Paños (2021: 206 ss. y 247), 'son las estadísticas policiales las que se encuentran más cerca del fenómeno delictivo concebido como conducta humana', 'siguen constituyendo en la actualidad la más exhaustiva y regular fuente de información sobre la realidad delincuencial'. El entendimiento de que estas estadísticas policiales son una fuente de datos que 'se acerca más a la realidad que las estadísticas oficiales judiciales y penitenciarias' (Serrano Tárrega, 2009: 255) está generalmente extendido en buena parte de la doctrina criminológica, desde los estudios de Sellin (1931: 346), que afirmó que

cuanto al derecho penal juvenil que es el que aquí nos interesa,[14] se subraya su particular interés en cuanto fuente privilegiada de información;[15] y

[14] 'the value of a crime rate for index purposes decreases as the distance from the crime itself in terms of procedure increases'–; en España ya Stangeland (1995: 805, 836), para quien (p. 805) 'de las estadísticas judiciales o fiscales no se puede inferir el volumen de delincuencia existente en España, aunque sí arroje datos sobre el volumen de trabajo en tales órganos judiciales [...] teniendo que elegir entre ambas estadísticas en relación a la delincuencia registrada habría que optar por la elaborada por la policía' (vid. por todos y con ulteriores referencias, Aebi, 2008: 107-113; y Serrano Maíllo, 2009: 154-155).

[14] Debe tenerse en cuenta que la Fiscalía (a quien corresponde la instrucción en el proceso penal de menores) tiene facultades dispositivas en función de criterios de oportunidad: puede sobreseer el expediente por corrección en el ámbito educativo y familiar (art. 18 LORRPM), por conciliación o reparación entre el menor y la víctima (art. 19; las funciones de mediación se realizan por parte del Equipo Técnico que asiste a la Fiscalía), o en interés del menor a propuesta del Equipo Técnico (art. 27.4 de la LORRPM); en todos estos casos el procedimiento se resuelve sin sentencia y por tanto no queda registrado en el Registro Central de Sentencias de Responsabilidad Penal de los Menores. Sobre estas cuestiones vid. Almazán Serrano e Izquierdo Carbonero, 2007: 74-77; Bernuz Beneitez, 2001; Colás Turégano, 2011: 323-327; De la Rosa Cortina, 2001: 253-261; De Urbano Castrillo y De la Rosa Cortina, 2007: 119-121 y 124-129; Díaz-Maroto y Villarejo (Dtor.), 2008: 267-282; Dolz Lago, 2002: 278-283 y 286-289, 2007: 149-155 y 161-165; Escorihuela Gallén, 2015; Fernández Molina y Bernuz Beneitez, 2018: 120-128; Fernández Molina y Rechea Alberola, 2006: 16-20; García Ingelmo, 2017; González Cano en Mapelli Caffarena, González Cano y Aguado Correa, 2002: 148-169; González Pillado, 2012: 63-67; Grande Seara, 2008: 140-144; Higuera Guimerá, 2003: 432-435 y 437-440; Ornosa Fernández, 2007: 286-300 y 349-350; Peligero Molina, 2021: 1102-1106; Salom Escrivá, 2002: 233-238; Sanz Hermida en Gómez Rivero (Coord.), 2007: 205-220; y Ventura Faci y Peláez Pérez, 2000: 104-108.

[15] Afirma Fernández Molina (2013: 2) que 'la Fiscalía de menores es la fuente de información sobre delincuencia juvenil más completa de las que se dispone', dando cuenta de que no todo lo que llega a Fiscalía ha pasado por Fuerzas y Cuerpos de Seguridad del Estado ni llega a los Juzgados (p. 7), de forma que los datos de la Fiscalía General del Estado 'parecen ser los más completos' (p.8) y por tanto 'está en disposición de conocer toda la información relevante para poder calcular el índice de delincuencia juvenil del país' (p. 22), apuntando sin embargo el carácter equívoco del 'número de incoaciones' (p. 17). En sentido semejante Fernández Molina et al., 2014: 34, aunque señalando que su metodología 'genera distorsiones importantes por lo que conviene ser cautelosos a la hora de utilizar esta información como un reflejo del índice de delincuencia real acontecida' (p. 35). Cautela que por cierto con frecuencia emplea la misma Fiscalía (FGE, 2015: 488-489, 2017: 591-592, 2019: 888, 2020: 935).

de las sentencias judiciales, la fiabilidad de la calificación de los hechos y de la afirmación de su comisión.[16]

Además, disponemos de datos derivados de la Estadística Judicial del Consejo General del Poder Judicial, y los datos sobre la ejecución de las medidas aplicadas (el equivalente a la estadística penitenciaria de los adultos) que recoge el Observatorio de la Infancia. Pero estas fuentes se enfrentan a sendos problemas nada desdeñables: la estadística judicial monitoriza la actividad jurisdiccional, pero centra su atención en la dinámica procesal y en la carga de trabajo de los órganos jurisdiccionales, lo que tiende a proporcionar registros que pueden resultar engañosos, en cuanto diversos incidentes procesales multiplican el número de asuntos y duplican los registros;[17] y los recursos destinados a la ejecución de las medidas dependen de las comunidades autónomas, lo que provoca importantes diferencias no sólo en la asignación de recursos y gestión de los mismos, sino tam-

---

[16]    Por ejemplo Montero Hernanz (2012a: 538) señala la estadística de menores condenados del INE como la fuente de información 'más completa' para analizar la delincuencia juvenil; afirmando que aun con ciertos problemas es 'la fuente más fiable de ámbito nacional' (2012b: 16; 2014: 259). Tampoco faltan en la doctrina criminológica en general defensores de esta fuente de información; v.gr. subraya que los datos policiales son muy completos y dan acceso a supuestos sin respuesta judicial (muerte o rebeldía del autor, autor desconocido), pero tienen menor fiabilidad que los de los tribunales, referidos a hechos probados, Cerezo Domínguez, 1998: 240.

[17]    El problema viene de antiguo, por cuanto como señalaba ya Stangeland (1995), '[l]as instancias judiciales reciben más causas que las que registra la policía, lo cual es muy poco probable que corresponda a la realidad' (p. 806), y alcanza aún mayor gravedad a partir de los años 90 del pasado siglo (pp. 806-807); de su análisis se deriva que esta discrepancia 'tiene su principal causa en el proceder de los juzgados, ya que casi todo tipo de comunicación entre el juzgado y otras instancias se registra también como un nuevo caso' (pp. 804-805, 836). Por demás, se les señalan también problemas metodológicos, v.gr.: 'En general, no se aclara suficientemente el procedimiento seguido para la recolección de la información, la autoridad u órgano responsable de ello, el momento del año en que se realiza, etc. De esta forma, por ejemplo, decir que la duración media de los asuntos en trámite en los juzgados de menores es de tres meses en 2012, es decir bastante poco si no se explicita desde cuándo empiezan a contarse dichos plazos [...] Las fuentes, por tanto, dan por supuesta información que debería explicitarse para una correcta evaluación de la misma.' (García España y Díez Ripollés, 2013: 269). En todo caso, como veremos más adelante al ocuparnos de los datos de la Fiscalía, no es un problema exclusivo de la estadística judicial.

bién en los sistemas de registro estadístico, todo lo cual dificulta enormemente las comparaciones, cuando no ya el acceso a información.[18] En cualquier caso, de la estadística judicial nos hemos ocupado ya en la Introducción de esta obra y tendremos presente la información que proporciona; y el portal estadístico 'infancia en datos'[19] recoge de forma sistematizada[20] información básica de los últimos años sobre el número de medidas notificadas 'por cada 100.000' (y el sexo y edad de los menores que las cumplen), y el porcentaje de internamientos sobre el total de medidas ejecutadas (distinguiendo por tipos de internamiento y sexo del menor), a nivel estatal y –lamentablemente con menor desglose– autonómico.

Pues bien, es cierto que la proximidad a los hechos puede hacer de la estadística policial un indicador más fiable de la delincuencia en cuanto menos distorsionado por los avatares procesales (así suele entenderse en Criminología, asumiendo el famoso proverbio de Sellin); pero también lo es que los datos de la Fiscalía recogen información de gran valor y dan cuenta del funcionamiento del sistema de justicia penal en relación a los adolescentes (Fernández Molina, 2013: 2); y que la fiabilidad de la calificación jurídica de los datos judiciales, referidos a hechos probados, es mayor (Cerezo Domínguez, 1998: 240). En tales condiciones, parece preciso abandonar la comodidad de elegir un único indicador y enfrentarse al desafío de cruzar la información que proporcionan; pero es preciso reconocer que cruzar datos de las distintas fuentes señaladas implica dificultades metodológicas notables –aunque todas ellas miden *algo*, cada una mide algo distinto[21] (y con una finalidad diferente)– no sólo porque unas atienden al número de incidentes, otras al número de sujetos implicados y otras al núme-

---

[18]   Cámara Arroyo, 2013: 297 y 298-299. Señala además 'importantes errores metodológicos' al boletín estadístico del Observatorio de la Infancia Montero Hernanz, 2014: 251-252.

[19]   http://www.infanciaendatos.es Accesible a través del Ministerio de Derechos Sociales y Agenda 2030; la información que nos interesa está en Datos e indicadores > Infancia Vulnerable > Conflicto con la Ley.

[20]   Aunque debe advertirse que se limita a indicar que la fuente de los datos es el Ministerio y no incorpora una nota metodológica satisfactoria.

[21]   Señalando diferencias en objeto y en metodología, Fernández Molina, 2013: 5; Fernández Molina et al., 2009: 2-3 y 13; Fernández Molina y Bernuz Beneitez, 2018: 22 ss.; y Fernández Molina y Rechea Alberola, 2006: 4.

ro de delitos atribuidos,[22] sino porque aunque todas ellas permiten (casi siempre) la reconstrucción de una serie temporal de aquello que registran, poner en relación estas series temporales exige considerar la secuenciación entre las mismas, que está regida por los tiempos de investigación y por los tiempos procesales y de ejecución de las medidas, y que por tanto no responde a mecanismos de simultaneidad.

Sin desconocer los peligros de estudiar y presentar al público esta cuestión 'con base a una sola estadística' (Giménez-Salinas Colomer, 1981: 15), y asumiendo desde luego que el análisis riguroso de series temporales implica una complejidad que es 'un reto para los investigadores' (Serrano Maíllo, 2021: 24), se pretende aquí una aproximación descriptiva de la singladura del Derecho penal juvenil español desde la entrada en vigor de la Ley Orgánica 5/2000 cruzando los datos policiales, de la Fiscalía y de la estadística judicial en cuanto sea posible, y apuntando, donde la información empleada lo permite, la homogeneidad o heterogeneidad de estos indicadores en las distintas regiones españolas.

Para hacer esto último será imprescindible, por otra parte, disponer de datos poblacionales que permitan calcular tasas comparables (no tendría ningún sentido comparar las frecuencias absolutas de La Rioja con las de Andalucía). A tal efecto, en la presente contribución atenderemos a la estimación de la operación 'cifras de población' a 1 de julio de cada año que proporciona el Instituto Nacional de Estadística (INE).[23]

---

[22]  En este sentido, es preciso advertir de los peligros del 'manejo burdo y simplista de las cifras, por desgracia no infrecuente' que 'puede conducir a establecer conclusiones erróneas' (Gil Gil, Lacruz López, Melendo Pardos y Núñez Fernández, 2018: 530); pero también de la importancia de estudiar seriamente estos datos, ya que '[l]a carencia de fundamentos firmes sobre los que establecer la evolución de los parámetros criminológicos (de la delincuencia y de los medios de control frente a ésta, justicia penal juvenil incluida) es, a su vez, una excusa excelente para legislar a golpe de intuición, ese concepto fútil que tan incomprensible prestigio llega a tener a veces' (Barquín Sanz y Cano Paños, 2006: 89).

[23]  'Cifras de población' proporciona cifras poblacionales de referencia en todas las operaciones estadísticas que el INE realiza, publicándose estimaciones semestrales –1 de enero y 1 de julio–; desde 2001 hasta 2011 las cifras de población a 1 de julio son el resultado de estimaciones intercensales de población realizadas por el INE; a partir de 2012 se elaboran 'mediante una contabilidad de sucesos demográficos (nacimientos, defunciones, migraciones interiores y exteriores y adqui-

Finalmente, conviene precisar que fundamentalmente partiremos de datos disponibles en diversas fuentes accesibles en abierto;[24] desde luego sería de gran interés aportar información no disponible para el público, pero contrastar las fuentes accesibles no es tampoco un ejercicio desdeñable: evidencia lo que se sabe y contrasta la transparencia informativa del sistema.

Se acudirá pues, como fuentes principales de datos, a las recogidas en la siguiente tabla, que en lo sucesivo se citarán por las siglas de la entidad que las respalda (CGPJ, INE,[25] MDS, FGE, SES).

**Tabla 1 –** *Principales fuentes de información cuantitativa empleadas*

| |
|---|
| Base de Datos de la Estadística Judicial Online (PC-AXIS) – Juzgados de Menores<br>Consejo General del Poder Judicial<br>https://www6.poderjudicial.es/PXWeb2021v1/pxweb/es/09.-Juzgados%20de%20Menores/ |
| Estadística de condenados: Menores<br>Instituto Nacional de Estadística<br>https://www.ine.es/dyngs/INEbase/es/categoria.htm?c=Estadistica_P&cid=1254735573206 |
| Estadística de medidas notificadas y porcentajes de internamientos (2014-2020)<br>Ministerio de Derechos Sociales<br>https://www.mdsocialesa2030.gob.es/infancia-en-datos/datos-indicadores.htm |

siciones de nacionalidad española por parte de población extranjera)' (https://ine.es/inebaseDYN/cp30321/docs/meto_cifras_pobla.pdf). El padrón municipal (también proporcionado por INEbase), que presenta la ventaja de proporcionar datos desglosados por municipios y en cuanto dato 'oficial' suele ser utilizado por el Ministerio para calcular tasas, atiende a un dato formal –el empadronamiento– y además toma como referencia el 1 de enero –punto inicial y no punto medio de los periodos cuyas tasas se calculan–; difiere levemente de las cifras que aquí emplearemos.

24   Para los datos policiales acudiremos al Portal Estadístico de Criminalidad de la Secretaría de Estado de Seguridad; para los de Fiscalía, a las Memorias de la Fiscalía General del Estado; para los judiciales, a la base de datos del Consejo General del Poder Judicial y a la estadística de condenados menores del Instituto Nacional de Estadística (que desde 2007 explota el Registro de Sentencias de Responsabilidad Penal de los Menores); para la ejecución de medidas, al Ministerio de Derechos Sociales. Véase la Tabla 1.

25   Debe tenerse en cuenta que, como queda dicho, también los datos poblacionales se tomarán del INE, aunque de una explotación distinta, la de 'cifras de población'; y debe apuntarse que el INE proporciona asimismo una Estadística de violencia doméstica y violencia de género que incluye datos sobre menores (sobre los problemas de cuantificación de la violencia de género de menores en la estadística oficial, Cervelló Donderis, 2021: 852-854).

| Memoria elevada al Gobierno de S.M. presentada al inicio del año judicial<br>Fiscalía General del Estado<br>https://www.fiscal.es/ca/documentaci%C3%B3n |
|---|
| Portal Estadístico de Criminalidad<br>Secretaría de Estado de Seguridad del Ministerio del Interior<br>http://estadisticasdecriminalidad.ses.mir.es |

Fuente: Elaboración propia.

## 3. UN APUNTE COMPARATIVO

Los datos de Eurostat sobre delincuencia y justicia penal[26] dan cuenta de la tasa de personas que entran en contacto con el sistema penal (sospechosos, detenidos por la policía o sometidos a medidas judiciales), que son procesadas y que son condenadas en distintos territorios nacionales europeos desde 2008, permitiendo discriminar entre menores y adultos. Conviene advertir las enormes diferencias geográficas en lo que atañe a la injerencia del sistema penal en la vida ciudadana (los datos disponibles sobre Finlandia dan un promedio anual de más de 7.500 personas en contacto con el sistema penal por cada 100.000 habitantes; Luxemburgo e Irlanda del Norte refieren más de 4.500, Escocia casi 4.000; Austria y Liechtenstein casi 3.000; Alemania más de 2.500; Bélgica más de 2.000... mientras Dinamarca, Croacia, Lituania, Eslovenia, Eslovaquia, Montenegro y Serbia proporcionan una tasa de entre 500 y 1.000, perteneciendo España –con un promedio en el periodo 2008-2020 de 793 personas en contacto con el sistema penal por cada 100.000 habitantes– a este último grupo); y es preciso además tener en cuenta, en cuanto a las tasas relativas a menores de edad, que no todos los estados atribuyen responsabilidad penal juvenil desde ni hasta la misma edad, y que en algunos estados la competencia policial sobre menores se extiende desde su nacimiento mientras en otros sólo desde determinada edad gestiona la

---

[26]   Accesibles en https://ec.europa.eu/eurostat/databrowser/view/crim_just_age/default/table?lang=en; información metodológica en https://ec.europa.eu/eurostat/cache/metadata/en/crim_just_esms.htm.

policía las infracciones de los menores.[27] Pero, con todas las cautelas correspondientes, podemos comparar los datos de menores y adultos que entran en contacto con el sistema penal, por una parte, y que son finalmente condenados, por otra, en los estados miembros de la Unión Europea;[28] las cifras son las que se recogen en la Tabla 2.

**Tabla 2 – Menores y adultos en el sistema penal y condenados, tasas UE (2008-2020)**

| | Menores en contacto con el sistema penal / 100.000 | Adultos en contacto con el sistema penal / 100.000 | Menores condenados / 100.000 | Adultos condenados / 100.000 |
|---|---|---|---|---|
| Alemania | 1.901 | 2.737 | 298 | 1.063 |
| Austria | 1.985 | 3.230 | 154 | 450 |
| Bélgica | 871 | 2.281 | 96 | 1.826 |
| Bulgaria | 465 | 754 | 152 | 494 |
| Chequia | 244 | 1.145 | 97 | 741 |
| Chipre | 113 | 737 | 276 | 8.564 |
| Croacia | 266 | 625 | 73 | 499 |
| Dinamarca | 160 | 722 | 377 | 3.780 |
| Eslovaquia | 376 | 1.012 | 151 | 652 |
| Eslovenia | 311 | 959 | 93 | 451 |
| España | 237 | 902 | 186 | 641 |
| Finlandia | 1.272 | 8.298 | 744 | 3.488 |
| Francia | 1.385 | 1.842 | 294 | 1.050 |
| Grecia | 244 | 1.353 | n.d. | n.d. |
| Hungría | 1.740 | 1.194 | 267 | 856 |
| Italia | 317 | 1.737 | 32 | 468 |
| Letonia | 365 | 1.121 | 154 | 515 |
| Lituania | 379 | 941 | 164 | 649 |

---

[27] Puede consultarse una tabla detallada sobre esta materia en https://ec.europa.eu/eurostat/cache/metadata/en/crim_esms.htm#accessibility_clarity1654674641738.

[28] El contraste de las tasas de procesados, sin embargo, no es posible en cuanto aquí nos interesa porque no hay datos españoles sobre procesados en Eurostat.

| Luxemburgo | 2.239 | 5.355 | 501 | 1.608 |
| Malta | *403* | *1.320* | 92 | n.d. |
| Países Bajos | *1.116* | *1.783* | 189 | 618 |
| Polonia | *383* | *1.228* | 241 | 1.113 |
| Portugal | 149 | *2.179* | 313 | *669* |
| Rumanía | 264 | 1.233 | 57 | 225 |
| Suecia | *603* | 1.952 | 141 | 723 |

Fuente: Elaboración propia a partir de los datos de Eurostat.[29] Datos promedio del periodo.
En cursiva promedios que difieren en más de 100 unidades de las tasas de 2018, 2019 y 2020.

Sólo en Hungría la tasa de detenidos/investigados juvenil es superior a la de adultos; y en todos los estados de la Unión la tasa de condenados es mayor en adultos que en menores. España, Portugal,[30] Rumanía y Finlandia son los únicos casos en que la ratio tasa-menores-de-edad/tasa-adultos es más alta en condenas que en personas en contacto con el sistema penal.

Una adecuada interpretación de estos datos exigiría un análisis detallado de los sistemas de justicia penal adulta y juvenil de todos los estados miembros, lo que excede con creces de la pretensión de

---

[29]   Respecto de personas en contacto con el sistema penal, los datos de Dinamarca están disponibles sólo desde 2015; los de Chipre no están disponibles para 2019 y 2020, y en 2008 y 2010 no discriminan entre menores y adultos. Respecto de personas condenadas, los datos de Bélgica faltan en 2008 y 2009 y no discriminan entre menores y adultos en 2016 y 2020; los de Grecia son inexistentes; los de Italia faltan en 2019 y 2020; los de Luxemburgo sólo están disponibles a partir de 2016; los de Malta sólo dan cuenta de condenas juveniles; y los de Polonia no están disponibles para 2020. En ambas series, los datos de Estonia e Irlanda son incompletos y no permiten incluir estos estados en el análisis. Los datos españoles calculan la tasa de menores sobre el total de población menor de 18 años, y no sobre la población en edad de responsabilidad penal juvenil (mayores de 14 y menores de 18 años).

[30]   El caso portugués requiere una explicación particular: de acuerdo con los metadatos de Eurostat, la policía portuguesa es competente respecto de menores entre 12 y 15 años, pero los tribunales lo son respecto de menores entre 16 y 20 años. Se trata, pues, de poblaciones distintas en uno y otro grupo. No sucede lo mismo en los otros tres países referidos.

esta contribución.[31] Lo que quisiera destacar aquí es que, siempre de acuerdo con estas cifras,[32] la tasa de menores en contacto con el sistema penal en España es la cuarta más baja de la Unión (en adultos es la quinta más baja, aunque los listados de estados que menos detienen-investigan no son idénticos); mientras la de condenas es la undécima más alta de los 24 estados de los que tenemos datos comparables (en adultos ocupa el decimoquinto lugar). En el caso español, los menores que entran en contacto con el sistema penal tienen mayor probabilidad de resultar condenados que los adultos que entran en contacto con el sistema penal (en efecto, hay 7,1 condenas por cada 10 detenciones o investigaciones en adultos, pero hasta 7,8 por cada 10 en el caso de menores[33]); sin embargo, la tasa de condenas juveniles está por debajo del promedio europeo, y la de menores que entran en contacto con la justicia penal es especialmente baja en el contexto de la Unión.

Algo menos halagüeños son los datos proporcionados por el *European Sourcebook of Crime and Criminal Justice Statistics*,[34] cuya última edición nos proporciona el porcentaje de menores entre los detenidos o investigados por la policía y entre los condenados por los tribunales en el año 2015 en diversos estados europeos. España ocupa, en estos datos, la quinta posición entre los 32 estados que proporcionan datos de condenas, por cuanto hasta un 7,7% de las condenas penales se referirían a menores (el promedio de los estados europeos estaría por debajo del 5%); en cambio, en los datos policiales queda sustancialmente por debajo del promedio de los 33 países analizados (que se sitúa en un 6,76% los delincuentes menores entre el total de

---

[31] La falta de uniformidad de definiciones de delitos y sanciones, la falta de instrumentos comunes de medida y la falta de una metodología común convierten las comparaciones entre países en extremadamente peligrosas (Aebi et al., 2021: 9); y si esto es cierto respecto de la justicia para adultos, lo es aún más respecto de los sistemas de justicia juvenil.

[32] Cuestionables, sin duda: respecto de los datos españoles, se dividen las intervenciones registradas respecto de menores en el Sistema Estadístico de Criminalidad (SEC) entre el total de la población española menor de 18 años, cuando el SEC no registra datos de intervenciones sobre menores de Cataluña.

[33] Debe tenerse en cuenta, para interpretar este dato, que mientras la estadística policial española sobre intervenciones con menores no recoge datos de todo el territorio la judicial sí lo hace.

[34] Aebi et al., 2021: 78 y 196.

los identificados por la policía, mientras en el caso español sería el 5,1%).[35] Nuevamente, el reflejo del impacto del sistema penal español sobre los menores se evidencia más en los datos judiciales que en los policiales.[36] Pero volvemos inmediatamente sobre ello.

## 4. LOS DATOS POLICIALES

Los datos proporcionados por el Ministerio del Interior suelen tener la ventaja de dar cuenta de lo que llega a conocimiento de las autoridades sin condicionamiento a los avatares procesales.[37] Pero presentan, de partida, un doble inconveniente: por una parte, no se refieren al total del territorio estatal (el despliegue de competencias de las policías autonómicas ha supuesto, en varios territorios, la asunción por éstas de funciones de policía judicial en materia de justicia juvenil, de forma que el Ministerio sólo dispone de estos datos cuando el cuerpo policial autonómico se los proporciona, lo que no siempre sucede[38]); y por otra parte, los datos proporcionados por el Ministerio no han sido los mismos en todo el periodo histórico (los Anuarios de 2007 a 2009, ambos inclusive, ofrecen datos de 'indicadores' genéricos sin detalle por tipologías delictivas y sin distinguir entre menores y adultos[39]).

---

[35] En datos policiales y en condenas las cifras españolas de 2015 son más bajas que las de 2010 (cfr. Aebi et al., 2014/2017: 78 y 176); pero el descenso es menos acusado que en el conjunto de países analizados.

[36] Respecto de estos últimos, señala Serrano Tárrega (2021: 616) que las detenciones de menores en España están en torno al 15% del total de detenciones, cifra similar a la de los países de nuestro entorno.

[37] Lo que no implica ausencia de problemas de fiabilidad y completud; cfr. Aebi y Linde, 2010; Serrano Gómez, 2011; y específicamente referido a los datos sobre delincuencia juvenil Cano Paños, 2021.

[38] La policía autonómica catalana (*Mossos d'Esquadra*) no proporcionó al Ministerio del Interior hasta el Anuario de 2021, ni tampoco publica en abierto en su portal de internet, datos sobre delincuencia juvenil. La policía autonómica vasca (*Ertzaintza*) sí proporciona información, aunque presenta particularidades que obligarán a volver en breve sobre ella.

[39] La serie histórica de 2010 en adelante, aun siendo mucho más rica en la información proporcionada que el trienio referido, no recupera ciertas categorías sobre las que los anuarios de 2006 y anteriores sí proporcionaban información procedente de la policía; para más detalles a este respecto Aucejo Navarro y Guardiola García, 2018: 25ss. Para llenar el vacío señalado puede dar pistas

Javier Guardiola García

Las cifras de intervenciones policiales con menores decrecen en el periodo 2002-2007 y (tras el trienio sin datos y los datos singularmente bajos de 2010) nuevamente en el periodo 2011-2015, estabilizándose en los años sucesivos por debajo de 20.000 por año.[40]

**Figura 1 – Detenidos e investigados de entre 14 y 17 años (SES, 2002-2021)**

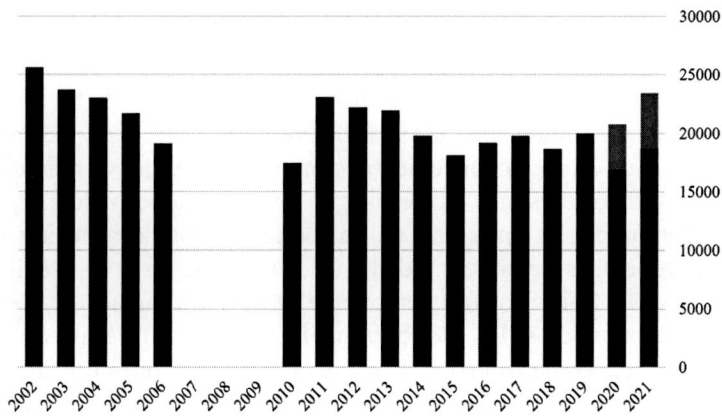

Fuente: Elaboración propia a partir de los Anuarios del MIR y datos de la SES.
Se distinguen los datos correspondientes a Cataluña, no disponibles hasta 2020-2021

Partiendo de estos datos (que se mueven aproximadamente en las cifras de sentencias de los juzgados de menores, ¡por debajo del número de asuntos de estos!), los menores de 18 años (17-18% de la población, que sin embargo explican menos del 4% de las victimizaciones registradas; los menores en edad de responsabilidad penal –mayores de 14 y menores de 18 años– son menos del 4% de la población total, menos del 5% de la población mayor de 14 años) estarían detrás

---

el trabajo de Fernández Molina y Bartolomé Gutiérrez (2018), que incorpora datos facilitados directamente a las investigadoras por el Ministerio del Interior; aunque no proporciona directamente las cifras que utiliza, sino tasas, y excluye del estudio investigaciones que no dan lugar a detenciones (p. 6), lo que hace los datos difícilmente comparables, en cuanto serían sensibles a eventuales cambios en los criterios de detención.

[40] Si no tenemos en cuenta las cifras de Cataluña, ausentes en la SES salvo para 2020-2021 (vid. nota 38).

de en torno al 5% de las detenciones e investigaciones –cifras que, pese a recurrentes voces alarmistas, no se han disparado en tiempos recientes–. En estos términos, es una franja de edad algo sobrerrepresentada en la estadística criminal, pero no es la franja etaria más criminógena,[41] y denuncia muchas menos victimizaciones de las que serían esperables.

Sin embargo, es preciso advertir que estas cifras resultan distorsionadas; no sólo porque resulta contraintuitivo que haya casi tantas sentencias como intervenciones policiales,[42] y además hay evidencia de enormes disparidades territoriales que obligan a tomar con muchas cautelas un examen de datos agregados (volveremos inmediatamente sobre esto), sino ya de partida porque la ausencia de datos policiales fiables[43] sobre delincuencia juvenil en Cataluña (territorio al que corresponde más del 15% de la población total entre 14 y 17 años en toda la serie histórica[44]) debe tenerse en cuenta al calcular la importancia relativa de la intervención de menores de edad en las cifras policiales españolas... por lo menos hasta 2019, porque el Anuario del Ministerio del Interior de 2021 ha publicado, al fin, datos de delincuencia juvenil catalana de los años 2020-2021. Por otra parte, los datos sobre el País Vasco sí dan cuenta de intervenciones de la policía autonómica, pero tanto en adultos como en menores este cuerpo policial (a diferencia del resto) proporciona datos sólo sobre detenidos y no sobre investigados... lo que contribuye a explicar por qué los datos policiales de este territorio presentan cifras que se mue-

---

[41]  Si dividimos las cifras de delincuencia registrada por el SES entre la población de cada franja etaria en territorio español a 1 de julio, la tasa de detenidos e investigados de 14 a 17 años es, en la última década, la mitad de la que se da entre sujetos de 18 a 30 años, y sin llegar a esta diferencia sigue siendo notablemente más baja que la correspondiente a la franja etaria 31-40 años. Es preciso sin embargo matizar estos datos, como se indica en el texto.

[42]  Como se ha apuntado ya, se pone fin a no pocos expedientes por la Fiscalía sin que se dicte sentencia.

[43]  Hasta el Anuario de 2021, la SES incorpora algunas cifras, pero no incluye datos de la policía autonómica –que asume la competencia en esta materia–; el resultado son tasas inverosímilmente bajas (0,11 detenciones/imputaciones por cada 1.000 menores entre 14 y 17 años en 2010-2019, cuando las condenas judiciales se mueven en torno a 6 por cada 1.000 menores en esa franja etaria en el mismo periodo).

[44]  Porcentaje que sube al 16% desde 2010, y al 17% en el último lustro.

ven por debajo de la mitad de los de condenas judiciales a menores del mismo,[45] y al tiempo evidencia la distorsión de la estadística policial estatal elaborada agregando cifras que miden cosas distintas.[46]

En cualquier caso, las cifras sorprendentes no se ciñen a los territorios cuyas policías autonómicas no son unidades adscritas de la Policía Nacional. En efecto, si el hecho de que el País Vasco presente una tasa de sentencias por cada mil menores más de seis puntos superior a la de detenciones e investigaciones –triplicando esta– puede intentar explicarse por lo que acaba de reseñarse, los datos de Ceuta (más de cinco puntos por encima), Canarias (casi tres puntos) y a más distancia –aunque no en términos relativos, al tratarse de regiones con tasas más bajas– Castilla y León, Baleares, Navarra y Galicia, no pueden explicarse por la misma vía. Y no es fácil hacerse una idea de por qué, en sentido contrario, en Aragón las detenciones e investigaciones triplican las sentencias, en la Comunidad de Madrid el número de detenciones e investigaciones es dos veces y media el de sentencias... y en Melilla están más de 20 puntos por encima de estas (aunque se trata ahora de tasas muy elevadas y la diferencia proporcional, siendo importante, es menor).

**Tabla 3 – Tasas de intervenciones policiales y judiciales con menores (acumulado 2010-2021)**

| Tasas por cada 1.000 menores con edad entre 14 y 17 años | Tasa Detenc. e investigac. | Tasa Asuntos penales J.M. | Tasa Sentencias penales J.M. | Sentencias / Detenc. e investigac. |
|---|---|---|---|---|
| ESPAÑA | 11,24 | 15,74 | 9,88 | 0,9 |
| ANDALUCÍA | 11,43 | 16,78 | 10,81 | 0,9 |
| ARAGÓN | 24,23 | 15,06 | 8,20 | 0,3 |
| P. DE ASTURIAS | 15,74 | 14,88 | 11,14 | 0,7 |
| I. BALEARS | 14,87 | 23,18 | 16,05 | 1,1 |
| CANARIAS | 11,04 | 20,00 | 13,89 | 1,3 |

---

[45] En el periodo 2010-2019, los datos disponibles indican por cada 1.000 menores 3,15 detenciones, y hasta 7,77 condenas judiciales; esto es, las cifras de detenciones son sólo un 40% de las de condenas.

[46] A estos efectos, debe tenerse en cuenta que el País Vasco tenía, a 1 de julio de 2021, 86.970 personas con más de 14 y menos de 18 años, el 4,3% de la población de todo el estado de esta franja etaria.

| | | | |
|---|---|---|---|
| CANTABRIA | 11,23 | 12,87 | 10,36 | 0,9 |
| CASTILLA Y LEÓN | 9,91 | 17,32 | 11,23 | 1,1 |
| CASTILLA - LA MANCHA | 12,73 | 14,96 | 8,65 | 0,7 |
| CATALUÑA | * 0,1 / 12,8 | 15,19 | 8,49 | * 91,1 / 0,5 |
| C. VALENCIANA | 16,73 | 20,57 | 12,50 | 0,7 |
| EXTREMADURA | 10,18 | 16,00 | 9,14 | 0,9 |
| GALICIA | 6,71 | 11,06 | 7,35 | 1,1 |
| C. DE MADRID | 15,91 | 8,72 | 6,38 | 0,4 |
| R. DE MURCIA | 13,38 | 16,74 | 10,46 | 0,8 |
| C.F. DE NAVARRA | 7,08 | 13,41 | 7,92 | 1,1 |
| PAÍS VASCO | 3,05 | 14,79 | 9,35 | 3,1 |
| LA RIOJA | 14,14 | 16,33 | 10,60 | 0,7 |
| C.A. DE CEUTA | 40,75 | 62,98 | 46,19 | 1,1 |
| C.A. DE MELILLA | 54,28 | 57,28 | 32,46 | 0,6 |

Fuente: Elaboración propia a partir de datos de la SES, del CGPJ y del INE.
* Los datos de Cataluña que consideran intervenciones policiales distinguen 2010-2019 y 2020-2021

En cuanto a la tipología de las infracciones que dan lugar a detenciones e investigaciones, se trata fundamentalmente de infracciones patrimoniales (60%, cuando en las detenciones e investigaciones registradas por la SES sin discriminación de edad estas infracciones no llegan al 40%[47]); los delitos contra la seguridad colectiva protagonizados por menores son sólo el 6% de las infracciones que se les atribuyen –cuando las detenciones e investigaciones por estos delitos alcanzan el 15% del total si no se discrimina por edad[48]–; y los delitos sexuales perseguidos se mueven en porcentajes parejos a los que representan cuando no se diferencias las detenciones e investigaciones

---

[47]    Debe tenerse en cuenta que en la serie histórica el porcentaje de delitos patrimoniales decrece tanto en menores (merma continuadamente desde el 68% de 2010 hasta el 50% de 2021) como en adultos (donde pasa del 39% en 2010-2011 a ascender hasta el 43% en 2013, y a partir de aquí desciende continuadamente hasta el 33% de 2021).

[48]    En esta modalidad delictiva el rango porcentual de la serie histórica 2010-2021 se mueve en menores entre el 5 y el 7%, y en adultos entre el 14 y el 17%.

por la edad de los agresores.[49] Valga para ilustrar todo ello el contraste entre las Figuras 2 y 3.[50]

**Figura 2 – Tipologías delictivas en detenciones e investigaciones de menores (acumulado 2010-2021)**

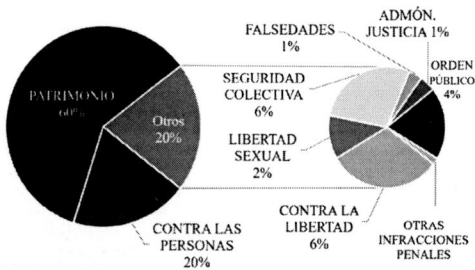

Fuente: Elaboración propia a partir de datos de la SES.

**Figura 3 – Tipologías delictivas en detenciones e investigaciones en general (acumulado 2010-2021)**

Fuente: Elaboración propia a partir de datos de la SES.

---

49 Debe señalarse, sin embargo, que las tasas de delitos sexuales atribuidas a menores en la serie histórica desde 2010 se duplican en 2018-2021; sobre esta cuestión pueden verse los distintos *Informe sobre los delitos contra la libertad e indemnidad sexual en España* publicados en línea por el Gabinete de Coordinación y Estudios de la Secretaría de Estado de Seguridad (desde 2017 hasta 2021).

50 Referidas al periodo 2010-2021; para un análisis de datos de 2002-2016, Aucejo Navarro y Guardiola García, 2018: 26-27.

Por lo que se refiere al género, en toda la serie histórica es abrumadora la mayoría de chicos entre detenidos e investigados (un 90% en el periodo 2002-2006; siempre más de un 80% en el periodo 2010-2021, en que las detenciones e imputaciones masculinas descienden[51]); dándose diferencias de modalidades delictivas en función del sexo.[52]

**Figura 4 – Menores detenidos o investigados, por sexos (2010-2021)**

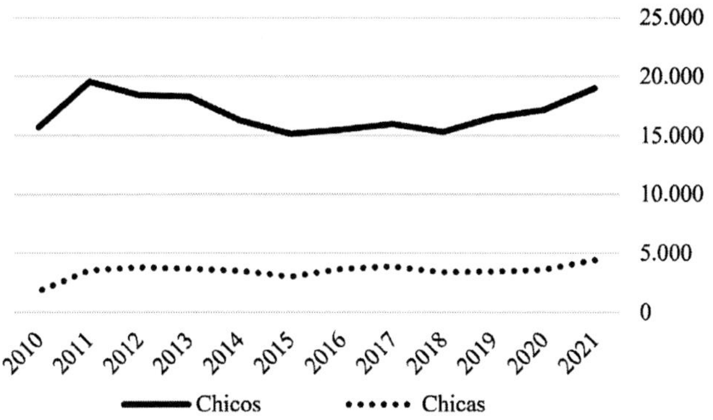

Fuente: Elaboración propia a partir de datos de la SES.

Los menores recogidos en la estadística policial son, ciertamente, un grupo de mayor importancia relativa que los sujetos cuyas edades quedan por encima de los 40 años; pero sus tasas de detenciones e investigaciones quedan por debajo de las de los sujetos que tienen entre 30 y 40 años, y a gran distancia –en los últimos años, son menos de la mitad– de las tasas de detenciones e investigaciones de los mayores de edad que no superan la treintena.[53]

---

51  Las cifras de detenciones e investigaciones de chicos son más bajas en 2014-2019 que en años precedentes y posteriores.

52  Vid. Aucejo Navarro y Guardiola García, 2018: 34-35 y 37-40. Cfr. Cámara Arroyo, 2013, 2021; Loinaz, 2021; Serrano Tárrega, 2009, 2021.

53  Para el cálculo de estas tasas se ha dividido el número de detenciones e investigaciones de cada franja etaria por el total de la población española de dicho rango de edad a 1 de julio del año correspondiente. Señala este mismo fenómeno en las condenas judiciales Montero Hernanz, 2011a, 2011c, 2014, 2018.

**Figura 5 – Tasas por 1.000 habitantes de detenidos o investigados, por franjas etarias (2010-2021)**

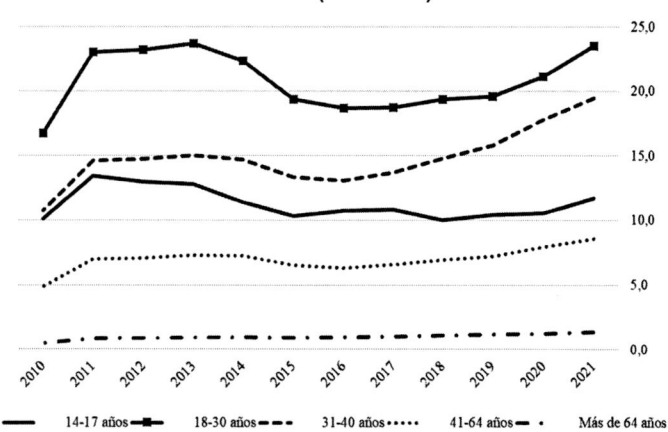

Fuente: Elaboración propia a partir de datos de la SES y del INE.

Datos sobre el total del territorio español; en menores no incluyen delitos de Cataluña hasta 2020-2021.

## 5. LAS CIFRAS DE FISCALÍA

Las Memorias de la Fiscalía atienden más a cuantificar el volumen de trabajo asumido por la institución que a monitorizar la evolución de la delincuencia, como ha advertido reiteradamente la misma Fiscalía al tiempo que ha ido depurando progresivamente sus propios criterios estadísticos, señalando que las variaciones en el número de diligencias registradas son 'más como consecuencia de esos nuevos criterios registrales que por otros motivos', y por lo tanto no estaríamos ante un indicador preciso para analizar la evolución de la delincuencia juvenil.[54]

Pero, como se ha apuntado ya, no podemos desconocer que los datos de la Fiscalía recogen información de gran valor y dan cuenta

---

[54]   FGE, 2015: 488-489, 2017: 591-592. En semejante sentido Fernández Molina et al., 2014: 35, advierten que 'conviene ser cautelosos a la hora de utilizar esta información como un reflejo del índice de delincuencia real acontecida'.

privilegiada del funcionamiento del sistema de justicia penal en relación a los adolescentes; los expedientes de menores no necesariamente
arrancan de un registro policial y no necesariamente culminan en una
sentencia judicial, y la Fiscalía –que es la instructora del expediente–
se presenta en consecuencia como una fuente imprescindible de información sobre el sistema penal juvenil español. En efecto, si los expedientes de reforma incoados se corresponden, con mayor o menor
precisión, con los asuntos de los Juzgados de menores, la advertencia
de Fiscalía de que los números de diligencias incoadas tienen escasa
fiabilidad como indicador debe matizarse: las diligencias suponen una
intervención del sistema penal, y ello aunque no den lugar a incoación
de expedientes… más allá de los meros duplicados registrales, en los
casos en que no se incoa expediente porque los hechos no constituyen
infracción penal,[55] o cuando el Fiscal desiste de la incoación del expediente por corrección en el ámbito educativo y familiar (art. 18 de la
LORRPM), Fiscalía 'ha tomado cartas en el asunto' y se ha producido

---

[55]    Sobre el recurso a la intervención penal en asuntos no constitutivos de infracción
penal advertía ya Giménez-Salinas Colomer, 1981: 19, 32-36 y 145-146; esto
implica un control no sólo informal, sino también formal sobre estas actividades
de los menores (Fernández Molina et al., 2009: 24; Fernández Molina, 2013:
12-14). La ampliación del concepto de delincuencia juvenil para incluir 'factores
y situaciones criminógenas o conductas asociadas al delito' (Vázquez González,
2007: 7) es común en los estudios criminológicos, en los que no presenta ulterior problema; pero cuando es asumida por las instancias de reforma de menores extiende el ámbito de alcance del mecanismo sancionador –y su potencial
estigmatizador– a situaciones en que falta su presupuesto básico, la comisión
de una conducta delictiva. La Ley Orgánica 4/1992 excluyó formalmente estas
conductas del alcance de la jurisdicción de menores (Colás Turégano, 2011: 64;
Gómez Rivero, 2002: 5), pero parece claro que materialmente no se ha logrado
por entero (Montero Hernanz, 2014: 257; por demás, la persecución de esta
suerte de *status offenses* puede presentar diferencias en función del género de los
menores –Cámara Arroyo, 2013: 359-360–). El 'impacto *institucional*' sobre los
menores del sistema penal resulta, pues, en la práctica mucho mayor de lo que las
condenas apuntan –y no sólo respecto de los menores procesados, sino también
respecto de los menores víctimas; cfr. al respecto Ramos Vázquez (2021: 351-
353), de quien tomo la expresión arriba entrecomillada, cursiva incluida–. Y, en
este sentido, es preciso recordar aún que 'la vieja filosofía "tutelar" ha servido
y sigue sirviendo a un fin: hacer menos visible socialmente –y más tolerable por
tanto– la ampliación de la esfera represiva a quienes de otro modo estarían fuera
del alcance del derecho penal' (Andrés Ibáñez, 1987: 58).

una –si se quiere sucinta, pero real– intervención del sistema penal.[56]
Y cuando Fiscalía desiste de continuar el expediente por conciliación
o reparación (art. 19) o a propuesta del equipo técnico en interés del
menor (art. 27.4), se ha producido también una intervención del sistema penal, aunque el asunto no se resuelva con audiencia y sentencia.

Pues bien, las cifras de Fiscalía se mueven por encima de 100.000
diligencias incoadas entre 2004 y 2011, y a partir de ahí descienden
hasta 69.000 en 2018, presentando 2019 un leve repunte, 2020 (año
del confinamiento) una sustancial caída y 2021 algo más de 67.500
diligencias incoadas. En cuanto a los expedientes de reforma, arrojan
cifras por encima de los 30.000 hasta 2010, y por debajo de la misma
a partir de entonces, siendo de destacar que en 2020, pero también en
2021, se alcanzan mínimos en la serie histórica.[57] En el periodo 2006-
2021, un 63,7% de los expedientes acaba en escrito de alegaciones
(el mínimo se da en 2015, con un 59,8%; el máximo en 2011, con un
67,9%); escritos que de acuerdo con Fiscalía acaban en condena en
algo más del 90% de los casos.

**Figura 6 – Diligencias, expedientes y escritos de alegaciones de la Fiscalía de menores (2002-2021)**

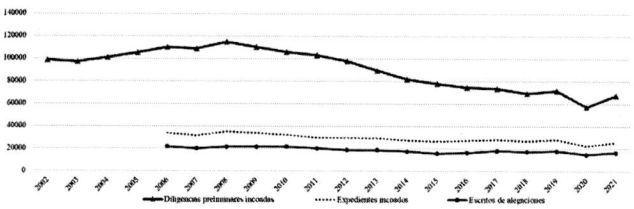

Fuente: Elaboración propia a partir de datos de la FGE.

---

[56]   Como también sucede, hasta cierto punto, con las diligencias incoadas en rela-
       ción a hechos cometidos por menores de 14 años, que vienen a ser un 10% del
       total en la serie histórica.

[57]   En toda la serie, las cifras de expedientes de la FGE quedan por encima de las de
       detenciones e investigaciones policiales recogidas por la SES; incluso en 2020-
       2021, en que la SES ya incorpora datos de Cataluña, y sin que los datos del País
       Vasco (cuya policía autonómica, como queda dicho, no recoge datos sobre inves-
       tigados aunque sí sobre detenidos) puedan explicar por entero esta diferencia.

Debe tenerse en cuenta, como apuntábamos antes, que entre 2012 y 2021 se han producido 82.780 desistimientos de la incoación del expediente por la Fiscalía (casi un 11% de la cifra de diligencias incoadas, lo que representaría algo más del 30% del total de asuntos que efectivamente han dado lugar a la incoación de expedientes).

**Tabla 4 – Tasas de diligencias previas y de desistimientos de la Fiscalía (2012-2021)**

|           | Diligencias Previas por cada 1.000 menores | Desistimientos por cada 100 Diligencias Previas | Desistimientos por cada 100 Expedientes |
|-----------|--------------------------------------------|-------------------------------------------------|-----------------------------------------|
| 2012-2021 | 41,79                                      | 10,88                                           | 30,38                                   |
| 2021      | 33,86                                      | 9,79                                            | 25,53                                   |
| 2020      | 29,31                                      | 9,89                                            | 25,22                                   |
| 2019      | 37,44                                      | 10,49                                           | 26,36                                   |
| 2018      | 37,20                                      | 11,60                                           | 29,61                                   |
| 2017      | 40,47                                      | 11,92                                           | 31,02                                   |
| 2016      | 41,84                                      | 11,14                                           | 30,42                                   |
| 2015      | 44,45                                      | 11,46                                           | 33,75                                   |
| 2014      | 47,33                                      | 11,36                                           | 33,77                                   |
| 2013      | 52,59                                      | 10,53                                           | 32,11                                   |
| 2012      | 57,48                                      | 10,47                                           | 34,59                                   |

Fuente: Elaboración propia a partir de datos de la FGE y del INE (menores 14 a 17 años a 1 de julio).

Esto representa que casi la cuarta parte de los asuntos no llegan a los Juzgados de Menores por decisión de la Fiscalía. A partir de aquí, las cifras judiciales y las de Fiscalía se acompasan.

**Figura 7 – Expedientes, escritos de alegaciones, asuntos y sentencias (2002-2021)**

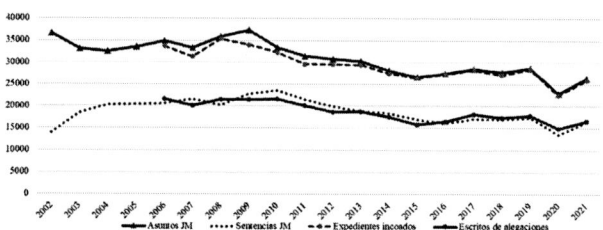

**Fuente: Elaboración propia a partir de datos de la FGE y del CGPJ.**

La diferencia entre el número de expedientes y el de escritos de alegaciones (que dan lugar a una audiencia y una sentencia) se explica, en buena medida,[58] por las 'soluciones extrajudiciales' (conciliación o reparación) y los sobreseimientos a propuesta del equipo técnico en interés del menor.

**Tabla 5 –** *Tasas de expedientes y porcentajes de soluciones dadas a los mismos (2012-2021)*

|  | Expedientes por cada 1.000 menores | % Soluciones extrajudiciales | % Sobreseim. art. 27.4 | % Escritos alegaciones |
|---|---|---|---|---|
| 2012-2021 | 14,96 | 16,55 | 5,59 | 63,19 |
| 2021 | 12,98 | 17,86 | 3,78 | 64,07 |
| 2020 | 11,50 | 14,72 | 3,89 | 66,35 |
| 2019 | 14,90 | 14,22 | 3,46 | 62,87 |
| 2018 | 14,58 | 16,13 | 4,65 | 63,99 |
| 2017 | 15,55 | 15,57 | 4,81 | 64,11 |
| 2016 | 15,32 | 18,23 | 5,17 | 60,43 |
| 2015 | 15,09 | 17,96 | 6,20 | 59,83 |
| 2014 | 15,91 | 18,63 | 6,64 | 63,95 |
| 2013 | 17,24 | 15,99 | 6,73 | 63,77 |
| 2012 | 17,39 | 16,20 | 9,84 | 62,97 |

Fuente: Elaboración propia a partir de datos de la FGE y del INE (menores 14 a 17 años a 1 de julio).

---

[58]    Pero no por entero... en el periodo 2012-2021, la suma de escritos de alegaciones, soluciones extrajudiciales y sobreseimientos del art. 27.4 sólo alcanza, de acuerdo con los datos de Fiscalía, el 85% de la cifra total de expedientes incoados.

Por demás, si en los datos policiales se evidenciaban diferencias territoriales, los de la Fiscalía también arrojan evidencias en este sentido. Un análisis detallado de estas cifras excedería con creces de la pretensión de la presente contribución, pero basta para evidenciarlo la información que se recoge en la Tabla 6, referida a datos agregados del periodo 2012-2021.

**Tabla 6 – Tasas de diligencias y expedientes y porcentajes de soluciones dados a los mismos, por Comunidades Autónomas (2012-2021)**

| | Diligencias Previas / 1.000 menores | Desistimientos / 100 DP | Desistimientos / 100 expedient. | Expedientes/ 1.000 menores | % Soluciones extrajudiciales | % Sobreseim. art. 27.4 | % Escritos alegaciones |
|---|---|---|---|---|---|---|---|
| Andalucía | 46,29 | 8,07 | 21,84 | 17,12 | 18,30 | 4,77 | 56,97 |
| Aragón | 37,49 | 12,15 | 30,79 | 14,79 | 37,38 | 4,01 | 52,82 |
| Canarias | 55,40 | 10,54 | 30,21 | 19,33 | 5,21 | 10,34 | 78,27 |
| Cantabria | 51,73 | 13,03 | 53,17 | 12,68 | 6,03 | 7,23 | 79,93 |
| Castilla y León | 42,83 | 3,47 | 9,08 | 16,36 | 15,78 | 8,66 | 62,58 |
| Castilla-La Mancha | 37,01 | 5,62 | 14,62 | 14,23 | 16,37 | 7,18 | 62,53 |
| Cataluña | 36,93 | 19,05 | 49,91 | 14,10 | 20,18 | 3,77 | 62,85 |
| Comunidad de Madrid | 34,74 | 17,63 | 73,98 | 8,28 | 14,03 | 0,84 | 80,12 |
| Comunitat Valenciana | 57,65 | 5,89 | 17,61 | 19,28 | 21,68 | 6,73 | 60,08 |
| Extremadura | 34,99 | 3,85 | 8,96 | 15,06 | 19,75 | 6,11 | 57,93 |
| Galicia | 30,90 | 8,67 | 24,62 | 10,88 | 15,98 | 6,09 | 68,30 |
| Illes Balears | 57,47 | 5,19 | 13,71 | 21,77 | 4,53 | 2,00 | 68,60 |
| La Rioja | 31,39 | 11,12 | 23,80 | 14,67 | 8,99 | 4,13 | 55,17 |
| Murcia | 32,77 | 11,58 | 22,82 | 16,63 | 6,61 | 9,53 | 63,97 |
| Navarra | 35,61 | 14,96 | 42,00 | 12,68 | 11,65 | 11,04 | 30,05 |
| País Vasco | 32,22 | 15,30 | 34,32 | 14,36 | 13,65 | 6,78 | 56,98 |
| Principado de Asturias | 34,30 | 18,78 | 44,75 | 14,39 | 5,55 | 6,57 | 80,23 |
| Total | 41,79 | 10,88 | 30,38 | 14,96 | 16,55 | 5,59 | 63,19 |

Fuente: Elaboración propia a partir de datos de la FGE y del INE (menores 14 a 17 años a 1 de julio).

## 6. LA ESTADÍSTICA DE MENORES CONDENADOS

En la introducción de esta obra nos detuvimos en las cifras que proporciona el CGPJ sobre la actividad de la jurisdicción penal de menores en España; a este respecto, valga ahora con remitir allí. Sin embargo, como ya se ha advertido, la estadística judicial registra fundamentalmente la actividad jurisdiccional, centrándose en los asuntos despachados y en sus incidentes procesales; si buscamos un indicador de condenados y de condenas resulta de singular interés el Registro de Sentencias de Responsabilidad Penal de los Menores, accesible desde 2007 a través de la explotación que del mismo hace el INE en INEbase.[59] En cuanto estadística derivada de las condenas judiciales firmes, presenta importantes ventajas en cuanto a su fiabilidad.

Sin embargo, es preciso insistir en una cautela previa: como ya se apuntó más arriba, en el proceso penal juvenil español la Fiscalía tiene amplias facultades de disposición que dan lugar a que un porcentaje no desdeñable de asuntos no acabe en sentencia (vid. Aucejo Navarro y Guardiola García, 2018: 22), y por tanto nunca llegue a reflejarse en el Registro. Esto produce una doble distorsión si se pretende utilizar este indicador para inferir la delincuencia juvenil en España y el alcance del sistema penal juvenil español: por una parte, infravalora el número de infracciones y de menores en contacto con el sistema penal –todo lo que se ha resuelto sin sentencia, que como hemos visto es algo más de la mitad de lo gestionado por el sistema penal, no tiene reflejo–; por otra parte, sobrevalora la gravedad de las infracciones cometidas[60] y tiende a proporcionar un perfil del menor infractor centrado en los identificados como de mayor riesgo –los mecanismos de

---

[59]    De acuerdo con las notas metodológicas del sistema que utiliza el INE para el almacenamiento de la información estadística en internet (INEbase): '*Hasta el 31 de diciembre de 2006, la recogida de información se realizaba trimestralmente mediante un boletín en papel que cumplimentaban los Juzgados de Menores por cada sentencia dictada. [...] A partir de 2007, se realiza la explotación estadística del Registro Central de Sentencias de Responsabilidad Penal de los Menores*'. Lamentablemente, los cambios metodológicos se acompañaron además de cambios en la presentación de los niveles de agregación geográfica, lo que dificulta algunos análisis (cfr. Fernández Molina, 2013: n. 3 en p. 6; y Montero Hernanz, 2011a, 2012a: 538, 2014: 250).

[60]    Advierten Fernández Molina et al., 2009: 19, de la sobrerrepresentación de delitos violentos.

derivación y las facultades dispositivas del Ministerio Fiscal se concentran en infracciones de gravedad menor y en sujetos con mejor pronóstico de reinserción–. Todo ello no cuestiona la fiabilidad y validez de estos datos en cuanto indicadores de condenas penales (que es lo que en rigor son); pero obliga a tomarlos con cautela si lo que se buscan son indicadores del total de la actividad del sistema penal juvenil español y de la delincuencia juvenil en nuestro país.

En cualquier caso, sentadas las cautelas precedentes, los datos que arroja la estadística de condenados menores de edad nos da algo más de 8 condenados por cada 10 sentencias dictadas por los Juzgados de Menores,[61] y en torno a 1,4 infracciones condenadas por sentencia dictada.

**Figura 8 – Sentencias, condenados e infracciones penales de menores (2009-2021)**

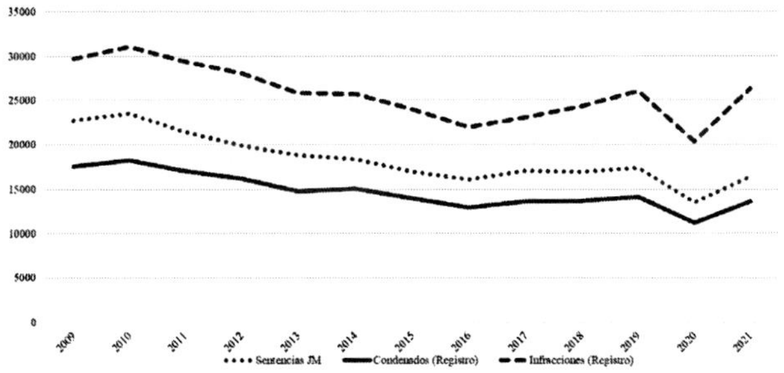

Fuente: Elaboración propia a partir de datos del CGPJ y del INE.

Si comparamos estos datos con la estadística de condenados adultos, las cifras son muy inferiores, como era absolutamente predecible si consideramos que la población adulta es veinte veces la correspondiente a la franja etaria de 14 a 17 años.[62] Pero es fácil constatar

---

61    Para una mirada crítica a las frecuentes conformidades en derecho penal de menores, Montero Molera, 2021; se pregunta, contrastando las cifras, por qué no hay más soluciones extrajudiciales y menos sentencias por conformidad Periago Morant, 2020: 27 y 41.

62    Sin embargo, aunque las cifras de condenados adultos y menores sí están en relación de 20 a 1 desde 2016 (con 15 infracciones de adultos por cada una de menor condenadas), en el periodo 2010-2015 hay sólo 14 adultos condenados por cada menor condenado (con 10 infracciones de adultos por cada una de me-

algunas diferencias añadidas en la evolución de los indicadores: si en adultos la conversión de faltas en delitos leves tuvo un claro efecto en la estadística de condenados, y desde 2016 hasta 2019 las cifras crecen continuadamente colocándose claramente por encima de las de la primera mitad de la década, en cambio en menores no sucede lo primero[63] y las cifras de la primera mitad de la década eran superiores.

**Figura 9 – Infracciones y condenados en Derecho penal juvenil y de adultos (2010-2021)**

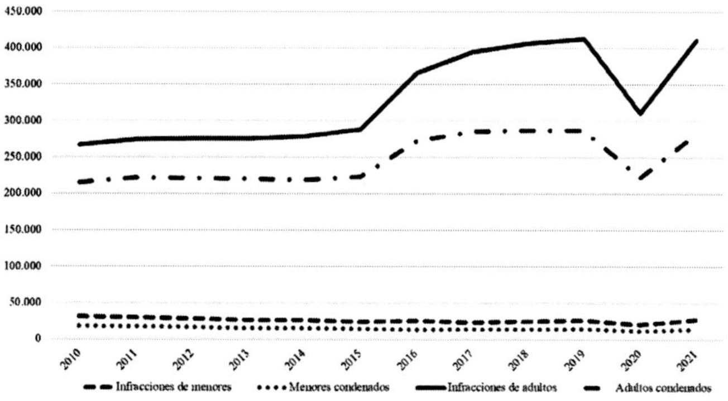

Fuente: Elaboración propia a partir de datos del INE.

Por otra parte, la participación femenina en la delincuencia juvenil condenada era poco más del 10% en 2005, y en diez años fue creciendo progresivamente hasta duplicarse, estabilizándose en torno al 20% desde 2015; pudiendo identificarse diferencias en las categorías delictivas protagonizadas por los y las menores.[64] Si atendemos a la distribución por franjas etarias, la representación de los menores en

---

nores que se condena). En cualquier caso, como ha señalado Montero Hernanz (2011a, 2011c, 2014, 2018) las tasas de condenas de menores son inferiores a las de adultos jóvenes.

[63] Como advierte Montero Hernanz (2018), las faltas siempre se habían tenido en cuenta en la estadística de menores condenados. Para Jericó Ojer (2018) la reforma penal de 2015 redujo la intervención penal respecto de los menores.

[64] Cfr. al respecto Aucejo Navarro y Guardiola García, 2018: 47 y 61-65. En cuanto a las diferencias en la respuesta judicial en función del género, cfr. Cámara Arroyo, 2013: 359-360; y Fernández Molina et al., 2009: 21.

la estadística de condenados crece con la edad y los tipos de delitos también cambian.[65]

En cuanto a los delitos que dan lugar a estas condenas, reconduciendo las categorías a las de la estadística policial para posibilitar comparaciones con la Figura 2, son en el periodo 2010-2021 las que se representan en la Figura 10. Las infracciones patrimoniales siguen siendo la categoría modal, pero ceden hasta 16 puntos en favor de las infracciones contra las personas, que pasan de un 20 a un 36% (parece claro, pues, que desistimientos, soluciones extrajudiciales y sobreseimientos en interés del menor se dan mucho más en infracciones patrimoniales que en infracciones contra las personas); mientras las infracciones contra la libertad, la seguridad colectiva y el orden público mantienen la misma importancia relativa que tenían en la estadística policial.

**Figura 10 – Tipologías de infracciones en condenas a menores (acumulado 2010-2021)**

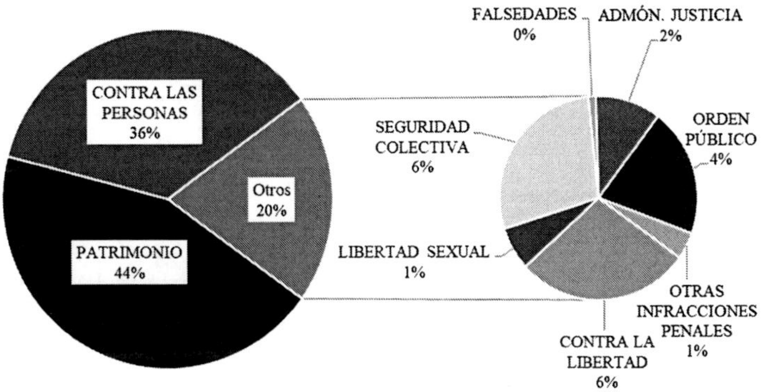

Fuente: Elaboración propia a partir de datos del INE.

---

[65]    Cfr., respecto del periodo 2005-2016, Aucejo Navarro y Guardiola García, 2018: 47-49 y 65-67. En el periodo 2017-2021 los menores más jóvenes incrementan dos puntos porcentuales su participación, en detrimento de los de mayor edad: así, los de 14 años pasan de ser el 16% a ser el 18% de los condenados; los de 15 y 16 años se mantienen, respectivamente, en el 23 y 29%; y los de 17 años pasan del 32% al 30%.

Un sencillo contraste por regiones de las tasas de sentencias, condenados e infracciones por cada mil menores, por otra parte (véase la
Tabla 7), evidencia que también en este nivel hay importantes diferencias entre los distintos territorios autonómicos.

**Tabla 7 – Tasas de sentencias, de condenados y de infracciones condenadas
(acumulado 2010-2021)**

| Tasas por cada 1.000 menores con edad entre 14 y 17 años | Tasa Sentencias penales J.M. | Tasa condenados | Tasa infracciones | Infracciones / Condenados |
|---|---|---|---|---|
| ESPAÑA | 9,88 | 8,02 | 14,08 | 1,8 |
| ANDALUCÍA | 10,81 | 8,89 | 15,26 | 1,7 |
| ARAGÓN | 8,20 | 6,55 | 13,81 | 2,1 |
| P. DE ASTURIAS | 11,14 | 8,95 | 18,68 | 2,1 |
| I. BALEARS | 16,05 | 12,76 | 23,09 | 1,8 |
| CANARIAS | 13,89 | 9,32 | 16,97 | 1,8 |
| CANTABRIA | 10,36 | 10,29 | 16,58 | 1,6 |
| CASTILLA Y LEÓN | 11,23 | 10,36 | 16,36 | 1,6 |
| CAST.- LA MANCHA | 8,65 | 7,26 | 11,91 | 1,6 |
| CATALUÑA | 8,49 | 5,73 | 10,80 | 1,9 |
| C. VALENCIANA | 12,50 | 11,08 | 19,23 | 1,7 |
| EXTREMADURA | 9,14 | 8,76 | 14,33 | 1,6 |
| GALICIA | 7,35 | 6,14 | 11,54 | 1,9 |
| C. DE MADRID | 6,38 | 5,10 | 8,10 | 1,6 |
| R. DE MURCIA | 10,46 | 8,84 | 12,44 | 1,4 |
| C.F. DE NAVARRA | 7,92 | 6,99 | 12,93 | 1,8 |
| PAÍS VASCO | 9,35 | 7,26 | 15,65 | 2,2 |
| LA RIOJA | 10,60 | 10,31 | 22,69 | 2,2 |
| C.A. DE CEUTA | 46,19 | 38,36 | 66,12 | 1,7 |
| C.A. DE MELILLA | 32,46 | 16,01 | 32,60 | 2,0 |

Fuente: Elaboración propia a partir de datos del GCPJ y del INE.

## 7. DATOS SOBRE IMPOSICIÓN Y EJECUCIÓN DE MEDIDAS

Por último, si atendemos a los datos sobre medidas impuestas hemos de destacar las limitaciones y contradicciones de la información disponible: Fiscalía da cifras de medidas impuestas desde 2002, pero sin relacionarlas con las infracciones atribuidas ni con los perfiles de los condenados; la estadística de condenados del INE informa de medidas impuestas en relación al sexo, edad y nacionalidad[66] de los menores desde 2005, pero sólo en 2005-2006 desglosó las medidas por infracciones cometidas, y las cifras difieren levemente de las de Fiscalía;[67] y de la ejecución de las medidas –que corresponde a las Comunidades Autónomas– se hacen eco los boletines del Observatorio de la Infancia,[68] y sólo en los últimos años el portal Infancia en Datos. Pues bien:

De acuerdo con los datos de la Fiscalía, que dan cuenta de unas 23.000 medidas por año,[69] los internamientos constituyen más de la quinta parte de las medidas impuestas en el primer lustro, pero menos

---

[66]   Los datos sobre el origen nacional de los menores aparecen recurrentemente en las distintas estadísticas oficiales; sin embargo, el carácter fuertemente equívoco de esta variable si no se cruza con otras y la complejidad de su análisis implican dificultades que exceden del objeto de esta contribución, y por tanto he omitido intencionalmente toda referencia a estas cuestiones. Se dan algunas referencias en Aucejo Navarro y Guardiola García, 2018: 36 y 67-70 (en relación a la actualización de esta información, si en 2007-2016 los extranjeros explican un 23% de las condenas, en 2017-2021 se mueven en torno al 20%); señala equívocos frecuentes en la interpretación de los datos sobre extranjería en delincuencia juvenil, en particular sobre el cálculo de tasas sin tener en cuenta población no censada o cambios poblacionales, Montero Hernanz, 2011a, 2012a: 539, 2014: 259-260; para una introducción a estas cuestiones vid. San Juan Guillén y de la Cuesta Arzamendi (eds.), 2006; y Fernández-Pacheco Alises, 2021.

[67]   Para un análisis detallado de estas dos primeras fuentes hasta 2016, atendiendo al contraste con las variables disponibles, Aucejo Navarro y Guardiola García, 2018: 71-88.

[68]   Señalan problemas metodológicos Cámara Arroyo, 2013: 297-299; y Montero Hernanz, 2014: 251-252. Sobre las alternativas al internamiento durante la fase de ejecución de la medida (sometida al principio de flexibilidad), vid. Periago Morant, 2020: 28ss.

[69]   Las cifras de 2002 y 2003 son algo más bajas, pero desde 2004 sólo en 2020 registra menos de 20.000 medidas, y en 2012 llegaron a ser 26.859; el promedio de la serie 2002-2021 es de 22.704. En todo caso, las Memorias de la Fiscalía

del 20% a partir de entonces. La categoría modal, en toda la serie, es la libertad vigilada, a la que corresponderían algo más del 40% del total de medidas –y más del 45% desde 2017[70]–; mientras las prestaciones en beneficio de la comunidad explicarían más del 20% de las medidas hasta 2011, descendiendo continuadamente desde entonces. El resto de medidas suma sólo el 15% del total en el periodo 2002-2011, y casi el 25% en el periodo 2012-2021.

**Figura 11 – Principales tipos de medidas impuestas a menores (FGE, 2002-2021)**

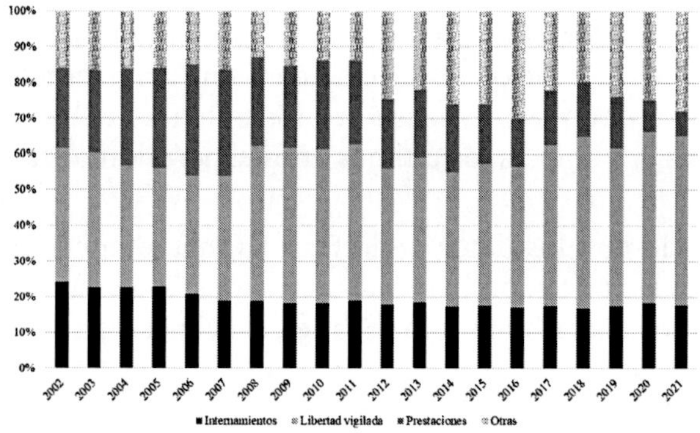

Fuente: Elaboración propia a partir de datos de la FGE.

La estadística de condenados arroja cifras algo diferentes: el total de medidas es algo inferior,[71] y los porcentajes de los distintos tipos de medidas difieren también, aunque no en exceso: los internamientos, en el periodo 2007-2021, representan el 15% de las medidas;[72] la libertad vigilada pasa del 30% del total de medidas en 2007 hasta el 40% en 2013 y llega al 45% en 2020-2021; las prestaciones en beneficio de la

---

General del Estado advierten de vicisitudes metodológicas en estas cifras (véase por todas la de 2020, p. 947-948) que 'podrían cuestionar su exactitud'.

[70]   Un 33-37% hasta 2007, un 43% en 2008-2011 (lo que Montero Hernanz, 2011: 97-98, atribuye a que la LO 8/2006 permitiera asignarla a las faltas), un 38-40% hasta 2016, siempre más del 44% desde 2017.

[71]   Un poco menos de 22.700 por año desde 2005 hasta 2021, cuando Fiscalía en dicho periodo registra un promedio de más de 23.500.

[72]   Las cifras son algo más altas para 2005-2006, y además imprecisas, porque los internamientos terapéuticos no se computan con los internamientos sino con los tratamientos ambulatorios, sin distinción.

comunidad y las tareas socio-educativas son un 35% de las medidas en 2005-2007, un 33% en 2008-2011, y a partir de entonces no pasan del 30%, quedando en 2020-2021 en un 23% del total de medidas.

**Figura 12 – Principales tipos de medidas impuestas a menores (INE, 2002-2021)**

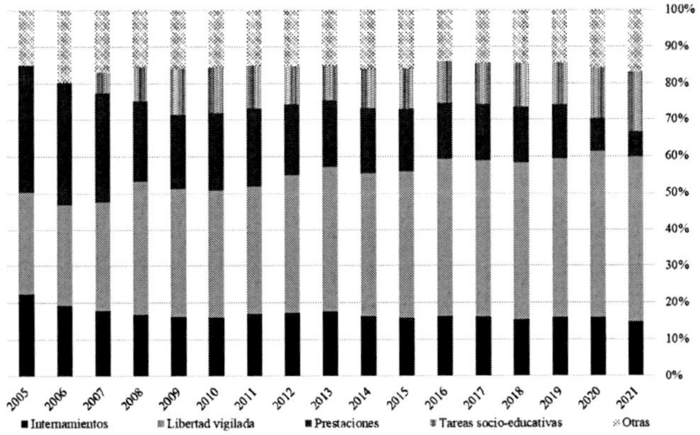

Fuente: Elaboración propia a partir de datos del INE.

Y, como no podía ser menos, los datos del observatorio de la infancia y del portal Infancia en Datos (referido ahora a medidas notificadas, y no ya a las impuestas ¡de las que sin embargo exceden en Castilla y León![73]) tampoco cuadran con precisión con los precedentes, ni mantienen las mismas variaciones interanuales. En lo que todos los indicadores concurren es en la notable divergencia entre las cifras de distintos territorios –véanse las Tablas 8 y 9–; ciñéndonos a medidas notificadas en el periodo 2017-2020, y más allá de los bajísimos índices de Madrid (3,90) y los altísimos de Ceuta (49,59), no deja de llamar la atención que mientras unas comunidades autónomas se mueven en torno a 6 notificaciones por cada 1.000 menores (País Vasco, Cantabria y Galicia) otras duplican estas cifras (Baleares, Comunidad Valenciana y Castilla y León). Y, en una serie temporal más extensa –2012-2020– se evidencian importantes diferencias en el

---

[73]   Dejando aparte este caso, los porcentajes de medidas notificadas sobre las impuestas, de acuerdo con estos datos, van del 48% de Cantabria, el 55% de Canarias o el 57% del País Vasco hasta el 87% de la Comunidad Valenciana o Murcia, o el 81% de Asturias.

recurso al internamiento: la comunidad que más lo aplica casi triplica el porcentaje de la que menos lo notifica (25 vs. 8 %).[74]

**Tabla 8 – Medidas por 1.000 menores (2017-2020) y % de internamientos (2012-2020), INE y MDS**

| | Medidas impuestas / 1.000 menores | % Internamientos / med. impuestas | Medidas notificadas / 1.000 menores | % Internamientos sobre med. not. |
|---|---|---|---|---|
| Andalucía | 11,77 | 15 % | 9,38 | 15 % |
| Aragón | 11,52 | 13 % | 7,55 | 12 % |
| Canarias | 14,52 | 9 % | 7,95 | 12 % |
| Cantabria | 13,00 | 8 % | 6,25 | 10 % |
| Castilla y León | 12,61 | 9 % | 12,98 | 8 % |
| Cast.-La Mancha | 10,16 | 19 % | 7,33 | 17 %* |
| Cataluña | 10,12 | 22 % | 7,26 | 14 % |
| Com. de Madrid | 6,24 | 21 % | 3,90 | 23 % |
| Com. Valenciana | 15,82 | 15 % | 13,75 | 18 %** |
| Extremadura | 10,88 | 6 % | 6,93 | 12 % |
| Galicia | 9,01 | 21 % | 6,26 | 25 % |
| Illes Balears | 22,80 | 15 % | 16,40 | 15 % |
| La Rioja | 12,07 | 11 % | 9,53 | 13 % |
| Murcia | 13,56 | 23 % | 11,76 | 16 % |
| Navarra | 10,29 | 11 % | 7,41 | 18 % |
| País Vasco | 10,21 | 16 % | 5,83 | 16 % |
| P. de Asturias | 11,52 | 17 % | 9,35 | 14 % |
| Total | 11,51 | 16 % | 8,64 | 15 % |

Fuente: Elaboración propia a partir de INE y MDS. Las medidas resultantes del registro de condenas se han dividido por la población a 1 de julio entre 14 y 17 años; la tasa de medidas notificadas se ha calculado multiplicando por 100 la tasa por 100.000 menores del MDS.

* La cifra del MDS para 2015 (6,3) es extrañamente baja; si se omite este dato, el promedio es 19%.

** Los datos del MDS para 2015 (1,1) y 2016 (380,4) no se han tenido en cuenta en el cálculo

---

[74] Divergencia se da aún más (¡en atención a otras comunidades!) entre los internamientos registrados por el INE, que según comunidades autónomas representan entre el 6 y el 23% de las medidas impuestas.

**Tabla 9 – Tasa y tipos principales de medidas en cada Comunidad Autónoma (FGE, 2012-2021)**

| | Medidas / 1.000 menores | % Internamientos | % Libertad vigilada | % Prestaciones en beneficio de la comunidad |
|---|---|---|---|---|
| Andalucía | 14,16 | 17 % | 39 % | 14 % |
| Aragón | 10,19 | 16 % | 48 % | 20 % |
| Canarias | 16,26 | 10 % | 43 % | 12 % |
| Cantabria | 13,16 | 9 % | 39 % | 25 % |
| Castilla y León | 13,26 | 9 % | 26 % | 27 % |
| Cast.-La Mancha | 10,58 | 21 % | 38 % | 18 % |
| Cataluña | 10,70 | 22 % | 56 % | 7 % |
| Com. de Madrid | 12,56 | 23 % | 50 % | 15 % |
| Com. Valenciana | 14,32 | 17 % | 37 % | 19 % |
| Extremadura | 12,54 | 6 % | 38 % | 29 % |
| Galicia | 9,24 | 24 % | 44 % | 7 % |
| Illes Balears | 30,00 | 13 % | 58 % | 9 % |
| La Rioja | 11,87 | 12 % | 28 % | 25 % |
| Murcia | 12,39 | 24 % | 32 % | 15 % |
| Navarra | 9,93 | 12 % | 28 % | 33 % |
| País Vasco | 9,69 | 16 % | 37 % | 21 % |
| P. de Asturias | 13,60 | 16 % | 18 % | 21 % |
| Total | 12,94 | 18 % | 43 % | 15 % |

Fuente: Elaboración propia a partir de datos de la FGE y del INE (menores 14 a 17 años a 1 de julio).

# 8. RECAPITULACIÓN

Los datos expuestos en las líneas precedentes (y en la introducción de esta obra) ofrecen una imagen del sistema penal juvenil español sin duda incompleta, pero desde luego importante. Siquiera sea por dos motivos: cuestionan afirmaciones que con frecuencia leemos en titulares de prensa (e incluso en exposiciones de motivos de Leyes Orgánicas), y evidencian extremos que conviene tener en cuenta.

En cuanto a lo primero, la delincuencia juvenil registrada no ha sufrido a lo largo de la serie histórica el enorme incremento del que no infrecuentemente se alerta (conviene destacar que la primera mitad de la segunda década del siglo registra cifras a la baja, y el repunte de la estadística de los últimos años –muchísimo más moderado que el que se registra en la estadística de adultos– no llega a alcanzar las cifras de la década precedente). Y los adolescentes no son la franja etaria más representada en la estadística criminal: de hecho, son el grupo etario menor de 40 años con menor representación relativa en la estadística policial de detenciones e investigaciones.[75]

En cuanto a lo segundo, existen en todos los niveles analizados (detenciones e investigaciones policiales, diligencias previas e instrucción de expedientes por la Fiscalía, condenas judiciales, medidas impuestas y ejecutadas) importantes diferencias territoriales que sugieren que la aplicación de la Ley encuentra aterrizajes distintos; lo que ciertamente abre espacios de oportunidad que pueden optimizar su funcionamiento en realidades sociológicas y ante disponibilidades de recursos de ejecución diversos,[76] pero también obliga a plantearse

---

[75] Apunto este indicador porque en línea de principio debería ser el más homogéneo; el juego del principio de oportunidad en la jurisdicción penal juvenil, como se ha apuntado reiteradamente, hace predecible que la estadística de condenados menores apunte tasas más bajas que la de adultos, como en efecto sucede: si en 2010-2021 hay 8 condenados por cada 1.000 menores, hay 12 condenados por cada adulto menor de 41 años.

[76] Sobre la relación entre recursos disponibles y modelos de intervención, y las diferencias autonómicas a estos respectos, García Pérez, 2010; Montero Hernanz, 2011b; y Fernández Molina, 2012: 16-18. El problema persiste (vid. vgr. Peligero Molina, 2021: 1110) y la heterogeneidad autonómica se extiende, por otra parte, a la red asistencial y con ella a menores de 14 años (Bernuz Beneitez, Fernández Molina y Pérez Jiménez, 2006: 22, 2007: 4; Pozuelo Pérez, 2013: 144; Siesto Martín, 2019: 135 y 143). Se ha apuntado la resistencia de los operadores jurídicos a asimilar con carácter general el régimen de los menores al de los adultos pese a las oportunidades normativas para hacerlo (Cano Paños, 2011; Fernández Molina, 2012), incluso con relativa independencia de la disponibilidad de recursos materiales que posibilitan una respuesta más punitiva, lo que podría propiciar cierta homogeneización; aunque también el 'personalismo' de jueces y fiscales (Montero Hernanz, 2011b: 86-87), de forma que la diversidad autonómica respondería a diversos factores (variables demográficas y sociales, personas encargadas de su aplicación, capacidades y recursos de cada Comuni-

si el tratamiento de los menores infractores en distintos lugares del territorio nacional respeta adecuadamente el principio de igualdad.

## BIBLIOGRAFÍA CITADA

Aebi, M.F. (2008). *Temas de Criminología.* Madrid: Dykinson.

Aebi, M.F., Caneppele, S., Harrendorf, S., Hashimoto, Y. Z., Jehle, J.-M., Khan, T.S., Kühn, O., Lewis, C., Molnar, L., Smit, P., Þórisdóttir, R., and national correspondents (2021). *European Sourcebook of Crime and Criminal Justice Statistics 2021* (6ª ed.). Series UNILCRIM, (1)2021. Accesible en línea en https://wp.unil.ch/europeansourcebook/printed-editions-2/

Aebi, M.F., Akdeniz, G., Barclay, G., Campistol, C., Caneppele, S., Gruszczyńska, B., Harrendorf, S., Heiskanen, M., Hysi, V., Jehle, J.-M., Jokinen, A., Kensey, A., Killias, M., Lewis, C.G., Savona, E., Smit, P., y Þórisdóttir, R. (2014/2017). *European Sourcebook of Crime and Criminal Justice Statistics 2021* (5ª ed., 2ª impresión revisada). European Institute for Crime Prevention and Control. Accesible en línea en https://wp.unil.ch/europeansourcebook/files/2018/03/Sourcebook2014_2nd_revised_printing_edition_20180308.pdf

Aebi, M.F., y Linde, A. (2010). El misterioso caso de la desaparición de las estadísticas policiales españolas. *Revista Electrónica de Ciencia Penal y Criminología*, 12(7), 1-30. Accesible en línea en http://criminet.ugr.es/recpc/12/recpc12-07.pdf

Almazán Serrano, A., e Izquierdo Carbonero, F.J. (2007). *Derecho penal de menores: incluye formularios de resoluciones judiciales y escritos* (2ª ed.). Madrid: Difusión Jurídica y Temas de Actualidad S.A.

Andrés Ibáñez, P. (1987). La crisis del modelo correccional. En M.R. Duce (ed.), *Menores: la experiencia española y sus alternativas* (pp. 51-59). Madrid: Ediciones de la Universidad Autónoma de Madrid.

Ararteko. (1998). *Intervención con menores infractores: Informe extraordinario del Ararteko al Parlamento Vasco.* s.l.: Ararteko.

Aucejo Navarro, J.M., y Guardiola García, J. (2018): "La delincuencia juvenil en España: cifras y datos de la estadística oficial (2002-2016)", en *ReCrim* 2018: 18-96.

Barquín Sanz, J., y Cano Paños, M.A. (2006). Justicia penal juvenil en España: una legislación a la altura de los tiempos. *Revista de Derecho Pe-*

---

dad Autónoma, y la existencia o no de programas de conciliación y reparación (p. 110)).

nal y Criminología, 18, 37-95. Accesible en línea en http://e-spacio.uned.es/fez/eserv.php?pid=bibliuned:DerechoPenalyCriminologia-2006-18-3060&dsID=pdf

Bartolomé Gutiérrez, R. (2019). Delincuencia autoinformada. En E. Fernández Molina y R. Bartolomé Gutiérrez (Dtoras.), *Delincuencia y Justicia Juvenil en España: ¿qué sabemos?* (pp. 33-68). Valencia: Tirant lo Blanch.

Bernuz Beneitez, M.J. (1999). *De la protección de la infancia a la prevención de la delincuencia.* Zaragoza: El Justicia de Aragón.

Bernuz Beneitez, M.J. (2001). La conciliación y la reparación en la L.O. 5/2000, de 12 de enero, reguladora de la responsabilidad penal de los menores: un recurso alternativo o complementario a la justicia de menores. *Revista de Derecho Penal y Criminología, 8,* 263-294.

Bernuz Beneitez, M.J., Fernández Molina, E., y Pérez Jiménez, F. (2006). El tratamiento institucional de los menores que cometen delitos antes de los 14 años. *Revista Española de Investigación Criminológica, 5* (4), 1-25.

Bernuz Beneitez, M.J., Fernández Molina, E., y Pérez Jiménez, F. (2007). Menores de 14 años que cometen delitos. *Boletín Criminológico, 97,* mayo, 1-4.

Cámara Arroyo, S. (2013). Delincuencia juvenil femenina Apuntes criminológicos para su estudio en España. *Anuario de Derecho Penal y Ciencias Penales, LXVI,* 293-362.

Cámara Arroyo, S. (2021). 'Murió de madrugada y era dulce como todas las niñas...': Delincuencia juvenil femenina en España y teorías criminológicas feministas. En A. Abadías Selma, S. Cámara Arroyo y P. Simón Castellano (coords.), *Tratado sobre delincuencia juvenil y responsabilidad penal del menor: A los 20 años de la Ley Orgánica 5/2000, de 12 de enero, reguladora de la responsabilidad penal de los menores* (pp. 635-667). Madrid: La Ley – Wolters Kluwer.

Cano Paños, M.A. (2006). *El futuro del Derecho penal juvenil europeo: Un estudio comparado del Derecho penal juvenil en Alemania y España.* Barcelona: Atelier.

Cano Paños, M.A. (2011). ¿Supresión, mantenimiento o reformulación del pensamiento educativo en el Derecho penal juvenil? *Revista Electrónica de Ciencia Penal y Criminología, 13-13,* 1-55.

Cano Paños, M.A. (2021). Los persistentes problemas de la investigación criminológica en España en el ámbito de la delincuencia juvenil: Un análisis a partir de las estadísticas policiales. *Anuario de Derecho Penal y Ciencias Penales, LXXIV,* 203-251.

Cerezo Domínguez, A.I. (1998). La delincuencia violenta: un estudio de homicidios. *Revista de Derecho penal y Criminología,* 2ª época, n. 2, 233-280.

Cervelló Donderis, V. (2021). El tratamiento legal de la violencia de género entre menores de edad. En A. Abadías Selma, S. Cámara Arroyo y P. Simón Castellano (coords.), *Tratado sobre delincuencia juvenil y responsabilidad penal del menor: A los 20 años de la Ley Orgánica 5/2000, de 12 de enero, reguladora de la responsabilidad penal de los menores* (pp. 851-869). Madrid: La Ley – Wolters Kluwer.

Colás Turégano, A. (2011). *Derecho penal de menores*. Valencia: Tirant lo Blanch.

De la Rosa Cortina, J.M. (2001). La instrucción en el procedimiento de la LORPM: intervención del juez de menores. En M.R. Ornosa Fernández (Dtor.), *La responsabilidad penal de los menores: aspectos sustantivos y procesales* (pp. 223-318). Madrid: Consejo General del Poder Judicial.

De Urbano Castrillo, E., y De la Rosa Cortina, J.M. (2007). *La responsabilidad penal de los menores: adaptada a la LO 8/2006, de 4 de diciembre*. Cizur Menor: Aranzadi.

Díaz-Maroto y Villarejo, J. (Dtor.), Feijóo Sánchez, B., y Pozuelo Pérez, B. (2008). *Comentarios a la ley reguladora de la responsabilidad penal de los menores*. Cizur Menor: Aranzadi.

Díez Ripollés, J.L., y García España, E. (Dirs.), García España, E., Pérez Jiménez, F., Benítez Jiménez, M.J., Cerezo Domínguez, A. (2009). Encuesta a víctimas en España: Observatorio de la Delincuencia de Andalucía. Málaga: Instituto Andaluz Interuniversitario de Criminología – Sección de Málaga y Cajasol-Fundación.

Dolz Lago, M.J. (2002). La instrucción penal del Fiscal en el nuevo proceso de menores: contenido y límites. En J.L. González Cussac, J.M. Tamarit Sumalla y J.L. Gómez Colomer (coords.), *Justicia penal de menores y jóvenes: análisis sustantivo y procesal de la nueva regulación* (pp. 263-310). Valencia: Tirant lo Blanch.

Dolz Lago, M.J. (2007). *Comentarios a la Legislación Penal de Menores: incorpora las últimas reformas legales de la LO 8/2006*. Valencia: Tirant lo Blanch.

Escorihuela Gallén, C.V. (2015). *El Ministerio Fiscal y la Responsabilidad Penal de los Menores: Aplicación práctica del Principio de Oportunidad en la fase instructora* (Tesis doctoral). Castellón: Universitat Jaume I. Accesible en línea en http://hdl.handle.net/10803/396660

Fernández Molina, E. (2012). El internamiento de menores: una mirada hacia la realidad de su aplicación en España. *Revista Electrónica de Ciencia Penal y Criminologia, 14 – 18*, 1-20.

Fernández Molina, E. (2013). Datos oficiales de la delincuencia juvenil valorando el resultado del proceso de producción de datos de la Fiscalía de menores. *InDret, 2-2013*, 1-24.

Fernández Molina, E., Bartolomé Gutiérrez, R., Rechea Alberola, C., y Megías Boró, Á. (2009). Evolución y tendencias de la delincuencia juvenil en España. *Revista Española de Investigación Criminológica*, 7, art. 8, 1-30.

Fernández Molina, E., Vicente Martínez, R., Montañés Rodríguez, J. y Gómez Iniesta, D. (2014). Los datos oficiales de la delincuencia valoración del alcance de los datos de la Fiscalía como indicador del volumen delictivo. *Estudios Penales y Criminológicos, XXXIV*, 1-39.

Fernández Molina, E., y Bartolomé Gutiérrez, R. (2018). Juvenile crime drop: What is happening with youth in Spain and why?. *European Journal of Criminology*, 17-3, 1-26. DOI: 10.1177/1477370818792383

Fernández Molina, E., y Bernuz Beneitez, M.J. (2018). *Justicia de menores*. Madrid: Editorial Síntesis.

Fernández Molina, E., y Rechea Alberola, C. (2006). ¿Un sistema con vocación de reforma?: La Ley de Responsabilidad Penal de los Menores. *Revista Española de Investigación Criminológica*, 4(4), 1-34. Accesible en línea en https://reic.criminologia.net/index.php/journal/article/view/25/23

Fernández-Pacheco Alises, G. (2021). *Entendiendo la relación entre menores de origen migrante y delincuencia: una aportación criminológica*. Cizur Menor: Thomson Reuters Aranzadi.

Fiscalía General del Estado [FGE]. (2011-2021). *Memoria elevada al Gobierno de S.M. presentada al inicio del año judicial por el Fiscal General del Estado*. Disponible en línea en www.fiscal.es

García España, E., y Díez Ripollés, J.L. (Dirs.), García España, E., Aguilar Conde, A., y Becerra Muñoz, J. (2013). *La Administración de Justicia según los datos: Informe ODA 2013*. Málaga: Instituto Andaluz Interuniversitario de Criminología – Sección de Málaga y Tirant lo Blanch. Accesible en línea en http://www.oda.uma.es/informes/Informe-ODA-2013. pdf

García Ingelmo, F.M. (2017). *Ejercicio del principio de oportunidad en la jurisdicción de menores. Supuestos legales. Cuestiones prácticas y directrices de la FGE*. Material del Seminario de especialización en menores impulsado por el Centro de Estudios Jurídicos, accesible en www.fiscal.es

García Pérez, O. (2003a). Estudio comparativo sobre la aplicación de las leyes de responsabilidad penal del menor 4/1992 y 5/2000 (I). *Boletín Criminológico*, 69, 1-4. Accesible en línea en http://www.boletincriminologico.uma.es/boletines/69.pdf

García Pérez, O. (2003b). Estudio comparativo sobre la aplicación de las leyes de responsabilidad penal del menor 4/1992 y 5/2000 (II). *Boletín Criminológico*, 70, 1-4. Accesible en línea en http://www.boletincriminologico.uma.es/boletines/70.pdf

García Pérez, O. (2010). La práctica de los juzgados de menores en la aplicación de las sanciones, su evolución y eficacia. *Revista Electrónica de Ciencia Penal y Criminología, 12-12,* 1-36.

García Pérez, O. (Dtor.), Díez Ripollés, J.L., Pérez Jiménez, F., y García Ruiz, S. (2008). *La delincuencia juvenil ante los juzgados de menores.* Valencia: Tirant lo Blanch e Instituto Andaluz Interuniversitario de Criminología.

Gil Gil, A., Lacruz López, J.M., Melendo Pardos, M., y Núñez Fernández, J. (2018). *Consecuencias jurídicas del delito: Regulación y datos de la respuesta a la infracción penal en España.* Madrid: Dykinson.

Giménez-Salinas Colomer, E. (1981). *Delincuencia juvenil y control social: Estudio descriptivo de la actuación el Tribunal Tutelar de Menores de Barcelona.* Esplugues de Llobregat: Círculo Editor Universo.

Gómez Rivero, M.C. (2002). La nueva responsabilidad penal del menor: las Leyes Orgánicas 5/2000 y 7/2000. *Revista Penal, 9,* 3-26

Gómez Rivero, M.C. (Coord.). (2007). *Comentarios a la Ley Penal del Menor: Conforme a las reformas introducidas por la LO 8/206.* Madrid: Iustel.

González Sánchez, I. (2021). *Neoliberalismo y castigo.* Manresa: Bellaterra Edicions.

González Pillado, E. (2012). La mediación como manifestación del principio de oportunidad en la Ley de Responsabilidad Penal de Menores. En E. González Pillado (Coord.), *Mediación con menores infractores en España y los países de su entorno* (pp. 53-87). Valencia: Tirant lo Blanch.

Grande Seara, P. (2008). Incoación del expediente de reforma y fase de instrucción. En E. González Pillado (Coord.), *Proceso penal de menores* (pp. 115-158). Valencia: Tirant lo Blanch.

Guisasola Lerma, C. (2002). La delincuencia de menores en la provincia de Valencia: análisis de las estadísticas oficiales. En J.L. González Cussac, J.M. Tamarit Sumalla y J.L. Gómez Colomer (coords.), *Justicia penal de menores y jóvenes: análisis sustantivo y procesal de la nueva regulación* (pp. 349-372). Valencia: Tirant lo Blanch.

Higuera Guimerá, J.-F. (2003). *Derecho penal juvenil.* Barcelona: Bosch.

Jericó Ojer, L. (2018). El impacto (probablemente no previsto) de la reforma del Código Penal operada por la LO 1/2015, de 30 de marzo en el Derecho penal de menores. *Revista Electrónica de Ciencia Penal y Criminología, 20*(24), 1-56. Accesible en línea en http://criminet.ugr.es/recpc/20/recpc20-24.pdf

Loinaz, I. (2021). Diferencias de sexo en la delincuencia juvenil. En A. Abadías Selma, S. Cámara Arroyo y P. Simón Castellano (coords.), *Tratado sobre delincuencia juvenil y responsabilidad penal del menor: A los 20 años de la Ley Orgánica 5/2000, de 12 de enero, reguladora de la respon-*

*sabilidad penal de los menores* (pp. 595-613). Madrid: La Ley – Wolters Kluwer.

Mapelli Caffarena, B., González Cano, M.I., y Aguado Correa, T. (2002). *Comentarios a la Ley Orgánica 5/2000, de 12 de enero, Reguladora de la Responsabilidad Penal de los Menores*. Sevilla: Instituto Andaluz de Administración Pública de la Junta de Andalucía.

Montero Hernanz, T. (2010). La delincuencia juvenil en España en datos. *Quadernos de Criminología, 9*, 14-22.

Montero Hernanz, T. (2011a). La evolución de la delincuencia juvenil en España (1ª parte). *La Ley Penal, 78*.

Montero Hernanz, T. (2011b). La evolución de la delincuencia juvenil en España (2ª parte): la delincuencia juvenil por Comunidades Autónomas. *La Ley Penal, 79*, 85-110.

Montero Hernanz, T. (2011c). La delincuencia juvenil en España, en datos. *Derecho y Cambio Social, 8-23*, 1-11.

Montero Hernanz, T. (2012a). La justicia juvenil en España en datos. *Revista de Derecho Penal y Criminología, 8*, 537-558.

Montero Hernanz, T. (2012b). La delincuencia juvenil en Castilla y León. *Revista Jurídica de Castilla y León, 27*, 1-42.

Montero Hernanz, T. (2014). La criminalidad juvenil en España (2007-2012). *Revista Criminalidad, 56* (2), 247-261.

Montero Hernanz, T. (2018). Criminalidad juvenil versus criminalidad adulta en España. *Revista de Derecho y Proceso Penal, 49*, 109-122.

Montero Molera, A. (2021). El instituto de la conformidad en la justicia de menores. En A. Abadías Selma, S. Cámara Arroyo y P. Simón Castellano (coords.), *Tratado sobre delincuencia juvenil y responsabilidad penal del menor: A los 20 años de la Ley Orgánica 5/2000, de 12 de enero, reguladora de la responsabilidad penal de los menores* (pp. 909-925). Madrid: La Ley – Wolters Kluwer.

Ornosa Fernández, M.R. (2007). *Derecho penal de menores: Comentarios a la Ley Orgánica 5/2000, de 12 de enero, reguladora de la responsabilidad penal de los menores, reformada por la Ley Orgánica 8/2006, de 4 de diciembre y a su Reglamento, aprobado por Real Decreto 1774/2004, de 30 de julio* (4ª ed.). Barcelona: Bosch.

Orts Berenguer, E. (coord.). (2006). *Menores: victimización, delincuencia y seguridad: programas formativos de prevención de riesgos*. Valencia: Tirant lo Blanch.

Peligero Molina, A.M. (2021). La regulación de la justicia restaurativa en la justicia juvenil española. En A. Abadías Selma, S. Cámara Arroyo y P. Simón Castellano (coords.), *Tratado sobre delincuencia juvenil y responsabilidad penal del menor: A los 20 años de la Ley Orgánica 5/2000, de*

*12 de enero, reguladora de la responsabilidad penal de los menores* (pp. 1097-1113). Madrid: La Ley – Wolters Kluwer.

Periago Morant, J.J. (2020). Las alternativas a la privación de libertad en nuestro sistema penal juvenil más allá de la instrucción: El recurso a la justicia restaurativa y al principio de flexibilidad. *Revista Electrónica de Ciencia Penal y Criminología, 22-02,* 1-47.

Pérez Jiménez, F. (2006). *Menores infractores: estudio empírico de la respuesta penal.* Valencia: Tirant lo Blanch.

Pozuelo Pérez, L. (2013). Delincuencia juvenil: distorsión mediática y realidad. *Revista Europea de Derechos Fundamentales, 21,* 117-156.

Ramos Vázquez, J.A. (2021). La cláusula Romeo y Julieta (183 quater del CP) cinco años después: Perspectivas teóricas y práctica jurisprudencial. *Estudios Penales y Criminológicos,* XLI, 307-360.

Rechea, C., Barberet, R., Montañés, J. y Arroyo, L. (1995): *La Delincuencia Juvenil en España: Autoinforme de los Jóvenes.* Madrid: Ministerio de Justicia e Interior.

Rechea Alberola, C., y Fernández Molina, E. (2001). Panorama actual de la delincuencia juvenil. En E. Giménez Salinas i Colomer (Coord.), *Justicia de menores: una justicia mayor: comentarios a la Ley Reguladora de la Responsabilidad Penal de los Menores* (pp. 345-441). Madrid: Consejo General del Poder Judicial.

Salom Escrivá, J.S. (2002). La intervención del Ministerio Fiscal en el proceso de exigencia de responsabilidad penal de los menores. En J.L. González Cussac, J.M. Tamarit Sumalla y J.L. Gómez Colomer (coords.), *Justicia penal de menores y jóvenes: análisis sustantivo y procesal de la nueva regulación* (pp. 211-261). Valencia: Tirant lo Blanch.

San Juan Guillén, C., y Cuesta Arzamendi, J.L. de la (Eds.). (2006). *Menores extranjeros infractores en la Unión Europea: Teorías, perfiles y propuestas de intervención.* Bilbao: Universidad del País Vasco.

San Juan Guillén, C. y Ocáriz Passevant, E. (2022). Evolución de la Delincuencia Juvenil en el País Vasco y la apuesta por la reducción de la reincidencia. En E. Ocáriz Passevant y C. San Juan Guillén (comp.), *100 años de acompañamiento en Justicia Juvenil: Investigación evaluativa y retos futuros* (pp. 85-100). Bilbao: Universidad del País Vasco / Euskal Herriko Unibersitatea.

Sellin, T. (1931). The basis of a crime index. *Journal of Criminal Law and Criminology, 33,* 3, 335-356.

Serrano Gómez, A. (1970). Delincuencia juvenil en España: Estudio criminológico. Madrid: Doncel.

Serrano Gómez, A. (2011). Dudosa fiabilidad de las estadísticas policiales sobre criminalidad en España. *Revista de Derecho Penal y Criminología, 6,* 425-454. Accesible en línea en http://e-spacio.uned.es/fez/

eserv.php?pid=bibliuned:revistaDerechoPenalyCriminologia-2011-6-5140&dsID=Documento.pdf

Serrano Maíllo, A. (1995). Mayoría de edad penal en el Código de 1995 y delincuencia juvenil. *Revista de Derecho Penal y Criminología, 5,* 775-802.

Serrano Maíllo, A. (2009). *Introducción a la Criminología.* 6ª edición. Madrid: Dykinson.

Serrano Maíllo, A. (2021). *La evolución del encarcelamiento en España (1971-2020): Un estudio de series temporales.* J.M. Bosch Editor.

Serrano Tárrega, M.D. (2009). Evolución de la delincuencia juvenil en España (2000-2007). *Revista de Derecho Penal y Criminología (UNED), 2,* 255-270.

Serrano Tárrega, M.D. (2021). Evolución de la delincuencia juvenil femenina a los veinte años de la entrada en vigor de la LORRPM. En A. Abadías Selma, S. Cámara Arroyo y P. Simón Castellano (coords.), *Tratado sobre delincuencia juvenil y responsabilidad penal del menor: A los 20 años de la Ley Orgánica 5/2000, de 12 de enero, reguladora de la responsabilidad penal de los menores* (pp. 615-634). Madrid: La Ley – Wolters Kluwer.

Siesto Martín, D. (2019). Legislación y tratamiento de los menores que cometen delitos antes de los 14 años. *REJIE: Revista Jurídica de Investigación e Innovación Educativa, 20,* 133-155.

Stangeland, P. (1995). La delincuencia en España: Un análisis crítico de las estadísticas judiciales y policiales. *Revista de Derecho Penal y Criminología, 5,* 803-839.

Torrente Hernández, G., y Merlos Pascual, J. (1999). Aproximación a las características psicosociales de la delincuencia de menores en Murcia. *Anuario de Psicología Jurídica, 9*(1), 39-63. Accesible en línea en *https:// journals.copmadrid.org/apj/archivos/52376.pdf*

Vázquez González, C. (2003). *Delincuencia juvenil: consideraciones penales y criminológicas.* Madrid: Colex.

Vázquez González, C. (2007) La delincuencia juvenil. En C. Vázquez González y M.D. Serrano Tárrega (Eds.), *Derecho penal juvenil, 2ª* ed. (pp. 1-34). Madrid: Dykinson s.l.

Ventura Faci, R., y Peláez Pérez, V. (2000). *Ley Orgánica 5/2000, de 12 de enero, reguladora de la responsabilidad penal de los menores: comentarios y jurisprudencia.* Madrid: Colex.

# Midiendo la dimensión de exclusión social en los sistemas de justicia juvenil

## FÁTIMA PÉREZ JIMÉNEZ
*Instituto de Criminología. Universidad de Málaga*[1]

SUMARIO: 1. Introducción. 2. Generación del instrumento RIMES. 3. Justicia juvenil. 4. Conclusiones. 5. Bibliografía.

## 1. INTRODUCCIÓN

Este trabajo tiene su origen en un modelo teórico que propone la comparación de los sistemas político-criminales de los países occidentales a partir de la dimensión de inclusión/exclusión social aplicada a las personas que entran en conflicto con la ley penal (Díez Ripollés, 2011).

De manera habitual ha sido el rigor punitivo el criterio que se ha adoptado en este tipo de estudios comparativos, siendo el indicador de uso más generalizado el de la tasa de encarcelamiento por cada 100.000 habitantes. Este indicador cuenta con varias características que favorecen su utilización, como su accesibilidad a partir de diversas fuentes fiables; la disponibilidad de series de datos de periodos temporales extensos y la concreción en la sanción más severa de los sistemas penales (exceptuando la pena de muerte) que suele dejar ver las consecuencias de las respectivas políticas criminales nacionales. No obstante, la doctrina criminológica y político criminal ha dejado

---

[1]  Contacto con la autora: fatima@uma.es. Este artículo se realiza en el marco del Proyecto I+D de Generación de conocimiento denominado "La exclusión social como criterio de comparación político-criminal: Aplicación del instrumento RIMES" (AP-RIMES) (PG2018-096073-B-100) de las investigadoras principales Elisa García España y Ana Isabel Cerezo Domínguez. Financiado por el Programa estatal de generación del conocimiento y fortalecimiento científico y tecnológico del sistema del I+D+I.

ver que hay otros indicadores muy expresivos de esta realidad que se obvian, por ejemplo, cuál es la duración media de las penas, cuántos procedimientos terminan en condena o el número de ingresos que se produce anualmente.

El nuevo modelo teórico propuesto tiene como componente de partida el objetivo de la prevención de la delincuencia, elemento inseparable de cualquier propuesta político criminal. Hay que señalar que este modelo no pretende medir los efectos del sistema de control penal sobre el conjunto de la ciudadanía. Por el contrario, son sólo los efectos sobre los excondenados, condenados, procesados o sospechosos los que revelarán un enfoque socialmente incluyente o excluyente de cada sistema penal. Concretamente, "el enfoque inclusivo pretende asegurar que el sospechoso o delincuente se encuentre, tras su contacto con los órganos de control penal, en iguales o mejores condiciones individuales y sociales para desarrollar voluntariamente una vida conforme con la ley. El enfoque exclusivo quiere garantizar que el sospechoso o delincuente se encuentre, tras su contacto con los órganos de control penal, en unas condiciones individuales y sociales en las que le resulte más difícil infringir la ley o evitar ser descubierto" (Díez Ripollés, 2011: 9).

Así, la investigación aplicada a partir de este modelo permitirá posicionar los diversos sistemas de control penal en un *continuo* de menor a mayor alejamiento de un enfoque socialmente excluyente en este sector de la población.

Hay dos presupuestos subyacentes a este modelo de análisis que son especialmente relevantes al aplicarlo a los sistemas de justicia juvenil nacionales. El primero de ellos asume que la delincuencia a mediano y largo plazo se verá reducida si los colectivos aludidos alcanzan un nivel significativo de inclusión social. El segundo supone el aumento de la delincuencia en un país o territorio a mediano o largo plazo si los órganos encargados de la persecución penal producen y/o refuerzan la exclusión social de los mismos. Estos presupuestos aún no han sido corroborados por la ciencia empírica, pero la aplicación de este instrumento a los sistemas sociales nacionales permitirá asentar información cualificada para afirmar o desmentir dichas hipótesis.

En este trabajo se repasará de forma sintética cómo ha sido la generación del instrumento operativo del modelo teórico con el fin de exponer su robustez y se analizarán con detalle los resultados de su aplicación al ámbito de la justicia juvenil de cinco países europeos y dos estados de Estados Unidos.

## 2. GENERACIÓN DEL INSTRUMENTO RIMES

La generación del instrumento de medición, al que se ha denominado RIMES por las siglas del proyecto I + D, ha constituido un proceso muy elaborado y con múltiples fases dado que se pretendía garantizar la obtención de una herramienta de comparación político criminal robusta y de índole internacional (https://rimesproject.wordpress.com/).

Se ha escogido una metodología cualitativa consistente en el método Delphi y en la técnica de validación de contenidos por juicio de expertos. Esta aproximación es la más recomendada cuando no hay suficiente información para tomar decisiones y posibilita que a través de un proceso sistemático, protocolizado e intenso se alcance un consenso tanto sobre el contenido como sobre la validez del instrumento.

El modelo teórico parte de la hipótesis que afirma que un directorio de nueve cestas de indicadores posee la virtud de dilucidar los efectos socialmente excluyentes de un sistema nacional de control penal y de posibilitar la comparación entre países en esta materia. Las nueve cestas son las siguientes: control de espacios públicos; garantías penales; sistema de determinación de la pena y sistema de sanciones; penas máximas; régimen penitenciario; internamiento de seguridad; estatus legal y social de delincuentes y exdelincuentes; registros policiales y penales y derecho penal juvenil. En esta última cesta se incluyen dos variables independientes de las que se va a recabar información para la ponderación de la dimensión inclusión/exclusión social, concretamente, límites de edad y tratamiento diferenciado a los adultos (Díez Ripollés, 2011: 15 y 16).

A continuación se sintetiza el contenido de las actividades de las distintas fases realizadas hasta generar el instrumento. La información detallada se encuentra publicada en Díez Ripollés y García España, 2019 y 2020.

*a. Formulación inicial del instrumento*

En esta primera fase 19 expertos en política criminal, Derecho penal y/o Criminología de la Universidad de Málaga identifican reglas y prácticas punitivas especialmente generadoras de exclusión social en cada una de las cestas. En un primer pase se identifican un total de 278 reglas y prácticas punitivas que respondían a las características incluidas en el marco teórico.

Posteriormente, y en una primera revisión, se confronta cada uno de los ítems con tres criterios: "1) exhaustividad, que expresa la especial relevancia de la información que suministra (el ítem); 2) extensión, que asegura que la información no se ocupa de asuntos en exceso particulares o específicos; 3) facilidad, en virtud del cual se prevé que la información va a ser relativamente sencilla de obtener" (Díez Ripollés y García España, 2020: 677). En una segunda revisión se contrastan los ítems con otros dos criterios: capacidad de discriminación de cada ítem, para poder obtener diferencias entre los países estudiados, y claridad o facilidad de comprensión.

En esta fase, el instrumento final queda compuesto por 126 ítems: 79 son reglas o normas legales y 47 son prácticas punitivas.

*b. Validación del instrumento*

La tarea esencial de esta fase fue la selección de expertos de referencia internacional a partir de criterios metodológicos, científicos y prácticos. Finalmente se seleccionaron dos grupos de profesionales. El primero de ellos, 28 expertos *senior*, científicos sociales con una larga carrera académica y con una experiencia de más de 20 años de estudio en esta materia. El segundo grupo de 71 expertos *junior*, formado por profesionales académicos con al menos ocho años de experiencia en la materia recomendados por los integrantes del primer grupo y de su propio país. Los expertos pertenecían a 18 países diferentes.

En un primer pase se preguntó al grupo de expertos *junior* que puntuaran cada ítem, ya traducido al inglés, en claridad semántica e idoneidad para generar exclusión social en una escala Lickert de 1 a 5. Las respuestas se analizaron a través de la prueba estadística de fiabilidad inter-jueces con el coeficiente de validación V de Aiken y se consideraron no validados todos los que resultaron con coeficiente inferior a 0,70. En el segundo pase realizado a los expertos *senior* se añadió una tercera pregunta referida a la adecuación del ítem a la cesta en el que estaba incluido. De nuevo se descartaron los ítems con valores inferiores a 0,70 en la V de Aiken en idoneidad y adecuación (Arenas García, 2021). Esto dejó como resultado 55 ítems tras la validación inter-jueces.

Considerándose que este número de ítems resultaba excesivo para una aplicación factible del instrumento, el equipo de investigación los revisó a partir de ciertos criterios, como la redundancia o la alta puntuación en idoneidad y claridad y se cerró el instrumento constituido por 39 ítems: 26 reglas y 13 prácticas.

*c. Pase del cuestionario en España*

A continuación se inició el proceso para comprobar si el instrumento ya validado podía dar lugar a resultados fiables tras su aplicación a un sistema de control penal particular, para lo cual se puso a prueba en España.

Se diseñó un formulario de respuesta para los indicadores con distintos apartados para facilitar su posible revisión posterior. Se distribuyeron las reglas y prácticas entre los miembros del equipo para su resolución, consensuando ciertos requisitos y controles metodológicos. La resolución de las 26 reglas se realizó a partir de la legislación, la jurisprudencia y la consulta doctrinal. Las prácticas se respondieron a partir de datos secundarios en seis de ellas y con trabajo de campo y/o consulta de expertos las restantes (García España y Díez Ripollés, 2021). La premisa inicial en las prácticas era aportar los datos disponibles de los últimos cinco años.

Durante la aplicación del instrumento, se eliminó del mismo una práctica relativa a la necesidad de informar sobre los antecedentes penales para poder ser contratado en empresas, dada la imposibilidad de obtener una respuesta fiable para la misma y que fuera replicable a nivel internacional y se sustituyó por otra regla con una alta calificación en la V de Aiken.

Tras completar la aplicación en nuestro país, un total de 31 indicadores obtuvieron una respuesta negativa por lo que no expresan exclusión social, frente a 8 que se respondieron afirmativamente. Se concluye, entre otras cosas, que el instrumento es suficientemente discriminatorio dado que en un *continuo*, distintos países podrán alcanzar puntuaciones expresivas de más o menos exclusión social que el español. Por tanto, se resuelve continuar su aplicación en otros países con el fin de consolidar en la práctica su utilidad como instrumento de comparación internacional.

## 3. JUSTICIA JUVENIL

El trabajo de campo de aplicación del instrumento RIMES ha continuado con el estudio de cuatro países europeos (Inglaterra y Gales[2], Italia, Polonia, Alemania) y dos estados de Estados Unidos (California y Nueva York). Tras el análisis de toda la información recogida se presentan a continuación los resultados de la cesta de justicia juvenil en estos seis territorios más España.

La cesta que nos ocupa contiene cinco ítems, tres reglas y dos prácticas. Al inicio, esta cesta contenía trece ítems pero durante el proceso de creación del instrumento que se ha comentado arriba fueron eliminándose por distintas razones (Memoria ejecutiva, 2018).

Para la resolución de las reglas se ha acudido a las legislaciones vigentes en los distintos países en el ámbito de la justicia juvenil o en la legislación penal general cuando ésta no existe, como es el caso de Italia. En el caso de las prácticas la información se ha obtenido principalmente por la consulta de fuentes secundarias, como informes y estadísticas de los ministerios, departamentos e instituciones oficiales relacionados con la juventud. En otras ocasiones también se ha acudido a la información ofrecida por informantes clave de instituciones académicas, policiales, judiciales y sociales.

*a. Ítem 113*

El ítem 113 es una regla descrita del siguiente modo: *El sistema de justicia penal de menores se aplica a personas de 12 años de edad o menos.*

Los límites de edad penal son dispares en los países estudiados. En los Estados de Nueva York y California, Italia e Inglaterra y Gales se aplica el sistema de justicia penal a los menores de 12 años de edad o menos. En Alemania, Polonia y España esto no sucede.

---

[2]    Los territorios estudiados son Inglaterra, Gales e Irlanda del Norte. Cuando se incluye a Escocia se especifica.

En Polonia, la justicia juvenil tiene una naturaleza no penal, orientada a la protección y el tratamiento de los jóvenes considerados en riesgo social. La Ley de justicia juvenil de 1982 considera que los jóvenes menores de 17 años no tienen responsabilidad penal y por tanto las medidas que se imponen son de corte educativo, aunque también está incluida la privación de libertad. La diferencia frente a otros sistemas penales es que el menor no es considerado como sujeto de derechos y obligaciones sino que es un sujeto pasivo sobre el que las instituciones o autoridades toman decisiones por su propio bien o buscando su bienestar. El art. 1.1 de la ley distingue tres categorías de jóvenes:

- Personas por debajo de 18 años que comentan actos con ausencia de moralidad y sea necesario intervenir para prevenir futuros actos en este sentido

- Personas entre 13 y 16 años que hayan cometido un acto punible en el ámbito penal

- Personas menores de 21 años, a las que se aplican las normas de la ley juvenil a efectos de la ejecución de las medidas educativas o correctivas que hayan sido dictadas por el tribunal.

El catálogo de medidas de corrección que se puede imponer a estos menores es muy amplio, y va desde acciones educativas personales y comunitarias, hasta intervenciones mediadoras y de reparación, contando también con medidas de control y seguimiento individual, rehabilitadoras de adicciones y privación de libertad.

En Alemania y España, la ley penal juvenil se pronuncia en el mismo sentido. Se establece que los menores de catorce años no pueden ser perseguidos penalmente aunque cometan un ilícito penal. El art. 1 de la *Jugendgerichtsgeset* alemana establece dos grupos etarios a los que se aplicará la ley si se comete una infracción penal: 1) los jóvenes que ya tengan 14 años y aún no tengan 18, y 2) los jóvenes adultos que ya tengan dieciocho pero aún no hayan cumplido veintiuno. Por su parte, el art. 1 de la L.O. 5/2000 de responsabilidad penal del menor española establece que esta ley se aplicará para exigir la responsabilidad de las personas mayores de 14 años y menores de 18 años por la comisión de los hechos tipificados como delitos en el Código penal y las leyes penales especiales.

En el Estado de Nueva York este tema se establece de la siguiente manera: el art. 3 de la sección 301.2 (a) de la *New York Family Court Act* define como delincuente juvenil al niño mayor de siete años y menor de dieciocho que haya cometido una infracción penal que si hubiese sido cometida por un adulto sería un delito. Este límite etario fue modificado en octubre de 2019, cuando la *Raise the Age (RTA) legislation* aumentó la edad de responsabilidad penal como adulto a los 18 años: Con anterioridad también se consideraban adultos a los jóvenes de dieciséis y diecisiete años.

En el Estado de California la edad de mayoría penal son los 18 años y el límite inferior son los 12 años. La *California state law* estipula que un joven debe tener al menos catorce años para poder ser imputado como un adulto en un juzgado penal. Sin embargo, no hay ninguna ley que evite que niños y niñas sean acusados y juzgados en el sistema de justicia juvenil, pudiendo ser detenidos e internados. El principio que se aplica en estos casos es el del "interés superior del menor". En ese estado los niños menores de 12 años pueden ser responsables de delitos en situaciones específicas, pero normalmente no son derivados a la *Division of Juvenile Justice* (DJJ) ya que la ley recoge que se adoptarán las medidas adecuadas para atender y proteger a estos niños sólo cuando sea necesario, evitando cualquier intervención siempre que sea posible, y utilizando las alternativas menos restrictivas a través de los servicios escolares, sanitarios y comunitarios disponibles. La DDJ es una sección del *California Department of Corrections and Rehabilitation* (CDCR) que proporciona los servicios de educación, formación y tratamiento para los delincuentes juveniles con peor pronóstico de California.

En Italia no hay un derecho penal juvenil independiente del de adultos. De acuerdo con el artículo 97 del Código Penal italiano (CPI) los menores de 14 años no están sujetos a ninguna forma de acción penal, son considerados no responsables. De hecho, el art. 98 especifica que la jurisdicción de menores es aplicable desde los 14 años hasta la mayoría de edad a los 18 –responsabilidad disminuida–, siempre que el menor tenga capacidad de entender. Aunque los menores de 14 años no son susceptibles de ser perseguidos penalmente, cuando son considerados socialmente peligrosos el juez puede aplicar, en virtud del artículo 224 CPI, una medida de seguridad judicial de internamiento en un centro o de libertad vigilada. Esto también se aplica a los menores de entre 14 y 18 años que no tienen capacidad de comprensión. En estos casos, sólo el peligro de cometer actos de cierta gravedad puede justificar el sacrificio de la libertad personal. Hay que tener en cuenta también que aunque en Italia no existe un derecho penal juvenil sustantivo, sí existe un procedimiento específico para menores con importantes implicaciones en la regulación prevista en el Código Penal. Se trata del DPR de 22 de septiembre de 1988, n°. 448 (*Disposizioni sul processo penale a carico di imputati minorenni*), que se complementa con normas de coordinación y transitorias contenidas en el D.L. de 29 de julio de 1989, n° 272. En el DPR/448, las necesidades educativas del menor están constantemente presentes y se convierten en la finalidad predominante. Se da prioridad a la idea de que el menor es un sujeto que debe ser recuperado y no castigado, por lo que el objetivo principal sería devolverlo a la sociedad en condiciones de madurez y responsabilidad.

La edad de responsabilidad penal es de 10 años en Inglaterra, Gales e Irlanda del Norte, y en Escocia es de 8 años. El término "delincuente juvenil" se refiere a los individuos de entre 10 y 17 años, mientras que los individuos de entre 18 y 20 años se denominan "delincuentes jóvenes adultos". Los jóvenes adultos son condenados como adultos, pero cumplen sus penas en condiciones particulares más adaptadas. La justicia de menores, por tanto, se aplica a los que tienen entre 10 y 17 años y el proceso se lleva a cabo en el Tribunal de Menores o en el Tribunal de la Corona, dependiendo del tipo de delito cometido, en particular, de su gravedad.

*b. Ítem 117*

El ítem 117 también es una regla: *Se prevén sanciones privativas de libertad de más de 10 años para delitos cometidos por menores.*

En este tema relativo a la duración de las sanciones, la legislación de todos los países estudiados contempla la privación de libertad de más de diez años con la única excepción de España.

En nuestro país, la L.O. 5/2000, de 12 de enero, modificada por la L.O. 8/2006, de 4 de diciembre, establece en su art. 10.2 la sanción máxima que puede ser impuesta a un menor de edad. Los límites máximos contemplados son para los menores que al tiempo de cometer el delito tenían dieciséis o diecisiete años a los que se les puede imponer una medida de internamiento en régimen cerrado de uno a ocho años continuada con otra de libertad vigilada con asistencia educativa de hasta cinco años. Por su parte, el art. 11.2 se refiere a los casos en los que el menor haya cometido una pluralidad de infracciones y en ese caso la L.O. impone expresamente un límite infranqueable de diez años de cumplimiento en centro de internamiento cerrado para los mayores de dieciséis años, sin perjuicio de sumar una medida de libertad vigilada posterior.

En California, como ya se ha comentado, aunque la edad de mayoría penal son los 18 años y el límite inferior son los 12 años, la flexibilidad de este sistema de justicia permite que un joven de hasta 25 años pueda recibir una respuesta penal de la *Division of Juvenile Justice* y los menores por debajo de esta edad, y en ocasiones muy específicas, también pueden ser objeto de un juicio penal; eso sí, como ya se ha apuntado, normalmente, pero no siempre, se decide la imposición de medidas muy poco restrictivas, en el ámbito escolar o comunitario y en atención al "interés superior del menor". No obstante, las sentencias impuestas son de duración indeterminada. Tras el inicio de la sanción, el joven recibe una fecha para la libertad condicional por parte de la Junta de libertad condicional de jóvenes infractores (*Youthful Offender Parole Board*). El inicio efectivo del periodo condicional depende de la valoración de esta junta del comportamiento del joven durante la condena. El único límite a la duración de la sentencia en las instalaciones del DJJ es que los jóvenes delincuentes no pueden ser institucionalizados por más tiempo que el plazo máximo determinado para los adultos, o la edad máxima de la jurisdicción del DJJ, lo que ocurra primero. Por tanto, dados estos límites legales, se permiten las condenas privativas de libertad de más de 10 años para menores.

En Nueva York, la ley penal se aplica a menores entre siete y diecisiete años. Estos infractores menores de edad son susceptibles de recibir penas muy altas. Concretamente tras la comisión de algunos delitos graves como el asesinato, la violación, el secuestro, el incendio provocado, el robo con violencia y otros similares, los que tienen entre 14 y 15 años pasan a ser considerados como "delincuentes juveniles". Este es el caso también de los delincuentes de 13 años acusados de asesinato en segundo grado (Sección 10.18 de la Ley penal de NY). Todos estos menores son enjuiciados en los tribunales de menores, no en los de adultos (art. 722.20 de la Ley procesal de NY). Sin embargo, en el caso de los delitos graves señalados, los menores infractores son tratados básicamente como adultos en todo lo referido a su castigo y enjuiciamiento. Esto implica que reciben el mismo castigo que los adultos, excepto en el caso de la negociación de los cargos o acuerdo (*plea bargain*), en el que pueden tener una sentencia menos severa que la que correspondería a un mayor de edad. Dado que el delito de asesinato y otros delitos graves llevan aparejadas normalmente penas de prisión de más de 10 años en la Ley penal de Nueva York, estos condenados menores de edad pueden estar más de diez años privados de libertad.

En Alemania también los jóvenes adultos entre 18 y 20 años son juzgados por la justicia juvenil desde 1953. El juez de menores competente decide si son las sanciones de la Ley penal del menor o las del Código penal las aplicables al caso individual (art. 115 de la Ley penal juvenil, *Jugendgerichtsgesetz*). En el art. 105.2.3 se determina que el máximo periodo de sanción son diez años, pero si se ha cometido un asesinato y atendiendo a las circunstancias del delito este periodo puede llegar a los quince años de privación de libertad.

En Italia, para resolver esta regla se ha de acudir de nuevo al procedimiento específico para menores mencionado arriba que tiene importantes implicaciones en el orden sustantivo, el DPR de 22 de septiembre de 1988, nº 448 (*Disposizioni sul proceso penale a carico di imputati minorenni*) y su legislación complementaria. Las penas que se pueden imponer a los menores son las mismas que las de los adultos pero con ciertas particularidades, como la reducción de la duración o la sustitución de la prisión. En cuanto a la primera, el artículo 98 del CPI admite la responsabilidad disminuida de los menores entre 14 y 18 años. El artículo 65.3 del CPI establece que en el caso de los menores la pena se reduce a no más de un tercio. En consecuencia, en un caso de homicidio (art. 575 CPI) castigado con 21 años de prisión, un tercio de reducción supone una pena de 14 años. Por su parte, el art. 67 prevé que la pena mínima para los delitos castigados con cadena perpetua no puede ser inferior a 10 años

En Polonia el derecho penal aplicable a los infractores menores de edad es de una naturaleza tutelar y correctiva, por tanto la duración de las sanciones es indeterminada y se aplica a jóvenes entre 13 y 21 años. Hay dos tipos de centros de privación de libertad donde se ejecutan este tipo de medidas educativas: el centro juvenil educativo (para jóvenes de 13 a 18 años) y la institución de corrección o correccional (para jóvenes entre 13 y 21 años). El joven puede salir de estos centros cuando alcance los objetivos educativos impuestos o cuando alcance la edad límite de estancia, 18 ó 21 años. En este último caso, y en ocasiones excepcionales, el joven de 21 años puede ser trasladado a una prisión hasta finalizar el cumplimiento, por tanto, la privación de libertad puede extenderse por más de 10 años. Por último, también hay que tener en cuenta que si en el momento de la comisión del delito el joven tenía 17 años o más puede ser condenado como un adulto y cumplir la pena en prisión.

En Inglaterra y Gales la mayoría de edad es a los 18 años, por lo que la justicia juvenil se destina a los menores de esta edad. Como se ha señalado, los órganos encargados de su aplicación son el Tribunal de Menores (*Youth court*) o el Tribunal de la Corona (*Crown court*), dependiendo del tipo de delito cometido, en particular, de su gravedad. En cuanto a la privación de libertad, sí es posible imponerla a menores de edad, pero es una pena que solo está prevista para los delitos más graves. Así, el Tribunal de la Corona que se encarga de los delitos más graves, puede imponer una privación de libertad de una duración más larga de lo habitual cuando el delito cometido conlleva una pena máxima de al menos catorce años de prisión o es uno de los delitos enumerados en el artículo 91 de la Ley de Poderes de los Tribunales Penales (Sentencia) de 2000[3], que son los que siguen: agresión sexual (*sexual assault*); delitos sexuales cometidos por niños o jóvenes (*child sex offences committed by children or young persons*); relaciones sexuales con un familiar menor de edad (*sexual activity with a child family member*); incitar a un familiar menor de edad a mantener relaciones sexuales (*inciting a child family member to engage in sexual activity*). Este tribunal también puede condenar al menor a una pena de privación de libertad de larga duración o incluso de por vida si considera que existe un peligro probable de que cometa un delito grave. El requisito es que esta decisión sólo la puede tomar el tribunal si la pena susceptible de ser impuesta tiene una duración de 4 o más años. En estos casos, el periodo de prórroga no debe exceder de 5 años en el caso de un delito violento especificado en la ley o de 8 años

---

en el caso de un delito sexual grave. Tampoco se puede superar la duración de la pena máxima de prisión que tendría un adulto. Por su parte, la condena a cadena perpetua es un recurso que sólo debe utilizarse cuando el tribunal considere que una pena de larga duración no aportará la seguridad ciudadana o la protección pública necesarias. Para determinarlo, el tribunal debe tener en cuenta los siguientes factores en la orden dictada: la gravedad del delito; las declaraciones de culpabilidad anteriores del niño o joven; el nivel de peligro que supone para otros y si existe una estimación fiable del tiempo que el niño o joven seguirá siendo un peligro; y las penas alternativas disponibles.

Además, existe otra posibilidad de que se condene a un menor a cadena perpetua: la denominada *Detention during Her Majesty's Pleasure*. Se impone cuando la persona es condenada o se declara culpable de asesinato. El anexo 21 de la Ley de Justicia penal de 2003 establece que si el delincuente es menor de 18 años, el umbral o criterio para determinar la pena mínima son 12 años; para los mayores de 18, son 15 años.

### c. Ítem 120

El ítem 120 es otra regla que se ha descrito del siguiente modo: *Los antecedentes penales de los menores tienen efectos legales al alcanzar la mayoría de edad.*

Tras consultar las legislaciones de los distintos países respecto a los antecedentes penales de los menores y su efecto al alcanzar la mayoría de edad, se observa que la respuesta mayoritaria es positiva. Sólo en Polonia y España la reincidencia por los delitos cometidos durante la minoría de edad no tiene consecuencias legales en la adultez.

Como ya se dijo Polonia tiene un sistema de justicia juvenil tutelar que se basa en la protección del menor y elude cualquier elemento punitivo. Todas las respuestas que se dan a los menores que cometen infracciones penales tienen un carácter exclusivamente educativo e, incluso en los casos de comisión de delitos graves tras los que se interna al menor en una institución educativa privado de libertad, se cataloga como la imposición de una medida correctiva pero no de naturaleza penal. Por tanto, esto supone que a nivel procesal penal las condenas por delitos cometidos siendo menor no arrastran consecuencias legales en la mayoría de edad, ni siquiera en relación con la ley penal si se reitera el comportamiento delictivo.

En España, la razón por la que se llega a la misma conclusión es otra. Según la legislación española, el concepto de antecedente penal no es aplicable en la legislación de menores. Las sentencias firmes dictadas en los procesos de justicia juvenil se archivan en el Registro central de Sentencias firmes de menores, previsto en el Real Decreto 232/2002, de 1 de marzo, por el que se regula el Registro de Sentencias sobre Responsabilidad penal de los menores. Estos datos no pueden ser consultados por los jueces o fiscales de los procesos de adultos, sólo por los jueces y fiscales de los procesos de justicia juvenil y a los efectos que determinan los artículos 6, 30 y 47 de la L.O. 5/2000 de Responsabilidad penal de los menores.

En los estados de Nueva York y California, Inglaterra y Gales, Italia y Alemania la situación es distinta.

En Nueva York, la *New York Family Court Act* (NY. FCA) prevé en el artículo 381.2 que los antecedentes penales de los menores de edad pueden ser tenidos en cuenta por el juez que impone una condena a un adulto, excluyendo sólo los antecedentes como menor ya cancelados.

En California, la denominada *Three Strikes Law* –Pen. Code, § 667 (d)(3) and 1170.12 (b)(3)– explícitamente autoriza la utilización de las condenas impuestas a los menores de edad como una de estas tres ocasiones de reincidencia a tener en cuenta a la hora de aumentar la condena de prisión como adulto, en los términos que prevé esta ley. Hay decisiones judiciales que confirman esta propuesta (People v. Nguyen (2009) 46 Cal.4th 1007, 1022), diciendo que a pesar de que en los juicios de menores no hay jurado, no se incumple la sexta enmienda de la Constitución estadounidense referida a la obligatoriedad de recibir un juicio justo.

En el caso de Italia, los antecedentes que cuentan para calificar de reincidente a un adulto son los relativos a las medidas privativas de libertad impuestas durante la minoría de edad, incluso aunque hayan sido suspendidas de manera condicional: estas condenas han de ser enviadas a la oficina de antecedentes penales cuando el menor cumpla 18 años según establece en los artículos 14 y 15 del DPR de 22 de septiembre de 1988, n° 448. También se conservan hasta los 21 años los registros relativos a la concesión de un indulto. Esta norma está también recogida en el artículo 5.4 del Decreto Presidencial n° 313/2002,

Texto Refundido de las Disposiciones Legislativas y Reglamentarias en materia de registro de antecedentes penales (de la Oficina europea de Registro de antecedentes penales) del Registro de Penas dependientes de delitos y cargos pendientes relacionados.

En Alemania si los antecedentes penales relativos a una condena siguen inscritos en el Registro Penal Central o en el Registro de Medidas Educativas, mantienen sus efectos legales después de alcanzar la mayoría de edad y pueden influir en las sentencias de los adultos, ya que este efecto depende de su eliminación del Registro Penal Central Federal (artículo 51 (1) de la Ley del Registro Penal Central Federal: *Bundeszentralregistergesetz* BZRG) o del Registro de Medidas Educativas (artículo 63 (4) de la BZRG). La cuestión decisiva para un posible efecto jurídico es la baja en el Registro y no una edad determinada o la mayoría de edad. Por lo general, las inscripciones en el registro de medidas educativas se eliminan tan pronto como la persona en cuestión cumple los 24 años (artículo 63 (1) de la BZRG). Se hace una excepción si el Registro Penal Central todavía contiene una inscripción sobre una condena a cadena perpetua, detención de personal militar, una pena juvenil o una medida de reforma y prevención que implique la privación de libertad (artículo 51 (1) en relación con el artículo 63 (1), (2) y (4) BZRG). En lo que respecta al Registro Central de Penados, existe un sistema gradual de plazos de caducidad de las inscripciones (art. 46 BZRG). Cinco años en los casos, por ejemplo, de condenas de jóvenes de menos de un año (Sección 46(1) No.2 c) BZRG), diez años generalmente en los casos de condenas de jóvenes de más de un año (Sección 46(1) No.1 c) BZRG) y 20 años en los casos de condenas de jóvenes por delitos sexuales según la Sección 174-180 y 182 del Código Penal alemán (StGB).

También en Inglaterra y Gales el tema de los plazos es determinante para que pueda o no ser tenida en cuenta una condena durante la minoría de edad en procesos de adultos. Los antecedentes penales de los menores están sujetos a períodos de rehabilitación. Mientras dure el periodo de rehabilitación, una sanción consta como "no finalizada" (*unspent*), lo que significa que puede ser objeto de información a cualquier posible empleador u otro organismo o institución. La duración de los periodos de rehabilitación se establece en la Ley de Rehabilitación de delincuentes (ROA) de 1974 y ésta depende del fallo o condena que se reciba (Tabla 1). Una vez que el período de rehabilitación ha expirado, la sanción pasa a considerarse como finalizada. La ROA otorga el derecho a no revelar las sanciones ya finalizadas (*Standing Committee for Youth Justice*, 2017, p. 6).

**Tabla 1. Periodos de rehabilitación de las sanciones de justicia juvenil más habituales en Inglaterra y Gales**

| Sanción | Periodo de rehabilitación |
|---|---|
| Amonestación para jóvenes | No hay periodo de rehabilitación |
| Orden de remisión (*Referral order*) | Finaliza al cumplirse la orden |
| Orden de rehabilitación de jóvenes (*Youth rehabilitation order*) | Finaliza pasados seis meses después del cumplimiento de la orden |
| Pena privativa de libertad inferior a seis meses | Finaliza 18 meses después del cumplimiento de la condena |
| Pena privativa de libertad superior a seis meses e inferior a 30 meses | Finaliza dos años después del cumplimiento de la condena |
| Pena privativa de libertad superior a 30 meses e inferior a 4 años | Finaliza tres años y medio después del cumplimiento de la condena |
| Pena privativa de libertad superior a 4 años | No finaliza |

*Fuente: Standing Committee for Youth Justice, 2017*

Teniendo en cuenta los periodos de rehabilitación de los antecedentes penales mostrados en la tabla anterior, será muy probable aplicar un agravante a un adulto por unos antecedentes penales generados durante la minoría de edad, sobre todo cuando se le impuso una pena privativa de libertad de más de 30 meses. Pero incluso aquellos periodos de rehabilitación más cortos (menos de 6 meses) pueden no haber finalizado cuando el individuo llega a la edad adulta, por ejemplo, en el caso de que se condene a un joven de 17 años a una pena privativa de libertad inferior a seis meses.

Por otro lado, el artículo 143.2 de la Ley de Justicia Penal de 2003 viene a decir que cuando el juez está valorando la gravedad de un delito cometido por un joven que tiene una o más condenas anteriores, el tribunal debe decidir si tratar cada una de esas condenas anteriores como un factor agravante para la causa actual, teniendo en cuenta la naturaleza del delito anterior y el tiempo transcurrido. Además de esto, durante el juicio de una acusación penal la referencia a las condenas anteriores (y por lo tanto también a las condenas finalizadas) puede aparecer de varias maneras. La más común es cuando se presenta una solicitud de mala conducta en virtud de la Ley de Justicia Penal de 2003 (artículo 101)[4]. El tribunal debe recibir la certificación de los antecedentes del acusado a efectos de la sentencia. El artículo 101(4) ordena específicamente a los tribunales que tengan en cuenta el tiempo transcurrido desde los hechos anteriores y la acusación actual. El expediente suministrado debe contener todas las condenas anteriores, pero las que estén extinguidas deben, en la medida de lo posible, marcarse como tales. Al dictar sentencia, el juez puede referirse a una condena finalizada para explicar o justificar la sentencia aplicada, es decir, que la condena anterior ha sido considerada como un factor agravante y, si lo considera, explicar su impacto en la nueva sentencia (*The Information Hub*).

### d. Ítem 121

El ítem 121 ha de valorar una práctica punitiva: *El internamiento es una de las tres sanciones más aplicadas a menores*.

La investigación sobre esta práctica dejó ver que en Inglaterra y Gales, Polonia, Italia y Alemania no se confirma esta afirmación. Por su parte, en los Estados de Nueva York y California, además de en España, el internamiento sí es una de las tres sanciones más aplicadas a los menores condenados por una infracción penal.

En el caso de Inglaterra y Gales, estas sanciones privativas de libertad se colocan en cuarto lugar en un orden descendente. La sanción más impuesta es la de prestación de servicios en beneficio de la comunidad, seguida de la suspensión condicional y la multa. Durante el periodo estudiado (2015-2019), la cantidad de sanciones comunitarias se diferenciaba notablemente del resto siendo cinco o seis veces mayor que las otras tres sanciones referidas. Sin embargo, la diferencia entre la suspensión condicional, la multa y el internamiento fue mucho menor. Concretamente la multa y el internamiento en 2019 se diferenciaron en doscientos casos (Tabla 2).

---

4    Para más información sobre los requisitos para solicitar lo prueba de mala conducta, se puede consultar: https://www.legislation.gov.uk/ukpga/2003/44/notes/division/4/11/1?view=plain

**Tabla 2. Sanciones impuestas a menores de edad en Inglaterra y Gales**

|                        | 2015   | 2016   | 2017   | 2018   | 2019   |
|------------------------|--------|--------|--------|--------|--------|
| Total                  | 31.003 | 27.994 | 26.124 | 23.001 | 19.316 |
| Privación de libertad  | 1.844  | 1.700  | 1.627  | 1.586  | 1.287  |
| Suspension condena     | 0      | 2      | 0      | 1      | 1      |
| Sanción comunitaria    | 21.231 | 19.129 | 17.825 | 15.635 | 12.810 |
| Multa                  | 2.322  | 2.069  | 2.223  | 1.934  | 1.585  |
| Archivo                | 838    | 674    | 447    | 354    | 315    |
| Archivo condicional    | 3.716  | 3.574  | 3.209  | 2.759  | 2.584  |
| Otras                  | 1.052  | 846    | 793    | 732    | 734    |

*Fuente: Youth Justice Board / Ministry of Justice (2020). Youth Justice Statistics 2018/19 England and Wales.*

En Polonia, como se observa en la tabla 3, sólo el 1,7% de las sanciones o medidas educativas fueron privativas de libertad en 2018 y si se suman los casos que fueron sentenciados con una pena en centros educativos y/o terapéuticos para menores, sólo se llega al 12,5%. Estas cifras vienen siendo similares desde hace años.

**Tabla 3. Sanciones a menores de edad en Polonia**

TABL. 23 (99). NIELETNI WEDŁUG WYKONYWANYCH ŚRODKÓW WYCHOWAWCZYCH LUB POPRAWCZYCH
JUVENILES BY ADJUDICATED EDUCATIONAL OR CORRECTIONAL MEASURES

| RODZAJE ŚRODKÓW | 2010 | 2015 | 2017 | 2018 | TYPE OF MEASURE |
|-----------------|------|------|------|------|-----------------|
| Nadzór: kuratora | 47020 | 36966 | 30903 | 29309 | Supervision by: probation officer |
| rodziców | 12900 | 6916 | 4944 | 4608 | parents |
| Umieszczenie w: | | | | | Placement in: |
| zakładzie poprawczym | 1520 | 985 | 766 | 676 | correctional centre |
| młodzieżowym ośrodku wychowawczym | 5057 | 5620 | 4550 | 4341 | youth educational centre |
| młodzieżowym ośrodku socjoterapii i ośrodku szkolno-wychowawczym | 3326 | 210 | 69 | 33 | youth sociotherapy centre and education centre |
| Skierowanie do ośrodka kuratorskiego | 1423 | 1525 | 1443 | 1439 | Directed to probation officer's centre |

Ź r ó d ł o: dane Ministerstwa Sprawiedliwości.
S o u r c e: data of the Ministry of Justice.

*Source: Statistical Yearbook of the Republic of Poland, p. 172*

En el caso de Italia, según los datos estadísticos del Ministerio de Justicia de 2018 las sanciones privativas de libertad representaron únicamente el 0,3% del total (Tabla 4). Hay que recordar que las sanciones que se pueden imponer a los menores en este país son las mismas que las de los adultos, sin existir un catálogo diferenciado como sucede en España. Sí se pueden especificar ciertas modificaciones como la reducción del tiempo de condena, la sustitución de la pena de prisión o el archivo. Las penas de privación de libertad se cumplen en instituciones para jóvenes.

**Tabla 4. Penas impuestas a los menores entre 14 y 18 años en Italia**

| Sanción igual a adultos | Privación de libertad | 23 |
|---|---|---|
| | Multa | - |
| Modificación de la sanción | Acto irrelevante (Art. 27 DPR 488/88) | 2.498 |
| | Perdón judicial (Art 169 CPI) | 1.025 |
| | Libertad condicional (Art 529 CPI) | 2.227 |
| Sanciones alternativas | Suspensión condicional | - |
| | Semilibertad | 0 |
| | Libertad condicional | - |

*Fuente: Estadísticas oficiales del Ministerio de Justicia italiano.*

En Alemania, los diferentes tipos de penas que se pueden imponer se establecen en el Código penal juvenil (*Jugendgerichtsgesetz*). Como muestran las estadísticas oficiales publicadas, a nivel cuantitativo las sanciones privativas de libertad quedan muy por debajo de otras medidas que son dictadas con más asiduidad, como la imposición de condiciones de comportamiento (*Erteilung von Auflagen*), las tareas socioeducativas (*Weisungen*) y las amonestaciones (*Verwarnung*); la sanción de detención (*Jugendarrest*) es la más cercana a la privación de libertad, diferenciándose en mil o dos mil casos (Tabla 5).

**Tabla 5. Sanciones impuestas por la justicia juvenil alemana**

| | Privación de libertad (*Jugendstrafe*) | Medidas disciplinarias (*Zuchmittel*) | Medidas de supervision o educativas (*Erziehungsmaβregeln*) |
|---|---|---|---|
| 2018 | 9.232 | 42.365<br>- amonestación: 16.012<br>- condiciones: 34.636<br>- detención: 9.679 | 7.681<br>- órdenes: 24.246<br>- apoyo educativo: 123<br>- atención residencial: 16 |
| 2017 | 9.685 | 42.477<br>- amonestación: 16.641<br>- condiciones: 34.309<br>- detención: 10.072 | 7.506<br>- órdenes: 23.555<br>- apoyo educativo: 125<br>- atención residencial: 22 |

| | | | |
|---|---|---|---|
| 2016 | 10.033 | 43.901<br>- amonestación: 16.984<br>- condiciones: 35.347<br>- detención:10.776 | 7.794<br>- órdenes: 23.300<br>- apoyo educativo: 152<br>- atención residencial:17 |
| 2015 | 10.550 | 47.035<br>- amonestación: 18.552<br>- condiciones: 37.753<br>- detención: 11.446 | 7.757<br>- órdenes: 24.127<br>- apoyo educativo: 139<br>- atención residencial:31 |
| 2014 | 11.772 | 51.569<br>- amonestación: 20.204<br>- condiciones: 41.647<br>- detención: 12.706 | 8753<br>- órdenes: 25.889<br>- apoyo educativo: 149<br>- atención residencial: 50 |
| 2013 | 13.187 | 59.129<br>- amonestación: 23.343<br>- condiciones: 47.723<br>- detención: 14.481 | 9.421<br>- órdenes: 27.735<br>- apoyo educativo: 181<br>- atención residencial: 32 |

*Fuente: Statistisches Bundesamt (Destatis). Rechtspflege. Strafverfolgung.*

Por su parte, en el Estado de Nueva York las sanciones que se pueden imponer a los menores depende de la categoría en la que se incluya al joven:

- Delincuente juvenil (*Juvenile delinquent*) es un niño mayor de 7 y menor de 18 años que ha cometido una infracción penal considerada como delito para un adulto. Estos casos se ven ante los jueces de menores (*Family court*).

- Si este joven tiene entre 13 y 15 años y comete un delito grave violento del Código penal se le considera un *infractor* juvenil (*Juvenile offender*). Estos casos se ven ante la sección juvenil del Tribunal del distrito (*Youth Part of the County Court*).

- Desde octubre de 2019 los jóvenes de 16 y 17 años que cometan un delito se denominan *infractores* adolescentes (*Adolescent offender*) y sus casos se juzgan en el Tribunal del distrito pero pueden ser derivados a los jueces de menores.

Los infractores adolescentes y juveniles son tratados básicamente como adultos, pero pueden recibir sanciones algo más leves.

Los datos estadísticos de los juzgados de menores incluyen a todos los menores que se han sido juzgados en ellos, ya sean delincuentes juveniles o infractores adolescentes o juveniles que hayan sido derivados a este tribunal. Las sanciones que se suelen imponer en esta jurisdicción son sólo tres. Entre 2014 y 2018 solo se impusieron la suspensión condicional, la libertad condicional y el internamiento. Hasta 2018, la sanción que más a menudo se impuso fue la libertad condicional seguida de la privación de libertad con bastante menos casos (Gráfico 1). Hay que hacer notar que la privación de libertad se puede ejecutar en diversas instituciones entre las que se incluyen las dependientes del Departamento de Servicios sociales.

**Gráfico 1. Sanciones impuestas por los juzgados de menores de Nueva York. 2014-2018**

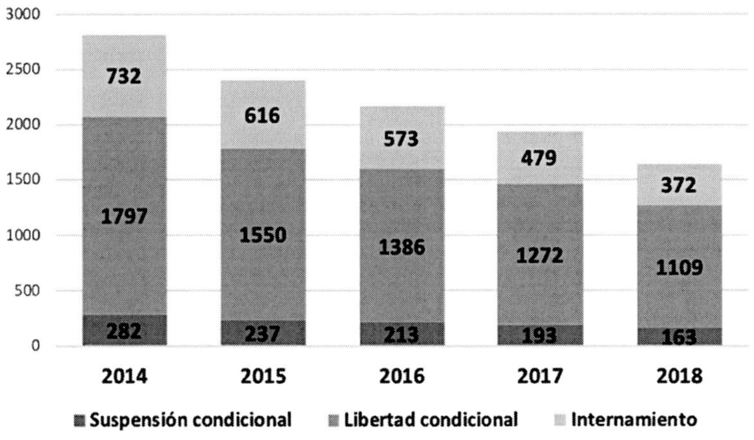

*Fuente: New York State Division of Criminal Justice Services*

En California, cuatro de cada cinco menores detenidos son remitidos al Departamento de Libertad condicional de menores (*Juvenile Probation Department*). Las disposiciones de este departamento pueden ser: 1.- archivo inicial; 2.- libertad condicional informal; 3.- *diversion*; 4.- transferencia a otro tribunal; 5.- deportación; 6.- caso trasladado al Tribunal de Menores.

Los Jueces de menores poseen discrecionalidad a la hora de determinar la sanción o consecuencia jurídica atendiendo a las necesidades del menor: archivo; traslado a otro juzgado o departamento de libertad vigilada; traslado a la justicia de adultos; libertad vigilada informal a cargo de los padres o tutores por un tiempo inferior a seis meses; libertad vigilada sin tutela por el mismo tiempo; *diversion* a una agencia pública o privada; programa para menores entre 14 y 17 que delinquen por primera vez; libertad vigilada bajo tutela del tribunal. Esta última medida puede llevarse a cabo de muy distintas maneras, en la casa del menor, en una institución de privación de libertad con seguridad estricta o en la que no está físicamente limitado para ausentarse, privadas y públicas, entre otras.

Durante el periodo estudiado (2014-2019) y de acuerdo al informe *Juvenile Justice in California 2019* el internamiento en una institución cerrada del condado fue la segunda sanción más impuesta a los menores sancionados (Tabla 6). Este informe aporta datos referentes a los menores sancionados por los Juzgados de menores y por los de adultos.

**Tabla 6. Sanciones impuestas a los delincuentes juveniles en California. 2014-2019**

Table 29
JUVENILE JUSTICE, 2014-2019
Referrals to Probation by Probation Disposition, Court Disposition, and Wardship Placement by Year

| Probation dispositions, court dispositions, and wardship placements | 2014 Number | 2014 Percent | 2015 Number | 2015 Percent | 2016 Number | 2016 Percent | 2017 Number | 2017 Percent | 2018 Number | 2018 Percent | 2019 Number | 2019 Percent | Percent change 2014-2019 | Percent change 2018-2019 |
|---|---|---|---|---|---|---|---|---|---|---|---|---|---|---|
| Referrals to probation | 101,531 | 100.0 | 86,539 | 100.0 | 77,509 | 100.0 | 71,791 | 100.0 | 65,020 | 100.0 | 59,371 | 100.0 | -41.5 | -8.7 |
| Probation dispositions | | | | | | | | | | | | | | |
| Closed at intake | 36,396 | 35.8 | 31,630 | 36.8 | 27,001 | 34.8 | 24,651 | 34.3 | 21,395 | 32.9 | 21,083 | 35.5 | -42.1 | -1.5 |
| Transferred[1] | 869 | 0.9 | 639 | 0.7 | 617 | 0.8 | 683 | 1.0 | 593 | 0.9 | 573 | 1.0 | -34.1 | -3.4 |
| Traffic court | 1,851 | 1.8 | 1,706 | 2.0 | 1,788 | 2.3 | 1,498 | 2.1 | 1,383 | 2.1 | 1,492 | 2.5 | -19.4 | 7.9 |
| Direct file - adult court[2] | 474 | 0.5 | 492 | 0.6 | 340 | 0.4 | 0 | 0.0 | 0 | 0.0 | - | - | | |
| Informal probation | 2,733 | 2.7 | 2,165 | 2.5 | 1,471 | 1.9 | 1,210 | 1.7 | 1,135 | 1.7 | 1,049 | 1.8 | -61.6 | -7.6 |
| Diversion | 7,563 | 7.4 | 5,600 | 6.5 | 5,723 | 7.4 | 5,517 | 7.7 | 4,754 | 7.3 | 3,457 | 5.8 | -54.3 | -27.3 |
| Petitions filed | 51,645 | 50.9 | 44,107 | 51.0 | 40,569 | 52.3 | 38,232 | 53.3 | 35,760 | 55.0 | 31,717 | 53.4 | -38.6 | -11.3 |
| Juvenile court dispositions | | | | | | | | | | | | | | |
| Dismissed | 7,717 | 7.6 | 7,359 | 8.5 | 6,975 | 9.0 | 6,762 | 9.4 | 6,468 | 9.9 | 5,831 | 9.8 | -24.4 | -9.8 |
| Transferred[1] | 1,198 | 1.2 | 1,082 | 1.3 | 1,042 | 1.3 | 930 | 1.3 | 1,032 | 1.6 | 992 | 1.7 | -17.2 | -3.9 |
| Remanded to adult court | 123 | 0.1 | 74 | 0.1 | 66 | 0.1 | 158 | 0.2 | 77 | 0.1 | 64 | 0.1 | -48.0 | -16.9 |
| Informal probation | 3,956 | 3.9 | 2,940 | 3.4 | 2,899 | 3.7 | 2,860 | 4.0 | 2,678 | 4.1 | 2,426 | 4.1 | -38.7 | -9.4 |
| Non-ward probation | 2,717 | 2.7 | 2,404 | 2.8 | 2,529 | 3.3 | 2,469 | 3.4 | 2,338 | 3.6 | 2,071 | 3.5 | -23.8 | -11.4 |
| Diversion | 114 | 0.1 | 151 | 0.2 | 86 | 0.1 | 69 | 0.1 | 25 | 0.0 | 42 | 0.1 | -63.2 | 68.0 |
| Deferred entry of judgment | 2,394 | 2.4 | 1,650 | 1.9 | 1,501 | 1.9 | 1,295 | 1.8 | 1,384 | 2.1 | 1,075 | 1.8 | -55.1 | -22.3 |
| Wardship probation/DJJ | 33,426 | 32.9 | 28,447 | 32.9 | 25,471 | 32.9 | 23,689 | 33.0 | 21,756 | 33.5 | 19,216 | 32.4 | -42.5 | -11.7 |
| Wardship placements | | | | | | | | | | | | | | |
| Own/relative's home | 17,545 | 17.3 | 15,175 | 17.5 | 13,342 | 17.2 | 12,536 | 17.5 | 11,673 | 18.0 | 9,633 | 16.6 | -44.0 | -15.8 |
| Secure county facility | 10,394 | 10.2 | 8,580 | 9.9 | 7,854 | 10.1 | 7,094 | 9.9 | 6,437 | 9.9 | 5,355 | 9.0 | -17.7 | -16.8 |
| Non-secure county facility | 551 | 0.5 | 587 | 0.7 | 488 | 0.6 | 513 | 0.7 | 488 | 0.8 | 270 | 0.5 | -51.0 | -44.7 |
| Other public facility | 148 | 0.1 | 113 | 0.1 | 111 | 0.1 | 90 | 0.1 | 53 | 0.1 | 53 | 0.1 | -60.1 | 11.3 |
| Other private facility | 3,951 | 3.9 | 3,272 | 3.8 | 2,916 | 3.8 | 2,818 | 3.9 | 2,359 | 3.6 | 2,325 | 3.9 | -41.2 | -1.4 |
| Division of Juvenile Justice | 241 | 0.2 | 216 | 0.2 | 183 | 0.2 | 224 | 0.3 | 317 | 0.5 | 343 | 0.6 | 42.3 | 8.2 |
| Other | 596 | 0.6 | 504 | 0.6 | 577 | 0.7 | 414 | 0.6 | 431 | 0.7 | 1,031 | 1.7 | 73.0 | 139.2 |

Notes: Data were reported by 58 counties in 2012-2014, 55 counties in 2015, 54 counties in 2016, 56 counties in 2017-2018, and 57 counties in 2019.
Percentages may not add to subtotals or 100.0 because of rounding.
Dash indicates that a percent change would be meaningless. See footnote #2.
[1] Transferred includes transferred and deported.
[2] In November 2016, California voters passed Proposition 57 which ended the process of juveniles being transferred directly (direct filed) to adult court by county prosecutors. For additional information, see Understanding the Data.

*Fuente: Juvenile Justice in California 2019. Tabla 29*

En España, las sanciones de posible aplicación a los menores de edad responden a un amplio catálogo contenido en el art. 7 de la L.O. 5/2000, de 12 de enero. Particularmente, la ley contempla cuatro tipos de medidas de internamiento: en régimen cerrado; en régimen semiabierto; en régimen abierto e internamiento terapéutico en régimen cerrado, semiabierto o abierto. Se han sumado todos estos tipos de medidas para poder establecer si la privación de libertad es una de las sanciones más impuestas.

A partir de los datos oficiales aportados por el Instituto nacional de estadística (INE) se pueden saber las cifras de las sanciones impuestas en los últimos cinco años. Así, se comprueba que es la libertad vigilada la medida más usual ya que se decide en torno al 40% de las ocasiones; el internamiento es la que le sigue, pues es la decisión que adopta el juez, aproximadamente, en un 16% de los casos. La prestación de servicios en beneficio de la comunidad se suele imponer también en torno al 15% de las ocasiones (Tabla 7).

**Tabla 7. Sanciones impuestas a menores de edad en España. 2015-2019**

| | 2015 | 2016 | 2017 | 2018 | 2019 |
|---|---|---|---|---|---|
| Asistencia a centro de día | 151 | 131 | 131 | 138 | 111 |
| Amonestación | 754 | 613 | 655 | 694 | 637 |
| Convivencia persona, familia o grupo | 489 | 451 | 494 | 451 | 477 |
| Internamiento abierto | 181 | 129 | 128 | 132 | 130 |
| Internamiento cerrado | 487 | 447 | 500 | 448 | 674 |
| Internamiento semiabierto | 2574 | 2500 | 2.668 | 2.458 | 2.405 |
| Internamiento terapéutico | 424 | 433 | 422 | 468 | 507 |
| TOTAL internamientos | 3.666 | 3.509 | 3.718 | 3.506 | 3.716 |
| | 15,90% | 16,30% | 16,22% | 15,37% | 16,01% |
| Libertad vigilada | 9.223 | 9.270 | 9.753 | 9.777 | 10.057 |
| | 40% | 43% | 42,56 % | 42,86 % | 43,33 % |
| Prohibición aproximarse o comunicarse con víctima | 811 | 874 | 1.247 | 1.277 | 1.343 |
| Prestación en beneficio de comunidad | 3.905 | 3.258 | 3.526 | 3.479 | 3.393 |
| | 16,90% | 15,10% | 15,39% | 15,25% | 14,62% |
| Permanencia fin de semana | 1041 | 420 | 434 | 420 | 394 |

Fátima Pérez Jiménez

| Privación permiso de conducir | 66 | 54 | 50 | 38 | 41 |
|---|---|---|---|---|---|
| Realización tareas socio-educa-tivas | 2578 | 2496 | 2.582 | 2.734 | 2.718 |
| Tratamiento ambulatorio | 357 | 450 | 326 | 298 | 325 |
| TOTAL | 23.041 | 21.526 | 22916 | 22.812 | 23.212 |

*Fuente: elaboración propia. Datos de Instituto nacional de estadística (INE)*

### e. Ítem 126

El último ítem que contiene esta cesta es el 126 y propone analizar una práctica punitiva: *Se expulsa a menores extranjeros delincuentes.*

Los resultados de investigación de esta práctica han dejado ver que las respuestas internacionales son diversas. En California, Alemania e Inglaterra y Gales sí se expulsa a los menores extranjeros delincuentes, mientras que en España, Polonia e Italia no.

En Inglaterra y Gales, el proceso de expulsión de menores de edad no se diferencia en sus elementos esenciales del de los adultos, que se contempla en el art. 32 del *UK Border Act* de 2007, en la *Immigration Act* de 1971 (artículo 3.5) y en el *Early Removal Release Scheme* incluido por la *Criminal Justice Act* de 2003. Siempre se ha de tener en cuenta si la decisión de expulsión conlleva un bien para la sociedad y no existe ninguna excepción tampoco en el caso de los menores de edad. Las condiciones para su realización según la primera normativa aludida son que la persona sea extranjera y que haya sido condenada por una infracción penal a la que se aplican dos condiciones: 1 ó 2. La condición 1 es que la persona sea condenada a una pena de prisión de al menos 12 meses; la condición 2 es que (a) el delito esté especificado por orden del Secretario de Estado en virtud del artículo 72.4.a) de la Ley de Nacionalidad, Inmigración y Asilo de 2002 (c. 41) (delitos graves), y b) que la persona sea condenada a una pena de prisión. Por su parte, la Ley de inmigración de 1971 concreta en el documento *Managing foreign national offenders under 18 years old* el protocolo con los menores de edad. El menor ha de ser considerado por su comportamiento infractor como portador de un riesgo significativo para la sociedad tras su puesta en libertad. Se indica también que normalmente la expulsión no se ha de llevar a cabo hasta que el menor ha cumplido 18 años, a menos que esa salida del país se realice con un familiar adulto o se tenga constancia de unas condiciones de acogida apropiadas en su país de origen. En los datos estadísticos sobre la aplicación de la Ley de inmigración no se diferencia entre las personas expulsadas por la comisión de un delito y las que llegan a esta situación por cuestiones de interés público. Como se observa en la tabla 8, la cantidad de menores expulsados ha ido descendiendo a lo largo de los años pero se siguen produciendo este tipo de actuaciones.

**Tabla 8: Expulsiones de extranjeros menores de edad en Inglaterra y Gales**

| YEAR | Total enforced removals | Under 14 | 14-15 | 16-17 |
|------|------------------------|----------|-------|-------|
| 2004 | 21.425 | 1.448 | 123 | 274 |
| 2005 | 20.808 | 1.361 | 173 | 278 |
| 2006 | 19.372 | 1.049 | 111 | 198 |
| 2007 | 17.770 | 786 | 68 | 95 |
| 2008 | 17.239 | 684 | 76 | 91 |
| 2009 | 15.252 | 584 | 53 | 84 |
| 2010 | 14.854 | 296 | 26 | 30 |
| 2011 | 15.063 | 140 | 9 | 31 |
| 2012 | 14.647 | 183 | 17 | 23 |
| 2013 | 13.311 | 160 | 12 | 15 |
| 2014 | 12.627 | 76 | 2 | 14 |
| 2015 | 12.111 | 82 | 6 | 6 |
| 2016 | 10.971 | 24 | 1 | 1 |
| 2017 | 9.670 | 32 | 3 | 5 |
| 2018 | 7.313 | 26 | 3 | 0 |

*Fuente: Immigration Statistics, year ending march 2019.*

Por último, también se ha introducido en la *Criminal Justice Act* de 2003 la denominada *Early Removal Scheme* (ERS) para presos extranjeros. El régimen permite que los presos extranjeros con condena firme, cuya expulsión de Inglaterra y Gales ha sido confirmada por el Servicio de inmigración del Ministerio del Interior, puedan salir de la cárcel y del país hasta un máximo de 270 días antes del cumplimiento de la mitad de la condena. Esta orden es de obligado cumplimiento en todos los casos. En el caso de los menores, si ha recibido una orden de detención y formación (*Detention and Training Order*), pero no es una condena firme de internamiento, no se aplicará este régimen. Y será la Junta de Justicia Juvenil (YJB) quien notificará al *Home Office Immigration Enforcement* (HOIE) los jóvenes con derecho a ERS que estén cumpliendo sus condenas en Hogares infantiles seguros o Centros de formación seguros (*Secure Children's Homes, Secure Training Centres*).

En el Estado de California, también el número de menores infractores expulsados ha ido descendiendo en los últimos años (tabla 9). La expulsión es una de las medidas que tanto el Departamento de libertad condicional (*Juvenile Probation Department*) como los Tribunales de menores de California pueden imponer a los menores que son detenidos y remitidos al sistema de justicia juvenil. Las disposiciones de estos tribunales no son consideradas como una condena por las leyes federales de inmigración, condición necesaria para que se realice la expulsión por motivo de una acción delictiva. Sin embargo, de acuerdo a la Ley de inmigración y nacionalidad (*Immigration and Nationality Act*) la expulsión puede ser una consecuencia impuesta por los "malos actos" (*bad acts*) realizados o por una conducta concreta (US Code §1227 (a) (2)–*Conduct-based and non-conduct based grounds for deportation*) y pueden llevar a la decisión de la expulsión si se comete por un menor no estadounidense, concretamente se especifican: consumo de drogas, violación de una orden de protección en violencia doméstica o falsear la nacionalidad estadounidense. Esto es lo que da lugar a que se produzcan las expulsiones de estos menores de edad tras su detención y puesta a disposición de los servicios de justicia juvenil.

**Tabla 9. Expulsiones de menores de edad en California**

| | 2010 | 2011 | 2012 | 2013 | 2014 | 2015 | 2016 | 2017 | 2018 | 2019 |
|---|---|---|---|---|---|---|---|---|---|---|
| Dpto. libertad condicional | 23 | 11 | 38 | 7 | 11 | 4 | 6 | 0 | 2 | 0 |
| Juez menores | 14 | 10 | 7 | 2 | 2 | 0 | 1 | 0 | 0 | 0 |

Fuente: Juvenile Justice in California Reports. CJSC Publications.

En el estado de Nueva York, la situación legal es la misma, pues tampoco en este estado las condenas dictadas por los jueces del ámbito juvenil son consideradas como una condición suficiente para expulsar a un menor de 18 años. Así en el *Matter of Devison* se establece que los procedimientos juveniles no tienen naturaleza penal, sus actos no son delitos y el hecho de que un menor haya delinquido no es una condena que obligue a la expulsión (*Matter of Devison*, 22I&N Dec. 1362, BIA; 2000). Sin embargo, como en California, de acuerdo a la Ley de inmigración y nacionalidad (*Immigration and Nationality Act*) algunos comportamientos calificados como *bad acts* pueden llevar a la decisión de la expulsión si se cometen por un menor no estadounidense.

Se tiene información de los procedimientos de expulsión del Tribunal de inmigración relacionados con jóvenes realizados en el estado entre 2005 y 2021 que ascendieron a 91.876 casos (*TRAC Inmigration Database*), pero no se especifica la causa de esta decisión. Sí se puede comprobar que muchas de estas audiencias y decisiones posteriores se realizan en los Centros de detención de inmigración y aduanas (*U.S. Immigration and Customs Enforcement*) pero de nuevo no se especifica la causa de la expulsión. El manual de este tribunal (*Immigration Court Practice Manual*) especifica en el capítulo 7 que si un menor ha cometido delitos graves como los especificados más arriba, es posible que se realice el denominado *expedited removal*. Por tanto, se podría inferir que en las 22.138 *removal orders* que están contabilizadas se incluyen las expulsiones realizadas a menores por la realización de *bad acts*. Tras una consulta particular, este dato fue confirmado por esta institución (TRAC) añadiendo que, efectivamente, no se puede diferenciar el número de casos concreto. La última fuente institucional consultada fue la *Historical Data on Inmigration and Customs Enforcement* que da información entre 2003 y 2016. Según esta fuente tres menores extranjeros fueron expulsados por fingir tener nacionalidad estadounidense en 2005, 2006 y 2010. Para la confirmación de esta información se consultó a una académica experta en el tema, la profesora Clairissa Breen, de la Universidad de Búfalo, y concretó que la mayoría de expulsiones de menores extranjeros en el estado de Nueva York se deben a que son tratados como adultos al ser juzgados por la comisión de un delito, y que también se expulsa por la realización de malas conductas, pero esta regla se suele aplicar solo a los menores no acompañados.

En síntesis, tras las consultas realizadas a distintas instituciones y expertos y al no existir datos oficiales claros al respecto que lo desmientan, se puede concluir que se está expulsando a menores por esta causa en Nueva York, pero no hay posibilidad de conocer el número concreto de menores afectados.

En Alemania, la situación coincide con los anteriores países dado que es posible expulsar a los menores infractores, pero también es imposible aportar cifras concretas de los casos anuales. La Ley relativa a la residencia, actividad económica e integración de los extranjeros de 2008 (*Gesetz über den Aufenthalt, die Erwerbstätigkeitund die Integration von Ausländern im Bundesgebie–AufenthG*) en el art. 53 y ss., expone que si un extranjero ha puesto en peligro la seguridad o el orden públicos u otros intereses significativos para el país, será expulsado después de sopesar el interés público de la expulsión frente a su interés individual de la persona de permanecer en el país. El interés público en la expulsión se convierte en significativo si el menor ha recibido una condena de internamiento de al menos dos años por la comisión de uno o más delitos; si la condena ha sido de al menos un año por un delito contra la vida, la integridad física, contra la libertad sexual, contra la propiedad cometido en serie o por ataque o resistencia a la autoridad. Uno de los intereses individuales que se tienen en cuenta para realizar este balance que propone la ley es la minoría de edad (art. 55.2.1). Los datos policiales alemanes dejan ver que hay menores inmigrantes que cometen infracciones penales, sin embargo no hay datos oficiales que detallen si posteriormente han sido o no expulsados por causa de esta infracción. Por tanto, como en otras prácticas, se ha acudido a la opinión de diferentes expertos para obtener una información de calidad, concretamente al profesor Axel Dessecker, *Stellvertretender Direktor* del *Kriminologishe Zentralstelle* y al doctor Thomas Hohlfeld, representante de los asuntos de migración e integración en la sección DIE LINKE en el Parlamento alemán. Ambos coinciden en que, efectivamente, se dictan órdenes de expulsión contra menores infractores en el país, aunque ni siquiera a través de las preguntas parlamentarias se pueda saber el número concreto de menores que finalmente ha salido realmente de Alemania por esta causa.

En España, la L.O. 5/2000 de responsabilidad penal de los menores no contempla la expulsión como medida sancionadora para los extranjeros declarados culpables. Tampoco se recoge esta posibilidad en la Ley de Extranjería. No obstante, dado que este ítem es una práctica se ha llevado a cabo una exploración con metodología cualitativa para comprobar la situación. Se ha preguntado de manera individual y con cuestiones concretas a informantes clave de diversos ámbitos: policial, judicial, fiscal, de la sociedad civil, de centros de protección de menores, de centros de internamiento y al Defensor del pueblo español. De manera unánime las respuestas han sido negativas: En España no se expulsa a menores condenados por una infracción penal y tampoco se hace con los que están al amparo de los servicios de protección de las distintas Comunidades autónomas.

En Polonia, la Ley penal del menor de 1982 tampoco contempla la expulsión como una medida sancionadora tras la comisión de una infracción penal y por tanto las estadísticas policiales referidas a las sanciones de menores no señalan ninguna acción de este tipo. La consulta con expertos (concretamente Witold Klaus, docente en el Instituto de Estudios Jurídicos de la Academia de Ciencias de Polonia e investigador del Centro de Investigación sobre Migraciones de la Universidad de Varsovia) confirma que la comisión de un delito por parte de un menor de 16 años o menos no genera antecedentes penales, por lo que tampoco puede ser expulsado por la comisión de una infracción penal. La situación es ligeramente diferente para los chicos y chicas de 17 años de edad: Aunque la expulsión no se incluye en el Código penal como sanción, sí se puede denegar el permiso de residencia por esta razón. No obstante, esta posible situación no se puede incluir en el contenido del ítem, porque sería una consecuencia de orden administrativo e indirecta de la condena y no una causa para una orden de expulsión directa.

En Italia, la *Legislative Decree* (25 de julio de 1998, n. 286), texto consolidado de las disposiciones relativas a las normas de inmigración y estatuto de los extranjeros, recoge en su artículo 19.2 que no se permite la expulsión de los extranjeros menores de 18, excepto si el Ministerio del Interior lo autoriza por razones de orden público o seguridad nacional. Las estadísticas de este ministerio dejan ver que en Italia se expulsa a extranjeros por acciones sospechosas de terrorismo internacional, pero estos datos no están desglosados por edad. Para conocer si esta práctica se realiza con menores de edad se contactó con Massimiliano Bagaglini, responsable de la *Unità Organizzativa*

*"Privazione della libertà e migranti"*, Ufficio del Garante nazionale *dei diritti*. Confirmó la inexistencia de datos estadísticos en ninguna institución pública, ni siquiera en la que él pertenece. Además, aseguró que en todos los años anteriores no se había recibido ninguna comunicación que informara de la expulsión de un extranjero menor e infractor, por lo que se podía deducir que estas expulsiones nunca se habían realizado en este grupo de población.

## 4. CONCLUSIONES

La detallada información en los siete territorios referente a cada una de las prácticas y reglas punitivas relativas a la justicia juvenil permite obtener unos resultados comparativos que revelan la eficacia del instrumento RIMES como elemento de comparación político-criminal internacional.

En el gráfico 2 se han sintetizado los resultados obtenidos atendiendo a la respuesta negativa o positiva de cada ítem en relación a su posibilidad de generar exclusión social. Un elemento importante a resaltar es que los ítems que posibilitan más discriminación entre los países son el relativo a la utilización de la privación de libertad de manera usual, la posibilidad de expulsar del país a los menores extranjeros delincuentes y la aplicación del sistema de justicia juvenil a menores de doce años.

**Gráfico 2: Listado de ítems según respuesta de generación de exclusión social**

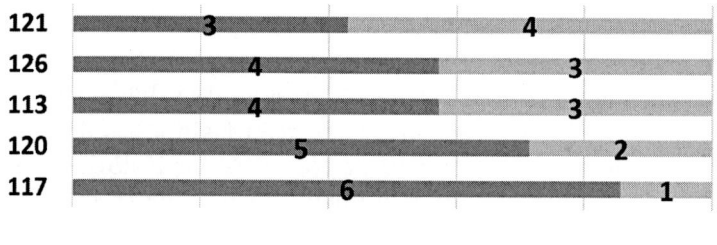

*Fuente: elaboración propia*

Atendiendo a los resultados entre territorios se concreta la eficacia del instrumento RIMES en su objetivo comparativo de las políticas criminales. Así, como se observa en el gráfico 3, se genera un *continuo* en el que las políticas criminales en justicia juvenil en España y Polonia se colocan con el menor índice de indicadores de exclusión social, frente a las realizadas en los estados de California y Nueva York que suma el mayor número de indicadores en esta dirección excluyente. En una situación intermedia se quedan el resto de países europeos estudiados: Alemania e Italia muestran elementos que revelan mínimamente una política inclusiva, mientras que Inglaterra y Gales también se caracteriza también por su alta exclusión social en la repuesta del sistema penal a los menores infractores.

**Gráfico 3: Ítems con respuesta de generación de exclusión social en indicadores de justicia juvenil según países**

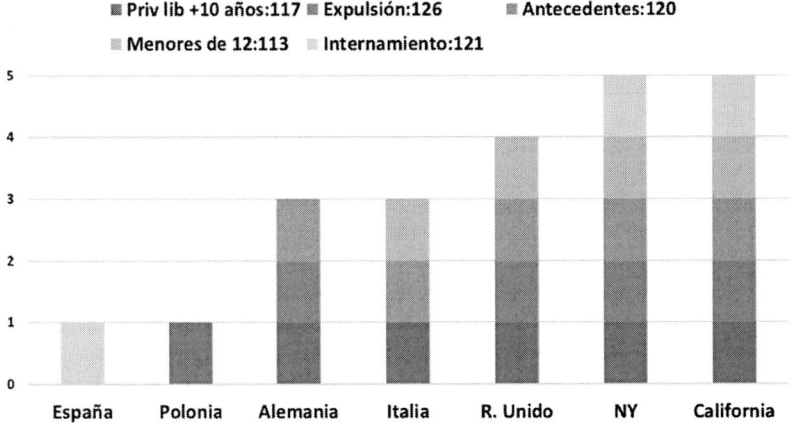

*Fuente: elaboración propia*

Tras este primer paso, se confirma la necesidad de una aproximación rigurosa a las políticas criminales nacionales para la realización de investigación en política criminal comparada. Por un lado, el modelo teórico propuesto y su aplicación correspondiente han revelado qué reglas y prácticas punitivas fomentan más efectos socialmente excluyentes en justicia juvenil sobre los menores infractores y, por otro, ha identificado los sistemas nacionales más proclives a procurar la inclusión de los jóvenes que entran en contacto con la justicia penal de su país. Contenido de otra investigación será comprobar si esto está relacionado con una disminución de la delincuencia de este colectivo a mediano y largo plazo, como se plantea en el marco teórico.

Esta evaluación internacional ha permitido una comparación detallada y muy ilustrativa entre los sistemas de justicia juvenil que se verá enriquecida a medida que otros sistemas penales nacionales se incorporen al estudio.

# BIBLIOGRAFÍA

Arenas García, L. (2021). Constructing and validating an instrument to compare national criminal justice policies. *Revista Criminalidad de la Policía Nacional de Colombia*. En prensa.

Díez Ripollés, J.L. (2011). La dimensión inclusión / exclusión social como guía de la política criminal comparada. *Revista electrónica de ciencia penal y criminología (N°v13-12)*, pp. 1-36. Disponible en http://criminet. ugr.es/recpc/13/recpc13-12.pdf

Díez Ripollés, J.L. y García España, E. (2019). RIMES: An Instrument to Compare National Criminal Justice Policies From the Social Exclusion Dimension. *International E-journal of Criminal Sciences*, 13. Disponible en: https://ojs.ehu.eus/index.php/inecs/article/view/20866/18861

Díez Ripollés, J.L. y García España, E. (2020). Un instrumento de comparación de políticas criminales nacionales desde la exclusión social. *Política criminal, vol. 15*, n° 30, pp. 670-693. Disponible en: http://politcrim.com/ wp-content/uploads/2020/12/Vol15N30A6.pdf

García España, E. y Díez Ripollés, J.L. (2021). La exclusión social generada por el sistema penal español. Aplicación del instrumento RIMES. *Revista para el análisis del Derecho (InDret), n° 1*. Disponible en https://indret. com/la-exclusion-social-generada-por-el-sistema-penal-espanol/

Proyecto RIMES (2018). Memoria ejecutiva. Informe no publicado

Standing Committee for Youth Justice (2017). *Growing up, Moving on: Report on the childhood criminal records system in England and Wales*. Disponible en: http://scyj.org.uk/wp-content/uploads/2017/07/Growing-Up-Moving-on-A-report-on-the-childhood-criminal-record-system-in-England-and-Wales.pdf

The Information Hub. Disponible en: https://hub.unlock.org.uk/knowledge-base/disclosure-previous-convictions-court-proceedings/

*Páginas web de estadísticas oficiales*

Estadísticas oficiales del Ministerio de Justicia de Italia. Departamento de Justicia juvenil. Disponible en: https://www.giustizia.it/giustizia/it/mg_1_14_1.page?contentId=SST293546 &previsiousPage=mg_1_14
Estadística de condenados menores de edad. Instituto nacional de estadística de España. Disponible en: https://www.ine.es/dynt3/inebase/es/index.htm?padre=4746&capsel=4022
Immigration Enforcement Statistics. Reino Unido. Disponible en: https://www.gov.uk/government/statistics/immigration-statistics-year-ending-march-2019
Juvenile Justice in California Reports. CJSC Publications. Disponible en: https://oag.ca.gov/cjsc/pubs#juvenileJustice
National Offender Management Service. The Early Removal Scheme and Release of Foreign National Prisoners. Reino Unido. Disponible en: https://www.gov.uk/government/publications/the-early-removal-scheme-for-foreign-offenders
New York State Division of Criminal Justice Services. Office of Justice Research and Performance. Disponible en: https://www.criminaljustice.ny.gov/crimnet/ojsa/jj-reports/definitionstechnotes.pdf y https://www.criminaljustice.ny.gov/crimnet/ojsa/jj-reports/newyorkstate-graph.pdf
Statistical Yearbook of the Republic of Poland 2019. Disponible en: https://stat.gov.pl/en/topics/statistical-yearbooks/statistical-yearbooks/statistical-yearbook-of-the-republic-of-poland-2019,2,21.html#:~:text=It%20is%20a%20compendium%20of,and%20shared%20by%20official%20statistics
Statistisches Bundesamt (Destatis). Rechtspflege. Strafverfolgung. Fachserie 10 Reihe 3. 2013-2018. Disponible en: https://www.statistischebibliothek.de/mir/receive/DESerie_mods_00000107
TRAC Inmigration. Nueva York. Disponible en: https://trac.syr.edu/phptools/immigration/juvenile/about_data.html y https://trac.syr.edu/phptools/immigration/removehistory/
Youth Justice Board / Ministry of Justice (2020). Youth Justice Statistics 2018/19 England and Wales. Disponible en: https://assets.publishing.service.gov.uk/government/uploads/system/uploads/attachment_data/file/862078/youth-justice-statistics-bulletin-march-2019.pdf

# Violencia de género, TIC y adolescentes, reflexión político criminal tras veinte años de vigencia de la LORRPM

## Mª ASUNCIÓN COLÁS TURÉGANO
*Universitat de València*[1]

## 1. INTRODUCCIÓN

Aunque pudiera pensarse que la aprobación en el año 2004 de la Ley Orgánica, *de Medidas de Protección Integral contra la Violencia de Género*[2] (en adelante LVG) vendría a neutralizar el problema de la violencia de género, especialmente entre los más jóvenes, lo cierto es que los datos muestran que el problema no ha parado de crecer entre los adolescentes[3]. Es un fenómeno con unas características muy específicas ligadas a la inmadurez de los protagonistas que les lleva a no calibrar el alcance y trascendencia de su conducta. A ello se añade en los últimos tiempos, la utilización de las TICs como instrumento de control frente a la pareja. El legislador penal reaccionó mediante

---

1  asunción.colas@uv.es
2  BOE núm 313, de 29 de diciembre de 2004: https://www.boe.es/eli/es/lo/2004/12/28/1/con
3  La FGE alerta en su Memoria de 2020 que: "se viene detectando un alarmante incremento de las ideas sexistas y de la violencia entre los menores y adolescentes en el entorno familiar, pero también y especialmente en el ámbito sexual, conductas realizadas en grupo y a menudo grabadas y difundidas a terceros, práctica que según los expertos está anudada al uso de la pornografía a través de las redes desde tempranas edades, donde se representa a la mujer cosificada, escenario que hay que abordar principalmente desde el ámbito educacional".

la introducción de nuevas figuras delictivas para aquellas conductas que se valen de las nuevas tecnologías. Así, los supuestos de difusión no consentida de imágenes íntimas tomadas de manera voluntaria (art. 197.7 CP), conducta muy extendida entre la adolescencia y que tenía difícil acomodo en el Código Penal (en adelante CP) antes de su introducción, o los supuestos de acoso reiterado que se incluyen como modalidad de conducta en el delito de coacciones (art. 172.3 CP)[4]. Es una pequeña muestra de comportamientos que suele llevar a cabo el adolescente para mantener el control sobre su pareja, en muchas ocasiones también menor de edad.

La particularidad de la violencia de género a estas tempranas edades no la encontramos solo en las modalidades delictivas, que suelen dar lugar a conductas de control, más que a otros tipos de violencias más propias de la edad adulta, sino también en el marco legal aplicable. Si el hecho es cometido por una persona menor de dieciocho años, su estatuto penal y procesal está contemplado en la LO 5/2000, reguladora de la responsabilidad penal de los menores (en adelante LORRPM). Ello supone que el adolescente va a poder ser responsable de los mismos delitos que el adulto, pero en la consecuencia aplicable va a tener una menor influencia el hecho cometido, al valorarse especialmente para su selección, la edad del menor, sus circunstancias personales, familiares, sociales y sobresaliendo, entre todos los criterios, el superior interés de este (art. 7.3 LORRPM).

La particularidad de este supuesto es que la víctima también va a ser normalmente una persona menor de edad, pero, en tanto la LO 5/2000 sí regula de manera muy detallada cómo actuar y cómo atender las necesidades del interés del menor infractor, no encontramos una atención similar respecto de la menor, víctima de la violencia de género cometida por otro adolescente. A la menor sí se le pueden aplicar las normas generales previstas en la LVG y las previsiones generales tanto de la Ley Orgánica de Protección Jurídica del Menor (en adelante LOPJM) como de la LO 8/2015 reguladora del Estatuto de

---

4    Para un amplio análisis de las implicaciones del uso de las nuevas tecnologías en las relaciones entre las personas menores de edad, vid. Cuerda Arnau (Dir.) / Fernández Hernández (coord.), 2016. Para la problemática específica de la violencia de género: Lloria García, 2020.

la Víctima del Delito (en adelante EVD) que le afectan en tanto víctima de la violencia de género, menor y vulnerable.

Sin embargo, la LORRPM que fue pionera en el reconocimiento de los derechos de las víctimas de los delitos cometidos por menores, no recogía en su redacción original ninguna previsión específica para las víctimas de la violencia de género, vulnerables y menores en la mayoría de las ocasiones. La única excepción en este desierto regulativo la encontramos en la reforma de la ley del año 2006 por LO 8/2006 de 4 de diciembre, que incorpora la medida de prohibición de aproximarse o comunicarse con la víctima, como cautelar (art. 28) o como definitiva impuesta en sentencia (art. 7. 1.i).

Una novedad claramente insuficiente si la comparamos con el generoso estatuto jurídico que, tanto la LVG como la Ley de enjuiciamiento criminal (en adelante Lecrim) dispensa a las víctimas adultas de la violencia de género. Al menor expedientado por la comisión de este tipo de conductas solo se le van a poder aplicar las medidas cautelares previstas en la LORRPM, respecto al estatuto de la menor víctima, se discute la posibilidad de dictar para su tutela una orden de protección y, en el marco de la misma, adoptar medidas cautelares penales y también de naturaleza civil para el caso que existan niños, hijos de la menor víctima.

A pesar de esta falta de previsión expresa los estudios realizados desde distintos ámbitos ponen de manifiesto el incremento de estas conductas y la vulnerabilidad de las adolescentes ante las mismas. La propia Fiscalía General del Estado (en adelante FGE) en sus memorias ha ido subrayando el incremento de estas conductas, incluso se aprueba en 2012 un dictamen examinando distintos aspectos de esta problemática como se analizará en el estudio.

Sin embargo, el avance más decidido en la regulación y en el afrontamiento de esta especial forma de violencia de género lo tenemos en la recientemente aprobada LO de Protección Integral a la Infancia y la Adolescencia (en adelante LOPIIA), cuya disposición final undécima, modifica la LO 5/2000 en este punto, recogiendo además previsiones específicas en la prevención de estos comportamientos.

El objetivo principal del estudio es analizar la respuesta institucional ante este desafío, la nueva configuración de la violencia contra la mujer. Con tal finalidad, el trabajo se ha centrado en dos aspectos.

En primer lugar, se ha examinado la postura de la FGE, espectadora privilegiada de la evolución de la delincuencia juvenil por su singular protagonismo como especial garante de los derechos de la infancia, de manera particular, en la justicia penal de menores, ámbito propio de las actuaciones ante la violencia de género. En segundo lugar, se ha examinado la postura del legislador, cómo ha evolucionado la LO-RRPM para atender las necesidades de reeducación y de asistencia de víctima y victimario, en muchos casos, ambos personas menores de edad. En este punto destacan las modificaciones incorporadas por la nueva LOPIIA que suponen una mejora respecto a la situación anterior, si bien también se encuentran ámbitos susceptibles de mejora, como tendremos ocasión de comprobar.

## 2. LA ACTUALIDAD DEL PROBLEMA EN CIFRAS

Como se ha señalado, una nueva característica irrumpe en el complicado ámbito de las relaciones entre los adolescentes y es que estos, como nativos digitales, utilizan para relacionarse los medios tecnológicos. Tal uso ha propiciado una auténtica revolución en las relaciones interpersonales dando lugar a un cambio cualitativo en las agresiones de género con nuevas tipologías marcadas por el uso exclusivo en su comisión de aquellos, así como la transformación que, precisamente por la utilización de estos novedosos medios, pueden experimentar las tipologías tradicionales. Ello ha venido a incrementar, de manera exponencial, los riesgos a los que se expone la víctima ante la dificultad de controlar los contenidos que se difunden a través de las redes[5].

No es difícil encontrar comportamientos de control a la pareja por esta vía. Especialmente interesantes son las conclusiones a que llega el Informe del Observatorio Vasco de la Juventud[6] publicado en 2013, en el que se destaca la frecuencia y la normalidad con la que las chicas reciben por estos medios solicitudes de amistad unidas a un

---

[5]    Como destaca García González, 2012. Así también Bringué y Sádaba, 2011, p.9: "La tecnología es uno de los elementos más influyentes [...] transformaciones siglo XXI [...] redefinición relaciones sociales [...] menores a la vanguardia de su uso...".

[6]    Informe del Observatorio Vasco de la Juventud (2013).

comportamiento de acoso sexual, lo que propicia una banalización de mensajes claramente violentos. En muchos casos, la adolescente no es consciente de que estamos ante una nueva forma de expresión de la desigualdad mediante el uso de las nuevas tecnologías. De esta forma, la violencia virtual amplía su espacio en las redes sociales invadiendo la intimidad de la víctima, pudiendo ocurrir que la exposición constante a esta violencia virtual amplíe la tolerancia de la violencia real[7].

Ambas conductas de control y acoso virtual están directamente relacionadas con la realidad de que nuestros niños y adolescentes estén conformando su identidad vinculada a las redes sociales, ello puede propiciar el riesgo de normalización del sexismo y la violencia de género ligada a aquel. Con el agravante de la mayor intensidad de la violencia virtual frente a la violencia real, al ser especialmente invasiva de la intimidad de la víctima[8].

Encontramos una aproximación a la realidad y dimensión de tal situación en los informes que periódicamente publica la Fundación ANAR[9], quien desde 2009 tiene un convenio de colaboración con el Ministerio de Igualdad en materia de violencia de género para la "búsqueda de una atención adecuada, coordinada y eficaz a niños, niñas y adolescentes víctimas de este tipo de violencia en particular"[10]. Desde la Fundación se presta atención multidisciplinar (jurídica, psicológica y social) a los menores en riesgo.

Precisamente, una de las conclusiones más importantes del último informe presentado es que entre las notas que individualizan la violencia de género entre adolescentes es la utilización de la tecnología, las redes sociales, como instrumento de control mediante el que se ejerce violencia psicológica. Se desataca que: "En un 60 % de las

---

[7]    Informe del Observatorio Vasco de la Juventud (2013), pp. 96-97.
[8]    Informe del Observatorio Vasco de la Juventud (2013), p. 104.
[9]    La información que aportamos se ha extraído del último informe publicado (Fundación ANAR, 2018). Los datos del informe se obtienen de las llamadas telefónicas recibidas en el "Teléfono ANAR" que fue puesto en marcha en 1994 para dar una respuesta rápida y eficaz a los problemas y necesidades de niños/as y adolescentes. El teléfono, disponible 24h, está atendido por psicólogos que reciben una preparación específica y cuenta con dos líneas: la de atención a niños y adolescentes y la línea de adulto y familia. Los datos reflejados en el informe se han obtenido de las llamadas efectuadas a ambas líneas.
[10]   Fundación ANAR, 2018, p. 4.

situaciones la violencia también se ejerce a través de las nuevas tecnologías(…). En seis de cada diez casos, las nuevas tecnologías están presentes"[11]. Resultados esperables si tenemos en cuenta la condición de nativos digitales de los niños/as y adolescentes. Han nacido con las nuevas tecnologías y las utilizan en todos los ámbitos de sus relaciones y, si es necesario, también para ejercer presión, control, violencia, en definitiva, para delinquir.

El control que acompaña a las relaciones marcadas por la violencia de género es ejercido por los adolescentes mediante las nuevas tecnologías. Con su uso, el maltratador persigue aislar a la víctima y provocar en esta miedo, culpabilidad y vergüenza. Con relación a las conductas que se han observado a través de las consultas que han llegado al teléfono de la fundación, las más frecuentes son: insultos, amenazas, chantaje emocional, *sexting*. Mediante estos comportamientos el agresor pretende tener controlada a su víctima durante la relación y, si aquella decide pone fin a la misma, recurre al uso de las TICs para volver a acercarse ella buscando un encuentro presencial.

## 3. RESPUESTA INSTITUCIONAL, POSTURA DE LA FISCALÍA GENERAL DEL ESTADO

El Ministerio Fiscal ocupa una posición privilegiada para observar la evolución de las características de la delincuencia en la adolescencia, el art 16 de la LORRPM, al tiempo que atribuye a este la competencia de instruir el procedimiento por el hecho cometido por una persona menor de edad, incorpora la obligación de denuncia ante el Fiscal de cualquier hecho indiciariamente delictivo cometido por esta.

Dicha especial posición le ha permitido observar la evolución de tal modalidad de comportamientos entre adolescentes, coordinando desde la Fiscalía General y especialmente desde la Sección especializada la respuesta. A falta de cambios en la legislación, más allá de la introducción en 2006 de la posibilidad de aplicar la medida de alejamiento, la fiscalía ha ido adaptando la respuesta frente a estas infracciones ante el olvido del legislador. Existe un claro agravio com-

---

[11]    Fundación ANAR, 2018, p. 29.

parativo con las víctimas adultas de la violencia de género en las que sí se ha focalizado la atención y hay un generoso estatuto de medidas procesales y victimológicas, del que solo se pueden beneficiar marginalmente las menores por el reflejo de la legislación general y por su condición de víctimas del delito.

La postura de la Fiscalía se ha podido examinar a través de las Memorias anuales y del Dictamen 7/2012 específico para el tratamiento penal y procesal de las situaciones de violencia de género entre adolescentes. Las conclusiones que se han podido obtener tras dicho análisis exploratorio son las siguientes.

## 3.1. Memorias de la FGE (2010-2021)

Del análisis de las memorias por la FGE en los últimos años obtenemos las siguientes conclusiones:

a. Número de expedientes iniciados por violencia de género

Con carácter general, cabe decir que en un primer momento la relación de supuestos de violencia de género se analizaba conjuntamente con los casos de violencia intrafamiliar, sin embargo, desde la memoria de 2012, con datos correspondientes al año 2011, se viene dedicando un apartado específico a los casos de violencia de género ante su incremento gradual, si bien no muy acusado. No obstante, a pesar de dedicarse desde esa fecha un apartado separado en las memorias se reiteran las dudas respecto a la fiabilidad de las cifras dado que el recuento de los casos se lleva a cabo manualmente pues los programas informáticos no discriminan entre violencia doméstica y violencia de género, por lo que es bastante probable que existan errores en el cómputo. Ello lleva a alguna fiscalía a plantearse que tal vez los datos reales fueran superiores a los efectivamente contabilizados[12].

---

[12]   MFG 2020. "Tal es así porque, a pesar de haberse decidido en el año 2010 desde la FGE que los datos de violencia de género cometidos por menores se contabilizasen separadamente del resto de los de violencia doméstica, lo cierto es que ni entonces, ni ahora, la mayoría de las aplicaciones informáticas permiten deslindar unos de otros. / De esta forma esos datos normalmente los facilitan los Juzgados (donde solo se registran los expedientes) o son contados de modo manual por numerosas delegaciones. Eso hace que la fiabilidad de algunos datos provinciales ofrezca severas dudas ya sea por lo elevados o por lo reducidos."

En cuanto a la valoración respecto al montante de casos, especialmente en comparación a los de violencia intrafamiliar, ya en la Memoria de 2011 cuando aún no se contabilizaban por separado, se apunta a la escasa incidencia cuantitativa en especial si se compara con la violencia contra los progenitores. Esa diferencia se comienza a percibir con claridad en la MFG 2012 en la que se recogen los datos de 2011 desde el que se contabilizan separadamente los casos de VG y los de violencia intrafamiliar. A pesar de que las cifras referidas al año 2012 sufrieron un importante aumento respecto al año anterior en la MFG 2013 se afirma "Siguen siendo todavía –afortunadamente– cifras moderadas en relación a los casos producidos entre adultos, pues, como señala Granada, el segmento de población (imputados entre 14 y 17 años) es mucho más reducido y las relaciones que se establecen son normalmente esporádicas y poco consistentes".

En las memorias más recientes se apunta a que tal vez el problema esté infra dimensionado y no se recojan un buen número de casos, así en la MFG 2016 se apunta a que la cifras no dan cuenta de la verdadera dimensión del problema: "Álava especula con la posibilidad de que las cifras tan bajas de estos delitos (sólo 4 en esa provincia) puedan ocultar un número real más alto y no denunciado, pues no cree que este tipo de violencia surja sin más a los dieciocho años y no antes de esa edad".

Lo cierto es que desde 2011 año desde el que ya tenemos datos separados se observa un incremento lento, constante y paulatino trasluciéndose la duda de que el fenómeno tenga una dimensión más amplia. Tal apreciación se refleja en la MFG 2019 en la que se afirma "Aunque unas mejores pautas a la hora de registrar estos delitos podrían explicar parte del incremento, lo cierto es que, valorando en conjunto los informes, uno a uno, de las diferentes delegaciones, se objetiva un aumento contrastado de las denuncias y expedientes incoados. Por ejemplo, en Sevilla este año son 118 asuntos frente a los 88 del año pasado; o en Madrid donde pasan de 72 a 100." Y en la MFG 2020 se apunta "Puede inferirse, valorando conjuntamente las cifras de Fiscalía con las del CGPJ que, en los últimos años de la década 2010-2019, se ha producido un incremento a nivel nacional de los delitos de violencia de género cometidos por adolescentes que, aun siendo preocupante, resulta cuantitativamente moderado".

Finalmente, la tendencia en los dos últimos años de los que se disponen datos, 2019 y 2020 es descendente, lo que puede ser debido a un cambio derivado de la aplicación de políticas preventivas, si bien no se debe obviar la atipicidad del ejercicio 2020 por el confinamiento obligatorio debido a la situación sanitaria provocada por la pandemia de COVID-19, lo que ha podido propiciar un descenso de casos al tener los adolescentes que permanecer separados de forma obligatoria. Se apunta esta circunstancia en la MFG 2021 donde se indica: "En Las Palmas de Gran Canaria, donde los casos se redujeron a la mitad, la Sra. Delegada considera que tal descenso se debe a que, en la inmensa mayoría de los casos, las parejas no conviven y dejaron de verse con motivo del confinamiento y las restricciones a la movilidad. Parece una explicación plausible que puede extenderse al resto del territorio nacional".

En el siguiente gráfico podemos observar la curva constante y ascendente desde 2013 a 2018, que marca un punto de inflexión, iniciándose un descenso en el número de expedientes. Tendremos que esperar para confirmar si dicha tendencia es fruto de las políticas preventivas y, en qué medida, ha podido influir en las cifras de 2020 el confinamiento derivado de la pandemia por COVID-19.

**Figura 1.** *Asuntos de VG registrados según la MFGE (2011-2020)*

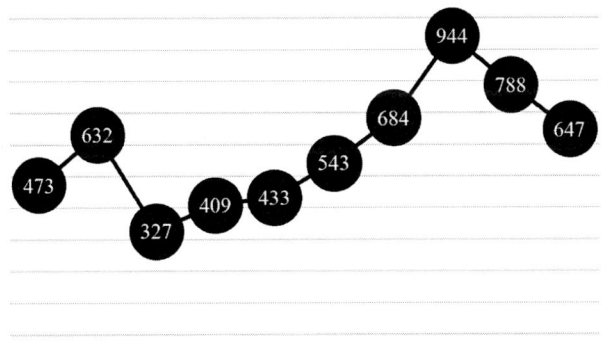

2011 2012 2013 2014 2015 2016 2017 2018 2019 2020

Elaboración propia con datos MFGE 2012-2021

b. Medidas solicitadas por los fiscales

En las diferentes memorias se apunta que la medida más adecuada para abordar esta problemática es la de libertad vigilada con alejamiento de la víctima, aunque, como se apunta en la MFG 2011, en casos de gravedad y por el perfil del menor infractor a veces se han adoptado internamientos. En este sentido, en la MFG 2013 se afirma: "La libertad vigilada acompañada de una prohibición de aproximarse o comunicarse con la víctima sigue siendo la medida a la que más se acude en estos casos, con resultados en general positivos, debido precisamente a la fragilidad de los lazos afectivos subyacentes, que hacen que la relación se diluya más fácilmente por la ausencia de contacto (Las Palmas)".

La medida de libertad vigilada sigue siendo adecuada, si bien dada la flexibilidad en su imposición y la posibilidad de complementarla con otras medidas sería oportuno someter a estos menores a programas específicos de prevención.

c. Características diferenciales de la violencia de género entre adolescentes

-Frente a la violencia de género entre adultos

En un primer momento, se indica que el fenómeno no presenta diferencias significativas respecto a los adultos, así en la MFG de 2010 se afirma que la misma reproduce "en los casos en que se da las características propias de la violencia de género en adultos (Granada), no faltando en tal sentido los ejemplos de alejamientos acordados en que la víctima vuelve a reanudar la relación (Pontevedra)". También en la MFG de 2013 se afirma que "en estos casos, se observa con frecuencia cómo se reproducen roles característicos de la violencia contra la mujer entre adultos: imputados con un fuerte sentido posesivo respecto a la pareja, que recurren a la violencia física y psíquica para mantenerla (Córdoba), y víctimas menores muy estigmatizadas (Badajoz)".

Llama la atención el que desde FGE se afirme expresamente que la violencia de género entre adolescentes presenta características similares a la violencia de género entre adultos[13], separándose en este

---

[13]   "(...) son pocos los casos de violencia de género que se dan en esta jurisdicción, siendo su solución, por lo demás, mucho menos complicada como destaca Sevilla, donde suele acudirse, como medida más utilizada, a la libertad vigilada

punto de la doctrina que, por el contrario, considera que la violencia de género entre adolescentes presenta características particulares y diferentes a la de los adultos[14]. Precisamente una de esas características es que estos, como buenos nativos digitales utilizan las TICs para relacionarse, también para ejercer el control, el chantaje, la violencia psíquica, más propia de estas edades.

Frente a la idea mantenida en todas la memorias del incremento paulatino pero contenido de casos, sí se destaca, aunque en apartado diferente al de la violencia de género, el notable aumento de esta modalidad delictiva mediante TIC, tomando como referente el delito de acoso u hostigamiento, al que la Memoria de 2020 dedica un apartado específico[15].

-Respecto a la violencia intrafamiliar

Presenta perfiles diferentes a la violencia intrafamiliar, como se expone en la MFG 2011 "en la violencia sobre ascendientes la finalidad perseguida es la (re)vuelta del menor a su entorno familiar, aquí el objetivo es antagónico: el alejamiento del menor de la joven con que hubiese mantenido la relación afectiva". Ello lleva a que la medida que se suele adoptar es la libertad vigilada con alejamiento.

d. Prevención. Recursos específicos

En la MFG de 2015 se da cuenta de las actuaciones desde las secciones aplicando el Dictamen 7/2012 del Fiscal de Sala Coordinador de Menores, así como la existencia de iniciativas institucionales de atención a las menores víctimas de estos hechos, como la puesta en marcha por la Delegación Territorial de Bienestar Social en Córdoba, con un programa específico de tratamiento, instruyéndose a las víctimas desde Fiscalía de la posibilidad de acudir a este recurso.

---

con alejamiento de la víctima y sometimiento a programas específicos sobre la materia. Así pues, no parece que sea un problema con características peculiares en esta jurisdicción, reproduciendo en los casos en que se da las características propias de la violencia de género en adultos (Granada), no faltando en tal sentido los ejemplos de alejamientos acordados en que la víctima vuelve a reanudar la relación (Pontevedra)" (MFG, 2010).

14   Colás Turégano, 2016, pp.74 y ss. Específicamente p. 82.
15   Vid. nota 3.

En dicha memoria se informa que la Fiscalía de Granada da cuenta de un interesante estudio realizado por el equipo técnico analizando a veintidós menores infractores durante los años 2012-2014. Concluyendo que las variables sociológicas más comunes observadas en los menores participantes, son un nivel socio-económico y cultural bajo o marginal; excesiva permisividad o ausencia de patrones educativos; trayectoria académica deficiente y problemas de comportamiento escolar.

Si bien en la propia MFG se afirma el valor relativo de tales conclusiones por lo reducido de la muestra, no dejan de ser importantes iniciativas de este tipo para conocer mejor las causas de estos delitos a edades tan tempranas, con la importante finalidad de desarrollar políticas educativas y de prevención frente a este fenómeno criminal.

e. Análisis del perfil de la víctima

Especial interés tiene el análisis que se lleva a cabo en algunas memorias respecto al perfil de las víctimas y las circunstancias que a veces las rodean. Así, se afirma en la MFG de 2017, también en la de 2019 lo preocupante que resulta que las víctimas adolescentes resten importancia a los hechos y "disculpen al menor maltratador, teniendo que ser familiares o terceros los que denuncien". En esta última se describe un caso de especial gravedad al ser los padres de la víctima quienes, informados por las amigas de la hija, denunciaron al agresor, llevándose la causa a juicio a pesar de que la adolescente negase en todo momento su condición de víctima.

Se destaca también, con preocupación, en la MFG de 2017 "la corta edad de algunas víctimas (entre 12-14 años) y la despreocupación de sus familiares directos, lo que obliga a intervenir desde el ámbito de protección (Las Palmas). Significativo, trascendiendo más allá de la anécdota, es el caso del que da cuenta esta última Sección de una menor con múltiples contusiones que, días después de ratificar en Fiscalía la denuncia policial, se presentó nuevamente pretendiendo retirar la denuncia, acompañada de su propia progenitora y de la madre del menor agresor".

## 3.2. Dictamen 7/2012, sobre criterios de actuación en supuestos de violencia de género

Como se ha podido comprobar la fiscalía ha hecho un seguimiento de los casos de violencia de género entre adolescentes, primero en el marco más amplio de la violencia intrafamiliar y desde la memoria de 2012 dedicando un apartado específico a esta modalidad. Así la Circular 1/2010 de la FGE *sobre el tratamiento desde el sistema de justicia juvenil de los malos tratos de menores contra sus ascendientes*, no abordó la problemática de la violencia de género por su "escasa incidencia" y por no merecer sus perfiles un tratamiento diferenciado. Expresamente se indica en la Circular 6/2011 de la FGE sobre *criterios para la unidad de actuación especializada del Ministerio Fiscal en relación a la violencia sobre la mujer* que en la violencia de género protagonizada por menores *se reproducen los roles de dominación/sumisión a través de conductas en ocasiones violentas* [16].

Si bien de los datos recabados por la FGE en las memorias no se observan cifras preocupantes sobre la incidencia del problema, frente a lo que sí ocurre en violencia intrafamiliar, la especial posición de la fiscalía en la defensa y tutela de los derechos de las personas menores de edad, víctimas y victimarios aconsejaron elaborar unos criterios de actuación homogéneos en las distintas secciones de menores de las Fiscalías [17]. Lo que da lugar a la aprobación del Dictamen del Fiscal de Sala de Coordinación de menores 7/2012, *sobre criterios de actuación en supuestos de violencia de género.*

El propósito del mismo es facilitar la unidad de criterio de los fiscales delegados de menores en dos ámbitos, en primer lugar, en la respuesta sancionadora educativa para el adolescente infractor, en segundo lugar, en la protección de las víctimas, muchas veces, también personas menores de edad. Por el indudable interés del tratamiento procesal y penal de esta singular modalidad delincuencial, se analizan a continuación los puntos abordados en el mismo.

a. Particularidades de la denuncia

---

[16]　FGE. *Dictamen 7/2012, sobre criterios de actuación en supuestos de violencia de género*, pág. 1

[17]　Como específicamente se prevé en FGE *Instrucción 3/08 sobre el Fiscal de Sala Coordinador de Menores y las secciones de Menores.*

Dado que la infracción es muy probable que afecte a una adolescente, la primera cuestión que se plantea en el dictamen es la relativa a las formalidades que exige la interposición de la denuncia por la víctima, al ser esta menor de edad. Como se expone, el procedimiento puede iniciarse de muy diversas formas; algunas ajenas a la propia denuncia de la víctima, así por la actuación de las Fuerzas y Cuerpos de seguridad que presencien la agresión, por la denuncia de los padres o de terceros que hayan tenido noticia del hecho.

Por otro lado, la forma más habitual va a ser la propia denuncia de la adolescente, acompañada por sus padres u otro familiar en calidad de representante legal. Es posible también, que la menor acuda sola a presentarla, no existiendo legalmente ningún impedimento para ello pues, por un lado, la Lecrim no exige ningún límite de edad para interponer denuncia ni para actuar como testigo en un procedimiento penal, así como tampoco es necesario que la víctima menor de edad esté asistida en ese momento por un adulto. Se recuerda en el dictamen que el art. 2 de la LOPJM establece que las limitaciones a la capacidad de obrar se interpretarán de forma restrictiva. No obstante, sí será conveniente que en un momento posterior la adolescente sea asistida y acompañada por un adulto responsable, en cumplimiento del derecho de los padres a velar por sus hijos, recogido en el art. 154 CC y el principio de colaboración de la familia plasmado en el art. 15 LOPJM.

Sin embargo, de observar el Ministerio fiscal que por las circunstancias de la niña y de su familia, aquella va a declarar con mayor libertad sin representante, podrá decretar que declare sin su asistencia. Si además se comprueba que la menor carece de amparo familiar, se podría estar en presencia de un posible desamparo por situación de riesgo. En dicha tesitura, tendría que incoarse un expediente de protección para indagar la situación concreta de la menor y adoptar, en su caso, las medidas de amparo pertinentes.

b. Posibilidad de violencia de género entre adolescentes

En segundo lugar, se afronta la cuestión relativa a la posibilidad de que la adolescente sea víctima de violencia de género. Esta ya fue abordada anteriormente por la FGE, encontrando asimismo resoluciones del TS sobre tal controversia. Controversia que tuvo su origen en una serie de resoluciones jurisprudenciales que negaban a la adolescente el carácter de víctima de la violencia de género, al no presentar el vínculo afectivo entre adolescentes la estabilidad y proyección de futuro que normalmente sí se encuentra en las parejas adultas. Sin embargo, como se expone en el dictamen, el debate está claramente superado. En primer lugar, la LVG ampara a todas las víctimas, también a las menores de edad, lo que ha sido afirmado y desarrollado en la Circular de la FGE 6/2011 *sobre criterios de actuación para la unidad de actuación especializada del Ministerio fiscal en relación a la violencia sobre la mujer.* De dicha circular se desprende que lo relevante para considerar si una mujer puede ser o no víctima de la violencia de género, no es su edad, sino la existencia de una previa relación sentimental que también podemos encontrar en la adolescencia como las *relaciones de noviazgo...que trascienden los meros lazos de amistad, afecto y confianza.* Por el contrario, no se incluirían en ese contexto las relaciones ocasionales o esporádicas.

c. Vigencia del principio de oportunidad en delitos relacionados con la violencia de género

Se plantea una cuestión de gran calado, como es sabido, la flexibilidad es principio rector en el derecho penal y procesal de menores, en este último, el procedimiento puede no llegar a iniciarse por razones de oportunidad basadas en la levedad de la infracción, así como en la ausencia de violencia e intimidación en la ejecución y en las características del menor investigado; de darse tales condiciones, el menor será derivado para su corrección a su propio ámbito familiar (art. 18 LORRPM). También por las mismas razones de oportunidad, será posible la solicitud por el fiscal de sobreseimiento, si el victimario menor de edad y la víctima alcanzan un acuerdo por conciliación o reparación (art. 19 LORRPM).

El texto, en el específico ámbito de la violencia de género entre adolescentes se muestra contrario a la flexibilización del proceso, alegando que *cuando la índole del delito cometido afecta a las relaciones intrafamiliares o de pareja no son predicables las ventajas y bondades que para otros delitos menos graves tienen dichas soluciones desjudicializadoras.*

Específicamente, excluye la aplicación del art. 18 de la LORRPM y, por tanto, de la posibilidad de desistimiento al considerar que los supuestos de violencia de género tipificados en aquel momento eran delitos menos graves en los que concurre violencia art. 153.1 del CP o intimidación, así en las figuras específicas de amenazas y coacciones 171. 4 y 5 y 172.2 del CP.

Solo admite su posibilidad en la entonces vigente falta de vejación injusta art. 620.2 del CP, hoy derogada. En este último supuesto, se indicaba que el desistimiento procedería no por razones de oportunidad sino de legalidad, de no haber denunciado la víctima o haber retirado la denuncia.

No obstante, pese a la opinión expresada en el dictamen, tal vez sí se hubieran podido plantear razones de oportunidad para no incoar expediente en estos supuestos constitutivos de falta, aun en el ámbito de la violencia de género, en función de las particulares características del menor, habida cuenta la levedad de la infracción. Aquéllos casos en los que hubiera denuncia por parte de la víctima resultaría adecuado analizar la situación particular, a efectos de desistir o no.

En el momento actual, la situación ha cambiado sensiblemente al haber suprimido la reforma del CP de 2015 las faltas. A efectos procesales, pese a que la LORRPM sigue refiriéndose a las mismas, hay que considerar que la mención es a delitos leves[18], según dispone la disposición adicional segunda de la LO 1/2015 de reforma del CP. Por lo que se podrá analizar la posibilidad de desistimiento, también en casos de violencia de género cuando las circunstancias del menor lo aconsejen si estamos ante un delito leve o delitos menos graves sin violencia o intimidación, situación que encontramos en las nuevas formas de violencia de género ejercidas mediante las TICs, siempre que no concurra violencia y/o intimidación. Así en el delito de acoso o *stalking*, art. 172 ter del CP, o en el ámbito de los delitos de descubrimiento y revelación de secreto, la figura contemplada en el art. 197.7 del CP.

Con relación a la posibilidad de concluir el expediente por mediación, el dictamen se muestra contrario, al igual que en los supuestos de

---

[18]   La LORRPM no ha sido reformada en este punto, ello plantea singulares problemas interpretativos que fueron abordados por la FGE en su Dictamen 1/2015 "sobre criterios de adaptación de la LORRPM a la reforma del Código Penal por LO 1/2015"... La solución interpretativa que se propone por la FGE, deriva de la disposición adicional segunda de la LO 1/2015 que recoge la equiparación entre delitos leves y faltas, si bien, únicamente referido a las leyes procesales.

violencia intrafamiliar, aduciendo que "llevar a cabo una conciliación, sin más, para este tipo de hechos, supondría transmitir a eventuales agresores juveniles el mensaje no ya solo equívoco, sino peligroso, de que con un eventual perdón pueden arreglarse estas conductas", admitiéndose únicamente para casos leves en los que la relación ya estuviera rota y pudiera ser más victimizante para la ofendida el desarrollo del procedimiento. En cualquier caso, se trasluce una concepción un tanto desfasada de la mediación, no cabe preterir que esta implica un reconocimiento de los hechos por parte del infractor y la voluntaria asunción de la víctima del proceso de encuentro y reparación, por lo que es un procedimiento que busca resolver el conflicto y que ha de resultar constructivo para ambas partes, por lo que no debería excluirse, con carácter general, en procesos de violencia de género entre adolescentes.

d. Medidas cautelares

Especial trascendencia merece la alusión a las medidas cautelares adoptables. Como es sabido, en el proceso ordinario por delitos de violencia de género, la víctima tiene derecho a que se adopte la orden de protección[19] (art. 544 ter de la Lecrim), en la que se incluyen medidas de naturaleza penal, pero también de otra índole constituyendo un auténtico estatuto jurídico para la protección a la víctima de este tipo de violencia. Sin embargo, tal estatuto no es aplicable a la víctima menor de edad según el parecer de la FGE, aduciéndose en el dictamen que ni la LO 1/2004 de Medidas de Protección Integral contra la Violencia de Género, ni la regulación contenida en el art. 544 ter de la Lecrim, son de aplicación subsidiaria en la jurisdicción de menores, por aplicación de la DF primera de la LORRPM, al tener las medidas cautelares su regulación específica en el art. 28, por lo que no cabe acudir a la ley procesal para integrarla. Por otra parte, desde fiscalía se considera que la LORRPM dispone de mecanismos para asistir y proteger adecuadamente a las víctimas, considerando que cuando alguna de ellas o sus familiares solicitan una orden de protección lo

---

[19]   Incorporada en la Lecrim por Ley 27/2003 de 31 de julio.

que demandan es un alejamiento del imputado para evitar cualquier contacto[20].

Sin embargo, pese a tal valoración, lo cierto es que la orden de protección recogida en el art. 544 de la Lecrim concede a las víctimas de un infractor adulto un "estatuto integral de protección que comprenderá las medidas cautelares de orden civil y penal ... y aquellas otras medidas de asistencia y protección social establecidas en el ordenamiento jurídico", como explicita el ap. 5 del citado precepto. Por lo que resulta bastante más generoso y completo que la limitada posibilidad de adoptar en exclusiva la medida de alejamiento.

Así pues, ciertamente la víctima y sus familiares al demandar la orden de protección, estarán solicitando el alejamiento del infractor, pero, probablemente también, la adopción de medidas de naturaleza civil, ante la eventualidad de que haya hijos en común, difícil por la edad de los implicados, pero no imposible y, también, cualquier otra medida de asistencia y protección social contempladas en el ordenamiento jurídico. Ámbitos no recogidos en la LORRPM por lo que la situación de las mujeres víctimas de un infractor menor de edad es de mayor vulnerabilidad, al ser en muchos casos ellas, también menores de edad. La vía que se ha apuntado por la doctrina para superar tales insuficiencias es la cláusula general de protección del art. 158 del CC que habilita a cualquier juez para la adopción de medidas de protección a menores[21]. Sin embargo, ello no colma otras carencias

---

[20]   Postura que ya había sido mantenida por la FGE en su Consulta 3/2004, de 26 de noviembre, sobre la posibilidad de adoptar la medida cautelar de alejamiento en el proceso de menores. En dicha consulta expresamente se reconoce la realidad de los malos tratos familiares y también de jóvenes hacia sus compañeras sentimentales y se plantea la posible aplicación supletoria de la orden de protección regulada en el art 544 bis y ter de la Lecrim, llegándose la conclusión de que tales previsiones no eran de aplicación en el proceso penal de menores a pesar de la posibilidad de aplicación supletoria de la Lecrim para no convertir esta posibilidad en una puerta de acceso a la aplicación del sistema penal de adultos en la jurisdicción de menores concluyendo que no cabrá acudir a la legislación de adultos cuando la concreta materia esté regulada en la LORRPM. En aquel momento previo a la reforma de 2006 que incluyó la medida de alejamiento, se consideró que tal medida podía adoptarse en el marco más genera de la medida cautelar de libertad vigilada.

[21]   Molina Caballero, 2015, pp. 9-11.

que sí pretenden ser abarcadas cuando la víctima lo es de un infractor adulto.

La doctrina[22] ha señalado las dificultades de aplicación de la orden de protección a las víctimas del menor de edad. Es cierto que nos encontramos ante dos legislaciones especiales, por un lado, la ley penal del menor que admite la aplicación supletoria de la Lecrim y del CP en aquellas cuestiones no expresamente reguladas, argumento empleado por la FGE para excluir la aplicación de la orden de protección. Sin embargo, la LVG no excluye de su ámbito de aplicación a las mujeres víctimas menores de edad, indicando en su art. 17 que *todas las mujeres víctimas de la violencia de género con independencia de su origen, religión o cualquier otra circunstancia personal o social, tienen garantizados los derechos reconocidos en esta Ley.*

De mantenerse la postura de Fiscalía haríamos de peor condición a la víctima del infractor menor de edad. Es cierto que en el proceso de menores es necesario salvaguardar el interés superior del menor, pero ello no impide defender, asimismo, el interés de la víctima a la asistencia y protección que no tiene por qué afectar, disminuyéndolos, los derechos del menor investigado. Por lo que en la doctrina y también en la jurisprudencia encontramos posiciones favorables a la aplicación supletoria de tal estatuto protector[23].

No obstante dicha posición favorable, se subrayan las dificultades en su aplicación, dada la atribución de la instrucción en este proceso penal al Ministerio fiscal, la orden de protección no puede ser adoptada por este, tampoco las medidas civiles, tendría que ser el juez de menores constituido como juez de garantías el que tuviera que tomar la decisión al respecto, puesto que es a él a quien corresponde adoptar durante la instrucción del procedimiento todas aquellas medidas que supongan una afectación de los derechos fundamentales. Por lo que convenimos en la necesidad de contar con una regulación específica en este punto de la legislación[24].

---

22    Arrom Loscos, 2012, p. 34.
23    Vid. Doctrina y jurisprudencia cit. por Arrom Loscos, 2012, p. 36, cita 51.
24    Arrom Loscos, 2012, p. 36.

Por el escaso contenido educativo del alejamiento se considera oportuno acompañarla de una libertad vigilada en la que sí se van a poder ver cumplidas las necesidades educativas del menor.

e. Medidas impuestas en sentencia

Son también ambas medidas las que se aconseja imponer en sentencia pues mediante las mismas se persigue la consecución de tres objetivos: adecuarse a las circunstancias del menor, alejarse de la víctima y la reeducación al menor infractor mediante la aplicación de programas específicos.

Con relación a las circunstancias concretas del menor, serán especialmente estas, junto a la entidad del hecho cometido por el menor, criterios determinantes en la opción por solicitar medidas privativas de libertad o de medio abierto.

La segunda finalidad, el alejamiento de la víctima se podrá lograr mediante la imposición de la medida de prohibición de aproximarse y comunicarse con la víctima, frente al carácter imperativo de la pena cuando la víctima de violencia de género lo es de un adulto, en este caso su imposición es potestativa. Fiscalía considera que la pauta general será solicitar su imposición "salvo que no exista riesgo objetivable alguno o que esta, con su actitud manifiesta en contrario, impida que dicha medida pueda tener eficacia alguna".

Finalmente, la medida judicial debe orientarse a la reeducación del menor, por lo que debe incluir un programa formativo dirigido a corregir el patrón de conducta violenta en las relaciones de pareja. Contenido de la medida recogido en el programa individualizado de ejecución (art. 10.5 del Reglamento de la LORRPM, RD 1774/2004) que deberá ser supervisado por los Fiscales.

Siendo posible, ante hechos de cierta gravedad y por el específico perfil del menor, la imposición de medidas privativas de libertad y más en concreto internamientos, como se expone en el dictamen, no va a ser la situación más frecuente atendiendo a la experiencia previa. En todo caso, de imponerse un internamiento, en su ejecución se ha de desarrollar una labor de reeducación para la prevención de nuevas conductas violentas en el ámbito de la pareja[25].

---

[25]     Dictamen 7/2012, p. 20.

En la práctica, lo más frecuente va a ser la imposición de la medida de alejamiento junto a la de libertad vigilada, la imposición en el marco de la misma de reglas de conductas específicamente encaminadas a la reeducación del adolescente en este ámbito como "la obligación de someterse a programas educativos de respeto a los derechos de los demás e igualdad, adquisición de habilidades sociales y resolución de conflictos, técnicas de control de impulsos, terapia psicológica, etc".[26] Para menores que no precisen una intervención global también se consideran adecuadas: prestaciones en beneficio de la comunidad y tareas socioeducativas[27].

f. Medidas específicas de asistencia a la víctima

Para finalizar, es importante destacar que se plantea el dictamen la situación de la víctima durante la vista. En primer lugar, se subraya que no podrá acogerse a la dispensa de declarar en contra del imputado prevista en el art. 416 Lecrim al no existir entre ellos las más de las veces matrimonio, ni relación de convivencia. Conforme establece la Circular 6/2011 de la FGE al no considerase incluidas las relaciones de noviazgo en el art. 416 de la Lecrim, como tampoco las relaciones extinguidas por divorcio, ni las relaciones de pareja de hecho cuando en el momento de declarar ya se ha roto la convivencia.

En la práctica se encuentran situaciones asimiladas a las vistas en los procedimientos de adultos, con víctimas remisas a declarar contra el agresor. Para tales eventualidades se recomienda agotar todas las posibilidades probatorias.

Asimismo, se recomienda la utilización de medios de protección específica de la víctima especialmente cuando esta sea también menor de edad, aludiendo de forma expresa a la posibilidad para esta de declarar por videoconferencia (art. 731 bis Lecrim) y de eludir la confrontación visual con el menor imputado.

En principio se prohíbe la posibilidad de careo cuando la víctima es también menor de edad, salvo que el juez considere que el mismo es imprescindible y el informe pericial verifique que no va a resultar lesivo para la menor (art. 713 Lecrim).

---

26  Dictamen 7/2012, p. 21.
27  Dictamen 7/2012, p. 22.

302 Mª Asunción Colás Turégano

## 4. LA EVOLUCIÓN DE LA LORRPM

La ley penal del menor fue pionera en el tratamiento y atención a las víctimas del delito al recoger muy tempranamente en su art. 4 un elenco de derechos para estas[28]. Sin embargo, en esa primera redacción no encontramos referencias para el supuesto específico de que la víctima lo fuera de violencia de género. Ello, como se ha tenido ocasión de comprobar, contrasta con el generoso estatuto jurídico de protección de las víctimas de un victimario adulto, para las que son de aplicación medidas cautelares dirigidas a su protección, también a la de sus hijos, así como un elenco de medidas de naturaleza civil, que junto a las medidas cautelares de naturaleza penal, integran el contenido de la orden de protección incorporada a la Lecrim desde el año 2003. El Código penal también regula en el ámbito de las consecuencias jurídicas la imposición obligatoria en sentencias condenatorias por violencia de género de las penas de prohibición de aproximación a la víctima, como dispone el art. 57. 2 del CP.

Cabe decir que la misma reforma legislativa que incorporó al art. 4 de la LORRPM previsiones específicas de derechos de las víctimas, amplió los motivos para la imposición de una medida cautelar, al incluirse como nuevo criterio el riesgo de atentar contra los bienes jurídicos de la víctima y preverse, como medida cautelar, la consistente en el alejamiento de la víctima. También se añade la posibilidad de imponer esta medida en sentencia, si bien, en consonancia con la flexibilidad imperante en el proceso de menores y por contraste con la previsión en el Código penal, en este caso la medida no es de obligatoria imposición, pues va a depender de las circunstancias concretas de la persona menor de edad expedientada y de las necesidades de la víctima.

Como se ha podido constatar al analizar la postura de la fiscalía en la aplicación a los supuestos de violencia de género de la legisla-

---

[28] La LO 8/2006 de 4 de diciembre, da una nueva redacción al art, 4 incorporando en el mismo el régimen de derechos de las víctimas de delitos cometidos por personas menores de edad. Entre otras previsiones, expresamente se afirma: "*El Ministerio Fiscal y el Juez de Menores velarán en todo momento por la protección de los derechos de las víctimas y de los perjudicados por las infracciones cometidas por los menores. / De manera inmediata se les instruirá de las medidas de asistencia a las víctimas que prevé la legislación vigente (...).*"

ción especial, la flexibilidad de las medidas permite adaptar estas a las necesidades educacionales del menor, pudiendo imponer a este la realización de programas de educación para la igualdad y de respeto.

Sin embargo, la situación de la víctima de una persona menor de edad no ha avanzado en paralelo a la conquista de derechos que sí se constatan para las víctimas de agresores adultos. De esta forma, la aprobación del Estatuto Jurídico de la Víctima, Ley 4/2015, de 27 de abril dio lugar a modificaciones de la Lecrim, sin embargo, apenas ha dado lugar a modificaciones en el paralelo proceso penal de menores en los seis años de vigencia del Estatuto.

Es cierto que la Lecrim, al igual que el Código penal, por aplicación de la disposición final primera de la LORRPM son de aplicación supletoria en todo aquello no previsto expresamente en la LORRPM, pero hemos podido comprobar la reticencia de las instituciones a ampliar el estatuto de las víctimas de la violencia de género por esta vía, con la controversia a la hora de decidir si se puede o no aplicar a las víctimas de un menor de edad la orden de protección.

En tal desierto legislativo hemos de destacar la novedad que ha supuesto la reforma de la LORRPM, concretamente de su art. 4, por mor de la nueva ley aprobada por el parlamento en junio de 2021 que pretende dar un tratamiento y protección integral a la infancia y adolescencia frente a la violencia, por la que se incorporan en dicho precepto previsiones específicas para las víctimas de la violencia de género. Al análisis del alcance de dicha norma en el tratamiento de la violencia contra la infancia y la adolescencia, especialmente la ejercida mediante las nuevas tecnologías se va a dedicar el último apartado del trabajo.

## 5. LA NUEVA LEY INTEGRAL DE PREVENCIÓN DE LA VIOLENCIA EN LA INFANCIA Y LA ADOLESCENCIA

La Ley Orgánica de *Protección integral a la infancia y la adolescencia frente a la violencia* LO 8/2021[29], de 4 de junio presta una especial atención a la prevención de todo tipo de violencias contra las personas menores de edad. Resulta especialmente importante el que se dedique una mención específica a la protección frente a la violencia de género, singularmente a la derivada de las TICs. Como ya se ha reseñado, esta nueva ley incorpora la última reforma de la LORR-PM con el fin de dar a la víctima del adolescente un tratamiento más completo, equiparable al de la víctima del adulto (art. 4 LORRPM).

Ya en la exposición de motivos se afirma expresamente que *las niñas, por su edad y sexo, muchas veces son doblemente discriminadas o agredidas. Por eso esta ley debe tener en cuenta las formas de violencia que las niñas sufren específicamente por el hecho de ser niñas y así abordarlas y prevenirlas a la vez que se incide en que solo una sociedad que educa en respeto e igualdad será capaz de erradicar la violencia hacia las niñas.*

Un antecedente de esa especial preocupación del legislador español por proteger al menor y a las menores frente a la violencia y, específicamente frente a la de género, lo encontramos en la LO 1/96 de Protección Jurídica del Menor. La reforma del texto por la ley 26/2015 de 28 de julio incorporó, entre los principios rectores de la actuación de los poderes públicos en relación con los menores (art. 11.2.i) LOPJM), *la protección contra toda forma de violencia, incluido el maltrato físico o psicológico, los castigos físicos humillantes y denigrantes, el descuido o trato negligente, la explotación, la realizada a través de las nuevas tecnologías, los abusos sexuales, la corrupción, la violencia de género o en el ámbito familiar, sanitario, social o educativo, incluyendo el acoso escolar, así como la trata y el tráfico de seres humanos, la mutilación genital femenina y cualquier otra forma de abuso.*

---

[29]     BOE de 5 de junio de 2021 https://www.boe.es/buscar/act.php?id=BOE-A-2021-9347.

Disponiéndose asimismo en el ap. 3 del mismo artículo el desarrollo por parte de los poderes públicos de actuaciones encaminadas *a la sensibilización, prevención, detección, notificación, asistencia y protección de cualquier forma de violencia contra la infancia y la adolescencia,* desde un enfoque integral.

Pues bien, dicha previsión ha sido desarrollada en la LO ahora analizada, cuyo art. 1. 1 dispone que la ley tiene por objeto *garantizar los derechos fundamentales de los niños, niñas y adolescentes a su integridad física, psíquica, psicológica y moral frente a cualquier forma de violencia, asegurando el libre desarrollo de su personalidad y estableciendo medidas de protección integral, que incluyan la sensibilización, la prevención, la detección precoz, la protección y la reparación del daño en todos los ámbitos en los que se desarrolla su vida.*

Definiéndose la violencia a efectos de la propia ley en el art. 1.2 como *toda acción, omisión o trato negligente que priva a las personas menores de edad de sus derechos y bienestar, que amenaza o interfiere su ordenado desarrollo físico, psíquico o social, con independencia de su forma y medio de comisión, incluida la realizada a través de las tecnologías de la información y la comunicación, especialmente la violencia digital.*

*En cualquier caso, se entenderá por violencia el maltrato físico, psicológico o emocional, los castigos físicos, humillantes o denigrantes, el descuido o trato negligente, las amenazas, injurias y calumnias, la explotación, incluyendo la violencia sexual, la corrupción, la pornografía infantil, la prostitución, el acoso escolar, el acoso sexual, el ciberacoso, la violencia de género, la mutilación genital, la trata de seres humanos con cualquier fin, el matrimonio forzado, el matrimonio infantil, el acceso no solicitado a pornografía, la extorsión sexual, la difusión pública de datos privados así como la presencia de cualquier comportamiento violento en su ámbito familiar.*

La Ley dedica una atención particular a la prevención e intervención ante situaciones de violencia de género entre adolescentes, particularmente si es ejercida mediante el abuso de las nuevas tecnologías.

A) Actuaciones preventivas

Como se señala en la exposición de motivos, la realidad de la violencia sobre las personas menores de edad puede pasar desapercibida en muchas ocasiones por la intimidad de los ámbitos en los que tiene lugar, es por ello que en la ley se hace especial hincapié en la prevención de la misma en diferentes ámbitos pero específicamente en los entornos familiar y escolar, en los que se dan la mayor parte de los incidentes, cuando deberían ser marcos de seguridad y desarrollo personal para niños, niñas y adolescentes.

- Prevención en el ámbito familiar: concreta el art. 26 que las administraciones deberán proporcionar a las familias el apoyo necesario para prevenir desde la primera infancia factores de riesgo y fortalecer factores de protección, las administraciones deberán identificar las necesidades de las familias y la adopción de medidas a aplicar estarán enfocadas, entre otros objetivos, a promover la corresponsabilidad y el rechazo de la violencia contra mujeres y niñas (art. 26.3.b).

- Prevención en el ámbito educativo: se establece en el art. 31 la obligación para todos los centros educativos de elaborar un plan de convivencia[30] destacando la promoción del *buen trato y la resolución pacífica de conflictos*. Se establece, asimismo, la obligación para las Administraciones educativas de regular protocolos de actuación para distintos tipos de violencia y, específicamente frente al ciberacoso y la violencia de género (art. 34). Finalmente, se crea la figura del coordinador/a de bienestar y protección en los centros educativos, referente en el mismo ante situaciones de violencia, con competencia para impulsar acciones y programas de prevención, coordinar los mismos y recibir comunicaciones de los menores sobre actos de violencia (Art. 35).

- Uso de las nuevas tecnologías: mediante la realización de campañas de educación, sensibilización y difusión dirigidas a las personas menores de edad, familias, educadores y otros profesionales que habitualmente trabajen con menores de edad sobre el uso seguro de las TICs y *sobre los riesgos derivados de un uso inadecuado que puedan generar fenómenos de violencia sexual contra los niños, niñas y adolescentes como el ciberbullying , el grooming , la ciberviolencia de género o el sexting ,*

---

[30]    De conformidad con lo dispuesto en el art. 124 de la Ley Orgánica 2/2006, de 3 de mayo de Educación.

*así como el acceso y consumo de pornografía entre la población menor de edad.* (art. 45.1).

B) Intervención ante situaciones de violencia

b.1) Intervención con la víctima

- El art. 43.4 contempla, de forma expresa, el derecho de las personas menores de edad, víctimas de delitos violentos, específicamente si lo son de delitos de naturaleza sexual, de trata o de violencia de género a una atención integral para conseguir su recuperación a través de servicios especializados. Con la previsión se pretende hacer frente a los daños derivados, en primer lugar, de la victimización primaria, pero también cabría incluir en dicho tratamiento integral la neutralización de los perjuicios derivados de la investigación del delito y que pudieran derivar en una victimización secundaria.

- Tal previsión se completa con lo dispuesto en la disposición adicional primera en la que se contempla la previsión de dotación presupuestaria, entre otros órganos, a las oficinas de atención a las víctimas y de servicios sociales, de los medios personales y materiales necesarios para el adecuado cumplimiento de los fines y obligaciones previstas en la ley.

- En aras de prevenir la victimización secundaria, la disposición final primera modifica la Lecrim que introduce el nuevo art. 449 ter que establece como obligatoria la práctica de la declaración de una persona menor de catorce años como prueba preconstituida en delitos de cierta gravedad, además, la audiencia del menor se realizará a través de equipos psicosociales[31]. Clarificando las previsiones del art. 26 del EVD en este sentido.

---

[31]    «Artículo 449 ter. Cuando una persona menor de catorce años o una persona con discapacidad necesitada de especial protección deba intervenir en condición de testigo en un procedimiento judicial que tenga por objeto la instrucción de un delito de homicidio, lesiones, contra la libertad, contra la integridad moral, trata de seres humanos, contra la libertad e indemnidad sexuales, contra la intimidad, contra las relaciones familiares, relativos al ejercicio de derechos fundamentales y libertades públicas, de organizaciones y grupos criminales y terroristas y de terrorismo, la autoridad judicial acordará, en todo caso, practicar la audiencia del menor como prueba preconstituida, con todas las garantías de la práctica de prueba en el juicio oral y de conformidad con lo establecido en el artículo ante-

- La disposición final octava modifica el art. 17.2 de la LOPJM para considerar como indicador de riesgo: i) Las niñas y adolescentes víctimas de violencia de género en los términos establecidos en el artículo 1.1 de la LVG.
- Finalmente, la disposición final undécima modifica art. 4 de la LORRPM para adaptarlo al EVD. Con relación a las menores víctimas de la violencia de género:
  - *Cuando la víctima lo sea de un delito de violencia de género, tiene derecho a que le sean notificadas por escrito, mediante testimonio íntegro, las medidas cautelares de protección adoptadas. Asimismo, tales medidas cautelares serán comunicadas a las administraciones públicas competentes para la adopción de medidas de protección, sean estas de seguridad o de asistencia social, jurídica, sanitaria, psicológica o de cualquier otra índole.*
  - *La víctima de un delito violento tiene derecho a ser informada permanentemente de la situación procesal del presunto agresor. En particular, en el caso de una medida, cautelar o definitiva, de internamiento, la víctima será informada en todo momento de los permisos y salidas del centro del presunto agresor, salvo en aquellos casos en los que manifieste su deseo de no recibir notificaciones.*

---

rior. Este proceso se realizará con todas las garantías de accesibilidad y apoyos necesarios. / La autoridad judicial podrá acordar que la audiencia del menor de catorce años se practique a través de equipos psicosociales que apoyarán al Tribunal de manera interdisciplinar e interinstitucional, recogiendo el trabajo de los profesionales que hayan intervenido anteriormente y estudiando las circunstancias personales, familiares y sociales de la persona menor o con discapacidad, para mejorar el tratamiento de los mismos y el rendimiento de la prueba. En este caso, las partes trasladarán a la autoridad judicial las preguntas que estimen oportunas quien, previo control de su pertinencia y utilidad, se las facilitará a las personas expertas. Una vez realizada la audiencia del menor, las partes podrán interesar, en los mismos términos, aclaraciones al testigo. La declaración siempre será grabada y el Juez, previa audiencia de las partes, podrá recabar del perito un informe dando cuenta del desarrollo y resultado de la audiencia del menor. / Para el supuesto de que la persona investigada estuviere presente en la audiencia del menor se evitará su confrontación visual con el testigo, utilizando para ello, si fuese necesario, cualquier medio técnico. / Las medidas previstas en este artículo podrán ser aplicables cuando el delito tenga la consideración de leve.»

Es importante destacar la importancia de esta previsión expresa, específicamente por lo que se refiere a la posibilidad de adopción de medidas de asistencia y protección de toda índole a la víctima de estos hechos. Si bien, seguimos sin encontrar referencias expresas a la situación de los hijos de estas adolescentes, hecho ciertamente excepcional, pero no improbable, por lo que se tendrá que seguir acudiendo a la normativa del código civil para cubrir la laguna.

b.2) Intervención con el victimario

- La disposición final octava añade un nuevo art. 17 bis en la LO-PJM para la intervención con victimarios menores de catorce años, en el que se dispone que las personas menores de catorce años y, por tanto, exentas de la responsabilidad penal específica regulada en la LO 5/2000(...) *serán incluidas en un plan de seguimiento que valore su situación socio-familiar diseñado y realizado por los servicios sociales competentes de cada comunidad autónoma.*

- *Si el acto violento pudiera ser constitutivo de un delito contra la libertad o indemnidad sexual o de violencia de género, el plan de seguimiento deberá incluir un módulo formativo en igualdad de género.*

- Sin embargo, no encontramos ninguna modificación con relación a los victimarios mayores de 14 años sometidos al régimen sancionador educativo contemplado en la LORRPM, fiándose la aplicación de medidas y tratamientos a la flexibilidad de la ley.

## 6. CONCLUSIONES

Del análisis de la respuesta de los poderes públicos e instituciones al problema de la violencia de género entre adolescentes podemos alcanzar una primera conclusión, se constata que esta no se ha incrementado notablemente, frente a lo que sí ha ocurrido en el ámbito de la violencia intrafamiliar; pero la que se ha producido, como señala la FGE en sus últimas memorias, en los informes del Observatorio Vasco de la Juventud, o los publicados por la Fundación ANAR, evidencia su especificidad entre adolescentes, caracterizada por el uso de las nuevas tecnologías.

Tal cambio cualitativo no es adecuadamente abordado por la regulación tradicional, en primer lugar, porque esta parece permanecer ajena a los problemas de violencia de género entre adolescentes, como muestra la controversia en relación a la aplicación de la orden de protección a las mujeres víctimas de una persona menor de edad.

Es por ello que merece una inicial valoración positiva la recientemente aprobada LOPIIA que introduce medidas integrales para la prevención de la violencia contra niños, niñas y adolescentes. Sobre todo, el elenco de medidas preventivas focalizadas en la menor víctima de esta modalidad violenta, siendo la novedad más significada, si bien no la única, la reforma del art. 4 de la LORRPM, aunque nos seguimos encontrando ante una protección incompleta.

También merece una valoración positiva la introducción de un precepto específico para abordar, con planes particulares de seguimiento, la situación de la persona menor de catorce años responsable de actos de violencia de género, que habrán de contemplar módulos formativos en igualdad de género. Menos positiva resulta la ausencia de referencias a la situación de las personas mayores de catorce años sometidas al régimen de responsabilidad penal específica previsto en la LO 5/2000, confiando la solución a la gran flexibilidad de la misma.

## 7. BIBLIOGRAFÍA Y FUENTES

### BIBLIOGRAFÍA

Arrom Loscos, R. (2012). La protección de las víctimas de violencia de género y de violencia doméstica 'ex' art 544 ter de la Lecrim. Especialidades en el caso de víctimas menores de edad. *Revista Aranzadi de Derecho y Proceso Penal,* núm. 28.

Bringué, X., y Sádaba, C. (2011). *Menores y redes sociales.* Colección Generaciones interactivas. Madrid: Fundación Telefónica.

Colás Turégano, A. (2016). Los delitos de género entre menores en la sociedad tecnológica: rasgos diferenciales. En Mª L. Cuerda Arnau (Dir.) y A. Fernández Hernández (coord.), *Menores y redes sociales. Ciberbulling, ciberstalking, cibergrooming, pornografía, sexting, radicalización y otras formas de violencia en la red.* Valencia: Tirant lo Blanch.

Cuerda Arnau, Mª L. (Dir.), y Fernández Hernández, A. (coord.). (2016). *Menores y redes sociales. Ciberbulling, ciberstalking, cibergrooming, por-*

nografía, sexting, radicalización y otras formas de violencia en la red. Valencia: Tirant lo Blanch.

García González, J. (2012). La violencia en el noviazgo: el delito de violencia de género entre adolescentes. En J. García González (coord.), *La violencia de género en la adolescencia*. Aranzadi: Cizur Menor.

Lloria García, P. (2020). *Violencia sobre la mujer en el siglo XXI. Violencia de control y nuevas tecnologías. Habitualidad, sexting y stalking*. Madrid: Iustel.

Molina Caballero, M. J. (2015). Algunas fronteras de la Ley integral contra la violencia de género: Jurisdicción de menores y mediación. *Revista Electrónica de Ciencia Penal y Criminología*, núm. 17-24.

**Informes**

Observatorio Vasco de la Juventud (2013). *Informe: La desigualdad de género y el sexismo en las redes sociales. Una aproximación cualitativa al uso que hacen de las redes sociales las y los jóvenes de la CAPV*. Vitoria Gasteiz.

Fundación ANAR. (2018). *Informe violencia de género: en niños, niñas y adolescentes. Teléfono ANAR*.

**Documentación Fiscalía General del Estado**

FGE Memorias (2010-2021).

FGE Consulta 3/2004, de 26 de noviembre, *sobre la posibilidad de adoptar la medida cautelar de alejamiento en el proceso de menores*.

FGE *Instrucción 3/08 sobre el Fiscal de Sala Coordinador de Menores y las secciones de Menores*.

FGE Circular 6/2011 de la FGE sobre *criterios para la unidad de actuación especializada del Ministerio Fiscal en relación a la violencia sobre la mujer*.

FGE Circular 1/2010 *sobre el tratamiento desde el sistema de justicia juvenil de los malos tratos de menores contra sus ascendientes*.

FGE *Dictamen 7/2012, sobre criterios de actuación en supuestos de violencia de género*.

FGE Dictamen 1/2015 "sobre criterios de adaptación de la LORRPM a la reforma del Código Penal por LO 1/215".

# 20 años de la evolución de las medidas comunitarias en menores

**AMAIA YURREBASO MACHO**[1]
*Universidad de Salamanca*
**EVA MARÍA PICADO VALVERDE**
*Universidad de Salamanca*

## 1. INTRODUCCIÓN

En los últimos años se ha producido una transformación en la intervención con los menores que cometen hechos delictivos. Hasta la aprobación de la Ley Orgánica 5/2000, objeto de análisis de este capítulo, la intervención con estos menores no pasó de ser meramente sancionadora, no mostraba interés alguno por el origen psicosocial del delito y erigía el castigo en fórmula básica de intervención obviando, en un principio, los paradigmas de la prevención y la educación para profundizar en el estudio y análisis del origen del delito.

Según Mampaso et al. (2014) se pasa de un modelo tutelar, donde el menor era enfermo irreversible de su situación de enfermedad, a un modelo en el que el cambio era posible. Además, la citada ley ha sido objeto de extensos debates, muchos de los cuales han contribuido a distorsionar la verdadera esencia educativa y resocializadora de la misma, motivados, en su mayoría, por sucesos graves que han contribuido a generar una enorme carga emocional negativa y a propagar una imagen errónea de estos menores, lo que propició la actuación del legislador con objeto de modificar la ley para endurecer las penas.

---

[1]     Autora de correspondencia: amaiay@usal.es

Esta alarma social generada por la manera de difundir las informaciones por los medios de comunicación, construye una realidad distorsionada de los menores y una percepción de inseguridad frente a ellos (Bernuz y Fernández, 2008). Actuales discursos políticos manipulados que identifican a los menores extranjeros no acompañados como protagonistas de la delincuencia juvenil y *ladrones* de derechos de la población nacional avivan esta alarma

La percepción social de la delincuencia adolescente se encuentra en torno al 50 o 75%, cifras muy superiores a las que reflejan la realidad (García et al. 2010). El análisis de los datos de delincuencia juvenil realizado por Valero-Matas (2018) confirma el discurso y la narrativa en relación a este tema por los medios de comunicación y la opinión pública con el objeto de presionar para lograr mayores castigos a los menores antisociales describiendo esta situación como consecuencia de una imagen de la juventud carente de valores. Esto no significa que la delincuencia de menores no deba ser una preocupación, de hecho, debería incluirse como una prioridad en la agenda política para establecer actuaciones eficaces y efectivas. No sólo es necesario poner el foco de atención a la transformación del modelo de justicia en el que se encuentra la Ley Orgánica 5/2000, de 12 de enero, Reguladora de la Responsabilidad Penal de los Menores, modificada a su vez por la Ley Orgánica 8/2006, de 4 de diciembre, sino también, en el avance de la intervención psicoeducativa de los mismos, aunque la opinión social manifieste falta de eficacia (García et al., 2010). Los metaanálisis realizados por Redondo et al. (2012) y Redondo y Martínez-Catena (2013) concluyen que, intervenciones realizadas en medio abierto mejoraban aspectos como el consumo de sustancias, la red social, salud mental, impulsividad, ansiedad, responsabilidad, formación y preparación para la inclusión laboral y el control parental, en cambio, en los centros de internamiento mejoran aspectos como el consumo de drogas, salud mental, impulsividad, depresión, problemas escolares y control parental.

Este capítulo pretende analizar la evolución de la labor de intervención, pero, además, mirar al futuro reflexionando sobre su posible devenir.

## 2. FOTOGRAFÍA DE LA VISIBILIDAD ACADÉMICA

En estos últimos 20 años de aplicación de la denominada *ley del menor*, se ha realizado una intensa labor por parte de los operadores jurídicos del sistema de justicia, de los recursos especializados de menores para la ejecución de las diferentes medidas previstas por la ley, tanto por parte de los profesionales del ámbito privado, como público, y de la academia que, desde múltiples disciplinas y con diferentes aristas han puesto su foco de atención en variados aspectos de la ley.

Es necesario hacer un estudio general de las referencias publicadas relacionadas con la temática de los menores infractores analizando el interés de la academia en relación a la perspectiva psicosocial. Para ello, se ha realizado una sencilla revisión bibliográfica de las publicaciones recogidas en algunas bases de datos relacionadas con la psicología como son PSICODOC y PSYCINFO durante los años 2000-2021, utilizando las palabras clave "menores" AND "infractores". Se revisaron los *abstracts* para seleccionar los artículos de interés. Se recuperaron un total de 133 documentos de los cuales, el 80% se desarrollaba en España, y el resto eran internacionales.

Con el objeto de analizar el interés científico que ha suscitado en la academia la puesta en marcha de esta ley se han considerado en este estudio sus 20 años de vigor, desde su aprobación. Como puede comprobarse en la figura 1, los años de mayor producción científica fueron 2008 y 2010, siendo menos numerosos en los años anteriores a la aprobación de la ley. No obstante, de este sencillo análisis se desprende un significativo interés por el estudio de estos menores infractores.

**Figura 1. Número de estudios realizados durante el periodo 2000-2021 sobre menores infractores**

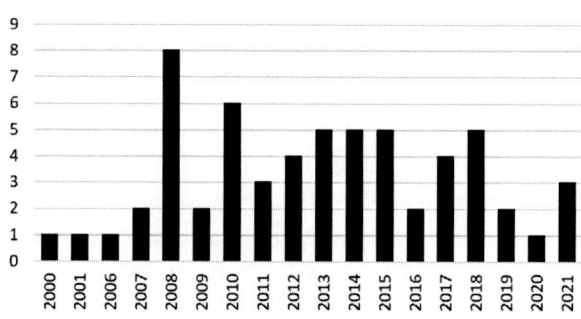

*Nota.* Elaboración propia (2021)

Tras realizar un análisis de contenido de los mismos, se seleccionaron 58 artículos para su examen, teniendo en cuenta los siguientes criterios:

Criterios de inclusión: estudios empíricos sobre menores infractores, estudios realizados en España, y artículos publicados revisados por evaluación de pares.

Criterios de exclusión: estudios realizados fuera de España, artículos teóricos, con perspectiva jurídica o revisiones, y otros documentos que no fueran artículos.

Como puede observarse en la figura 2, de los artículos seleccionados, el 45% eran teóricos o se utilizaban revisiones sistemáticas de otras investigaciones.

**Figura 2. Porcentaje de artículos según el tipo de estudio**

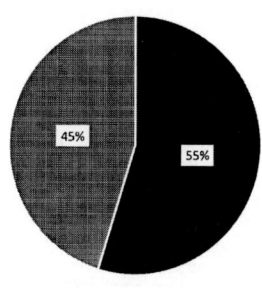

■ EMPÍRICOS   ■ TEÓRICOS

*Nota.* Elaboración propia (2021)

Como muestra la figura 3, de los estudios empíricos seleccionados, el 26% analizaba como muestra los expedientes de los menores que constaban en la administración pública competente, y el 43%la evaluación se realizaba directamente a los menores.

**Figura 3. Porcentaje de estudios según el tipo de muestra**

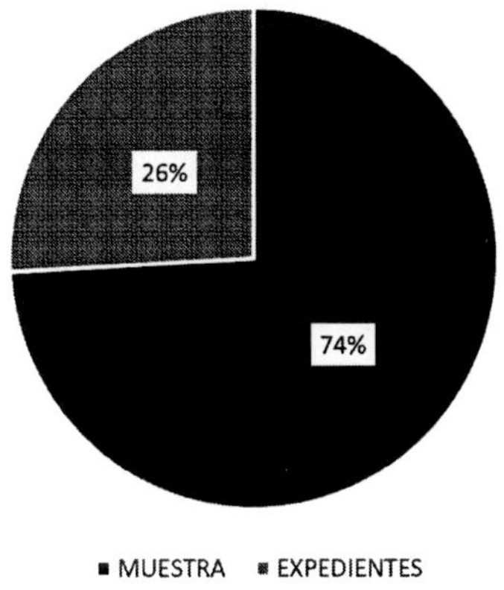

■ MUESTRA   ■ EXPEDIENTES

*Nota.* Elaboración propia (2021)

Como se observa en la tabla 1, de los artículos analizados se ha realizado una clasificación según su contenido, distinguiendo aquellos en los que se analizaban variables relacionadas con el menor delincuente, modelos explicativos del comportamiento teniendo en cuenta diferentes factores o modelos teóricos, el estudio de las medidas judiciales, y la intervención realizada con los menores.

**Tabla 1**
*Clasificación de los estudios y autores*

| TIPO DE DOCUMENTO | AUTORÍA |
|---|---|
| ESTUDIO SOBRE EL MENOR INFRACTOR (VARIABLES) | Alcázar, M., Bouso, J. y Gómez-Jarabo, G. (2006)<br>Graña Gómez, J. L., Garrido Genovés, V., y González Cieza, L. (2007)<br>Cuello Laviana, N., Ramiro Sánchez, M. T., Becedóniz Vázquez, C., y Rodríguez Díaz, F. J. (2008)<br>Ferrer Ventura, M., Sarrado Soldevila, J. J., Carbonell Sánchez, X., Virgili Tejedor, C., y Cebrià Andreu, J. (2008)<br>Menéndez, B., Rodríguez, M., Becedóniz, C. y Bernardo, A. (2008)<br>Menéndez, B., Rodríguez, M., Becedóniz, C., Herrero, F. y Rodríguez, F. (2008)<br>Menéndez, B., Rodríguez, M., Herrero, F., Becedóniz, C., Bernardo, A.y Bringas, C. (2008)<br>Moral Jiménez, M. de la V. (2008)<br>Nava Quiroz, C., y Vega Valero, C. Z. (2008)<br>Contreras, L., Cano Lozano, M. del C., y Martín Chaparro, M. P. (2009)<br>Menéndez, B., Rodríguez, M. y Bringas, C. (2009)<br>Ferrer, M., Carbonell Sánchez, X., Sarrado, J. J., Cebrià, J., Virgili, C., y Castellana Rosell, M. (2010)<br>Sanabria, A. y Uribe, A. (2010)<br>Contreras, L., Molina, V., y Cano Lozano, M. del C. (2011)<br>Rosales, A (2011)<br>Contreras Martínez, L., Molina Banqueri, V., y Cano Lozano, M. del C. (2012)<br>Contreras, L., y Cano Lozano, M. del C. (2013)<br>Fernández Campoy, J. M., Aguilar Parra, J. M., y Álvarez Hernández, J. (2013)<br>Vilariño Vázquez, M., González Amado, B., y Alves, C. (2013)<br>Contreras, L., y Cano Lozano, M. del C. (2014) |

| | |
|---|---|
| | Ibabe Erostarbe, I., Arnoso Martínez, A., y Elgorriaga, E. (2014)<br>Alcázar Córcoles, M. Á., Bouso Saiz, J. C., y Verdejo García, A. J. (2015)<br>Cuervo, K., Villanueva Badenes, L., González, F., Carrión, C., y Busquets, P. (2015)<br>Faílde, J., Dapía, M., Alonso, A. y Pazos, E. (2015)<br>Fernández Suárez, A., Pérez Sánchez, B., Fernández Alonso, L., Herrero Olaizola, J., y Rodríguez Díaz, F. J. (2015)<br>Contreras, L., y Cano Lozano, M. del C. (2016)<br>Cutrín Mosteiro, O., Gómez Fraguela, J. A., Maneiro Boo, L., Sobral Fernández, J., y Luengo Martín, M. de los Á. (2016)<br>Benedicto, C., Roncero, D. y González, L. (2017)<br>Borrás, C., Palmer Pol, A., Hernández, A., y Llobera, J. (2017)<br>Llorca Mestre, A., Malonda Vidal, E., y Samper García, P. (2017)<br>Garrido Montesinos, C., Pons Diez, J., Murgui Pérez, S., y Ortega Barón, J. (2018)<br>Ibáñez, V., y Graña Gómez, J. L. (2018)<br>Buil Legaz, P., Burón Álvarez, J. J., y Bembibre Serrano, J. (2019)<br>Villanueva Badenes, L., Valero Moreno, S., Cuervo Gómez, K., y Prado-Gascó, V. J. (2019)<br>Cacho, R., Fernández Montalvo, J., López-Goñi, J. J., Arteaga, A., y Haro, B. (2020)<br>Centelles, O., Castillo Fernández, I., y Buelga, S. (2021) |
| MODELO EXPLICATIVO DE SU COMPORTAMIENTO | Díaz, O. y Elícegui, M. (2001)<br>Rodríguez Dávila, L., y Soto Esteban, R. (2007)<br>García, M., Martín, E., Torbay, Á. y Rodríguez, C. (2010)<br>Jiménez, R. y Bueno, A. (2013)<br>Blasco Romera, C., Fuentes-Peláez, N., y Pastor Vicente, C. (2014)<br>Fernández Monteiro, M. (2018)<br>Rodríguez, S., Muñoz de Bustillo, M. del C., y García, M. D. (2018) |

| MEDIDAS JUDICIALES | García, V. (2000)<br>Contreras, L., Cano Lozano, M. del C. y Martín, M.P. (2009)<br>Contreras Martínez, L., Molina Banqueri, V., y Cano Lozano, M. del C. (2010)<br>Acosta, E., Muñoz de Bustillo, M. del C., Martín, E., Aragón, N., y Betancort, M. (2012)<br>Contreras, L., y Cano Lozano, M. del C. (2013)<br>Rosser, A. y Jiménez, R. (2014)<br>Gomis Pomares, A., Villanueva Badenes, L., y García Gomis, A. (2021)<br>Martín, E., González Navasa, P., y Domene Quesada, L. (2021) |
|---|---|
| INTERVENCIÓN | Briet, V. y Suriá, R. (2010)<br>Redondo Illescas, S., Martínez Catena, A., y Andrés Pueyo, A. (2012)<br>Sepúlveda-Ruiz, M. del P., Calderón-Almendros, I., y Torres-Moya, F. J. (2012)<br>Gámiz-Ruiz, J., Ibáñez-Ortiz, G., Rodríguez-Aznar, P., y Espigares-Escudero, M. J. (2014)<br>Cutrín, O., Gómez Fraguela, J. A., y Luengo Martín, M. (2015)<br>Rodríguez Ochoa, O., Iraurgi Castillo, I., y Estalayo Hernández, Á. (2018) |

*Nota.* Elaboración propia (2021)

Se puede concluir que la academia ha querido explicar la etiología de la conducta delictiva en menores, esta puede ser la razón por la que cuando se hace la búsqueda con la identificación de menores infractores la gran mayoría de los estudios empíricos está relacionado con los factores explicativos de este comportamiento.

En las referencias bibliográficas analizadas las variables de estudio han sido las mostradas en la tabla 2, desde aspectos emocionales, afrontamiento de los menores, hasta en los últimos años la valoración del riesgo y la reincidencia. En los primeros años el estudio se ha enfocado a la implementación de las medidas judiciales, pasando al análisis de la valoración del riesgo y reincidencia.

**Tabla 2.** *Variables de estudio en referencias bibliográficas seleccionadas*

| AÑO | VARIABLES DE ESTUDIO |
|---|---|
| 2020 | Características sociodemográficas, características de personalidad y riesgo de reincidencia. Comportamientos prosociales, aceptación familiar. |
| 2019 | Perfil sociodemográfico y tipología delictiva. |
| 2018 | Apoyo social percibido, empatía emocional y cognitiva, satisfacción expresión de ira y el autoconcepto en diferentes ámbitos (académico, social, emocional, familiar y físico). Riesgo de reincidencia, relación con los iguales, consumo de drogas. Madurez psicosocial. |
| 2017 | Competencias sociocognitivas y personales. |
| 2016 | Percepción de crítica/rechazo de los padres, percepción social hostil y habilidades de resolución de problemas sociales. |
| 2015 | Género, edad, patrón de consumo de drogas, psicopatología adolescente, reincidencia. Riesgo de reincidencia. |
| 2014 | Evaluación desde el modelo ecológico analizando aspectos individuales, escolares, familiares y sociales. Evaluación de riesgos. Autoconcepto, socialización, estrategias de afrontamiento e inteligencia emocional. |
| 2013 | Percepción de los menores y profesionales que trabajan con éstos. Indicadores de la inserción sociolaboral de ésos. Autoconcepto, socialización, afrontamiento e inteligencia emocional. Variables relacionadas con los estilos de vida. |
| 2012 | Riesgo de reincidencia. |
| 2011 | Variables del ámbito familiar, personales y relacionales. Trastorno de hiperactividad del comportamiento. |
| 2010 | Variables judiciales y sociodemográficas de los/las menores. También se ha analizado la relación entre la implicación familiar y variables como el cumplimiento de objetivos en la medida judicial y la reincidencia delictiva. |
| 2009 | Variables psicosociales y cambios en el comportamiento familiar. |
| 2008 | Adaptación escolar, variables relacionadas con el entorno familiar, alteración psicológica del menor, red del entorno social y familiar. Reincidencia. |

| 2007 | Valoración del riesgo. Reincidencia. |
|------|--------------------------------------|
| 2006 | Patrón desinhibido de la conducta. |
| 2001 | Aplicación del modelo de Kohlberg en el ámbito de menores. |
| 2000 | Estudio de la aplicación de medidas judiciales. |

*Nota.* Elaboración propia (2021)

## 3. MODELOS EXPLICATIVOS EN LA INTERVENCIÓN CON MENORES INFRACTORES

Los modelos explicativos en la intervención con menores trasgresores han estado presentes a lo largo del desarrollo de la ley objeto de análisis e incluso su estudio data de años anteriores como forma de explicar la etiología del comportamiento delictivo de menores.

La literatura científica ha demostrado en los últimos años el interés de unas variables sobre otras, desde la prioridad a los estudios de la personalidad del menor a otras variables relacionales y del entorno a la más actualidad en el estudio de factores biológicos con el objeto de diseñar modelos comprehensivos que pudieran explicar el origen del delito.

Los factores explicativos de manera permanente se han distinguido en factores de riesgo y factores de protección. Según Redondo y Garrido (2013) la medición y análisis de estos factores se han identificado al realizar estudios longitudinales que han podido determinar los factores de riesgo más habituales en la infancia y adolescencia que contribuyen a explicar el inicio y mantenimiento del comportamiento delictivo.

Los factores de riesgo según Garrido, Stengeland y Redondo (1999) son aquellos factores individuales, sociales y ambientales que pueden facilitar e incrementar la probabilidad de desarrollar desórdenes emocionales o conductuales. En el caso de los factores de protección la influencia es contraria, ya que aludimos a factores que pueden prevenir la aparición de estos comportamientos problemáticos.

En los últimos años, se han realizado diversas investigaciones que han logrado identificar los principales factores de riesgo y protección asociados al comportamiento delictivo (Ellis et al., 2009; Martínez-Catena y Redondo, 2013). Diferentes estudios longitudinales han permitido identificar los factores de riesgo y los factores de protección basándose en las variables que han facilitado el inicio de la conducta delictiva, englobando dentro de este grupo las características familiares e individuales, pero destacando sobre todo la alta impulsividad (Case y Haines, 2009; Soothill et al., 2009; DeLisi y Beaver, 2011). No se tiene el mismo conocimiento sobre otros factores como los biológicos y los relativos a amigos, la escuela y el barrio (Farrington, 2008a).

No obstante, existe cierto consenso entre autores al categorizar los diferentes factores predictores como son los personales para la conducta infractora y antisocial, en base a cinco categorías según diferentes factores de riesgo individuales analizados:

a) Correlatos relativos a la genética y la constitución individual.

b) Factores de personalidad.

c) Predictores conductuales.

d) Factores cognitivo-emocionales.

e) Dificultades en inteligencia y habilidades de aprendizaje.

En cada categoría se puede distinguir entre factores de riesgo estáticos y factores de riesgo dinámicos. Se diferencian entre ellos en que los dinámicos son aquellos que son modificables frente a los estáticos. Por este motivo en todo plan de intervención para conseguir el éxito del mismo se trabaja con los factores dinámicos.

Los factores de riesgo personales correspondientes a las carencias en apoyo prosocial se han estructurado en diferentes categorías (DeLisi y Beaver, 2011; Farrington et al., 2012; Gibson et al., 2010; Hollin, 2010; Monahan et al., 2009): los relativos al barrio, relativo a los problemas familiares, las dificultades y riesgo en la escuela y los amigos.

Andrews y Bonta (2006) incluyen de manera conjunta tanto los factores estáticos como dinámicos, clasificando en:

• Cogniciones antisociales del individuo incluyendo actitudes, valores, racionalizaciones y estados cognitivos-afectivos favorables al comportamiento ilícito y antisocial.

- Redes y vínculos pro criminales en los que está inmersos que claramente favorecerían la reincidencia delictiva 3. Historia individual de comportamiento antisocial (edad de inicio, incidencia frecuencia delictiva, grado de violencia utilizado, tipologías delictivas y tipos de víctimas, etc....).

- Rasgos y factores de personalidad antisocial tales como agresividad, egocentrismo, temperamento individual impulsivo e insensible, psicopatía y déficits de autocontrol y de capacidad para la resolución de problemas interpersonales. Según Aguilar et al. (2000) y Campbell et al. (2000) está comprobado empíricamente que las alteraciones emocionales y del comportamiento, muestran gran estabilidad a lo largo del ciclo vital, siendo los trastornos externalizantes los que facilitan un pronóstico más fiable y también más negativo respecto a la salud mental y la adaptación social en edades posteriores, sobre todo cuando la agresividad es un signo característico del comportamiento infantil.

- Factores familiares en la familia de origen de influencia criminógena, tales como deficientes niveles de afecto, falta de cuidado de los hijos y de la cohesión familiar, pobre supervisión durante la etapa infantil por parte parental, así como el abandono y el abuso infantil.

- Bajos niveles educativos y de formación laboral y especialmente inestabilidad en el empleo.

- Abuso de sustancias tóxicas (Gendreau et al., 1996).

En España, Redondo (2008), publicó la primera versión de una nueva teoría de la delincuencia denominada Modelo del Triple Riesgo Delictivo (TRD), que pretende definir una estructura meta teórica global, integrando distintos procesos y explicaciones de la etiología delictiva, partiendo, al igual que otros modelos integradores, de los factores de riesgo para el delito. Este modelo considera que no hay una única causa en la comisión de delito y considera que el origen de esta conducta puede ser diverso. Pretende estudiar con profundidad la relación de los factores de riesgo agrupados en la explicación del origen, mantenimiento e inhibición de la conducta delictiva. El objetivo final del modelo es formular una explicación sobre el riesgo delictivo en un determinado periodo de tiempo, teniendo en cuenta que, este riesgo dependerá de tres fuentes etiológicas diferenciadas: las disposiciones y capacidades personales, el apoyo prosocial y las oportunidades para cometer el delito, tal y como muestra la tabla 3. Para Redondo (2008) los factores de riesgo del delito pueden estructurarse en tres grandes grupos: riesgos personales, riesgos en el apoyo prosocial no recibido y riesgos relativos a las situaciones y oportunidades favorecedoras de los delitos.

**Tabla 3. Dimensiones de riesgo según el TRD (Redondo, 2008)**

| Riesgos personales | Riesgos de apoyo social | Oportunidades |
|---|---|---|
| -Genéticos y constitucionales y complicaciones pre y perinatales (consumo por la madre de tabaco, alcohol complicaciones en el parto con posibles daños neurológicos para el feto, bajo peso al nacer, etc.)<br>Alto nivel de testosterona, bajo nivel de serotonina, baja tasa cardiaca, lesiones craneales, mayor actividad de las ondas cerebrales lentas, baja activación del Sistema Nerviosos Autónomo, baja actividad del lóbulo frontal o respuesta psicogalbánica reducida | -Bajos ingresos familiares/ dependencia social: desempleo, enfermedad, madre adolescente, muchos hijos<br>-Conflicto entre padres e hijos<br>-Padres delincuentes<br>-Crianza inconsistente/ cruel/ abandono/ rechazo<br>-Amigos delincuentes<br>-Desvinculación de la escuela<br>-Desvinculación de otros contextos<br>-Detenciones policiales e internamiento en centros de reforma juvenil | PARA DELITOS VIOLENTOS<br>-Contingencias sociológicas de agresión: encuentros con extraños, defensa del alimento, aglomeración. Cambios estacionales (Wilson, 1980)<br>-Exposición a un incidente violento ante un problema<br>-Insulto o provocación<br>-Locales y contextos de ocio sin vigilancia (personal o física)<br>-Espacios públicos y anónimos (para la violencia por parte de desconocidos) |

| | | |
|---|---|---|
| -Impulsividad, hiperactividad, problemas de atención<br>-Baja inteligencia<br>Baja motivación de logro<br>-Baja autoestima<br>-Ausencia de sentimientos de culpa<br>-Egocentrismo<br>-Baja tolerancia a la frustración/ ira<br>-Bajas habilidades interpersonales<br>-Creencias antisociales<br>-Dependencia drogas<br>-Experiencia de victimización infantil<br>-Ser varón | -Barrios deteriorados/ desorganización social / etnias minoritarias / privación relativa/ cultura delictiva<br>-Exposición a violencia grave, directa o a través de los medios de comunicación (especialmente fuera de la familia)<br>-Tensión familiar (en familia adquirida) y en las relaciones | -Espacios privados (para la violencia por parte de familiares y conocidos)<br>-Proximidad temporal a una separación traumática (para el asesinato de pareja)<br>-Personas aisladas<br>-Alta densidad de población<br>-Calles y barrios escasamente iluminados<br>-En general, víctimas desprotegidas<br>PARA DELITOS CONTRA LA PROPIEDAD<br>-Propiedades descuidadas o abandonadas<br>-En general, "el diseño urbano" en cuanto generador de espacios "crimípetos" versus "crimífugos", en terminología de San Juan (2000; San Juan et al, 2005) |

*Nota*: Adaptado Redondo (2008)

En la actualidad, los modelos de rehabilitación dirigidos a menores tienen en cuenta los factores de riesgo asociados al comportamiento antisocial (Redondo, 2017) denominándose *gestión del riesgo*. Una de las cuestiones que más interés ha suscitado en el ámbito de la delincuencia juvenil ha sido la reincidencia, tanto en el estudio de datos que indiquen la tasa de prevalencia como actuaciones tanto para reducirla e incluso eliminarla. En el caso de los menores lo habitual es que el menor no continúe su carrera delictiva al alcanzar la mayoría de edad. En los estudios realizados sobre la tasa de delincuencia en menores (Blanch et al., 2017) se pone de manifiesto las dificultades para analizar esa tasa por ese motivo se incluyen análisis de variables relacionadas con el comportamiento delictivo para poder configurar una fotografía más valida en el ámbito de la rehabilitación.

La reincidencia tanto en el caso de adultos como el de menores ha sufrido un cambio de perspectiva perfeccionando el modelo de valoración del riesgo a comportamientos delictivos de interés según la tipología delictiva de mayor tendencia en el momento con el objeto de dar respuesta a las necesidades de mayor actualidad

A lo largo de estos años se ha perfeccionado el modelo de valoración de riesgo tal y como refiere Loinaz (2017) en el manual de evaluación el riesgo de violencia. Cuestiones de destacar en este cambio de paradigma son:

- El cambio del concepto de peligrosidad al de riesgo permitiendo una conceptualización de la delincuencia juvenil desde un punto de vista más empírico al tener en cuenta los estudios sobre los factores de riesgo y de protección en el comportamiento delictivo

- Análisis de los comportamientos delictivos específicos desde la interrelación de los factores de riesgo de influencia en conductas delictivas concretas por ejemplo como es el caso de los agresores sexuales, la violencia filio parental entre otros.

- La comprensión del riesgo como un constructo continuo, variable y específico. Teniendo en cuenta los factores estáticos y dinámicos además de la posibilidad de modificar aquellos elementos que influyen en el mantenimiento de la conducta delictiva denominada como gestión del riesgo.

Este cambio de perspectiva ha obligado en los últimos años el desarrollo de instrumentos de valoración del riesgo para los profesionales que trabajan en este ámbito teniendo en cuenta los factores de riesgo específicos según el tipo de reincidencia (Horcajo-Gil et al., 2019; Andrés-Pueyo y Echeburúa, 2010; Andrés-Pueyo y Redondo, 2007) e identifican los diferentes instrumentos de valoración y gestión del riesgo de reincidencia delictiva en menores infractores.

El cambio de esta metodología de valoración se basa en la evolución desarrollada en cuatro momentos denominados por Horcajo-Gil et al. (2019) como "generaciones", es decir etapas diferentes en el método de la evaluación de estos menores:

- El juicio profesional no estructurado caracterizado una carencia de estructura y rigor metodológico

- Escalas actuariales: instrumentos diseñados a partir de estudios de factores de riesgo validando dichos instrumentos a partir de baremos y puntos de cohorte alcanzando mayor evidencia empírica y rigor estadístico

- La incorporación de factores dinámicos en los instrumentos de evaluación siendo referente los trabajos de Andrews y Bonta (2006).

- Los instrumentos de "cuarta generación "incluyendo los factores de riesgo y de protección específicos en menores y en conductas concretas (Garrido, López y Galvis, 2017).

En la actualidad ante el escenario presente y el avance desarrollado en la metodología del riesgo es necesario ofrecer nuevas respuestas ante las necesidades criminogénicas presentes. Navarro y Pastor (2017) ponen de manifiesto los nuevos retos en relación a la predicción del riesgo, siendo necesario, tanto para los propios adolescentes, como para la sociedad, y focalizando la atención de esta temática en los factores de protección no sólo para determinar el riesgo sino también para potenciar los elementos protectores de los menores.

La identificada especialización de la ley 5/2000 supone dos cuestiones fundamentales, la intervención de operadores jurídicos y judiciales diferentes al escenario judicial en el caso de los menores y la toma de decisiones por parte del juzgado de menores siempre velando el mejor interés del menor. Esto se pone de manifiesto en el proceso llevado a cabo durante procedimiento judicial, como resultado se requiere la evaluación del menor de manera individualizada y analizando las circunstancias personales, sociales y contextuales que versan sobre el mismo, adaptando la medida judicial a sus circunstancias psicosociales. Como se ha concluido en este primer estado de la cuestión en el estudio de los factores de riesgo ha sido prioritario la predicción de la reincidencia. En la actualidad, la incorporación de los instrumentos de valoración del riesgo tanto en la evaluación como la gestión del mismo en la intervención está alcanzando un gran protagonismo. Lo que supone integrar en la implementación de las medidas judiciales el conocimiento científico.

## 4. LAS ALIANZAS DE LA DELINCUENCIA JUVENIL CON LOS SERVICIOS SOCIALES

La preocupación por la delincuencia de los menores ha ido evolucionando en función de las circunstancias sociopolíticas de cada momento, de la presencia de sucesos relacionados con menores que han generado alarma social, y de la percepción de inseguridad social, lo que ha generado diferentes puntos de vista sobre la generalización o no del delito en los menores.

Se ha comprobado la efectividad de considerar el entorno familiar y social como base de actuaciones de intervención comunitaria ligadas a las estrategias preventivas, (Arce et al., 2010).

Para poder contextualizar el ámbito del que estamos tratando, es necesario tener en cuenta cuestiones importantes e influyentes, que pueden explicar la situación pasada, actual y futura de la implementación de la actuación en el cumplimiento de las medidas judiciales en menores. Aunque parezca que a priori no tiene relación, vamos a analizar el concepto de estado de bienestar. Siguiendo a Farge (2007) entendemos el estado de bienestar como una serie de disposiciones legales que dan derecho a los ciudadanos para dar respuesta a una variedad de situaciones definidas como de necesidad y contingencia, siendo además de otros ámbitos los servicios sociales universales protagonistas del eje central del mismo.

El sistema de servicios sociales se contempla dentro del sistema de protección social, cuya finalidad es el logro de las mejores condiciones de vida de las personas y los grupos de interés considerados, en la actualidad, como vulnerables. En el ámbito de los servicios sociales los menores son considerados como grupo vulnerable.

La intervención comunitaria, entendida en el ámbito de los servicios sociales, es la acción o acciones a desarrollar dirigidas a un grupo de interés, con el objeto de provocar un cambio que mejore su situación, bajo una evaluación previa que haga un diagnóstico social objetivo de la situación, permitiendo llegar a la etiología del problema en cuestión. Para toda intervención comunitaria que pretenda ser eficaz, es necesario el compromiso y participación de los distintos agentes intervinientes, personas o grupo de ellas sobre las que se actúe. Esta premisa fundamental a veces choca con la realidad de la situación práctica, ya que, en el ámbito de los menores con medidas judiciales es necesaria la valoración individualizada de sus circunstancias personales, pero en ese plan de intervención, importante para el cumplimiento de la medida judicial, la respuesta de los agentes del entorno es escasa e incluso inexistente.

Con el grupo de menores, el sistema de servicios sociales debe dar respuesta a todas las situaciones de riesgo y desamparo que éstos presenten, pero, además, debe hacerlo en los tres niveles de acción previstos: primaria, secundaria y terciaria, tal y como muestra la tabla 4. Estos niveles de actuación se encuadran dentro del ámbito de la prevención y se inspiran en criterios de clasificación utilizados en el campo de la salud pública, pero que han sido utilizados en otros ámbitos, como el del delito o de los servicios sociales.

**Tabla 4. Niveles de actuación con menores del sistema de servicios sociales**

| Niveles De Actuación | Funciones |
|---|---|
| Primaria | Las acciones dirigidas a la población general en nuestro caso a los menores de 18 años. Se pretende evitar la aparición de factores de riesgo que pudieran desarrollar un problema social y en la actualidad se pretende potenciar los factores de protección para eliminar o disminuir la aparición de riesgos. En este caso no se habla de un problema concreto. |
| Secundaria | Las acciones dirigidas a la población identificada con posibles riesgos. Se pretende disminuir los riesgos presentes bien potenciando los protectores o disminuyendo el incremento de los riesgos presentes u otros relacionados. En este caso se identifica los menores en riesgo bajo indicadores para evitar que inicie carrera delictiva ya que con seguridad manifiesta diferentes conductas antisociales. Importante en este caso realizar una labor de detección de vulnerabilidades y situaciones de riesgo de los menores |
| Terciaria | Las acciones dirigidas a menores identificados con un mayor riesgo ya que realiza o ha iniciado comportamientos delictivos. Realmente es lo que otros autores denominan intervención rehabilitadora |

*Nota*. Elaboración propia (2021)

El sistema de protección español, en el caso de la aprobación legislativa LO 8/2015 de modificación del sistema de protección a la infancia y la adolescencia, y la reciente LO 8/2021 de protección integral a la infancia y la adolescencia frente a la violencia, pretende reforzar, aún más, el interés del menor, para lo cual establece un proceso y procedimiento de investigación que activa todas las medidas necesarias y oportunas para proteger al menor, ofreciendo un abanico de servicios y prestaciones.

Como se indicaba anteriormente, nuestro sistema de protección a la infancia en España incluye el cumplimiento de la ejecución de las medidas de menores infractores, aspecto importante, ya que, no estamos tratando de sistemas independientes, porque, aunque la organización de recursos pudiera ser diferenciada, la base de ambos es el sistema de protección de competencia autonómica, denominado sistema de protección, promoción e intervención con menores y adolescentes. Por este motivo, al igual que el principio del sistema de protección de menores, se rige por:

- El interés superior del menor.
- El mantenimiento del menor en su entorno familiar, social salvo que rompa con el principio del mejor interés del menor.
- Su integración social y familiar.
- La prevención y detección precoz de aquellas situaciones que puedan perjudicar su desarrollo personal.
- Sensibilización de la población ante situaciones de desprotección.
- Objetividad, imparcialidad y seguridad jurídica en la actuación protectora.
- Protección contra toda forma de violencia.
- Igualdad de oportunidades y no discriminación.

Del mismo modo la Ley Orgánica 5/2000, reguladora de la responsabilidad penal del menor, propone medidas de carácter educativo y reparador con el objeto de conseguir la resocialización y reinserción del menor en la sociedad, siempre buscando el mejor interés del menor.

Estos son los principios que se rigen en la teoría, y habrá que comprobar si también en la práctica, en el caso de los menores infractores. Por ejemplo, el estudio realizado por Martín et al. (2021) evidencia la imagen sobrerrepresentada de los menores que se encuentran en el sistema de protección a la infancia que a su vez se encuentran en el sistema de reforma. En realidad, los menores infractores, que se encuentran a su vez con expediente de protección, están más vinculados a los casos de violencia intrafamiliar, se incorporan al sistema de protección de manera más tardía y su vinculación con el mismo está más relacionada con la imposibilidad de los padres de controlar la violencia que ejerce hacia ellos. La revisión científica realizada por Malvaso et al. (2016) confirma, especialmente en el caso de los varones, que cuando reciben atención especializada en el sistema de protección, disminuye el riesgo de consumo de drogas, y lo mismo sucede con otros factores de riesgo como la victimización de maltrato vivida, lo cual nos hace plantear que el sistema de protección puede ser un sistema preventivo en los casos de delincuencia juvenil. Los resultados del estudio de Dowd (2011) confirman que el sistema de justicia estadounidense presenta una sobrerrepresentación de los menores, cuestión que no coincide con aquellos que han sido atendidos por el servicio de educación, servicios sociales y salud mental, confirmándose que una base consistente del sistema de protección disminuye los riesgos de estos menores de finalizar en el ámbito de la justicia juvenil.

De igual modo que en el ámbito de la conducta delictiva juvenil, como se ha explicado con anterioridad, se trabaja desde modelos explicativos de factores de riesgo y de protección en el ámbito de la intervención social es similar incluso apostando en las dos circunstancias por potenciar los factores de protección. Esto es lógico, ya que una cosa es la situación jurídica del menor, y otra el planteamiento de la intervención que debe ser más independiente a la situación legal, adaptando la medida judicial a sus necesidades reales para el cumplimiento del "mayor interés del menor".

Son diversos los Acuerdos y Directrices Internacionales que abogan por la puesta en marcha de diferentes medidas para el cumplimiento de esta tipología prevista en la norma, y de las que, por otra parte, diferentes investigaciones han demostrado su eficacia, como el caso de la medida judicial de libertad vigilada en el estudio realizado por Bernuz et al. (2009) y el de San Juan et al. (2007).

Fernández y Rechea (2006) afirman que el traspaso competencial de la ejecución de medidas judiciales en el sistema de protección de menores de ámbito autonómico, en el año 1992, supuso una descentralización del sistema penal de justicia, permitiendo un diseño de políticas globales de infancia, modificando normas y programas de actuación.

La intervención comunitaria en el ámbito de la justicia juvenil, explicada por Fernández y Bernuz (2018) consiste en medidas educativas desarrolladas en medio abierto y en su entorno familiar, educativo y social, las cuales permiten materializar el principio de desinstitucionalización interviniendo con el menor en su entorno.

En España la LO 5/2000 prevé un amplio catálogo de medidas que permite la ejecución de las mismas, según las características individuales y circunstanciales del menor, y la intervención en el medio comunitario. Esto a veces genera un error en la práctica, ya que, se interpreta que estas medidas se deben cumplir en los servicios normalizados de la comunidad, confundiendo el contexto donde se debe desarrollar esta intervención con la puesta en marcha de recursos y programas específicos en el que evitando siempre la estigmatización del menor se desarrollen actuaciones en línea de la gestión del riesgo. En muchos casos, esto es una mera excusa más vinculada al posible incremento presupuestario en este tipo de líneas en el ámbito de los servicios sociales que las necesidades y demandas reales presentes aludiendo a cuestiones competenciales cuando la realidad tal y como se ha explicado no es así. La intervención con menores infractores forma parte de las obligaciones de las administraciones en materia de protección a la infancia y a la adolescencia.

Es por esto por lo que otros países como Alemania incluyen estas medidas en el ámbito de la intervención comunitaria (Matthews et al., 2018) integrando otras medidas como de diversión u ocio (Dünkel, 2016) centradas en el tiempo libre y aspectos de la vida cotidiana (Lozano-Díaz et al., 2021), sanciones educativas, rehabilitación y respuestas restaurativas. Esto no sólo se debe a la ratificación de la eficacia de las intervenciones en medio abierto, es decir en el ámbito comunitario, frente a los de medio cerrado especialmente cuando se trata del primer delito grave sino además de la integración de estas medidas en los programas comunitarios diseñados.

## 5. RETOS DE LA INTERVENCIÓN COMUNITARIA Y LA JUSTICIA JUVENIL

Tal y como pone de manifiesto Fernández y Bernuz (2018) nos encontramos en un debate en relación a la efectividad de la ley del menor especialmente en cuanto a sucesos por delitos graves. Esta discusión no es reciente, de hecho, son debates abiertos que afloran de manera más enérgica cuándo se producen hechos que suscitan alarma social o sensibilidad social por la gravedad del caso. Tal y como anuncian las autoras ante estos casos el apoyo público hacia el castigo juvenil es mayor como indica el estudio de Aizpurúa y Fernández-Molina (2014) motivado por las creencias erróneas en relación a la delincuencia juvenil considerándola de mayor magnitud y reforzando la creencia de benevolencia del sistema de justicia de menores. Esta percepción influye en la exigencia al legislador a tratar a estos menores como si fueran adultos sin tener en cuenta todas las cuestiones explicadas en este capítulo.

Esta circunstancia obliga desde nuestro punto de vista a reconsiderar la labor preventiva y de sensibilización que también debe tener el sistema de servicios sociales y ratificada en la LO 8/2021 de protección integral a la infancia y a la adolescencia frente a la violencia en su artículo 3 en relación a los fines de esta ley en la que incluye aspectos relacionados con la sensibilización, prevención, detección entre otros desde diferentes ámbitos. Esto no implica caer en un paternalismo que perjudique a un más a los menores sino construir una conciencia colectiva y una narración sobre la realidad de los problemas y el compromiso social al cambio también como miembros de la sociedad, eliminando creencias falsas que generan posturas polarizadas y que a su vez puedan ser "caldo de cultivo" de mayor violencia; la violencia generadora de más violencia.

De ahí la gran importancia de tener presente los tres niveles de intervención presentados anteriormente, teniendo en cuenta las circunstancias sociales y, especialmente, del menor en todos sus ámbitos.

La apuesta por las políticas preventivas es sin duda, la mejor estrategia dirigida a la prevención del delito. Para ello es necesario, a nuestro juicio, tener en cuenta las siguientes consideraciones:

1. Diseñar estrategias preventivas utilizando programas con evidencia científica.

2. Integrar aún más el sistema de reforma en el sistema de protección de menores, teniendo en cuenta que éste último no es un sistema independiente, sino que forma parte del tercer nivel de intervención preventiva con todo lo que significa esta consideración.

3. Incluir en la intervención comunitaria del ámbito social la especialización y especificidad de la delincuencia juvenil, evitando circunscribirla de manera exclusiva en el ámbito legal y jurídico de las actuaciones.

4. Desarrollar protocolos de actuación y de intervención según el modelo de intervención de la gestión del riesgo por parte de las partes implicadas en el trabajo directo con estos menores.

5. Inclusión en los planes de intervención individualizada con estos menores de aquellos ámbitos como el ocio y la diversión, la familia y otros no muy habituales a participar en el trabajo con estos, pero que se ha evidenciado su influencia en la literatura científica.

6. Desarrollo de otros recursos y programas incluidos en las denominadas como de "mínima intervención "en las que la experiencia de su aplicación ha arrojado resultados positivos.

7. Especial consideración en aquellos menores que se encuentran situaciones de mayor vulnerabilidad como es el caso en la actualidad de los menores extranjeros sin referencia adulta. Ya el estudio realizado por Gómez-Fraguela et al. (2009) concluyó la imagen mitificada que se tiene sobre los menores extranjeros en relación a la delincuencia en la que sus resultados arrojan cifras inferiores frente a los menores no extranjeros en cuanto a los factores de riesgo del entorno educativo o conductas antisociales. El estudio de Fernández Suarez et al. (2015) en que confirman la sobrerrepresentación de estos menores dentro del sistema de justicia, así como la necesidad de fortalecer el sistema de protección de menores cubriendo las necesidades de estos menores cuando en realidad en muchos casos se está cubriendo con las medidas de internamiento desde el sistema de reforma.

8. Reforzar los programas de emancipación de los menores en su transición a la vida adulta especialmente en aquellos casos de mayor riesgo. La intervención con estos en los programas de reforma debe ser una oportunidad en el tutelaje de éstos en su transición vital eliminando el escollo de la edad como justificación para finalizar la implicación de la administración pública con ellos.

9. Inclusión de la perspectiva de género en los tres niveles preventivos. Teniendo en cuenta dos paradigmas tanto el foco de interés de la intervención de la criminalidad femenina, aunque sea un grupo minoritario y la implementación de la perspectiva de género como herramienta metodológica teniendo en cuenta que las necesidades de las chicas y los chicos son diferentes.

10. Fomentar el uso de la mediación comunitaria y justicia restaurativa en el ámbito de los menores como estrategias para el desarrollo de resolución de conflictos.

Es evidente que la delincuencia juvenil ha generado y genera inquietud a los diferentes sistemas de protección social, a los operadores jurídicos y por supuesto a la academia. Prueba de ello es esta obra colectiva.

Aunque pueda ser un problema no generalizado, es un problema importante y complejo que requiere la coordinación y la integración de los recursos públicos para lograr intervenciones eficaces en los diferentes niveles sin obviar la especificidad de las actuaciones que las circunstancias de los menores y su delito requieran.

## BIBLIOGRAFÍA

*Las referencias precedidas de asterisco son las utilizadas para el estudio del apartado II

*Acosta, E., Muñoz de Bustillo, M. del C., Martín, E., Aragón, N., y Betancort, M. (2012). Evaluation of the effectiveness of minimum intervention measures on young offenders. *The Spanish Journal of Psychology, 15*(2), 702–709. https://doi-org.ezproxy.usal.es/10.5209/rev_SJOP.2012.v15. n2.38881

Aguilar, B., Sroufe, L., Egeland, B., y Carlson, E. (2000). Distinguishing the early-onset/persistent and adolescence-onset antisocial behavior types:

From birth to 16 years. *Development and psychopathology, 12*(2), 109-132.

Aizpurúa, E. y Fernández-Molina, E. (2014). ¿Procedimientos de adultos para delitos mayores? Una aproximación a la opinión pública hacia la transferencia de los menores infractores a tribunales ordinarios. *Revista Electrónica de Ciencia Penal y Criminología (en línea)*, (16). http://criminet.ugr.es/recpc/16/recpc16-16.pdf

*Alcázar Córcoles, M. Á., Bouso Saiz, J. C., y Verdejo García, A. J. (2015). Análisis descriptivo de la actividad del Equipo Técnico de la Fiscalía de Menores de Toledo. Años 2001 al 2012. *Anuario de Psicología Jurídica, 25*(1), 97–106. https://doi-org.ezproxy.usal.es/10.1016/j.apj.2015.02.007

*Alcázar, M. A., Bouso, J. C. y Gómez-Jarabo, G. (2007). Estudio exploratorio sobre la caracterización del patrón desinhibido de conducta en una muestra de menores infractores en España, México, y El Salvador. *Anuario de Psicología Jurídica 2006*, 115-137.

Andrés Pueyo, A. y Echeburúa, E. (2010). Valoración del riesgo de violencia: instrumentos disponibles e indicaciones de aplicación. *Psicothema, 22*, 403-409.

Andrés Pueyo, A., y Redondo, S. (2007). La predicción de la violencia. *Papeles del Psicólogo, 28*(3),145-146. https://www.redalyc.org/articulo.oa?id=77828301

Andrews, D.A. y Bonta, J. (2006). *The Psychology of Criminal Conduct (4ª edición)*. Anderson.

Arce, R., y Fariña, F. (2010). Diseño e implementación del programa Galicia de reeducación de maltratadores: Una respuesta psicosocial a una necesidad social y penitenciaria. *Intervención Psicosocial, 19*, 153-166.

*Benedicto, C., Roncero, D., y González, L. (2017). Agresores sexuales juveniles: tipología y perfil psicosocial en función de la edad de sus víctimas. *Anuario de Psicología Jurídica, 27*(1), 33-42. https://doi.org/10.1016/j.apj.2016.05.002

Bernuz, M., Fernández, E. y Pérez, F. (2009). La libertad vigilada como medida individualizadora en la Justicia de menores. *Revista española de investigación criminológica, 7*, 1-27. http://www.criminologia.net/pdf/reic/ano7-2009/a72009art6.pdf

Bernuz, M., y Fernández, E. (2008). La gestión de la delincuencia juvenil como riesgo. Indicadores de un nuevo modelo. *Revista Electrónica de Ciencia Penal y Criminología, 10*(13), 1-13. http://criminet.ugr.es/recpc/10/recpc10-13.pdf

Blanch, M., Capdevila, M., Ferrer, M., Framis, B., Ruiz, U., Mora, J., Batlle, A., y López, B. (2017). *La reincidencia en la justicia de menores*. Centre d'Estudis Jurídics i Formació Especialitzada. https://www.recercat.cat/bitstream/handle/2072/293474/reincidenciaJJ_ES.pdf?sequence=1

*Blasco Romera, C., Fuentes-Peláez, N., y Pastor Vicente, C. (2014). Aproximación a los factores explicativos del desistimiento en jóvenes infractores. *Educación Social, 58,* 186-203.

*Borrás, C., Palmer Pol, A., Hernández, A., y Llobera, J. (2017). Socio-cognitive and personal characteristics of young offenders: a field study. *International Journal of Psychological Research, 10*(1), 45-52. https://doi-org. ezproxy.usal.es/10.21500/20112084.2608

*Briet, V. y Suriá, R. (2010). Programa de control de la agresión sexual en adolescentes y jóvenes infractores. En F. Expósito, M. Herrera, G. Buela, M. Novo y F. Fariña (Eds.), *Psicología Juríida ambitos de aplicación* (pp. 89-99). Consellería de Presidencia, Administracións Públicas e Xustiza Xunta de Galicia.

*Buil Legaz, P., Burón Álvarez, J. J., y Bembibre Serrano, J. (2019). Perfil sociodemográfico y delictivo de los menores infractores en medio abierto en Granada de 2014 a 2017. Análisis descriptivo y evolución. *Anuario de Psicología Jurídica, 29,* 61-68. https://doi-org.ezproxy.usal.es/10.5093/ apj2019a2

*Cacho, R., Fernández Montalvo, J., López-Goñi, J. J., Arteaga, A., y Haro, B. (2020). Psychosocial and personality characteristics of juvenile offenders in a detention centre regarding recidivism risk. *The European Journal of Psychology Applied to Legal Context, 12*(2), 69-75. https://doi-org. ezproxy.usal.es/10.5093/ejpalc2020a9

Cacho, R., Fernández-Montalvo, J., López-Goñi, J. J., Arteaga, A., y Haro, B. (2020). Psychosocial and personality characteristics of juvenile offenders in a detention centre regarding recidivism risk. *The European Journal of Psychology Applied to Legal Context, 12*(2), 69-75. https://doi. org/10.5093/ejpalc2020a9

Caprara, G. V., y Steca, P. (2007). Prosocial agency: The contribution ofvalues and self-efficacy beliefs to prosocial behavior across ages. *Journal of Social and Clinical Psychology, 26,* 218-239. https://doi.org/10.1521/ jscp.2007.26.2.218

Case, S.P. y Haines, K.R. (2009). *Understanding youth offending: Risk factors research policy and practice.* Willan Publishing.

*Centelles, O., Castillo Fernández, I., y Buelga, S. (2021). La aceptación familiar y la conducta prosocial: el rol de los factores de personalidad en menores con medidas de internamiento judicial. *Anuario de Psicología Jurídica, 31,* 91-99. https://doi-org.ezproxy.usal.es/10.5093/apj2021a14

*Contreras Martínez, L., Molina Banqueri, V., y Cano Lozano, M. del C. (2012). Consumo de drogas en adolescentes con conductas infractoras: análisis de variables psicosociales implicadas. *Adicciones Revista de Socidrogalcohol, 24*(1), 31-38.

*Contreras Martínez, L., Molina Banqueri, V., y Cano Lozano, M. del C. (2010). La intervención con menores infractores: análisis de medidas judiciales aplicadas e importancia de la implicación familiar en la intervención psicosocial. *Psicopatología Clínica, Legal y Forense, 10*, 55-71.

*Contreras, L., Cano Lozano, M. del C., y Martín Chaparro, M. P. (2009). Análisis de los nuevos perfiles de menores infractores. En F. Expósito y S. de la Peña (Eds.), *Procesos judiciales: Psicología jurídica de la familia y del menor* (pp. 273-277). Universidad de Murcia.

*Contreras, L., Molina, V., y Cano Lozano, M. del C. (2011). In search of psychosocial variables linked to the recidivism in young offenders. *The European Journal of Psychology Applied to Legal Context, 3*(1), 77–88.

*Contreras, L., y Cano Lozano, M. del C. (2013). Análisis del perfil jurídico y respuesta judicial en casos de violencia filio-parental. En F. Expósito, I. Valor, M. Vilariño y A. Palmer (Eds.), *Psicología Jurídica aplicada a los problemas sociales* (pp. 209-215). Sociedad Española de Psicología Jurídica y Forense.

*Contreras, L., y Cano Lozano, M. del C. (2013). Antecedentes de maltrato intrafamiliar como factor de riesgo de la violencia filio-parental. En F. Expósito, I. Valor, M. Vilariño y A. Palmer (Eds.), *Psicología Jurídica aplicada a los problemas sociales* (pp. 53-59). Sociedad Española de Psicología Jurídica y Forense.

*Contreras, L., y Cano Lozano, M. del C. (2014). Violencia filio-parental: explorando el papel de la bidireccionalidad de la violencia. *Psicología jurídica y forense, investigación-acción*, 193-200.

*Contreras, L., y Cano Lozano, M. del C. (2016). Child-to-parent violence: the role of exposure to violence and its relationship to social-cognitive processing. *The European Journal of Psychology Applied to Legal Context, 8*(2), 43–50. https://doi-org.ezproxy.usal.es/10.1016/j.ejpal.2016.03.003

*Contreras, Lourdes y Cano-Lozano, M. Carmen y Martín, M.P. (2009). Análisis de los nuevos perfiles de menores infractores. *Procesos judiciales: Psicología jurídica de la familia y del menor*, 273-277.

*Cuello Laviana, N., Ramiro Sánchez, M. T., Becedóniz Vázquez, C., y Rodríguez Díaz, F. J. (2008). Adaptación académica y adaptación normativa al aula en los menores infractores. En F. Rodríguez, C. Bringas, F. Fariña, R. Arce y A. Bernardo (Eds.), *Psicología Jurídica: entorno judicial y delincuencia* (pp. 213-222). Universidad de Oviedo.

*Cuervo, K., Villanueva Badenes, L., González, F., Carrión, C., y Busquets, P. (2015). Characteristics of young offenders depending on the type of crime. *Psychosocial Intervention, 24*(1), 9–15. https://doi-org.ezproxy.usal.es/10.1016/j.psi.2014.11.003

*Cutrín Mosteiro, O., Gómez Fraguela, J. A., Maneiro Boo, L., Sobral Fernández, J., y Luengo Martín, M. de los Á. (2016). Psychopathic traits mediate the effects of neighbourhood risk on juvenile antisocial behaviour. *Psicothema*, *28*(4), 428–434. https://doi-org.ezproxy.usal.es/10.7334/psicothema2016.55

*Cutrín, O., Gómez Fraguela, J. A., y Luengo Martín, M. de los Á. (2015). Peer-group mediation in the relationship between family and juvenile antisocial behavior. *The European Journal of Psychology Applied to Legal Context*, *7*(2), 56–65. https://doi-org.ezproxy.usal.es/10.1016/j.ejpal.2014.11.005

DeLisi, M. y Beaver, K.M. (2011). *Criminological theory: a life-course approach*. Jones and Bartlett.

Díaz, O. y Elicegui, M. (2001). Desarrollo moral en menores infractores: Una aproximación empírica a partir de Kohlberg. *Actas del IV Congreso Iberoamericano de Psicología Jurídica*, 139-164.

Dowd, N. (2011). *Justice for kids: keeping kids out of the Juvenile Justice System*. New York University Press.

Dünkel, F. (2016). *Youth justice in Germany*. Oxford Handbooks Online. https://doi.org/10.1093/oxfordhb/9780199935383.013.68

Ellis, L., Beaver, K. M. y Wright, J. (2009). *Handbook of crime correlates*. Elsevier

*Faílde Garrido, J. M., Dapía Conde, M. D., Alonso Álvarez, A., y Pazos Millán, E. (2015). Consumo De Drogas En Adolescentes Escolarizados Infractores. *Educación XX1*, *18*(2). https://doi.org/10.5944/educxx1.14600

Farge, C. (2007). El Estado de bienestar. *Enfoques*, *XIX*(1-2), 45-54. https://www-redalyc-org.ezproxy.usal.es/articulo.oa?id=25913121005

Farrington, D. (2008). *Integrated developmental and life-course theories of offending*. Transaction Publishers.

Farrington, D. P., Loeber, R., y Ttofi, M. M. (2012). Risk and protective factors for offending. En B. Welsh y D. Farrington (Eds.), *The Oxford Handbook of Crime Prevention*. Oxford University Press.

Farrington, D.P. y Loeber, R. (2013). Two approaches to developmental/lifecourse theorizing. En Cullen, F. y Wilcox, P. (Eds.), *The Oxford Handbook of Crime Prevention* (pp. 226-289). Oxford University Press.

*Fernández Campoy, J. M., Aguilar Parra, J. M., y Álvarez Hernández, J. (2013). La formación académica y profesional de los menores infractores del centro de menores Tierras de Oria. *Revista de Educación*, *360*, 211-242. https://doi-org.ezproxy.usal.es/10.4438/1988-592X-RE-2013-360-227

*Fernández Monteiro, M. (2018). Capacidad predictiva de los factores de riesgo en la reincidencia delictiva de menores infractores. *Psicopatología Clínica, Legal y Forense*, *18*(1), 60–74.

*Fernández Suárez, A., Pérez Sánchez, B., Fernández Alonso, L., Herrero Olaizola, J., y Rodríguez Díaz, F. J. (2015). Perfil de los menores infractores extranjeros acompañados y no acompañados en Asturias. *Revista de Psicología [Edición Electrónica], 24*(1), 1-18.

Fernández, E. y Bernuz, M. (2018). Justicia De Menores. Editorial Síntesis

Fernández, E. y Rechea, C. (2006). La aplicación de la LORPM en Castilla-La Mancha: nuevos elementos para el análisis de los sistemas de justicia de menores. *Revista de Derecho Penal y Criminología, 18*, 361-399.

*Ferrer Ventura, M., Sarrado Soldevila, J. J., Carbonell Sánchez, X., Virgili Tejedor, C., y Cebrià Andreu, J. (2008). Nivel de ansiedad de jóvenes infractores internados en un centro educativo de régimen cerrado. *Anales de Psicología, 24*(2), 271-276.

*Ferrer, M., Carbonell Sánchez, X., Sarrado, J. J., Cebrià, J., Virgili, C., y Castellana Rosell, M. (2010). Distinguishing male juvenile offenders through personality traits, coping strategies, feelings of guilt and level of anger. *The Spanish Journal of Psychology, 13*(2), 751-764.

*Gámiz-Ruiz, J., Ibáñez-Ortiz, G., Rodríguez-Aznar, P., y Espigares-Escudero, M. J. (2014). La prevención de la conducta antisocial del adolescente en su contexto: programa de intervención socioeducativa con menores infractores de 12 a 14 años. *Cuadernos de Psiquiatría y Psicoterapia Del Niño y Del Adolescente, 57*, 95-99.

García, M. D., Martín, E., Torbay, A., y Rodríguez, C. (2010). La valoración social de la Ley de Responsabilidad Penal de los Menores. *Psicothema, 22*(4), 865-871. https://reunido.uniovi.es/index.php/PST/article/view/8964

*García, M. D., Martín, E., Torbay, Á., y Rodríguez, C. (2010). La valoración social de la Ley de Responsabilidad Penal de los Menores. *Psicothema, 22*(4), 865-871.

*García, V. (2000). La intervención reeducativa en régimen cerrado con menores (14-18 años) infractores graves es posible. La experiencia del C.A.R. El Madroño.*Trabajo social hoy*, Nº. Extra 0. 121-142.

Garrido Genovés, V., Stangeland, P., y Redondo, S. (2001). Principios de Criminología (2ª Edición). Tirant lo Blanch.

Garrido Genovés, V., López Martín, E. y Galvis Doménech, M.J. (2017). Predicción de la reincidencia con delincuentes juveniles: adaptación del IGI-J. *Revista sobre la infancia y la adolescencia, 12*, 30-41. http://dx.doi.org/10.4995/reinad.2017.6484

Garrido, V., y Redondo, S. (2001). Principios de Criminología (4ª Edición). Tirant lo Blanch.

*Garrido Montesinos, C., Pons Diez, J., Murgui Pérez, S., y Ortega Barón, J. (2018). Satisfacción con la vida y factores asociados en una muestra de

menores infractores. *Anuario de Psicología Jurídica, 28*, 66-73. https://doi-org.ezproxy.usal.es/10.5093/apj2018a9

Gendreau, P., Little, T., y Goggin, C. (1996). A meta-analysis of the predictors of adult offender recidivism: what works! *Criminology, 34*(4), 575-608. https://doi.org/10.1111/j.1745-9125.1996.tb01220.x

Gibson, C., Sullivan, C., Jones, S. y Piquero, A. (2010). "does it take a village?" assessing neighborhood influences on children's self-control. *Journal of Research in Crime and Delinquency, 47*(1), 31-62. https://doi.org/10.1177%2F0022427809348903

Gómez-Fraguela, J., Luengo-Martín, Á., Romero-Triñanes, E., Villar-Torres, P., y Sobral-Fernández, J. (2006). Estrategias de afrontamiento en el inicio de la adolescencia y su relación con el consumo de drogas y la conducta problemática. *International Journal of Clinical and Health Psychology, 6*(3),581-597. https://www.redalyc.org/articulo.oa?id=33760305

*Gomis Pomares, A., Villanueva Badenes, L., y García Gomis, A. (2021). Disentangling the impact of victim-offender mediation in youth recidivism. *Anuario de Psicología Jurídica, 31*, 85-89. https://doi-org.ezproxy.usal.es/10.5093/apj2021a8

*Graña Gómez, J. L., Garrido Genovés, V., y González Cieza, L. (2007). Evaluación de las características delictivas de menores infractores de la Comunidad de Madrid y su influencia en la planificación del tratamiento. *Psicopatología Clínica, Legal y Forense, 7*, 7-18.

Hollin, C. (2010). Commentary directions for group process work. *Aggression and Violent Behavior, 15*(2), 150-151.

Horcajo-Gil, P. J., Dujo-López, V., Andreu-Rodríguez, J. M., y Marín-Rullán, M. (2019). Valoración y Gestión del Riesgo de Reincidencia Delictiva en Menores Infractores: Una Revisión de Instrumentos. *Anuario de Psicología Jurídica, 29*(1), 41–53. https://www.redalyc.org/articulo.oa?id=315060291005

*Ibabe Erostarbe, I., Arnoso Martínez, A., y Elgorriaga, E. (2014). Behavioral problems and depressive symptomatology as predictors of child-toparent violence. *The European Journal of Psychology Applied to Legal Context, 6*(2), 53-61. https://doi-org.ezproxy.usal.es/10.1016/j.ejpal.2014.06.004

*Ibáñez, V., y Graña Gómez, J. L. (2018). Madurez psicosocial y comportamiento delictivo en menores infractores. *Psicopatología Clínica, Legal y Forense, 18*(1), 1-12.

*Jiménez, R., y Bueno, A. (2013). Reincidencia delictiva y estilos de vida en menores infractores en la provincia de Alicante. En F. Expósito, I. Valor, M. Vilariño y A. Palmer (Eds.), *Psicología Jurídica aplicada a los problemas sociales* (pp. 279-283). Sociedad Española de Psicología Jurídica y Forense.

Kazemian, L., Farrington, D. P., and Le Blanc, M. (2009). Can we make accurate long-term predictions about patterns of de-escalation in offending behavior? *Journal of Youth and Adolescence, 38* (3), 384-400. https://www.researchgate.net/publication/26699758_Can_We_Make_Accurate_Long-term_Predictions_About_Patterns_of_De-escalation_in_Offending_Behavior

Ley Orgánica 5/2000, de 12 de enero, reguladora de la responsabilidad penal de los menores. Boletín Oficial del Estado, Madrid, de 13 de enero de 2000, núm. 11, pp. 1422-1441.

Ley Orgánica 8/2006, de 4 de diciembre, por la que se modifica la Ley Orgánica 5/2000, de 12 de enero, reguladora de la responsabilidad penal de los menores. Boletín Oficial del Estado, Madrid, de 5 de diciembre de 2006, núm. 290, pp. 42700-42712.

Ley Orgánica 8/2015, de 22 de julio, de modificación del sistema de protección a la infancia y a la adolescencia. Boletín Oficial del Estado, Madrid, de 23 de julio de 2015, núm. 290, pp. 61871-61889.

Ley Orgánica 8/2021, de 4 de junio, de protección integral a la infancia y la adolescencia frente a la violencia. Boletín Oficial del Estado, Madrid, de 5 de junio de 2021, núm. 134, pp. 68657-68730.

*Llorca Mestre, A., Malonda Vidal, E., y Samper García, P. (2017). Prosocial reasoning and emotions in young offenders and non-offenders. *The European Journal of Psychology Applied to Legal Context, 9*(2), 65–73. https://doi-org.ezproxy.usal.es/10.1016/j.ejpal.2017.01.001

*Llorca Mestre, A., Malonda Vidal, E., y Samper García, P. (2017). Depression and aggressive behaviour in adolescents offenders and non-offenders. *Psicothema, 29*(2), 197–203. https://doi-org.ezproxy.usal.es/10.7334/psicothema2016.276

Loinaz, I. (2017). *Manual de evaluación del riesgo de violencia. Metodología y ámbitos de aplicación.* Pirámide

Lozano-Díaz, A., Chacón-Benavente, F., y Roith, C. (2020). Medidas educativas con menores infractores: el caso de Alemania y España. *Pedagogía Social. Revista Interuniversitaria, 37*, 159-172. https://gredos.usal.es/bitstream/handle/10366/145139/document%20%2815%29.pdf?sequence=1&isAllowed=y

Malvaso, C. G., Delfabbro, P. H., y Day, A. (2016). Risk factors that influence the maltreatment-offending association: A systematic review of prospective and longitudinal studies. *Aggression and Violent Behavior, 31*, 1-15. https://doi.org/10.1016/j.avb.2016.06.006

Mampaso, J., Pérez, F., Corbí, B., González, M., y Bernabé, B. (2014). Factores de riesgo y protección en menores infractores. Análisis y prospectiva. *Psychologia latina, 5*(1), 11-20.

*Martín, E., González Navasa, P., y Domene Quesada, L. (2021). Entre dos sistemas: los jóvenes tutelados en acogimiento residencial con medidas judiciales. *Anuario de Psicología Jurídica, 31*, 55-61. https://doi-org.ezproxy.usal.es/10.5093/apj2021a5

Martín, E., González-Navasa, P. y Domene-Quesada, L. (2021). Entre dos Sistemas: los Jóvenes Tutelados en Acogimiento Residencial con Medidas Judiciales. *Anuario de Psicología Jurídica, 31*(1), 55–61. https://doi.org/10.5093/apj2021a5

Martínez-Catena, A. y Redondo, S. (2013). Carreras delictivas juveniles y tratamiento. *Zerbitzuan: Gizarte zerbitzuetarako aldizkaria,* (54), 171-183. http://www.ub.edu/geav/wp-content/uploads/2017/06/Martinez-catena-Redondo-2013_Carreras-delictivas-juveniles-y-tratamiento.pdf

Matthews, S., Schiraldi, V., y Chester, L. (2018). Youth Justice in Europe: Experience of Germany, the Netherlands and Croatia in Providing Developmentally Appropiate Responses to Emerging Adults in the Criminal Justice System. *Justice Evaluation Journal, 1*, 59-81. https://doi.org/10.10 80/24751979.2018.1478443

*Menéndez García, B., Rodríguez Sánchez, M. J., Becedóniz Vázquez, C., y Bernardo Gutiérrez, A. B. (2008). Influjo del contexto escolar y grupo de iguales en el comportamiento reincidente de menores infractores. En F. Rodríguez, C. Bringas, F. Fariña, R. Arce y A. Bernardo (Eds.), *Psicología Jurídica: entorno judicial y delincuencia* (pp. 205-212). Universidad de Oviedo.

*Menéndez García, B., Rodríguez Sánchez, M. J., Becedóniz Vázquez, C., Herrero Díez, F. J., y Rodríguez Díaz, F. J. (2008). Menores infractores reincidentes: análisis de la incidencia de los factores psicosociales. En F. Rodríguez, C. Bringas, F. Fariña, R. Arce y A. Bernardo (Eds.), *Psicología Jurídica : entorno judicial y delincuencia* (pp. 189-196). Universidad de Oviedo.

*Menéndez García, B., Rodríguez, M. J., y Bringas Molleda, C. (2009). Contingencias psicosociales y proceso de socialización de menores infractores en el Principado de Asturias. In F. Expósito y S. de la Peña (Eds.), *Procesos judiciales: Psicología jurídica de la familia y del menor* (pp. 321-331). Universidad de Murcia.

Monahan, K. C., Steinberg, L. y Cauffman, E. (2009). Affiliation With Antisocial Peers, Susceptibility to Peer Influence, and Antisocial Behavior During the Transition to Adulthood. *Developmental Psychology, 45*(6), 1520-1530. https://doi.apa.org/doi/10.1037/a0017417

*Moral Jiménez, M. de la V. (2008). Percepciones de riesgo sobre el consumo de alcohol en menores infractores: implicaciones jurídico-sociales. En F. Rodríguez, C. Bringas, F. Fariña, R. Arce y A. Bernardo (Eds.), *Psicología*

*Jurídica: entorno judicial y delincuencia* (pp. 223-236). Universidad de Oviedo.
*Nava Quiroz, C., y Vega Valero, C. Z. (2008). Dinámica de red social y alteración psicológica en adolescentes con ausencia de familia de origen. *Diversitas Perspectivas En Psicología, 4*(2), 417-425.
Navarro, J., y Pastor, E. (2017). Factores dinámicos en el comportamiento de delincuentes juveniles con perfil de ajuste social. Un estudio de reincidencia. *Psychosocial Intervention, 26*(1), 19-27. https://dx.doi.org/10.1016/j.psi.2016.08.001
Paciello, M., Fida, R., Tramontano, C., Lupinetti, C. y Caprara, G. V., (2008). Stability and change of moral disengagement and its impact on aggression and violence in late adolescence. *Child Development, 79*(5), 1288-1309. https://doi.org/10.1111/j.1467-8624.2008.01189.x
Redondo, S. (2017). Modelo del Triple Riesgo Delictivo (TRD), o la potenciación recíproca entre las influencias que llevan a la criminalidad. En V. Garrido (coord..), *La criminología forense y el informe criminológico* (pp. 59-88). Tirant Lo Blanch
Redondo, S. (2008). Individuos, sociedades y oportunidades en la explicación y prevención del delito: Modelo del Triple Riesgo Delictivo (TRD). *Revista Española de Investigación Criminológica, 6*, 1-53. https://reic.criminologia.net/index.php/journal/article/view/34
*Redondo, S., Martínez-Catena, A., y Andrés Pueyo, A. (2012). Intervenciones con delincuentes juveniles en el marco de la justicia: investigación y aplicaciones. *EduPsykhé. Revista de Psicología y Psicopedagogía, 11*(2), 143–169.
Redondo, S., y Martínez-Catena, A. (2011). Tratamiento y cambio terapéutico en agresores sexuales. *Revista Española De Investigación* Criminológica, 9, 1–25. https://doi.org/10.46381/reic.v9i0.65
Redondo, S., y Martínez-Catena, A. (2013). Evaluación criminológica de la justicia juvenil en España. *Cuadernos de Política Criminalística, 110*, 189-220. https://dialnet.unirioja.es/servlet/articulo?codigo=4476608
Redondo, S., Martínez-Catena, A., y Andrés, A. (2012). Intervention with young offenders: Research and applications. EduPsykhé, 11, 143-169.
*Rodríguez Dávila, L., y Soto Esteban, R. (2007). La intervención con menores infractores desde una perspectiva sistemática. En R. Arce, F. Fariña, E. Alfaro, C. Civera y F. Tortosa (Eds.), *Psicología Jurídica: evaluación e intervención* (pp. 217-220). Diputació de València.
*Rodríguez Ochoa, O., Iraurgi Castillo, I., y Estalayo Hernández, Á. (2018). Evaluación del abordaje terapéutico en un Centro de Justicia Juvenil. *Revista de Psicopatología y Salud Mental Del Niño y Del Adolescente, 31*, 53-66.

*Rodríguez, S., Muñoz de Bustillo, M. del C., y García, M. D. (2018). Movilizar el cambio en menores con medidas judiciales: de la atribución al vínculo. *Anuario de Psicología Jurídica, 28*, 8-14. https://doi-org.ezproxy.usal.es/10.1016/j.apj.2017.01.002

*Rodríguez-Díaz, F. y Bringas Molleda, C., Fariña, F., Arce, R. y Bernardo, A. (2008). *Psicología Jurídica. Entorno Judicial y Delincuencia.* 10.13140/RG.2.1.1385.5203.

*Rosales Mondragón, O. (2011). El trastorno por déficit de atención y su relación con el comportamiento antisocial en menores infractores. *Psiquiatría.com, 15.* http://hdl.handle.net/10401/4363

*Rosser, A. y Jiménez, R. (2014). Responsabilidad penal en menores infractores: un análisis de delitos y medidas impuestas. En R. Arce., F. Fariña., M. Novo y M. Seijo (Eds.), *Psicología jurídica y forense, investigación-acción* (pp. 167-173). Sociedad Española de Psicología Jurídica y Forense

San Juan, C., Ocáriz, E. y de la Cuesta, J. L. (2007). Evaluación de las medidas en medio abierto del plan de justicia juvenil de la comunidad autónoma del País Vasco. *Boletín Criminológico, 96.* http://www.boletincriminologico.uma.es/boletines/96.pdf

*Sanabria, A. M., y Uribe Rodríguez, A. F. (2009). Conductas antisociales y delictivas en adolescentes infractores y no infractores. *Pensamiento Psicológico, 6*(13), 203–217.

Sepúlveda Ruiz, M.P., Calderón Almendros, I. Y Torres Moya, F.J. (2012). De lo individual a lo estructural. La investigación-acción participativa como estrategia educativa para la transformación personal y social en un centro de intervención con menores infractores. *Revista de Educación, 359*, 456-480. https://www.mecd.gob.es/dctm/revista-de-educacion/articulosre359/re35921.pdf?documentId=0901e72b813d72d9

*Sepúlveda-Ruiz, M. del P., Calderón-Almendros, I., y Torres-Moya, F. J. (2012). De lo individual a lo estructural. La investigación-acción participativa como estrategia educativa para la transformación personal y social en un centro de intervención con menores infractores. Revista de Educación. *Madrid [Versión Electrónica], 359*, 456-480. https://doi-org.ezproxy.usal.es/10.4438/1988-592X-RE-2011-359-102

Soothill, K., Fitzpatrick, C. y Francis, B. (2009). *Understanding criminal careers.* Willan Publishing.

Valero Matas, J. A. (2018). Violencia juvenil: Apariencia o realidad. Cifras y tendencias. *Revista de Estudios de Juventud–Juventud y Violencia, 120*, 145–160. http://www.injuve.es/sites/default/files/2018/47/publicaciones/9._violencia_juvenil._apariencia_o_realidad._cifras_y_tendencias.pdf

*Vilariño Vázquez, M., González Amado, B., y Alves, C. (2013). Menores infractores: un estudio de campo de los factores de riesgo. *Anuario de*

*Psicología Jurídica, 23*, 39–45. https://doi-org.ezproxy.usal.es/10.5093/aj2013a7

*Villanueva Badenes, L., Valero Moreno, S., Cuervo Gómez, K., y Prado-Gascó, V. J. (2019). Sociodemographic variables, risk factors, and protective factors contributing to youth recidivism. *Psicothema, 31*(2), 128-133. https://doi-org.ezproxy.usal.es/10.7334/psicothema2018.257

# Propuesta de intervención para menores infractores por delitos de violencia de género

BEATRIZ ALARCÓN DELICADO[1]
*Universidad de Alicante*

## 1. INTRODUCCIÓN

La violencia de género persiste como uno de los problemas sociales de mayor relevancia, especialmente si se pone el foco de estudio en los más jóvenes, dada la importante incidencia de este fenómeno sobre los mismos en los ámbitos (familiar, comunitario, educativo, etc.) en los que se desenvuelven con normalidad. Así lo ponen de manifiesto las cifras de victimización más recientes en este campo, al apuntar que el 19,3% de las mujeres jóvenes ha sufrido a lo largo de su vida violencia física y/o sexual por parte de sus parejas frente al 14,4% de las de 25 o más años. Aunque, lo más llamativo es el elevado porcentaje de violencia psicológica -de control- que experimentan las primeras (43,8%) en comparación con las segundas (26,5%) (Delegación del Gobierno contra la Violencia de género, 2020).

Desde la óptica del victimario, según los datos estadísticos de la Unidad de Menores de la Fiscalía General del Estado el número de diligencias preliminares incoadas en 2020 por Violencia de Género es de 788, lo que supone una disminución considerable frente al año anterior, en que se contabilizaron 944 (2019) diligencias, rompiendo la tendencia alcista observada en las anualidades anteriores con 684 (2018) y 543 (2017) diligencias incoadas respectivamente (Fiscalía General del Estado, 2020: 795). Las principales diligencias incoadas

---

[1]    Correspondencia b.alarcondelicado@gmail.com

tienen lugar tanto en el ámbito doméstico, como en las relaciones sentimentales iniciadas a temprana edad. A esto se añade el número de menores enjuiciados por delitos de violencia de género, que se sitúa en 256 en 2020, imponiéndose medidas (equivalentes a sentencias condenatorias) en el 93,75% de los casos (Consejo General del Poder Judicial, 2020); lo que evidencia un ligero descenso con respecto al año anterior en el que se enjuiciaron a 312 menores, aunque se mantiene la tendencia al alza de la última década. A través del estudio y análisis de las estadísticas oficiales, con respecto a la edad que predomina en los menores condenados según el Instituto Nacional de Estadística (2019), el grupo más numeroso ha sido el de 17 años (30,4%), seguido del de 16 (28,5%).

A la vista de estas cifras se constata el incremento de la violencia entre los menores y adolescentes, alertando de la necesidad de prestarles especial atención, ya que pese a haber crecido en un entorno de libertad, igualdad y sensibilización contra los malos tratos, aún mantienen patrones y roles en los que prima la discriminación hacia la mujer. Lo que aconseja revisar y quizá replantear los parámetros de actuación en la escuela y la familia (Fiscalía General del Estado, 2020: 95-796), así como, a mi entender, también en su tratamiento penal en aquellos casos en los que ya han incurrido en una conducta violenta contra su pareja o expareja.

En relación con esto último, desde la entrada en vigor de la Ley Orgánica 1/2004, de 28 de diciembre, de Medidas de Protección Integral contra la Violencia de Género se exige la adopción de medidas de prevención en el ámbito educativo, que a su vez ha sido secundado por normas posteriores como el reciente Pacto de Estado contra la Violencia de Género, de 28 de septiembre de 2017, y la Ley Orgánica 8/2021, de 4 de junio, de protección integral a la infancia y a la adolescencia frente a la violencia –inspirada en la Convención sobre los Derechos del Niño, de 20 de noviembre de 1989.

Fruto de esta normativa se han diseñado e implementado multitud de intervenciones para erradicar la violencia de género producida en las parejas jóvenes, especialmente en el ámbito educativo. Concretamente, estas estrategias de prevención primaria consisten fundamentalmente, de una parte, en programas de corte educativo, como SKO-LAE, elaborado por el Departamento de Educación del Gobierno de

Navarra en 2019, el cual propone a lo largo de todas las etapas educativas, analizar, corregir y compensar actitudes y comportamientos que no conducen a la igualdad, además de mostrar e identificar aquellas actitudes y comportamientos que nos ayudarán a conseguirla. De otra parte, en el desarrollo de aplicaciones informáticas (en adelante: *Apps*) dirigidas a los menores con el fin de prevenir la violencia de género en los estadios iniciales, así como para fomentar la igualdad y no discriminación, reduciendo también por ende las actitudes sexistas tan presentes en el ámbito tecnológico en el que estos jóvenes se desarrollan socialmente.

En relación a esto último, las distintas *Apps* que se han diseñado se agrupan o caracterizan por: a) introducir juegos o estrategias lúdicas como forma de llegar a los jóvenes (*Liad@s, Actúa, DetectAmor*); b) utilizar el género del cómic (*Pillada por ti*); c) incluir formularios para conocer cómo de sana es la relación (*DetecAmor*); d) orientar a las familias y entornos de posibles víctimas (*Ni más ni menos, Seguras*), o e) servir de ayuda directa para aquellas mujeres que se encuentren en peligro o situación de emergencia (*Redvican, Todas Unidas, Seguras, Escapp*). De entre estas aplicaciones merece especial atención la de Liad@s (Navarro-Pérez, Oliver Germes, Morillo Tena y Carbonell Marqués, 2018), cuya eficacia en la disminución de actitudes sexistas en los adolescentes de entre 12-17 años de secundaria obligatoria de la provincia de Valencia obtuvo buenos resultados, sobre todo, en aquellos adolescentes que más creencias sexistas tenían (Navarro-Pérez, Carbonell Marqués y Oliver Germes, 2019). Estos autores consideran que las *TICs* son un excelente medio para adquirir competencias en igualdad y en no discriminación. Estos son algunos ejemplos de prevención primaria aplicados en nuestro país.

Ahora bien, pese a que las medidas de prevención primaria son amplias, en la secundaria son mínimas o escasas, dejando así de lado a los menores maltratadores que ya se han iniciado en el uso de la violencia en las relaciones de pareja, empero este tipo de prevención puede evitar que la situación de maltrato se reproduzca en un futuro próximo (Lorenzo López, 2017: 106).

A este respecto, la Ley Orgánica 5/2000, de 12 de enero, reguladora de la Responsabilidad Penal de los Menores (en adelante, LORR-PM), como es por todos sabido, prevé la imposición para estos menores de tareas socioeducativas consistentes en que el menor lleve a cabo actividades específicas de contenido educativo que faciliten su reinserción social, tales como la asistencia y participación a un programa ya existente en la comunidad, o bien a uno creado *"ad hoc"* por los profesionales encargados de ejecutar la medida (art. 7). Como ejemplos de tareas socioeducativas se pueden mencionar las siguientes: 1) acudir a un taller ocupacional, a un aula de educación compensatoria o a un curso de preparación para el empleo; 2) participar en actividades estructuradas de animación sociocultural; 3) asistir a talleres de aprendizaje para la competencia social, etc. En concreto, efectuando un análisis de las medidas previstas en la LORRPM, se observa que el 13% (es decir, 3.362 de un total de 26.592 medidas notificadas) consistió en la realización de tareas socioeducativas (Observatorio de la Infancia, 2020), contemplándose un incremento con respecto al 2019 en el que la tasa de medidas tendentes a estas actividades fue del 11,7% (Instituto Nacional de Estadística, 2019).

Ahora bien, los datos anteriormente comentados no especifican si estos menores maltratadores son sometidos a programas educativos en materia de violencia de género, ni qué sucede con el tratamiento cumplida la mayoría de edad. Es por ello, que el objetivo de este trabajo es determinar cuáles son los programas que se vienen aplicando en este marco a los menores y jóvenes responsables criminalmente de delitos de violencia de género, y aportar una propuesta de intervención específica en este ámbito.

## 2. PROGRAMAS DE PREVENCIÓN DE VIOLENCIA DE GÉNERO

### a. Programas de intervención por delitos de violencia de género dirigidos a menores infractores en España

Tras la búsqueda y revisión realizada únicamente se ha encontrado un programa específico para la intervención especializada de menores a los que el juez impone una medida relacionada con la violencia de pareja, este es el diseñado por la Agencia de la Comunidad de Madrid para la Reeducación y Reinserción del Menor Infractor (en lo que sigue: VIOPAR), concretamente aplicado en el Centro El Laurel (Madrid). Su objetivo es la prevención de nuevas conductas violentas en el ámbito de las relaciones de pareja y se desarrolla a lo largo de siete módulos entre cuyos contenidos figuran: la identificación y expresión de emociones, el trabajo con las creencias que sustentan el maltrato, el manejo de la ira o el desarrollo de habilidades de comunicación y relación. En cuanto a la evaluación de la eficacia de este programa, los resultados conocidos hasta el momento se exponen en la Memoria de 2019 de la Agencia de la Comunidad de Madrid para la Reeducación y Reinserción del Menor Infractor, 2020.

De conformidad con la mencionada memoria, durante el periodo 2010-2019 han sido intervenidos un total de 37 menores en el cumplimiento de delitos relacionados con la violencia de género. El perfil hallado en el total de menores atendidos a lo largo de este período es el de español, de 17 años de media, testigo o víctima de violencia física previa dentro del núcleo familiar (siendo justificados por los jóvenes en la mayoría de los casos), tienen un hijo en común (35% pese a su corta edad), convivencia anterior con la pareja (25%) y, por último, presentan delitos de maltrato familiar (10,8%).

Con respecto al desarrollo del programa a lo largo de 2019, la evaluación muestra que los menores intervenidos (4 jóvenes) eran de nuevo ingreso, procediéndose a trabajar dentro de la etapa inicial con aquéllos (un total de 13 sesiones) y con sus progenitores (durante 4 sesiones). Durante la fase de intervención –aunque el programa contempla la posibilidad de realizarla tanto a nivel individual como grupal (con otros menores)– la modalidad seguida fue la primera (con un total de 55 sesiones por individuo), ya que no fue posible reunir el número necesario como para generar una dinámica grupal favorecedora. Seguidamente se llevó a cabo la intervención familiar a través de la que se buscó profundizar en el análisis de los patrones violentos y valores dentro de la propia dinámica familiar que pudieran afectar en la emisión por parte del menor de dichas actitudes y comportamientos en las relaciones de pareja. De los menores participantes se mantuvieron intervenciones familiares con todos (un total de 10 sesiones), aunque en la mayoría de los casos se llevó a cabo de forma puntual.

De la lectura y comprensión de los resultados obtenidos por el programa VIOPAR se infiere que un número importante de menores ha recibido la intervención que se propone a través de este. Sin embargo, se desconoce la efectividad del tratamiento entendida la misma en términos de reincidencia, es decir, cuántos de estos menores vuelven a cometer delitos de violencia de género tras haber participado en VIO-PAR. Por otro lado, también se desconoce el porcentaje de jóvenes que alcanza la mayoría de edad durante la intervención y si se modifica la medida impuesta por la asistencia en los programas destinados para adultos.

Seguidamente, se van a examinar los programas que se aplican para los condenados mayores de edad dentro y fuera de prisión, esto es: PRIA y PRIA-MA. Si bien estas intervenciones han sido diseñadas para adultos, lo cierto es que pueden participar los condenados que acaben de cumplir la mayoría de edad y tengan aparejada una sentencia condenatoria por delitos de violencia de género.

**b. Programas de intervención por delitos de violencia de género en la población adulta**

**i. PRIA**

PRIA es el programa de intervención con agresores que integra los aspectos clínicos con los de tipo educativo-motivacional bajo la perspectiva de género, y permite diseñar los diferentes itinerarios de cumplimiento de penas que son responsabilidad de la Institución Penitenciaria. Este programa persigue la extinción de cualquier tipo de conducta violenta dirigida hacia la pareja, así como la modificación de todo tipo de actitudes y creencias de tipo sexista (Ruíz Arias et al., 2010).

La duración total del programa oscila entre 6 meses y un año, dependiendo del perfil del condenado, del riesgo de reincidencia, de la duración de su condena, el medio en el que tiene lugar el programa y de la evolución del propio participante.

La intervención terapéutica constará de las siguientes fases: 1) Evaluación pretratamiento con las entrevistas incluidas en el manual o similares y los instrumentos que se determinen, 2) Intervención terapéutica, 3) Evaluación postratamiento, en la que se aplicarán los mismos instrumentos que en la fase de pretratamiento y 4) Seguimiento.

A su vez, el programa está compuesto por un total de 11 unidades que se desarrollan durante dos partes. En la parte I (unidades 1-5) se trabajan variables clínicas que el participante debe conocer y aprender a manejar antes de iniciar el análisis de las conductas violentas. En la parte II (unidades 6-11) se abordan las diferentes manifestaciones de la violencia de género, concretamente: la violencia física, sexual, psicológica e instrumentalización de los hijos. Esta segunda etapa finaliza con una unidad de tipo educativo sobre aspectos relacionados con las diferencias de género y culmina con la unidad de prevención de recaídas.

Como norma general se desarrolla la intervención en formato grupal (de unos 12 participantes) aunque puede adaptarse el mismo a uno individual en situaciones excepcionales. De forma estimativa, se realizará una sesión a la semana de dos horas y media de duración aproximadamente.

Este programa ha sido evaluado en régimen de adultos durante un periodo de seguimiento de 5 años donde se obtienen unas cifras de reincidencia de 6,8%, es decir, de una muestra total de 678 condenados, únicamente 46 tuvieron una nueva denuncia policial por un delito de violencia de género durante el periodo de seguimiento que comenzó cuando finalizó el programa de intervención (Pérez Martínez et al, 2017: 16). Siguiendo este mismo estudio, del perfil de los reincidentes se observa cómo el 25% de estos pertenecen al grupo de edad de 21-30 años (Pérez Martínez et al, 2017: 19). No ha sido posible conocer si esta intervención se ha aplicado a menores que al cumplir la mayoría de edad hayan ingresado en prisión y de forma voluntaria asistido al mismo.

### ii. PRIA-MA

PRIA-MA es el programa de intervención para agresores de violencia de género condenados a una medida penal alternativa a la prisión. Este programa se desarrolla en todo el territorio competencia de la Secretaria General de Instituciones Penitenciarias por profesionales cualificados.

Uno de los principales objetivos que persigue esta propuesta de intervención es que los agresores se responsabilicen de su comportamiento agresivo y sean conscientes de que la respuesta violenta es intencional y aprendida y que, por tanto, se puede desaprender y modificar. Se pretende mejorar los comportamientos prosociales en la resolución de conflictos, así como, adquirir conductas y actitudes igualitarias en la relación sentimental con la pareja. En general se busca que se responsabilicen de esa conducta violenta y del posible efecto que esta ha podido generar en las víctimas directas que no solo son las propias mujeres, sino también los menores (Suárez Martínez et al, 2015).

Por otro lado, como objetivos terapéuticos que pretende conseguir PRIA-MA, siguiendo con el manual diseñado para el profesional que se encarga de impartir el mismo se encuentran los siguientes (Suárez Martínez et al., 2015):

- "Erradicar las conductas violentas y reducir el nivel de reincidencia de los condenados.
- Modificar aquellos factores de riesgo dinámicos que la literatura señala relevantes en la violencia de género.
- Facilitar la adherencia y receptividad al tratamiento de los condenados gracias a un enfoque positivo del tratamiento.
- Incrementar las mejoras en el funcionamiento psicológico de los condenados".

Este programa tiene una duración de diez meses y se divide en tres fases cada una de las cuales presenta unos objetivos concretos:

1) Fase de Evaluación y Motivación

Uno de los aspectos fundamentales en los que deben centrarse los profesionales al inicio del programa consiste en lograr que disminuyan las resistencias y el rechazo al cambio. La adherencia al tratamiento se considera de vital importancia ya que, si no existe dicho vínculo positivo, se pone en peligro el éxito de la intervención (Boira Sarto et al, 2010; Echeburúa Odriozola, 2013).

En esta primera fase, se van a centrar los esfuerzos en conseguir una adecuada alianza terapéutica con los participantes de modo que estos puedan adquirir una motivación intrínseca al cambio.

2) Fase de Intervención

En esta fase de intervención se evaluarán las variables psicológicas que se relacionan con la violencia de género presentes en los participantes. Seguidamente se van a ir desarrollando los 10 módulos terapéuticos en los que se compone esta fase donde se trabajan las necesidades criminógenas de los participantes.

En total, la fase de intervención tiene una duración de 8 meses, con un total de 32 sesiones en grupo en las que se desarrollarán los diferentes módulos que acabamos de comentar. Los módulos se desarrollarán en más o menos sesiones en función de la importancia que tengan los objetivos que se pretendan conseguir en cada uno.

Los terapeutas seguirán trabajando la motivación en la fase de intervención, para ello, se realizará una sesión individual de seguimiento a mitad de la fase de intervención durante el transcurso del módulo 5. Junto con la sesión individual también se llevará a cabo una sesión grupal para revisar los objetivos, los cambios y la evolución que se haya conseguido hasta el final del módulo 5 y tras finalizar el módulo 10.

3) Fase de Seguimiento

Una vez finalizada la fase de intervención, da comienzo la fase de seguimiento. Esta última consiste en reuniones entre el participante y el terapeuta, con un formato individual, donde se evalúa la evolución y todas aquellas dificultades a las que el sujeto haya tenido que enfrentarse.

En esta fase el terapeuta tiene la oportunidad de conocer que cambios terapéuticos se han conseguido con el programa. Para ello, volverá a utilizar los instrumentos de valoración psicológica que llevó a cabo en la primera fase, con el fin de comparar los posibles cambios y mejoras que la intervención haya podido tener en el participante.

Con esta fase se finaliza el programa PRIA-MA y el participante habrá cumplido su medida penal alternativa al ingreso en prisión, pudiendo quedar pendiente un periodo de tiempo de suspensión de la condena por cumplir que dependerá de cada caso en concreto.

La eficacia de PRIA-MA no ha sido aún demostrada, aunque se cuentan con investigaciones en proceso de publicación que avalan resultados positivos en cuanto a la reincidencia de los condenados que han asistido a la intervención de este programa, siendo esta inferior al 7%. Aunque el perfil del condenado que asiste al mismo tiene una edad superior a los 18 años, el porcentaje de hombres que se encuentra entre los 18-30 años es de 16%.

A la vista de que no se aplica ningún programa de intervención para agresores menores a nivel nacional se propone a continuación una propuesta de intervención.

## 3. PROPUESTA DE INTERVENCIÓN EN MENORES INFRACTORES

Dada la necesidad de erradicar la violencia de género se propone en este estudio implementar PRIA-MA en menores, modificando algunos aspectos y adaptando la intervención a los jóvenes.

La aplicación de PRIA-MA se aconseja ya que, si bien en la actualidad se asiste en aquellos casos en los que ya se ha cumplido los 18 años, la edad preponderante en los menores infractores oscila alrededor de los 17 años de media, de modo que es muy probable que durante el cumplimiento de su medida como menor infractor adquiera la mayoría de edad, por lo que resulta necesario establecer un puente de unión entre el programa de adultos y el hasta ahora vacío tratamiento con menores.

La violencia de género que predomina en los menores, como ya se indicó líneas atrás, es la psicológica de control (Delegación del Gobierno contra la Violencia de Género, 2019), de ahí que la intervención que se realice deba centrar el foco de atención sobre este tipo de violencia por ser la más frecuente en este grupo de edad.

A mayor abundamiento, los 10 módulos que forman PRIA-MA han sido diseñados con el objetivo de poner fin a la violencia de género que se encuentra en un estadio inicial para que no se agrave y extienda la misma. Se propone la adaptación de PRIA-MA a las particularidades que presenten los menores, de forma que sea el personal autorizado el que elija en cada caso que sesiones del programa se ajustan a las necesidades criminógenas y a los factores de riesgo concretos. Por ejemplo, aunque a priori pueden existir módulos pensados para hombres de mayor edad, véase el Módulo 9 diseñado para trabajar sobre la repercusión que la violencia tiene sobre los hijos menores que puedan estar siendo testigos de la violencia, lo cierto es que existen menores que cometen delitos de violencia de género que pese a su corta edad ya tienen hijos en común con su pareja por lo que la intervención ha de adaptarse individualmente.

En la siguiente tabla 1 se resumen los módulos, contenidos y sesiones desarrolladas en la actualidad por PRIA-MA como medida penal alternativa a la prisión. Se aconseja trabajar todos estos módulos con los menores, teniendo en cuenta las características propias de los menores y decidiendo que sesiones son más acertadas a cada uno.

**Tabla 1. Módulos de PRIA-MA, contenidos y sesiones previstos en el mismo**

| PRIA-MA adultos | Contenidos | Sesiones |
|---|---|---|
| M1. Inteligencia Emocional | Las tres sesiones que lo componen tendrán un carácter positivo que favorezca la asimilación de contenidos básicos sobre la inteligencia emocional y la autoestima. La adquisición de habilidades de identificación, expresión y control emocional. Toma de contacto de los participantes con su propia autovaloración o autoestima, será la semilla para la construcción de una masculinidad ausente de violencia. | 3 |
| M2. Pensamiento y Bienestar | Las distorsiones cognitivas y creencias irracionales que cuentan con mayor evidencia empírica para explicar la génesis de violencia en los agresores de género. También aprenderán a proponer pensamientos alternativos que les permitan conseguir un mayor bienestar y una mayor adaptabilidad social. | 3 |
| M3. Género y nuevas masculinidades | Analizar con los participantes la situación de desigualdad entre ambos géneros y explorar la construcción biográfica de la propia masculinidad, bajo una perspectiva autocrítica que posibilite la identificación y deconstrucción de las creencias y actitudes machistas (micromachismos). | 2 |
| M4. Habilidades de autocontrol y gestión de la ira | En esta unidad se analizará la violencia de género, con énfasis en la ira como el desencadenante de las diversas manifestaciones de este tipo de violencia, especialmente de la física. También se trabaja la influencia del consumo de alcohol y otras drogas en el comportamiento violento. | 4 |
| M5. La capacidad de ponernos en el lugar de los demás: la empatía | Lograr que los participantes entiendan y sientan que su comportamiento ha causado un daño y ha tenido consecuencias negativas para la víctima, constituye el objetivo principal del presente módulo de intervención. | 3 |

| | | |
|---|---|---|
| M6. Cuando sentimos miedo de perder a alguien: los celos | Adquisición de una adecuada regulación de la emoción de celos. Trabajar los celos no puede hacerse en el vacío, dado que ésta se encuentra relacionada con otras variables de interés como el estilo de apego adulto, la autoestima, las creencias personales y culturales que posea el individuo y, la propia asunción de responsabilidad de sus comportamientos violentos. | 4 |
| M7. Antídotos contra la violencia psicológica | Trabajar el tipo de maltrato más comúnmente empleado, la violencia psicológica situándolo en el mismo nivel de importancia que la violencia física. | 4 |
| M8. Afrontando la ruptura y construyendo relaciones de pareja sanas | Se profundizará en aspectos tratados previamente durante el programa. Así, las emociones, el autocontrol, las creencias distorsionadas, los celos, la empatía, la dependencia emocional, etc. Constituirán una temática fundamental para avanzar en la consecución de modelos de pareja alternativos y saludables. | 4 |
| M9. Pensando en los menores | Evitar que dicha violencia afecte a otras víctimas más vulnerables: los menores inmersos en la relación de maltrato. | 3 |
| M10. Afrontando el futuro | Se plantea como una revisión integradora de los aspectos más importantes que se han trabajado a lo largo del programa. También se busca dotar a los participantes de habilidades que les permitan mantener los cambios conseguidos a lo largo de la intervención. | 2 |

Fuente: Esquema extraído del Manual para el Profesional. Documentos Penitenciarios 10 (Suárez Martínez et al, 2015)

Además de los módulos anteriores se propone la inclusión de tres bloques temáticos de especial relevancia en la violencia de género de menores relativos a la violencia digital, a saber: modernas formas de violencia de género tecnológica, mitos del amor romántico y libertad sexual y, prevención de otras formas de violencia familiar. Estos aspectos podrán abordarse dentro de los módulos ya mencionados o como módulos nuevos en base al criterio del terapeuta en cada caso concreto, siendo su contenido el que se expone a continuación.

a. Modernas formas de violencia de género tecnológica

La violencia de género que se manifiesta en las parejas jóvenes tiene unas características especiales debido, por un lado, al carácter de nativos digitales y, por otro, a la inmadurez propia de su corta edad (Colás Turégano, 2017). Los medios tecnológicos se convierten en peligrosas herramientas al alcance de los jóvenes a través de las cuales se llevan a cabo comportamientos de dominación, control o intimidación, tales como: impedir que vea a sus amigos/as o familiares; insistir en saber dónde está en cada momento; solicitar o vigilar continuamente con quién habla a través de su *smartphone,* etc.

Como consecuencia de lo anterior resulta necesario intervenir sobre tales aspectos con los menores que cometen estos hechos violentos, debido al perjudicial efecto que estas conductas tienen sobre las víctimas, en la medida en que ven dañada su intimidad, integridad moral u honor.

En concreto, el tratamiento debe centrarse en los dos fenómenos delictivos en el ámbito de la violencia de género digital, esto es, en términos anglosajones el *sexting* (197.7 CP) y el *stalking* (art.172 ter CP). El primero hace referencia a la modalidad de descubrimiento y revelación de secretos consistente en el envío de imágenes o vídeos de contenido sexual mediante mensajes de texto, obtenidos de forma voluntaria, pero cuya difusión se realiza sin el consentimiento del titular de la intimidad (Colás Turégano, 2017). Por su parte, el segundo, en tanto que delito contra la libertad, sanciona el acecho u hostigamiento efectuado mediante llamadas telefónicas continuas, seguimientos o cualquier otra forma que pueda alterar gravemente la vida cotidiana de la víctima. Dentro de esta figura se encuentran las conductas como vigilar, perseguir o acercarse a la víctima y establecer o intentar contactar a través de medios tecnológicos. Ambos preceptos sancionan de forma más gravosa los delitos cuando estos recaen sobre la mujer pareja o expareja como es el caso al que se hace referencia en esta investigación.

Teniendo en cuenta estas manifestaciones de violencia, resulta fundamental que se trabajen entre los jóvenes condenados por violencia de género a través de sesiones tanto individuales como grupales con otros menores que se encuentren en su situación. En este sentido, se propone la realización de tareas de identificación de los comportamientos ilícitos considerados como violencia de género en las nuevas tecnologías, especialmente en redes sociales y de mensajería instantánea (como *WhatsApp*), así como la repercusión y dimensión que alcanzan estos comportamientos y la forma de afectación que sufren sus parejas o exparejas. También deviene fundamental que los menores se responsabilicen de sus actos y eliminen aquellas creencias que avalan o justifican su conducta violenta.

Esta temática puede desarrollarse como un módulo específico, o bien incorporarse dentro del Módulo 5 de PRIA-MA donde se trabaja la empatía para que entiendan y sientan que su comportamiento ha causado un daño y ha tenido consecuencias negativas para la víctima.

b. Mitos del amor romántico y libertad sexual

Otro bloque temático fundamental en la intervención con los menores condenados por violencia de género consiste en eliminar las creencias sexistas y desmitificar el amor romántico que se encuentra inmerso en los comportamientos machistas. Junto al cambio de estos pensamientos o roles tradicionalmente establecidos urge trabajar la educación y el espacio de la libertad sexual, fomentando relaciones de pareja sanas e igualitarias (Bonilla Algovia, Rivas Rivero, García Pérez y Criado Martos, 2014) con el fin de evitar la reincidencia de estos comportamientos en el futuro.

Es, por ello, que se propone la realización de actividades tendentes a la correcta identificación de las creencias, que justifican ciertos comportamientos violentos -dentro de lo conocido como la idea del amor romántico- a través de la narración de historias entre parejas para que sepan identificarlos y modificarlos por otros más positivos y sanos. Junto a éstas también se propone participar en tareas de reflexión, educación sexual e importancia del consentimiento en las relaciones sexuales, para cuyo desarrollo puede ser de enorme utilidad el uso de vídeos, imágenes, historias de casos reales, en los que se observen las circunstancias y consecuencias de los comportamientos machistas.

Todos los aspectos anteriormente mencionados pueden incluirse dentro de los módulos de PRIA-MA en los que se trabajan las distorsiones cognitivas y las creencias irracionales (M.2); el género, las nuevas masculinidades y los micromachismos (M.3) o bien, la problemática de los celos (M.6).

c. Prevención de otras formas de violencia familiar

Junto a los delitos de violencia de género pueden concurrir otros ilícitos cometidos por menores, pues como se vio más arriba, los datos de la Agencia de la Comunidad de Madrid para la Reeducación y Reinserción del Menor Infractor (2020) señalaban que el 10,8% de los menores además de haber cometido hechos contra su pareja incurrían en maltrato filioparental.

Como es sabido, este tipo de violencia -también denominada ascendiente- es aquella que ejercen los hijos sobre otros miembros de la familia, generalmente frente al padre o la madre. De modo que la convergencia de varias violencias suele presentarse de forma frecuente en algunos menores con medidas judiciales, por lo que se plantea como necesario el trabajo también con las familias de estos a fin de que ambas partes aprendan e interioricen ciertas pautas de convivencia con las que evitar situaciones de conflicto en el futuro. En este sentido, será preciso abordar aspectos relacionados con: el estilo educativo aplicado en cada caso; la importancia del establecimiento de normas y límites dentro del hogar; las habilidades de comunicación y resolución de conflictos originados en el seno de la familia como consecuencia de la convivencia, entre otros.

Las actividades que se realicen relacionadas con este tema pueden incorporarse dentro de los módulos 4 y 7 de PRIA-MA en los que, como se observa en la Tabla 1, están dedicados a la gestión de la ira y de habilidades de autocontrol, así como a trabajar los tipos de violencia más empleados, esto es: la psicológica y la física.

## 4. CONCLUSIONES

De conformidad con lo analizado en las páginas precedentes puede concluirse que la violencia contra la pareja en menores es un problema que trata de prevenirse desde el ámbito primario, no hallándose en cambio programas específicos suficientes en el secundario para aquellos adolescentes a los que se les ha impuesto una medida judicial como consecuencia de la comisión de un delito de violencia de género.

Ahora bien, pese a su corta edad, en algunos casos a punto de cumplir los 18 años, estos jóvenes reproducen comportamientos violentos en sus primeras relaciones de pareja, lo que justifica la necesidad de implementar programas preventivos sobre estos para evitar que los hechos continúen ocurriendo en el futuro.

A este respecto, se propone como solución la aplicación del programa implementado para adultos en medidas alternativas PRIA-MA, si bien incorporando tres bloques temáticos especialmente relacionados con la violencia a la que se viene haciendo mención. Esto es, contemplar en el trabajo con los jóvenes las modernas formas de violencia tecnológica originadas como consecuencia de la era digital (especialmente el *stalking* y el *sexting*), la desmitificación del amor romántico y trabajar en la educación y libertad sexual y, por último, hacer hincapié en otras formas de violencia cometidas por estos menores como la filioparental.

En concreto, esta propuesta puede implementarse en menores que han cometido delitos de violencia de género ya que la edad preponderante oscila alrededor de los 17 años de media, de modo que es muy probable que durante el cumplimiento de su medida adquiera la mayoría de edad, por lo que resulta necesario establecer un puente de unión entre el programa de adultos y el hasta ahora vacío tratamiento con menores. A esto se añade que en aquellos jóvenes de 18 años que son inicialmente condenados a PRIA-MA, la intervención debería incluir los nuevos temas propuestos por esta investigación ya que se ajustan a la casuística de estos adolescentes optimizándose por ende la reinserción y reeducación social.

# 5. BIBLIOGRAFÍA

Agencia de la Comunidad de Madrid para la Reeducación y Reinserción del Menor Infractor. (2020). Memoria 2019, Consejería de Presidencia, Justicia e Interior. Madrid. Recuperado de http://www.madrid.org/bvirtual/BVCM050167.pdf (última consulta 19/07/2021).

Boira Sarto, S., López Del Hoyo, Y., Tomás Aragonés, L., y Rosa Gaspar, A. (2010). Evaluación cualitativa de un programa de intervención psicológica con hombres violentos dentro de la pareja. *Acciones e Investigaciones Sociales*, 28, 135-156.

Colás Turégano, M. A. (2017). Ciberacoso y violencia de género en menores de edad. Posición jurisprudencial ante las nuevas figuras de *sexting* y *stalking*. En M.P. Alguacil Marí., M.B Cardona Rubert y P. Lloria García, *Bienestar, formación y territorio. Reflexiones en torno a la economía so-*

*cial, el ciberacoso y la inmigración: Jornadas de la Diputació y la Universitat* (pp.119-128). Universitat de València, Vicerectorat de Participació i Projecció Territorial.

Consejo General del Poder Judicial. (2020). *Informe anual sobre Violencia de Género. Año 2020.* Sección de Estadística Judicial, España. Recuperado de https://www.poderjudicial.es/cgpj/es/Temas/Violencia-domestica-y-degenero/Actividad-del-Observatorio/Datos-estadisticos/?filtroAnio=2020

Delegación del Gobierno contra la Violencia de Género. (2020). *Macroencuesta de violencia contra la mujer 2019.* Madrid, Ministerio de Igualdad. Recuperado de //violenciagenero.igualdad.gob.es/violenciaEnCifras/home.htm

Echeburúa Odriozola, E. (2013). Adherencia al tratamiento en hombres maltratadores contra la pareja en un entorno comunitario: Realidad actual y retos de futuro. *Psychosocial Intervention, 22*(2), 87–93. doi: 10.5093/in2013a11

Fiscalía General del Estado. (2020). Memorias de la Fiscalía General del Estado 2020. Madrid, Ministerio de Justicia. Recuperado de https://elforodeceuta.es/wp-content/uploads/MEMORIA-FISCALIA-GENERAL-DEL-ESTADO-2020.pdf

Instituto Nacional de Estadística. (2020). *Estadística de Condenados: Adultos/ Estadística de Condenados: Menores (ECA / ECM). Año 2019.* Recuperado de https://www.ine.es/prensa/ec_am_2019.pdf

Lorenzo López, M.V. (2017). *Contexto-A: Programa de intervención en violencia de género en jóvenes en medidas judiciales* (Tesis doctoral). Valencia: Universidad de Valencia.

Navarro-Pérez, J. J., Carbonell Marqués, Á., & Oliver Germes, A. (2019). The Effectiveness of a Psycho-educational App to Reduce Sexist Attitudes Among Adolescents. *Revista de Psicodidáctica, 24*(1), 9–16. https://doi.org/10.1016/j.psicod.2018.07.002

Navarro-Pérez, J. J., Oliver Germes, A., Morillo Tena, P., y Carbonell Marqués, A. (2018). Liad@s, Universitat de València. [Aplicación móvil] Disponible en: https://play.google.com/ store/apps/details?id=es.uv.artec.Liados&hl=es.

Observatorio de la Infancia. (2020). *Boletín Estadístico de Medidas Impuestas a Menores en Conflicto con la Ley.* Ministerio de Derechos Sociales y Agenda 2030, Madrid. Recuperado de https://www.observatoriodelainfancia.es/ficherosoia/documentos/7341_d_BOLETINF_19_MEDIDAS_IMPUESTAS_A_MENORES_EN_CONFLICTO_CON_LA_LEY_.pdf

Pérez Ramírez, M., Giménez-Salinas Framis, A., y de Juan Espinosa, M. (2017). Reincidencia de los agresores de pareja en Penas y Medidas Alternativas. *Revista de Estudios Penitenciarios,* (261), 49-79.

Ruiz Arias, S., Negredo López, L., Ruiz Alvarado, A., García-Moreno Bascones, C., Herrero Mejías, O., Yela García, M., y Pérez Ramírez, M. (2010*). Documentos penitenciarios 7. Violencia de género: Programa de Intervención para Agresores (PRIA).* Madrid: Ministerio del Interior.

Suárez Martínez, A., Méndez Lorenzo, R., Negredo López, L., Fernández Molina, M. N., Muñoz Vicente, J. M., Carbajosa Vicente, P., Boira Sarto, S., y Herrero Mejías, O. (2015). Programa de intervención para agresores de violencia de género en medidas alternativas (PRIA-MA). Manual para el profesional. Madrid: Ministerio del Interior. Secretaría General Técnica.